Gebed voor een moordenaar

www.mynx.nl

Robert Ferrigno

Gebed voor een moordenaar

Oorspronkelijke titel: Prayers for the Assassin
Vertaling: Gert van Santen
Omslagontwerp: HildenDesign
Omslagillustratie: © Maximilian Meinzold/HildenDesign, München

Eerste druk april 2007

ISBN 978-90-225-4742-7 / NUR 330

Mynx is een imprint van Meulenhoff Boekerij bv, Amsterdam

Voor degenen die dorst lijden en blijven vasthouden aan hun droom over water

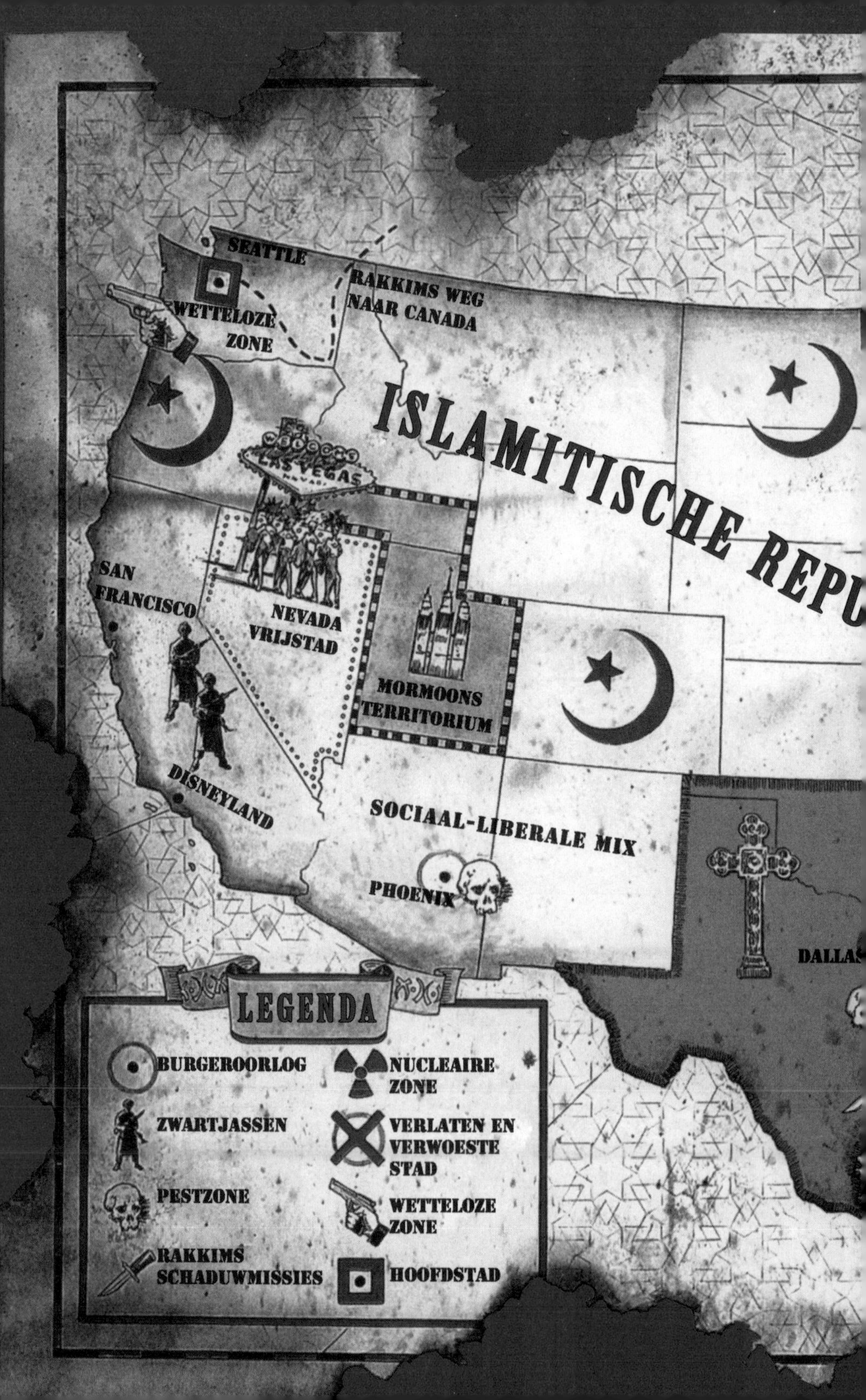
SEATTLE
RAKKIMS WEG NAAR CANADA
WETTELOZE ZONE
ISLAMITISCHE REPU
SAN FRANCISCO
NEVADA VRIJSTAD
MORMOONS TERRITORIUM
DISNEYLAND
SOCIAAL-LIBERALE MIX
PHOENIX
DALLAS
LEGENDA
BURGEROORLOG
NUCLEAIRE ZONE
ZWARTJASSEN
VERLATEN EN VERWOESTE STAD
PESTZONE
WETTELOZE ZONE
RAKKIMS SCHADUWMISSIES
HOOFDSTAD

BLIEK
CHICAGO
DETROIT
NEWARK
NEW YORK
PITTSBURGH
WASHINGTON, D.C.
ST. LOUIS
OAK RIDGE
IJBELGORDEL
SAVANNAH
ATLANTA
BILOXI
CORPUS CHRISTI
ZUID-FLORIDA
ONAFHANKELIJKE REGIO

Een verzwakte kameel trekt veel messen aan.

Oud Arabisch gezegde

Gebed voor een moordenaar

Proloog

Het voelde vreemd om op de parkeerplaats van een geplunderde supermarkt te liggen met een been in een merkwaardige houding onder zijn lichaam gevouwen en zijn blik op de hemel gericht. Meestal kocht hij jeans, dvd's of Frosted Flakes bij Wal-Mart; nu lag hij er dood te gaan. Er zweefden kraaien omlaag van de lichtmasten, en de zwarte vleugels fladderden door zijn blikveld. Het was alsof ze met de dag groter werden. En brutaler. Hij vond het geen drama om te sterven. Eerst had hij pijn gehad; ondraaglijke pijn. Maar die was weggeëbd. Gelukkig maar, want hij was niet zo'n held. Hij was als de dood voor spinnen, de tandarts, knappe meisjes en vooral alleen-zijn. Maar nu was hij niet bang. Hij stierf in een heilige oorlog en dat betekende dat hij regelrecht naar het paradijs zou gaan. Dat had Trey tenminste gezegd, en die kende de koran een stuk beter dan hij. Het enige wat volgens Trey telde, was dat hij zijn geloofsbelijdenis zou uitspreken – *er is geen andere god dan Allah, en Mohammed is zijn boodschapper* – en dan zou alles goed komen.

Trey was al dood. Drie weken eerder vlak voor Newark door een sluipschutter in de borst geschoten. Jason had zich over hem heen gebogen, zijn hand vastgehouden en hem gesmeekt niet te sterven, maar Trey was al weg geweest. Alleen de verbaasde uitdrukking op zijn gezicht was gebleven. De sergeant had zijn eenheid bevolen door te lopen, maar Jason had geweigerd. Hij had zich ervan willen vergewissen dat Trey een fatsoenlijke begrafenis kreeg. De sergeant, een voormalig accountant van H&R Block, had het opgegeven en was met het peloton verdergetrokken. Het waren allemaal nieuwe moslims, net als Jason, en ze voelden zich nog onzeker. Jason had gewacht totdat de geneeskundige compagnie Treys lichaam in een wit laken had gewikkeld. Daarna had hij geholpen het graf te graven. Tegen de tijd dat hij zich weer bij zijn eenheid had vervoegd, was de sergeant gesneuveld, en nu zou hij hier sterven. En er was niet eens genoeg wit laken voor iedereen. Maar Allah zou het wel begrijpen. Dat had Trey ook gezegd als hij zich zorgen had gemaakt omdat hij nog steeds zo dol op karbonaadjes en bacon was geweest – lees de Heilige Koran maar, Allah begrijpt het wel.

Jason kon bijna niet meer zien, maar dat deed er niet toe. Hij had genoeg gezien. Het parkeerterrein was bezaaid met lichamen. Heel Newark was een dodenakker. Burgers, soldaten, moslims en rebellen uit de Bijbelgordel. Amerikanen tegen Amerikanen. Beide partijen leverden strijd op hun eigen grondgebied. Ze vochten om elk stuk weg en elk winkelcentrum. In het hele land brandden de steden. De afgelopen week waren de rebs er twee of drie keer bijna in geslaagd Newark in te nemen, maar majoor Kidd had de troepen gehergroepeerd. De zwarte reus had de aanval persoonlijk geleid, en hoewel de kogels hem om de oren hadden gefloten, had hij geen angst gekend.

Jason was blij dat hij niet naar Nashville was gestuurd. Zijn familie was er jaren geleden weggegaan om in de autofabrieken van Detroit te gaan werken en hij had nog steeds familie in Tennessee; waarschijnlijk vochten ze voor de andere kant.

De Bijbelgordel had het vóór de Omwenteling even zwaar gehad als de rest van het land – mensen die geen werk hadden of het dreigden te verliezen, fabrieken en scholen die gesloten werden, kinderen die niks te eten hadden. Maar het had ze niet aan het denken gezet; ze waren alleen maar koppiger geworden. De enige plaatsen waar je *antwoorden* had gekregen, waren de moskeeën geweest. Het had zo voor de hand gelegen. De rest van het land was langzaam bijgedraaid. De mensen hadden zich bekeerd of zich in elk geval bij de situatie neergelegd. In tegenstelling tot het Zuiden. Daar waren ze bij hun ouderwetse gewoonten en religie gebleven. Dat was ook de reden dat Jason het niet over zijn hart kon krijgen de rebs echt te haten. Hij begreep ze. Ze hielden van een land dat hen in de kou had laten staan; een land dat niet langer bestond. Maar ze gingen er nog steeds voor. Voor zoiets moest je respect hebben, zelfs als je een heilige oorlog voerde.

Zelfs Roodbaard zou het daarmee eens zijn geweest. Het waarnemend hoofd van de Staatsveiligheidsdienst was een rechtschapen strijder, maar hier had hij begrip voor. Bovendien ging Roodbaard ervan uit dat het misplaatste loyaliteitsgevoel de aanstaande bekering van de rebs een stuk eenvoudiger zou maken. Jason had hem vaak op tv gezien. De nieuwelingen waren bijna even gek op hem als op majoor Kidd. Veel politici wilden de Bijbelgordel in de as leggen, maar Roodbaard had hen afgebekt. Met zijn woeste ogen en zijn baard met de kleur van een bosbrand zag hij eruit als een gevaarlijk beest. Geen wonder dat zijn vijanden bang voor hem waren.

Het was nu aardedonker. Maar Jason was niet alleen. Hij hoorde het klappen van grote vleugels en sprak in stilte opnieuw zijn geloofsbelijdenis uit. Omdat hij voor zijn geloof stierf, zou hij in het paradijs met maagdelijke bruiden worden beloond. Jason was niet van plan om met Allah in discussie te treden, maar hij hoopte wel dat er een paar bij zaten met wat ervaring; zelf was hij niet bepaald een routinier. Hij had trouwens graag zijn middelbare school nog afgemaakt. Dit zou zijn laatste jaar zijn geweest – 2017. In gedachten zag hij zich in het jaarboek staan in zijn colbert met het schoolembleem. Nou ja, insjallah, zoals Trey altijd had gezegd – *we zien wel.* Jason glimlachte. Het geluid van vleugels werd nu luider; de engelen kwamen hem halen om hem naar huis te brengen.

1

Vijfentwintig jaar later

De tweede helft van de Super Bowl begon direct na het middaggebed. De fans in het Khomeini Stadion hadden plichtmatig de rituele wassing verricht en zich ter aarde geworpen met de hielen uit elkaar en het hoofd net niet tegen de grond. Alleen de bewaker op de bovenste rij had met gepast respect zijn godvruchtigheid getoond. Het was een oudere man met een gezicht vol littekenweefsel. Hij had soepel en nauwlettend bewogen, de handen gevouwen en de tenen voorwaarts gericht, naar Mekka. De bewaker zag dat Rakkim Epps naar hem keek. Hij verstijfde toen hij de Fedayeenring aan zijn vingers zag, maakte een buiging en groette hem. Rakkim, die al ruim drie jaar niet had gebeden, beantwoordde het gebaar met dezelfde oprechtheid. Vrijwel niemand zou het eenvoudige kleinood van titanium hebben herkend, maar de bewaker was een van de vroege bekeerlingen. Hij behoorde tot de harde kern die alles op het spel had gezet en in ruil daarvoor niets meer en niets minder verwachtte dan het paradijs. Hij vroeg zich af of Rakkim nog steeds vond dat de oorlog de moeite waard was geweest.

Rakkim keek langs de bewaker naar de gelovigen die zich weer naar hun plaatsen haastten. Sarah was nog steeds in geen velden of wegen te bekennen. Een paar rijen verderop zag hij Anthony jr. de trap opkomen. Het nieuwe oranje Bedouinsjack dat de jongen droeg, moest zijn vader minstens een weeksalaris hebben gekost; Anthony sr. was veel te toegeeflijk. Het was altijd hetzelfde liedje; de hardste agenten waren vanbinnen watjes.

Vanaf de plek waar hij stond, kon Rakkim de minaretten en de koepeldaken op de omringende heuvels zien. De Space Needle, tegenwoordig een oorlogsmuseum, lag verfrommeld in de verte. Uit de binnenstad rezen torenflats en wolkenkrabbers op die bezaaid waren met satellietschotels. Ten zuiden daarvan tekende het nieuwe Capitool zich tegen de hemel af. Het was twee keer zo groot als de oude versie in Washington D.C. Ernaast stond de Moskee van de Grootkalief met haar blauwgroen glanzende mozaïekwerk. Op de lagergelegen tribunes zag hij de gelovigen hun wegwerpgebedskleedjes tussen de rugleuningen stoppen; de katholieken deden alsof hun neus bloedde. Er was van alles te zien, maar geen Sarah. Ze was opnieuw haar belofte niet nagekomen; dit was de laatste druppel. Maar dat had hij onlangs ook al tegen zichzelf gezegd.

Rakkim was dertig jaar oud, van gemiddelde lengte en iets zwaarder dan de dag waarop hij bij de Fedayeen was weggegaan. Toch was hij nog steeds mager en pezig. Zijn donkere haar was kortgeknipt en zijn snor en sikje waren goed verzorgd. Zijn gezicht was hoekig, bijna Moors – een voordeel sinds de Omwenteling. Op zijn hoofd droeg hij een zwart petje. Rakkim zette zijn kraag op tegen de kille Seattle-lucht. De wind uit de baai droeg de geur van dode vis met zich mee; het gevolg van de olielozing vorige week. Hij voelde het mes in zijn mouw; een lemmet van koolstofpolymeer dat probleemloos door de metaaldetectors kwam. Hetzelfde harde plastic zat in de tenen van zijn laarzen.

Terwijl de muziek door de luidsprekers blèrde, paradeerden de cheerleaders langs de zijlijnen – allemaal mannen, uiteraard. Ze trokken hun knieën hoog op en zwaaiden met hun zwaarden boven hun hoofden. De Bedouins en de Warlords stormden het veld op en de menigte kwam juichend overeind. Rakkim keek nog één keer om zich heen. Hij zag de bewaker; iets had zijn aandacht getrokken. Rakkim volgde de blik van de man en zette zich haastig in beweging. Hij timede het perfect en was gelijktijdig met Anthony jr. op de verlaten bovenste rij. Er was hier een nooduitgang; een blinde vlek die op geen enkele openbare plattegrond werd aangegeven. Anthony was een onbeduidend diefje, maar het feit dat hij deze uitgang kende, betekende dat hij zich goed had voorbereid.

'Wat moet je, Rakkim?' zei Anthony jr., die zich duidelijk niet op zijn gemak voelde. Uit zijn houding sprak gekrenkte trots. 'Blijf van me af.'

'Stoute jongen.' Rakkim gaf hem een tik op zijn neus met de portefeuille die de knul had gerold. Anthony jr. had niet eens gemerkt dat Rakkim hem had afgepakt en klopte werktuiglijk op zijn sweatshirt om te controleren of het ding echt weg was. Rakkim gaf hem opnieuw een mep; harder nu. 'Als de politie je arresteert, zet je je vader te schande. Maar als de Zwartjassen je pakken, ben je een hand kwijt.'

Anthony jr. had de strijdlustige kaak van zijn vader. 'Hier met m'n geld.'

Rakkim greep de gespierde tiener bij zijn nekvel en gaf hem een zet in de richting van de uitgang. Toen hij zich omdraaide, stond de bewaker met het getekende gezicht achter hem. Rakkim stak zijn hand met de portefeuille uit. 'Deze broeder heeft een portefeuille gevonden, maar weet niet waar hij hem af moet geven. Zou jij dat voor hem kunnen regelen?'

'Ik heb heel goed gezien waar hij die portefeuille heeft gevonden; in de zak van een handelaar.'

'Onze jonge broeder heeft blijkbaar erg goede ogen, dat hij hem daar heeft gevonden,' zei Rakkim.

In het gezicht van de bewaker verschenen geamuseerde plooien, en heel even leek hij bijna knap. Hij nam de portefeuille aan. 'Ga met God, Fedayeen.'

'Veel keus hebben we niet.' Rakkim liep terug naar zijn vipbox.

Anthony Colarusso sr. keek niet op toen Rakkim naast hem plaatsnam. 'Ik vroeg me al af of je nog terug zou komen.' Hij loodste een nieuwe hotdog met alles erop zijn mond binnen. Er vielen saus en uienringen in zijn schoot.

'Wie zou jou anders de Heimlich moeten geven?'

Colarusso nam een nieuwe hap van zijn hotdog. De rechercheur had mistroostige ogen en een indrukwekkende pens. Er droop piccalilly van zijn behaarde knokkels. De vipboxen in het stadion waren gereserveerd voor lokale politici, investeerders uit het zakenleven en hooggeplaatste militairen. Fedayeen hadden voorkeursplaatsen. Als eenvoudig agentje – en ook nog eens katholiek – zou Colarusso nooit een vipplaats hebben gekregen. Maar hij was Rakkims gast.

De Bedouins namen de aftrap. De quarterback wipte de bal met een handige manoeuvre de lucht in, ving hem op en gooide hem vervolgens naar zijn favoriete receiver. Het gebeurde in een waas van beweging, waarbij de enorme handen van de man op palmbladeren leken. De pass verdween in de richting van de wolken en de receiver gaf zijn mandekking het nakijken. De bal schampte langs de toppen van zijn uitgestrekte vingers, maar hij wilde het niet opgeven. Het volgende moment bleef een van de noppen van zijn schoen in het gras steken, waardoor hij met zijn gezicht in het gras terechtkwam. De bal rolde weg.

Overal steeg boegeroep op. Rakkim keek achterom naar de bovenste rij. Nog steeds geen Sarah. Hij leunde naar achteren. Ze kwam niet. Vandaag niet, morgen niet – nooit. Hij gaf een trap tegen de lege stoel voor hem, die bijna losschoot.

'Ik wist niet dat je zo'n Bedouinsfan was,' zei Colarusso.

'Als ze zo spelen, is de lol er snel vanaf.'

De receiver lag krimpend van pijn op het gras terwijl het gejoel van de Bedouins het stadion vulde. Rakkim hoorde zelfs een paar vloeken. Een broodmagere hulpsheriff van de religieuze politie in een aangrenzend fundamentalistisch vak keek woest om zich heen. De Zwartjas droeg een strakke zwarte tulband; zijn ruige baard leek op een woekerende braamstruik. Hij ging verzitten in een poging de zondaar op te sporen. De man, die Rakkim aan een razende inktvis deed denken, kneep zijn ogen halfdicht en schonk Colarusso in zijn met mosterd besmeurde kostuum een vuile blik.

'Zo te zien heeft die eunuch een oogje op je, Anthony.'

Colarusso veegde zijn mond af met een servet. 'Niet zo hard praten.'

'We leven in een vrij land... nietwaar, agent?'

Dat was nog steeds het geval. Het grootste deel van de bevolking was moslim, maar de meesten waren gematigd. Zelfs de nog vrijzinniger modernisten, die ver van de fundamentalisten stonden, werden tot de gelovigen gerekend. Hoewel de hardliners een minderheid vormden, was hun politieke macht door hun tomeloze energie aanzienlijk groter dan op basis van hun aantal verwacht mocht worden. Het congres probeerde ze gunstig te stemmen door de begroting voor moskeeën en religieuze scholen op te schroeven, maar de ayatollahs en hun bewakers van de openbare moraal – de Zwartjassen – vonden het nog niet genoeg.

De receiver kwam langzaam overeind. Er sijpelde bloed over zijn gezicht. Toen het stadionscherm toonde dat hij een rossige damp uithoestte, steeg er een oorverdovend applaus op.

'Ik herinner me nog dat er gezichtsbeschermers op de footballhelmen zaten,' zei Colarusso.

'Daar valt geen eer aan te behalen,' zei Rakkim. 'Zelfs als iemand een enorme dreun krijgt, vloeit er geen bloed.'

'Tja, hoor 's – vroeger ging het niet om het bloed.'

De hulpsheriff wierp een blik op de gematigden op de tribuneplaatsen; jonge, hogeropgeleide mannen en vrouwen in jeans en rokjes die kriskras door elkaar heen zaten. De Zwartjassen hadden alleen gezag over fundamentalisten, maar de laatste tijd kwam het steeds vaker voor dat ze openlijk katholieken intimideerden en stenen gooiden naar modernisten. Fundamentalisten die de schaapskooi de rug toekeerden, werden als afvallig beschouwd. Op het platteland riskeerden ze verminking of zelfs de dood, en in de meer kosmopolitische steden werden ze door hun familie verbannen.

Boven het stadion hing het luchtschip van de Super Bowl. Op de zijkant prijkte de vlag van de Islamitische Staten van Amerika. Hij was identiek aan die van het oude regime, alleen de sterren waren vervangen door een gouden halvemaan. Rakkim keek naar de zeppelin, die traag in de middagzon dobberde. Ondanks de Zwartjassen bezorgde de aanblik van de vlag hem nog steeds een brok in zijn keel.

'Kijk wie we daar hebben,' zei Colarusso, en hij wees op een luxueuze vipbox met politici, filmsterren en ayatollahs. 'Is dat niet je oude commandant?'

Generaal Kidd, de Fedayeenbevelhebber, salueerde naar de televisiecamera en de kijkers thuis. De Somalische immigrant met zijn stoïcijnse blik zag er imposant uit in zijn effen blauwe uniform. Naast hem zat mollah Oxley, leider van de Zwartjassen. Aan zijn vingers droeg hij fonkelende edelstenen. Zijn gewaad was van zijde en zijn baard een nest van vettige krullen. Oxley was een arrogante klootzak. Samen met Kidd vormde hij een onwaarschijnlijk en dubieus duo. Toen Rakkim drie jaar geleden de Fedayeen had verlaten, zou Kidd nooit naast Oxley zijn gaan zitten – of naast welke politicus dan ook, afgezien van de president. De Fedayeen waren onafhankelijk. Ze waren uitsluitend verantwoording verschuldigd aan hun eigen leiders en aan de natie. Drie jaar geleden tenminste.

'Die generaal lijkt me een echte tiran.' Colarusso loodste de hotdog weg van zijn mond. 'Zelfs toen ik nog conditie had, zou ik het geen vijf minuten in jouw oude team hebben uitgehouden.'

De Fedayeen waren de elitetroepen van de Islamitische Republiek. Ze werden meestal ingezet voor geheime expedities in de Bijbelgordel. De staten die zich van de oude confederatie hadden afgescheiden, beschikten over een aanzienlijk kernwapenarsenaal, en alleen de wederzijdse afschrikking weerhield de twee naties ervan een totale oorlog tegen elkaar te beginnen. In plaats daarvan voerden beide partijen voortdurend speldenprikacties uit.

'De crème de la crème,' vervolgde Colarusso. 'Met mij zouden ze niet eens *praten*.'

'Waar wil je naartoe, Anthony?'

Colarusso schoof onrustig heen en weer op zijn stoel. 'Anthony jr. wil zich aanmelden voor de Fedayeen. Hij is negentien en het is Fedayeen vóór en Fedayeen ná. Hij kan over niks anders meer praten. In plaats van met zijn vrienden naar football te kijken, gaat hij naar de sportschool om aan zijn conditie te werken.'

Rakkim staarde Colarusso aan. 'Zeg maar tegen hem dat hij in het leger moet gaan. Of beter nog: laat hem een vak leren. Het land heeft meer behoefte aan metaalarbeiders dan aan Fedayeen.'

Colarusso veegde een paar kruimels van zijn stropdas. 'Mijn vrouw wil dat je een goed woordje voor hem doet. Hij is van plan zich te bekeren, maar een aanbeveling van jou...'

'De standaard diensttijd is acht jaar. Dertig procent van de mannen die door de basistraining komen, overleeft de vervolgtraining niet. Weet Marie dat?'

'Ze weet wat een zoon in de Fedayeen voor ons kan betekenen,' zei Colarusso. 'Je hebt onze dochters gezien. Het zijn geen uitgesproken schoonheden, maar als Anthony jr. aangenomen wordt, hoeven de meiden geen genoegen meer te nemen met katholieke huwelijkskandidaten – dan is de keus aan hen.'

Op het stadionscherm verscheen het gezicht van generaal Kidd boven de endzones. 'Doe je zoon een lol en zeg tegen Marie dat ik niet meer zoveel invloed heb.'

'Je bent een onderscheiden Fedayeenofficier, eervol ontslagen... Dat gelooft ze nooit.'

'Vertel haar dan de waarheid. Zeg dat je het gevraagd heb en dat ik nee heb gezegd.'

Colarusso keek opgelucht. 'Oké. Bedankt. Ik moest het proberen, maar bedankt.'

'Als ik jou was, zou ik Anthony jr. in de gaten houden. Zorg ervoor dat hij niet te veel vrije tijd heeft.'

'Het is een beste knul, maar een dromer.' Colarusso nipte van zijn Jihad Cola. 'De Super Bowl is een stuk minder leuk zonder koud bier. *Echt* bier.'

'Heren?' Een pafferige softwarebons in een aangrenzende vipbox boog zich naar voren. 'Als ik zo vrij mag zijn; ik heb hier een fles vruchtensap met wodka.'

Colarusso boerde. Hij negeerde de man.

'Meneer?' De ondernemer toonde Rakkim de hals van de fles, die hij half uit de binnenzak van zijn felgroene jack had gehaald.

Rakkim wuifde de ondernemer weg. De man was een modernist die van twee walletjes wilde eten. Hij ging gekleed in een sportief jasje en een kaki-uniform, maar droeg wel een kaffiyeh om de fundamentalisten gunstig te stemmen. Waarschijnlijk had hij een instructievideo nodig gehad om te leren hoe hij de arafatsjaal om zijn hoofd moest draperen. Niet dat het geholpen had.

De Warlords hadden zich op de achttienyardlijn van de Bedouins opgesteld en de spelers zetten zich schrap in het gras toen de Bedouins een time-out aanvroegen.

Rakkim stond op, ging op zijn tenen staan en liet opnieuw zijn blik over de tribunes glijden, op zoek naar Sarah. Voor de *laatste* keer. Maar ze was er niet. Hij ging weer zitten. Misschien had haar oom haar op het allerlaatste moment nodig gehad. Misschien had ze onderweg autopech gekregen en wilde ze hem niet bellen omdat ze bang was dat ze afgeluisterd werd. Of misschien had ze hem wel gebeld, maar was het gesprek vanwege zonnevlekken niet doorgekomen. Waarom ook niet? Die dingen gebeurden. In een krankzinnig universum.

De quarterback van de Warlords zette de aanval in. Rakkim keek weg van het veld en zag hoe een stel agenten van de moraalpolitie een van de afgescheiden vakken binnen denderde. De Zwartjassen haalden uit met hun lange, buigzame stokken en begonnen in te slaan op drie vrouwen die er zaten. De vrouwen schoten alle kanten op. Zelfs terwijl ze probeerden de klappen te ontwijken, deden ze hun best om zich te bedekken.

Rakkim stond op en schreeuwde iets tegen de Zwartjassen, maar zijn boosheid ging verloren in het geluid van de menigte toen de quarterback van de Warlords de lijn passeerde en een touchdown maakte. Rakkim bevond zich te ver weg om de vrouwen te kunnen helpen, maar zelfs als hij dichterbij was geweest, had hij niets kunnen doen. Een aanhouding op grond van het hinderen van het religieus gezag was een ernstige overtreding. De vrouwen zouden bovendien zonder blikken of blozen tegen hem getuigen.

'Smerig zaakje,' zei Colarusso, die naast hem opstond.

Het was onduidelijk wat de vrouwen misdaan hadden. Misschien waren hun enkels te bloot geweest of was er een hoofddoek afgegleden. Of misschien hadden ze te hard gelachen. Rakkim ging zitten, trillend van woede, terwijl de Zwartjassen met hun stokken zwaaiden. Dit was de eerste keer dat hij een internationaal uitgezonden evenement bezocht waarbij de Zwartjassen zo openlijk geweld gebruikten. Meestal deden ze hun best om de schijn op te houden, maar vandaag was het alsof het ze niets kon schelen; bijna alsof ze de camera's provoceerden.

De hulpsheriff die een paar rijen voor Rakkim zat, had de actie van zijn collega's inmiddels ook opgemerkt en wreef zich vergenoegd in de handen. Rakkim schonk hem zo'n indringende blik dat de man het gewicht ervan moest hebben gevoeld, want hij draaide zijn hoofd naar Rakkim en knikte. Maar Rakkim reageerde niet, en de man wendde zijn blik af. Daarbij raakte hij zijn tulband aan alsof hij wilde voorkomen dat die afwaaide.

'Dat was niet slim,' schreeuwde Colarusso in zijn oor. 'Je moet geen vijanden maken.'

'Daar is het nu te laat voor.'

Colarusso keek naar zijn vingers. 'Het is een kwestie van de juiste keus.'

Rakkim wierp een blik op de Zwartjas. 'Precies. En die heb ik net gemaakt.'

2

Na het nachtgebed

Ze kwamen hem vlak voor middernacht halen; twee mannen van Roodbaard die met een groepje beschonken feestvierders van de Super Bowl de Blue Moon waren binnen geglipt. Rakkim had ze misschien eerder kunnen opmerken, maar hij had andere dingen aan zijn hoofd. Hij lag afgemat naast Mardi op haar grote bed en keek naar de sigarettenrook die omhoog kringelde in de richting van het plafond. Hij dacht aan Sarah.

'Mijn god, dat had ik even nodig,' zei Mardi. Ze lag met haar hoofd op het kussen. 'Dat was lang geleden. *Heel* lang geleden.' Ze trok aan de sigaret, en haar ogen glommen in het kaarslicht. 'Ik had meer bier moeten bestellen.' Ze tikte de as op de grond. 'Ik dacht dat veertig vaten wel voldoende was.'

Rakkim voelde haar warmte waar hun lichamen elkaar raakten; het langgerekte grensgebied van hun dijen. Het briesje dat door het venster naar binnen dreef, roerde in de rook en koelde het zweet op zijn armen en benen. Maar hij maakte geen aanstalten om het laken over zich heen te trekken. Zij ook niet, hoewel ze allebei kippenvel hadden.

'Wat ben je stil. Is er soms iets voorgevallen bij de wedstrijd?' vroeg Mardi.

'Nee.'

Ze boog zich met wiegende borsten naar voren en tekende met haar duim een kruis op zijn voorhoofd.

Hij veegde het geërgerd weg. Hij had al zo vaak tegen haar gezegd dat hij daar niet van hield, maar dat had haar alleen maar aangemoedigd.

Mardi kuste hem en glipte uit bed. 'Je bent anders nooit zo agressief. Mij hoor je trouwens niet klagen, hoor. Ik hou wel van ruige seks. Heb ik dat soms aan je moslimprinsesje te danken?'

'Noem haar niet zo.' Hij keek naar haar terwijl ze door de slaapkamer liep en de gordijnen openschoof. Ze liet haar blik over straat glijden, de heupen uitdagend scheef. Ze was achtendertig, hard, blond en lichtzinnig.

Er sijpelde muziek omhoog uit de club op de begane grond... De zoveelste cover van een van Nirvana's grungeklassiekers van vijftig jaar geleden. Mardi moest zijn gezichtsuitdrukking hebben gezien. 'Hou je niet van die muziek? Geniet er maar van, Rakkim; het levert ons geld op.'

'Dus dat is het?'

'Toeristen gaan naar L.A. voor chicken mole en mariachi. Ze komen naar Seattle voor het Capitool, de Hall of Martyrs en grunge.'

Rakkim had geen zin in een discussie. Daarbij had hij een minderheidsbelang in de Blue Moon. Niet dat het iets had uitgemaakt als hij tachtig procent had gehad en zij twintig. Mardi wist wat ze deed. Ze wist welke muziek de omzet maximaliseerde en wie de beste groothandelsprijzen voor bier en khat-thee had. Ze wist wie ze moest aannemen en wie ze moest ontslaan. Mardi had Rakkim nodig vanwege zijn contacten. Daarbij moest hij ervoor zorgen dat de communicatie met politie en protectiebendes soepel verliep. Ze zou trouwens een stuk voordeliger uit zijn geweest als ze hem gewoon een vaste prijs had betaald. Een interessante vergissing voor iemand die zo op het resultaat gericht was.

Rakkim bestudeerde de muur met beeldschermen tegenover het bed en zag beneden de feestvierders binnenkomen. De Blue Moon had niet te klagen over gebrek aan belangstelling, maar na een Super Bowl werden alle populaire clubs in de Zone overspoeld met feestende supporters in uiteenlopende staat van vervoering. Voor de eetzaal was een wachtlijst van twee uur, op de dansvloer kon alleen schouder aan schouder worden geschuifeld en aan de bar stonden de Warlordsfans drie rijen dik.

De Blue Moon lag in de Zone, die officieel de Christelijke Wijk heette; een stadsdeel van dertig of veertig blokken waar de nachtclubs en cafés welig tierden en waar de cybergamesalons en bioscopen nagenoeg geen censuur kenden. De Zone was ruig en luidruchtig. De straten waren er bezaaid met troep en de gebouwen werden ontsierd door graffiti. Het was een gebied zonder moraal waar iedereen mocht komen: christenen, moslims, modernisten, techs, freaks – wie dan ook. De Zone was ongetemd, vooruitstrevend en boven de wet. De Zone was voor mensen met lef.

Elke grote stad had een gebied als de Zone; een uitlaatklep voor een bevolking waarvan de vroegere culturele traditie gebaseerd was geweest op extreme ideeën over vrijheid en individualiteit. In de hoop corruptie te minimaliseren, wisselde de politie haar geüniformeerde personeel er om de twee jaar, maar zelfs dat was voor veel wetsdienaren al voldoende om een vakantiehuis in Canada of Hawaï te kopen, waar ze veilig waren voor de bemoeizuchtige ogen van Interne Zaken.

Mardi stond bij het open venster. Een koel briesje blies de gordijnen tegen haar lichaam en het geluid van regen vulde het vertrek. Haar huid, die nog glom van het zweet, schitterde in het rode neonschijnsel dat van buiten kwam. Ze wiegde zachtjes heen en weer op de muziek en de regen en hij zag haar tepels stijf worden in de zachtrode gloed. Het deed hem aan Sarah denken.

Hij was niet meer met Mardi omgegaan sinds Sarah anderhalf jaar geleden contact met hem had gezocht. Maar nu Sarah hem niet meer wilde, was hij op hangende pootjes teruggekomen. Lafheid en wrok; een dodelijke combinatie. Hij was blij dat hij zijn eigen gezicht niet kon zien; hij zou zijn keel doorgesneden hebben. Met Mardi het bed induiken... zich door haar laten verleiden. Hoe dan ook, het was fout geweest. Hij keek naar hoe ze danste, hoe haar sluike haar over haar schouders viel, en hij vroeg zich af waar Sarah was en wat ze deed en waarom ze vandaag niet op was komen dagen.

'Ik mis hem,' zei Mardi zacht.

Rakkim hoefde niet te vragen over wie ze het had. 'Ik ook.'

'Je doet me aan hem denken. Niet qua uiterlijk... Het zelfvertrouwen dat je uitstraalt. Het was net een geur die hij verspreidde.' De gordijnen wapperden in de wind en er spatte regen op de vloer, maar ze bewoog zich niet. 'De meeste mannen zijn hun hele leven bang, maar hij niet. Jij ook niet.'

Mardi praatte na het vrijen altijd over Tariq. Of het nu ging over hoe ze elkaar hadden ontmoet, of over de laatste keer dat ze samen waren geweest – Tariq maakte altijd deel uit van hun intieme momenten. Alsof ze zichzelf probeerde uit te leggen waarom ze net met zijn beste vriend het bed had gedeeld. Rakkim zat er niet mee. Ze waren allebei een surrogaat voor iemand anders, voor iemand die beter was, onbereikbaar.

'Door mij is hij een promotie misgelopen.' De gordijnen bolden zich op rond haar lichaam. 'Ik wilde me niet bekeren. Hij moest van me scheiden en een moslimmeisje trouwen... maar dat deed hij niet.' Ze schudde haar hoofd. 'Ik had me moeten bekeren.' Haar lachje klonk hol. 'Zo'n vrome katholiek ben ik nou ook weer niet.'

'Een promotie had hem niet geholpen.'

'Dan zou hij stafofficier zijn geweest, veilig achter de linies. Dan zou hij...'

'Hij was soldaat. Hij is gestorven in het harnas – alleen veel te vroeg.'

'Jij bent ook soldaat...'

'Niet meer.'

'Oké, dat is waar. Jij was altijd al slimmer dan hij. Hij was moediger, maar jij was slimmer.' Haar gezicht stond strak toen ze zich naar hem omdraaide. 'Ik wou dat jij het was geweest,' fluisterde ze. De vlammen van de kaarsen flakkerden even in de wind en op de muur dansten vage schaduwen. 'Ik wou dat jij gesneuveld was.'

'Ik weet het.'

'Je zou moeten trouwen,' zei ze.

'*Jij* zou moeten trouwen.'

Ze zocht naar haar sigaretten en stak een nieuwe op. De aansteker klapte dicht – Tariqs oude Zippo. 'Ik *ben* getrouwd.'

Rakkim stoorde zich niet aan de rook. Het ritueel leek haar te kalmeren; de routineuze gebaren, de nicotine, het trage inhaleren en weer uitademen en de gloeiende sintel in het puntje – een baken in de duisternis. Hij ergerde zich zelfs niet aan de geur. De Turkse tabak was scherper dan die van vroeger, maar Virginia en de Carolina's maakten deel uit van de afvallige Bijbelgordel, en het embargo bleef onveranderd van kracht.

'Mijn kruideniertje is gisteren afgetuigd door Zwartjassen,' zei Mardi, en ze nam een trek van haar sigaret. 'Ze stonden hem op te wachten toen hij vlak voor zonsopgang bij zijn winkel kwam. Ze hebben hem vreselijk toegetakeld, en zijn winkel trouwens ook. Hij had zich natuurlijk bekeerd, al meteen na de Omwenteling. Hij was nog maar een jongen, maar hij wist wat goed voor hem was. Vroeger was bekering voldoende, maar tegenwoordig zegt het niks meer. Nu is hij alleen maar een jood.' Ze nam nog een trek. 'Ik koop al jaren mijn fruit en groenten bij hem. Hij heeft me geleerd hoe je aan een ananas kunt zien dat hij rijp is. Grappig, de dingen die je je herinnert.' Ze drukte de sigaret uit.

Rakkim reageerde niet. Hij wist wat er kwam.

Als hoofd van de Staatsveiligheidsdienst had Roodbaard gruwelijke dingen op zijn geweten, maar in de beginjaren van de republiek had hij erop gestaan dat joden die zich tot de islam bekeerden, gespaard zouden worden. Hoewel de zionisten de schuld hadden gekregen van de moord op zijn broer, had hij geweigerd een pogrom te ontketenen. In plaats daarvan had hij verzen uit de Heilige Koran geciteerd die stelden dat bekeerlingen met open armen zouden worden ontvangen. Geen enkele Zwartjas of politicus had iets gedaan. Maar het feit dat bekeerlingen gespaard werden, betekende niet dat de problemen voorbij waren. Langzaam maar zeker kregen ze het steeds zwaarder te verduren.

'Kun je ze niet helpen, Rakkim? De groenteman en zijn gezin. Ze moeten hier weg.'

Een van de monitors toonde vier vrouwen aan een tafel in de eetzaal –

waarschijnlijk studenten. Ze droegen kleine hijabs: de nieuwste mode onder vrijdenkende moslimvrouwen, hoofdbedekking, maar alleen in naam.

'De passen zijn ingesneeuwd,' zei Rakkim. 'En op de zuidelijke routes zijn wegblokkades.'

'Dat risico nemen ze wel.'

'Maar ik niet.'

Mardi kruiste haar armen voor haar borsten.

'Zeg maar tegen je groenteman dat we vertrekken zodra het lente wordt en het gaat dooien.'

'Bedankt.'

De studentes bleven blikken werpen op de groepjes met jonge mannen, maar accepteerden de aangeboden drankjes niet. Ze waren charmant in hun onschuld en testten alleen de temperatuur van het water in de verleidelijke obsceniteit van de Zone. Geniet ervan, dames; geniet van je bezoek aan het apenhuis en verbaas je vriendinnen met sterke verhalen die over tien jaar nog steeds het schaamrood op je wangen toveren. In de Zone waren legio andere clubs, bars en foute gelegenheden zonder bodyguards of uitsmijters, maar Rakkim legde de klanten zijn eigen regels op. Geen drugs, niet vechten en geen rape-rooms. Hij wist waartoe de mens in staat was. Genot werkte het beste als het in kleine porties beschikbaar was.

'Mardi, wat er vanavond is gebeurd – dat hadden we niet moeten doen.'

Ze lachte. 'Dus daarom was het zo lekker.'

'Het was de laatste keer.'

'Dat overleef ik wel.' Mardi klemde haar lippen op elkaar. 'Je bent een romanticus, Rakkim, dat is je probleem.'

'Ik zal het aan het lijstje toevoegen.' Rakkim begon zich aan te kleden, maar stopte toen hij naar het surveillancescherm keek. Er was niets waarmee het tweetal de aandacht op zich vestigde. Ze waren goed getraind. Ze waren allebei van gemiddelde lengte, hadden een rechttoe-rechtaankapsel en droegen oorringen. Typische modernisten. De een droeg net als de helft van de aanwezige mannen een Warlordstrui; de ander een flexmetaljack, populair bij hightech types. Gewoon twee jongens die een avondje uit waren en hoopten dat er in de Blue Moon iets te beleven viel. Zoals de neonverlichting boven de bar aangaf, waarop stond: *Geniet u al?*

Het enige probleem was dat ze van de Staatsveiligheidsdienst waren. Hij zag het aan hun houding; een bepaalde arrogantie. Het viel nauwelijks op, maar toch waren er minuscule aanwijzingen. Roodbaard, het hoofd van de Staatsveiligheidsdienst, had Rakkim persoonlijk getraind. Vanaf zijn negende had hij de jongen onder zijn hoede gehad, onderwezen en voortdurend aan allerlei tests onderworpen. Als ze onder de mensen waren, wist Roodbaard over iedereen wel iets te vertellen. Hij had Rakkim geleerd elk gebaar en elke gezichtsuitdrukking te herkennen; de haastig geknoopte stropdas of de verkeerde schoenen te zien. Roodbaard was razend geweest toen Rakkim bij de Fedayeen was gegaan in plaats van bij de Staatsveiligheidsdienst, maar uiteindelijk had hij de afwijzing aanvaard. Maar wat hij hem niet had kunnen vergeven, was het feit dat Rakkim verliefd was geworden op zijn nicht, Sarah.

'Wat is er?' vroeg Mardi.

Rakkim wees op het beeldscherm. 'Die kerels... Die zijn van de Staatsveiligheidsdienst.'

'*Hier?*' Ze kneep haar ogen halfdicht. 'Weet je dat zeker?'

'Ze zijn gestuurd door Roodbaard.' Rakkim bestudeerde de agenten, die nu bij de bar stonden. 'Zie je hoe ze zich bewegen?'

'Nee.'

'Ze kopiëren het gedrag van de andere bezoekers – dat heet *participerende observatie.*' Rakkim was gewend aan officieel bezoek. Politieagenten, liberale geestelijken, lokale politici; iedereen kwam uiteindelijk wel een keer in de Blue Moon. Maar dat gold niet voor de Staatsveiligheidsdienst. De Staatsveiligheidsdienst vroeg niks, waarschuwde niet en onderhandelde nooit. Deze mannen kwamen iemand halen. Rakkim liet zijn blik over de beeldschermen glijden en zocht naar andere agenten. Er moesten er meer zijn. 'Maak je geen zorgen; ze komen voor mij.'

'Ik dacht dat Roodbaard en jij niet met elkaar praatten.'

'Hij heeft zich blijkbaar bedacht.'

De band viel stil en de bezoekers op de dansvloer bleven tegen elkaar aanhangen in het rood met gele lichtschijnsel. De zangeres hief haar glas met khat-champagne. Ze bracht een toast op het publiek uit, gooide het drankje in één keer naar binnen en smeet vervolgens het lege glas op de grond. Haar fans volgden het voorbeeld. Mardi zou de prijzen moeten verhogen om winst te blijven draaien. Er gleed een lichtbundel over de menigte en Rakkim tikte met een wijsvinger op het scherm. '*Daar* heb je hem.'

Tegen de muur aan de achterzijde stond nog een agent die zijn blik op de dansers gericht had. Rakkim had een glimp van hem opgevangen, maar dat was voldoende. De derde agent was een mager, pokdalig fatje in een rode toreadorenbroek met een wreed gezicht en een dun snorretje. Hij was waarschijnlijk eerder gekomen om het souterrain te inspecteren. Ondertussen was hij vermoedelijk ook de andere ruimtes binnen gewandeld onder het voorwendsel dat hij verdwaald was. Nu wachtte hij totdat Rakkim zou verschijnen of een ontsnapping zou wagen.

'Je kunt mijn privé-uitgang gebruiken,' zei Mardi. 'Ik zeg wel tegen Roodbaards mannen dat ik je niet gezien heb.'

Misschien was Sarah daarom niet bij de Super Bowl geweest. Hij was bijna opgelucht dat *Roodbaard* haar tegen had gehouden en dat ze niet uit eigen beweging weggebleven was. Om Sarah maakte hij zich geen zorgen. Roodbaard was ongetwijfeld kwaad omdat ze hem niet gehoorzaamd had, maar veel verder zou hij niet gaan. Wat hemzelf betrof; dat was een heel ander verhaal. Hij noemde Roodbaard weliswaar zijn oom, maar dat was alleen een teken van respect. Sarah was de dochter van Roodbaards enige broer. Ze was een *bloedverwante,* in tegenstelling tot Rakkim. Hij overwoog even Mardi's aanbod te accepteren. Er waren tientallen plaatsen in de Zone waar hij zich kon verbergen zonder dat ze hem zouden vinden. Hij zou een ontmoeting met Roodbaard kunnen arrangeren wanneer hem dat zelf uitkwam.

De zaalverlichting ging aan. Het pokdalige fatje liet zijn blik over een knappe vrouw glijden die naar de bar liep. Plotseling keek hij omhoog naar de verborgen beveiligingscamera.

'Maak dat je wegkomt,' zei Mardi.

Rakkim dacht aan Sarah. Roodbaard kon haar van alles wijsmaken. Hij haastte zich naar de deur.

3

Na het nachtgebed

Rakkim trok zijn laarzen uit en waste zijn handen in het licht geparfumeerde water van de fontein. Hij maakte zijn gezicht nat en kamde zijn natte vingers door zijn haar. Toen hij zich omdraaide, stond Angelina achter hem met een handdoek. Hij kuste haar op beide wangen. 'Salam aleikum.'

'Allahoe akbar.' Roodbaards huishoudster was een korte, oudere vrouw met een breed gezicht dat omlijst werd door de kap van een zwarte chador. Haar wijde gewaad reikte tot aan de grond. Het was bijna twee uur 's nachts, maar Angelina was klaarwakker. Als hij vroeger naar had gedroomd, had zij hem altijd getroost en in slaap gezongen. Hij was opgegroeid met het idee dat ze nooit sliep. Nu, twintig jaar later, had hij nog steeds die indruk.

Angelina was net als Roodbaard een vroom, maar gematigd moslim. Ze kon autorijden, had een openbare school bezocht en beschikte over een eigen bankrekening. Ze bad vijf keer per dag, hield zich aan de voorgeschreven voedingsregels en kleedde zich onberispelijk. Ze vastte tijdens de ramadan, schonk jaarlijks tweeënhalf procent van haar bezit aan liefdadigheidsinstellingen en zou ooit de bedevaart naar Mekka maken, de hadj, die alle goede moslims ten minste één keer in hun leven moesten volbrengen.

Angelina raakte teder de zijkant van zijn hoofd aan op de plaats waar de stungun van het pokdalige fatje zijn haar geschroeid had. 'We hebben je gemist, Rikki.'

Hij glimlachte. 'Dat zal best.'

'*Iedereen* heeft je gemist.'

'Hoe is het met Sarah? Is alles goed?'

Angelina omhelsde hem. Haar gewaad ritselde en hij rook de aura van specerijen die om haar heen hing: knoflook, kaneel en basilicum, de keukengeuren uit zijn jeugd. 'Maak je liever zorgen om *jezelf*.'

Hij kuste haar opnieuw en wandelde vervolgens naar Roodbaards kantoor. Toen hij een blik over zijn schouders wierp, zag hij dat ze hem handenwringend nakeek.

De rit van de Zone naar Roodbaards villa had drie kwartier geduurd. Rakkim had achter in een ambulance gezeten die de veiligheidsagenten hadden geregeld om hem – met gillende sirene – te vervoeren. De twee agenten hadden voorin hun verwondingen verzorgd. Stevens, het pokdalige fatje, had als een zoutzak tegenover Rakkim op de bank gehangen en met zijn stungun gespeeld, waardoor de ambulance zich met ozon had gevuld. De man had geprobeerd naar Rakkim te glimlachen, maar zijn gescheurde lip en de bloedneus hadden dat te pijnlijk gemaakt. Rakkim had voor hen beiden gelachen.

Hij klopte tweemaal op de deur van het kantoor, wachtte even en liet zichzelf vervolgens binnen. Het kantoor zag er nog precies zo uit als hij het zich herinnerde. Houten panelen, geen vensters en een groot bureau met een stoel van walnotenhout. Er stonden twee computers, telefoons met privacy-guards en een leren bank waar nooit iemand op zat. Op de grond lagen ruige geitenwollen gebedskleedjes uit Afghanistan en Pakistan. Roodbaard had een voorkeur voor matte, natuurlijke verfstoffen. Een deur in de zijkant van het kantoor voerde naar de watertuin, een tweede naar de schuilkelder.

Aan de muren hingen geen schilderijen, geen onderscheidingen en geen foto's van Roodbaard met presidenten of ayatollahs. Alleen een kaart van Noord-Amerika en drie luchtfoto's die vlak na 19 mei 2015 waren gemaakt.

Rakkim staarde naar de grimmige puinhopen van New York City en Washington D.C. Hij probeerde te bevatten hoeveel verwoest beton en verwrongen metaal op de zwart-witbeelden te zien waren, maar slaagde daar niet in. De foto van ground zero in Mekka was aanzienlijk minder dramatisch, maar het aantal slachtoffers was navenant geweest. De kernbommen die New York en Washington waren binnen gesmokkeld, waren *citybusters* geweest, maar Mekka had een betere beveiliging gehad. De bom, die op het hoogtepunt van de hadj tot ontploffing was gebracht, was een kofferbom geweest – een vuile bom. Uiteindelijk waren meer dan honderdduizend bedevaartgangers bezweken aan de gevolgen van plutoniumvergiftiging. De stad zelf was intact gebleven. Op de foto was duidelijk de Grote Moskee te zien, omringd door gelovigen die geweigerd hadden te vertrekken. Hoewel de stad nog steeds radioactief was, kwamen de pelgrims nog jaarlijks aan hun verplichtingen voldoen. Rakkim veegde beschaamd een traan weg; hij was ervan overtuigd dat er camera's in het vertrek hingen en dat Roodbaard hem observeerde.

In eerste instantie hadden de Amerikaanse media de jihadi's de schuld gegeven; radicale moslims die de Saoedi's hun toenadering tot het Westen nooit hadden vergeven. De list had kunnen slagen, ware het niet dat de FBI een week later een van de zionistische samenzweerders had opgepakt – de werkelijke verantwoordelijken. Deze man had hen naar de andere betrokkenen geleid. Hun bekentenissen waren wereldwijd uitgezonden. De Verenigde Staten hadden onmiddellijk hun militaire steun aan Israël ingetrokken, en nog geen maand later was de zionistische staat onder de voet gelopen door een Euro-Arabische coalitie. Alleen het feit dat Rusland de zionisten asiel had aangeboden, had voorkomen dat ze volledig uitgeroeid waren.

De kaart van Noord-Amerika zag er hetzelfde uit als in de boeken waaruit Rakkim op school had geleerd; de Islamitische Republiek groen omlijnd en de Bijbelgordel rood. Tot de rode staten behoorden die van de oude confederatie inclusief Oklahoma, noordelijk Florida en delen van Missouri. Die staat was op zijn eindexamen geschiedenis een strikvraag geweest. Op de kaart stonden Kentucky en West Virginia als rode staten aangegeven hoewel er nog steeds om gevochten werd. De Nevada Free State was wit, wat de unieke onafhankelijke status aangaf. Zuid-Californië, Arizona en New Mexico waren politiek gezien groene staten en maakten deel uit van de Islamitische Republiek. Sociaal gezien behoorden ze echter tot het Mexicaanse Rijk.

Rakkim liep naar Roodbaards bureau en pakte het boek op dat geopend op het werkblad lag. Hij vroeg zich af of het misschien een test of een valstrik was. *Hoe het Westen werkelijk veroverd werd: de conceptie van de Islamitische Staten van Amerika door het inlijven van de volkscultuur.* Het boek was oorspronkelijk Sarahs doctoraalscriptie geweest. Twee jaar geleden had ze het verhaal laten herschrijven voor het grote publiek. Het was een bestseller geworden, maar haar ideeën waren zo controversieel dat de uitgever het verstandig had geacht om Sarahs foto niet op de achterflap te plaatsen. Zelfs nu werd ze op straat nog niet herkend.

Historici debatteerden al over de transformatie van de voormalige Verenigde Staten van Amerika in een islamitische republiek sinds president Damon Kingsley de eed had afgelegd met een hand op de Heilige Koran. De meeste geschiedkundigen zagen hierin de wil van Allah. Daarbij werd wel aangetekend dat het land door de malaise na het Irakdebacle en de onverminderde dreiging van terroristische aanslagen rijp was geweest voor een spiritueel ontwaken. Het Zionistisch Verraad was de nekslag geweest.

De economie was ingestort en de staat van beleg was afgekondigd. Te midden van de chaos was de morele zekerheid van de islam het ideale tegengif geweest voor de holle banaliteit van de kerken en de corruptie binnen de politiek. Na een omstreden verkiezingsnederlaag waren grote aantallen vervreemde christenen naar de Bijbelgordel geëmigreerd, die zich onafhankelijk had verklaard. In een politiek briljante zet waren de resterende christenen – grotendeels katholieken – nagenoeg dezelfde burgerrechten geschonken als de moslimmeerderheid van de nieuwe Islamitische Republiek. De natie had standgehouden.

Sarahs boek erkende de spirituele dimensie van de regimewijziging. Ze stelde echter dat de transformatie grotendeels gepland was en geïnitieerd doordat decennialang Saudisch geld bij Amerikaanse besluitvormers terecht was gekomen. Bovendien, en dat was nog belangrijker, had een aantal beroemdheden zich in het openbaar bekeerd. Sarah had als voorbeeld een actrice genoemd die in haar toespraak tijdens de oscaruitreiking haar nieuwe geloof had beleden en een beroemde countryzanger die Allah had geprezen in de Grand Ole Opry. Beide gevallen hadden een sneeuwbaleffect gehad, waarbij binnen een tijdsbestek van enkele weken miljoenen mensen zich hadden bekeerd. De ayatollahs waren razend geweest over haar interpretatie van de geschiedenis en hadden het boek godslasterlijk genoemd. Maar Roodbaard was tussenbeide gekomen en de fundamentalisten hadden ingebonden. Ze hadden verklaard dat het verhaal, hoewel goedbedoeld, vol verkeerde conclusies zat.

Rakkim bladerde door het boek en vond de voetnoot van de auteur.

Zowel het succes als de kritiek die de voorpublicatie van *Hoe het Westen werkelijk veroverd werd* teweeg heeft gebracht, kwam voor mij als een volkomen verrassing. Traditionele historici en geestelijken hebben me er van beschuldigd dat mijn boek wereldlijke gebeurtenissen zou overbelichten en onvoldoende aandacht zou schenken aan de rol van de goddelijke interventie. De kritiek werd al snel persoonlijk. Ik ben ervan beticht munt te slaan uit de naam van mijn familie; ik zou een marionet van mijn oom zijn, die van plan was de geschiedenis te herschrijven en zijn politieke tegenstanders te ondermijnen. Ik ben beschuldigd van het feit dat ik een vrouw ben; een *moderne* vrouw die het niet waard is om over zaken van zulk belang te spreken.

Tegen degenen die vinden dat mijn onderzoek wereldlijke gebeurtenissen overbelicht, zeg ik: misschien heeft Allah, de Alwetende, ervoor gekozen Zijn plan in aardse sferen te ontvouwen. Tegen de critici die me van nepotisme en naïviteit beschuldigen, wil ik zeggen dat mijn oom, Roodbaard, geen marionetten nodig heeft. Daarbij zou ik mezelf nooit op een dergelijke manier verlagen. En tegen degenen die me beschuldigen van het feit dat ik een moderne vrouw ben… beken ik schuld, zonder excuus of verweer.

Rakkim legde het boek op het bureau terug. Hij hield van Sarahs felheid, maar hij wist niet of hij het met haar ideeën eens was. Hij geloofde meer in de kracht van wapens dan in die van filmsterren en religieuze groupies. Het boek leek bovendien de kernaanval en de chaos die erop volgde te bagatelliseren.

Hij staarde naar de foto van New York met de grijze stompjes van gebouwen die verspreid over de stad uit de dode aarde staken. Een knekelveld van dromen. Zijn moeder was die dag op zakenreis in New York geweest, maar of ze in de explosie zelf was omgekomen of bij de branden en de paniek die erna waren uitgebroken, was hij nooit te weten gekomen. Hij was toen pas vier geweest, en hij herinnerde zich vrijwel niets van haar. Hij had een duidelijker beeld van zijn vader, vooral van zijn woede en zijn frustratie; het temperament dat hem drie jaar na de aanslag het leven had gekost, toen voedsel nog schaars was geweest en de mensen een duidelijke mening hadden gehad. Ze hadden staan wachten in de rij voor de gaarkeuken. Zijn vader had zijn hand vastgehouden en tegen hem gezegd dat hij nu eindelijk eens stil moest blijven staan, *verdomme.* Vóór hen was een man voor zijn beurt in de rij geglipt, en zijn vader had er iets van gezegd. Het was al snel hooglopende ruzie geworden. Rakkim had niet gezien hoe de schroevendraaier tussen zijn vaders ribben werd gestoken, maar hij had wel gevoeld hoe zijn vaders hand verslapte en die van hem had losgelaten.

Hij was blijven staan, in zijn eentje, terwijl de rij verder was opgeschoven zonder hem. Twee jaar later had hij Roodbaard op straat zien lopen, en…

'Stoor ik je, knul?'

Rakkim draaide zich om naar de vertrouwde, barse stem.

Roodbaard keek hem aan vanuit het midden van het kantoor. Hij was een krachtige man van begin zestig. Zijn vierkante gezicht had diepe groeven en zijn roodblonde haar was kortgeknipt. Zijn oren lagen plat tegen zijn hoofd en hoewel zijn baard grijs begon te worden, waren zijn blauwe ogen nog even fel. Het vereelte plekje midden op zijn voorhoofd was een gevolg van het jarenlange bidden. Roodbaard droeg een grijs katoenen trainingspak, wat zijn atletische figuur benadrukte. Als de biografieën konden worden geloofd, was hij op de universiteit kampioen worstelen geweest. Hij had nog steeds de krachtige nek en de agressieve intimiteit die bij de sport hoorden. Rakkim had talloze malen gezien hoe de man zijn politieke tegenstanders intimideerde door hun persoonlijke ruimte binnen te dringen, bijvoorbeeld door achteloos een arm op iemands schouder te leggen.

'Oom.' Rakkim liet zich op een knie vallen.

'Noem me niet zo… en sta op. Je maakt mij niks wijs.' Roodbaard nam hem uitgebreid op. 'Je ziet er blakend uit. Blijkbaar heeft je luizenleventje je goed gedaan.'

Rakkim stond op.

'Twee van mijn agenten liepen mank toen ze je binnenbrachten.'

'Misschien zaten hun schoenen te strak.'

'Stevens heeft een gebroken neus. Zit zijn *gezicht* soms te strak?'

'Ik heb me ingehouden. Maar ik kon niet zonder slag of stoot met ze meegaan – ik wilde u niet teleurstellen.'

'Daar is het inmiddels te laat voor.'

Rakkim hield zijn rug recht, maar de woorden deden pijn.

Roodbaard leunde nauwelijks merkbaar iets naar voren, en Rakkim dacht heel even dat de man zich ging verontschuldigen. 'Je gaat toch niet huilen, Rakkim?'

'Niet als u mijn ogen er uitrukt, oom.'

Roodbaard lachte. Rakkim niet, maar dat leek Roodbaard niet te hinderen. 'Je mag je ogen houden.' Hij opende de deur naar de wintertuin. 'Ga je gang.'

Rakkim aarzelde even, maar stapte vervolgens naar binnen. Zijn hemd plakte onmiddellijk aan zijn lichaam in de klamme atmosfeer. Roodbaard had nergens last van, ondanks zijn dikke kleren.

De watertuin was een tropische enclave onder een koepel. Tweeduizend vierkante meter grond, dichtbegroeid met rubberbomen en bedwelmende oleander, klimplanten en roze hibiscus. Het condensatievocht liep langs de glazen wanden omlaag en druppelde van het plafond. Rakkim volgde Roodbaard dieper de groene wereld binnen over het smalle pad dat door de tuin kronkelde. Slingerplanten en palmbladeren zwiepten tegen hun gezicht. Het enige licht was van de maan. De rest was schaduw.

Kleine witte orchideeën gluurden door het gebladerte en dansten in de lucht die ze verplaatsten. Watervalletjes, half verborgen mistmachines en een ondiep beekje creëerden een onafgebroken achtergrondruis. Er bestond geen technologie waarmee een menselijke stem uit deze zee van geluid kon worden gefilterd. De met wolfraampoeder bespoten koepel maakte satellietinspectie onmogelijk en beschermde de planten tegen kou. De watertuin was veilig en sereen en harmonieus; de essentie van het paradijs voor de woestijnbewoners aan wie Allah als eersten zijn waarheid had onthuld. Er werd gezegd dat Roodbaard hier mediteerde, maar Rakkim wist dat hij andere dingen in de tuin deed.

Roodbaard legde een hand op Rakkims schouder en kneep erin tot voorbij de pijngrens. 'Herinner je je nog de eerste keer dat ik je hier bracht?'

'Dat was de dag waarop u vertelde dat ik kon blijven. Dat ik bij u en Sarah mocht wonen.' Rakkim keek naar Roodbaards gezicht toen hij haar naam uitsprak. Roodbaard reageerde niet, maar zijn vingers spanden zich nog iets strakker om Rakkims schouder. Vervolgens haalde hij zijn hand weg. Rakkim was er nu van overtuigd dat hij hier vanwege Sarah was. Hij vroeg zich af hoe lang Roodbaard al wist dat ze geliefden waren. Of hij het pas had ontdekt, of dat hij het al maanden wist en had gewacht omdat hij wilde zien hoe de relatie zich zou ontwikkelen.

'Waar denk je aan?' vroeg Roodbaard.

'Aan de dag dat ik u ontmoette.'

Rakkim was die ochtend gekleed gegaan als student in de religieuze wetenschappen; een schooljongen in een wit jasje. Hij had Roodbaard opgemerkt toen die door Pine Street beende. Aan de manier waarop de mensen opzij waren gegaan, had hij gezien dat het een belangrijk man moest zijn. Maar Rakkim was gewoon verder gelopen, de Heilige Koran tegen zijn borst gedrukt. Zijn lippen hadden snel bewogen terwijl hij de verzen prevelde die hij uit het hoofd had geleerd. Roodbaard was blijven staan en had hem een of andere vraag gesteld over de koran en de wet. Toen hij niet het gewenste antwoord had gekregen, had hij Rakkim vastgepakt om hem de les te lezen. Rakkim had van de verwarring gebruikgemaakt om krokodillentranen te gaan huilen, Roodbaards portefeuille te rollen en zich los te rukken. Hij was al bijna in het steegje geweest toen Roodbaard hem opnieuw vast had gegrepen en hem zo hard door elkaar had geschud dat zijn tanden klapperden.

'Zie je dat?' Roodbaard wees op een kikkertje dat op een grasspriet zat. Het diertje was vrijwel doorzichtig in het bleke licht, en zijn keel trilde. 'Deze soort voedt zich met condensatievocht en algen; het onzichtbare dat leeft van het ongrijpbare. Ze behoren tot mijn lievelingsdieren. Het leven aan de periferie van het bestaan toont ons de genade van Allah.' Hij keek naar Rakkim. 'Die dag waarop we elkaar ontmoetten, zag ik een mager diefje met een vaste blik; een jongen die niet schrok van mijn hand of smeekte losgelaten te worden, maar vocht totdat hij uitgeput was.' Hij glimlachte. 'Je mocht van geluk spreken dat mijn nieuwsgierigheid groter was dan mijn rechtvaardigheidsgevoel.'

'Ik dacht dat u me naar de jeugdgevangenis zou brengen. Als ik had geweten wie u was, zou ik zo ver mogelijk bij u uit de buurt zijn gebleven.'

Roodbaard keek gefascineerd naar de kikker, alsof hij er nooit eerder een had gezien.

'Maar toen ik Angelina ontmoette, was ik niet bang meer.' Rakkim liet zich door zijn knieën zakken en observeerde de glanzende huid van de kikker. 'Ik zei tegen mezelf dat als zij uw valse karakter kon overleven, ik dat ook kon.'

'Ze heeft je verwend. De eerste week is ze nauwelijks uit de keuken gekomen. Ze heeft alleen maar omeletten en biefstuk met gebakken aardappelen voor je gemaakt. Ik heb nog nooit iemand zo zien schransen als jij.' De kikker sprong weg om zich te verbergen in het hoge gras bij het beekje. 'Ik vertelde haar dat je een dief was, maar dat maakte haar niets uit. Ze zei dat iedereen in de ogen van Allah een dief was. Ik heb haar gewaarschuwd dat ze niet te optimistisch moest zijn, dat ik niet zeker wist of je zou blijven, maar zij wist dat ik al besloten had.'

'Ik ook. Toen begreep ik het niet, maar ik was precies datgene waar u naar op zoek was.'

'Dat dacht ik in elk geval.' Roodbaard kamde zijn vingers door zijn baard. 'Ik ben nooit getrouwd. Ik had genoeg werk, meer dan genoeg, maar een zoon... Ik dacht altijd dat het goed zou zijn om een zoon naast me te hebben. Een zoon die mijn werk zou voortzetten.' Ergens in de watertuin krijste een vogel, en Roodbaard stond op, trager dan Rakkim had verwacht. 'Maar het was een dwaze, ijdele wens.'

'Heeft u er spijt van dat u me toen meegenomen heeft?'

'Wat maakt dat nu nog uit?'

'Ik vind het belangrijk.'

'Spijt is voor dichters en vrouwen,' zei Roodbaard.

'Het was mijn schuld,' zei Rakkim. Hij was moe van alle huichelarij. Roodbaard speelde steeds opnieuw dit spel, waarbij *hij* de regels bepaalde. 'De Super Bowl was mijn idee. Ik weet niet wat Sarah u allemaal verteld heeft, maar het was mijn idee.'

'Bespaar me je hoffelijkheid. Sarah is al sinds haar geboorte onhandelbaar.' Roodbaard fronste zijn wenkbrauwen. 'Wat is er eigenlijk met de Super Bowl?'

Rakkim bleef op zijn hoede. Voor Roodbaard was de kous nooit af met een schuldbekentenis; daar begon het pas mee. Elk stukje van de puzzel moest op zijn plaats liggen, totdat alle betrokkenen met naam en toenaam bekend waren. 'Sarah en ik hadden afgesproken elkaar te ontmoeten bij de Super Bowl. Ik neem aan dat ik daarom hier ben?'

'*Was* het maar zo eenvoudig; ging het maar gewoon om jullie ongehoorzaamheid.' Roodbaard leek heel even zijn evenwicht te verliezen, maar hij herstelde zich snel. 'Ik heb je hulp nodig. Sarah... Sarah is verdwenen.'

4

Na het nachtgebed

De Wijze Oude keek naar zijn assistent, die zich voor hem ter aarde wierp. Hij kon zich de naam van de jongen niet herinneren. *John,* dat was het. John was vernoemd naar de profeet die de christenen Johannes de Doper noemden. De man die de komst van Jezus had aangekondigd. John, ja, dat was de naam van de jongen die nu langzaam overeind kwam. Het was een populaire naam. Hij had al zoveel assistenten gehad – en er zouden er nog vele volgen – dat het lastig werd om al hun namen te onthouden. De Oude heette eigenlijk Hassan Mohammed, maar hij was al in jaren niet meer zo genoemd. De klank van die naam zou hem inmiddels vreemd in de oren klinken, zelfs in aanwezigheid van iemand die zich hem herinnerde.

'Roodbaard heeft zijn neef om hulp gevraagd,' zei de assistent. Zijn stem klonk zacht en monotoon, alsof emotie de oren van de Wijze Oude zou kunnen beschadigen. Er waren zoveel idioten die ouderdom met zwakheid verwarden.

'Hij heet Rakkim en hij is geen neef,' zei de Oude op afkeurende toon. 'Hij is een pion die door Roodbaard is opgevoed om een paard te zijn.'

De assistent drukte zijn lichaam tegen het tapijt. Het was een ziekelijk uitziend intellectueel type met een dun blond baardje. Zijn witte tuniek en de wijde broek moesten puurheid uitstralen, maar voor de Wijze Oude symboliseerden ze alleen het domweg opvolgen van regeltjes. De knul zou vanzelf leren dat hoewel hij devotie op prijs stelde, de Oude intelligentie een stuk belangrijker vond. Devotie alleen beperkte een mens in zijn flexibiliteit om als instrument te dienen.

De Oude zat op een tweezitsbankje met geborduurde bekleding. Zijn armen lagen nonchalant op de leuningen. Zijn baard was netjes verzorgd, en hij had zijn lange dunne witte haar recht naar achteren gekamd, net als in zijn jeugd. Hij straalde de luisterrijke elegantie uit van een ijdel man wiens zelfingenomenheid met het verstrijken van de tijd steeds verder was toegenomen. De Oude sloeg zijn magere benen over elkaar en bewonderde de scherpe vouw in de zoom van zijn broek. Veel van zijn assistenten gaven de voorkeur aan een gewaad, een tuniek en slippers, maar hij droeg liever kostuums van Barrons en soepele zwarte instapschoenen; een overblijfsel van zijn Britse opvoeding. De Engelsen waren een zwak en bloedeloos ras, maar hun kleermakers waren nog steeds de beste ter wereld. Het pak dat hij vandaag had uitgekozen, was donkerblauw en had twee rijen knopen. Eronder droeg hij een ivoorkleurig overhemd met een militaire stropdas – uiteraard gestrikt met een Windsorknoop – en manchetknopen van lazuursteen. Hij keek even naar zijn handen en wierp vervolgens een blik van de verhoging. 'Hoe oud is dat bericht over Rakkim?'

'We geloven dat hij nog in Roodbaards villa is,' zei de assistent, die nog steeds op zijn buik lag.

'Dat *geloof* je?'

'Ja... ja, Mahdi.'

Mahdi. Zijn assistenten noemden hem tegenwoordig steeds vaker zo. De Mahdi was de Langverwachte, de Verlichte die in de geschriften werd genoemd. Een Messiasfiguur waarvan was voorspeld dat hij zou verschijnen wanneer het einde der tijden naderde, wanneer de moslims in groot gevaar verkeerden. De Mahdi zou de gelovigen verenigen en hen naar een triomfantelijke zege over de ongelovigen leiden. Hij zou een tijdperk van vrede en gerechtigheid inluiden; een kalifaat dat de gehele wereld zou omspannen. De eerste keer dat hij Mahdi was genoemd, had hij zich geërgerd. Hij had het aanmatigend gevonden. Er waren er wel meer geweest waarvan de mensen gedacht hadden dat ze de Verlichte waren; stumpers als Osama, die hun roeping niet hadden waargemaakt. Maar de Oude had besloten dat het beter was om zijn naam, zoals alle dingen, aan Allah over te laten.

'Roodbaard heeft vanavond een team naar de buitenwijken gestuurd,' haastte de assistent zich te zeggen. 'Onze broeders zijn erachteraan gegaan, maar het was een afleidingsmanoeuvre. Terwijl we hen volgden, zijn drie agenten van Roodbaard de Zone binnengegaan en hebben Rakkim in een ambulance met jankende sirene naar de villa gebracht. Roodbaard krijgt regelmatig ambulances op bezoek zodat we nooit precies weten hoe zijn medische toestand is.'

De Wijze Oude rolde met zijn ogen. Hij doorzag onmiddellijk de strategie die Roodbaard voor hem had bedacht.

'Maar Roodbaard heeft gefaald,' zei de assistent.

'Roodbaard heeft helemaal niet gefaald, anders zouden jullie *weten* of Rakkim nog steeds in de villa is,' corrigeerde de Oude. 'Van wie hoorden jullie dat Rakkim was opgepikt?'

'We... we kregen een telefoontje van een van onze sympathisanten in de Zone.' De onderlip van de assistent trilde. 'Het... eh... duurde even voordat het telefoontje binnenkwam en de informatie door was gestuurd.'

'We hebben dus gewoon geluk gehad.' De Oude glimlachte. 'Kijk niet zo bang. Ik heb mijn hele leven geluk gehad, dankzij Allah.' Hij bewonderde zijn spiegelbeeld in zijn glimmende rechterschoen. 'Maar misschien is het beter om Rakkim door een broeder in de gaten te laten houden in plaats van volledig op de hulp van God te vertrouwen.'

'We hadden er geen rekening mee gehouden dat Roodbaard hem erbij zou betrekken. Ze hebben al jaren geen contact meer. Rakkim is een afvallige, en daar maakt hij geen geheim van. Hij doet zijn werk...'

'Hoe weet jij wat voor werk hij doet? Rakkim is een professionele oplichter. Hij is door Roodbaard persoonlijk opgeleid.' De Oude wuifde zijn assistent weg en keek hem na door de deur van het appartement. Hij plukte een draadje van zijn broek. 'Zo, nu weten we het.'

'Ja, vader, nu weten we het,' zei zijn hoofdadviseur en oudste zoon Ibrahim. Oudste nog levende zoon. De lange, slanke Arabier met de korte baard had een donkerder huidskleur dan zijn vader. Hij ging echter net als zijn vader in een westers zakenkostuum gekleed. Met zijn hoge voorhoofd en de donkere, diepliggende ogen zag de drieënvijftigjarige man eruit als een academicus. Ibrahim bezat inderdaad een doctorstitel Wiskunde en Internationaal geldwezen, maar hij had eigenhandig vijf mensen gedood. Een van hen was een jongere broer geweest. Hij had de neiging gehad op te scheppen tegen blonde huurvrouwtjes wanneer hij te veel had gedronken.

'Toen het meisje verdween, Sarah, hoopte ik echt dat ze een sabbatical had genomen. Maar als Roodbaard de hulp van Rakkim heeft ingeroepen, is ze niet verdwenen – dan is ze ontsnapt. Aan Roodbaard en aan ons.' De Oude zuchtte. 'Je had gelijk, zoon. We hadden eerder in actie moeten komen. Ik had haar meteen moeten laten oppakken toen we lucht kregen van het nieuwe boek dat ze schrijft.'

'Komt voor elkaar, vader. Insjallah.'

'Ik had haar moeten arresteren, zoals je adviseerde. Nu is ze weg en zijn we kwetsbaar.'

'Het kennen van de waarheid is één ding, maar haar bewijzen is iets heel anders,' zei Ibrahim. 'Als het meisje bewijzen had gehad, zou het boek al geschreven zijn en zou de wereld zich inmiddels tegen ons hebben gekeerd. Maar er is nog niets aan de hand – we hoeven haar alleen maar te vinden om de dreiging te elimineren.'

De Oude tikte met een wijsvinger tegen zijn lippen, tevreden met het geïnspireerde antwoord van zijn zoon. Door de jaren heen had hij vier van zijn zoons opgeleid als zijn opvolger. Twee van hen waren omgekomen tijdens het uitvoeren van hun belangrijke taak; een derde was in moreel opzicht een verrader gebleken. Alleen Ibrahim was nog over. Hij had nog jongere zoons, voor het overgrote deel veelbelovend, maar geen van hen was opgewassen tegen de taak die hij zichzelf gesteld had. Hij dacht aan alle dingen die hij gedaan had om te komen waar hij nu was, alles wat hij had opgegeven – van harte, natuurlijk. Maar toen hij eraan begonnen was, had hij niet durven dromen dat hij de missie misschien niet zelf zou kunnen afmaken.

'Vader?'

'Het vinden van Roodbaards nicht is maar een deel van onze taak. Hoe belangrijk dat ook is, het bewijs dat ze zoekt is nog veel waardevoller. Als we dat vinden, is de dreiging definitief verleden tijd.'

'En als er geen bewijzen zijn, wat dan? Het is al zo'n tijd geleden; het had toch eigenlijk allang openbaar moeten zijn gemaakt.'

'Misschien was er nooit een goed moment.' De Oude trok zijn das recht; zijn maag begon op te spelen. Zijn spijsvertering was al een jaar niet in orde, juist nu hij de laatste fase van zijn plan aan het voorbereiden was. 'Twintig jaar plannen maken, en nu we zo dicht bij ons doel zijn...' Zijn gezicht betrok en hij proefde gal achter in zijn mond. 'Twintig jaar, en door dat *kreng* hangt alles aan een zijden draadje.'

'We vinden haar wel, vader.'

'Je vertrouwen is prijzenswaardig. Maar vertel eens, Ibrahim, heb je enig idee waar ze kan zijn?'

'Ze... ze is heel voorzichtig.'

De Oude keek zijn zoon aan met een blik waaronder mindere mannen zouden zijn bezweken.

Ibrahim neigde zijn hoofd. 'Ik heb er geen idee van waar ze is, vader.'

De Oude keek langs zijn zoon. Ze wisten niet waar Sarah naartoe was gegaan of zelfs maar hoeveel ze eigenlijk wist. Ze beschikten alleen over een verontrustend lijstje met boeken die ze in de universiteitsbibliotheek had geleend en een flauwe afdruk in een notitieblok, een werktitel voor haar nieuwe boek: *Het Zionistisch Verraad?* Dat vraagteken vormde het probleem.

Een broeder die als conciërge op de vakgroep Geschiedenis werkte, had het notitieblok gevonden en het onmiddellijk naar hem gebracht. *Nog* meer geluk. Zonder dat velletje papier... De Oude voelde hoe zijn maag zich opnieuw samentrok. De broeder die het notitieblok had gevonden, had niet geweten wat de afdruk had betekend, maar de Oude had hem niettemin laten executeren. Hij herinnerde zich de onderworpenheid van de broeder. De man had de Oude geprezen, zelfs terwijl hij zijn hoofd had gebogen voor het zwaard. De Oude voelde iets van boosheid bij de herinnering; wat een verspilling. Maar zijn woede gaf hem het gevoel weer jong te zijn, jong genoeg om de wereld op te blazen als hij de kans kreeg die naar zijn eigen beeld te herscheppen. *Opnieuw* op te blazen. Als hij het boek kon tegenhouden door het meisje te doden, zou hij haar met zijn eigen handen wurgen.

'Roodbaard is niet beter af dan wij, vader. Hij kan haar ook niet vinden. Als Rakkim bij het verlaten van de villa een ongeluk krijgt, zijn wij de enigen die haar zoeken.'

De Oude keek hem dreigend aan. '*Geen ongelukken.* Ten eerste vraag ik me af of je mannen in staat zijn om Rakkim te vermoorden en ten tweede begrijpt iedere idioot dat we hem levend nodig hebben.'

Ibrahim bevochtigde zijn lippen.

'Roodbaard heeft voldoende vertrouwen in Rakkim om hem als zijn bloedhond te gebruiken,' legde de Oude uit. 'Goed, dan gebruiken wij hem ook. Ik bid alleen dat hij zo goed is als Roodbaard denkt.' Hij stond op en liep naar het panoramavenster dat zich achter hem bevond. 'Kom hier.'

Ibrahim gehoorzaamde onmiddellijk en bleef een halve stap achter zijn vader staan.

Beneden hen pulseerde de Strip van Las Vegas. De veelkleurige verlichting boven de hotelluifels, de stralende bogen en de schijnwerpers die de hemel doorboorden als een gebed aan de goden van de hebzucht. Het appartementencomplex van de Oude bevond zich op de bovenste tien etages van de negentig verdiepingen tellende torenflat die door de media Colossus werd genoemd. Maar de naam die op de eigendomsakte vermeld stond, was Trust Services Building. Op de onderste verdiepingen huisden banken, effectenmakelaars, verzekeraars en instellingen uit de gezondheidszorg; de kille organisaties die hun geld verdienden met woekerrentes; het vraatzuchtige hart van het beest. De Oude werd het uitzicht nooit moe.

Las Vegas lag ingeklemd tussen de Islamitische Staten van Amerika en de Bijbelgordel. De stad was een geopolitieke anomalie, een onafhankelijk en neutraal territorium dat als intermediair tussen de twee naties functioneerde. Met een inwonertal van veertien miljoen, dat nog steeds groeide, vormde Las Vegas het centrum van het Amerikaanse geld- en informatiewezen – evenals ideologie en politiek een noodzakelijk kwaad. Het paste uitstekend bij de behoeften van de Oude. Hij was geen verantwoording verschuldigd aan welke natie of regering dan ook; zijn eigen goddelijke missie was het enige wat telde. De Oude leefde al meer dan twintig jaar teruggetrokken in Colossus, van waaruit hij straffeloos zijn operaties orkestreerde, onzichtbaar voor zijn vijanden. Hij had persoonlijk op de bouw van het complex toegezien en talloze beveiligingssystemen in muren, vloeren en plafonds laten installeren. Hij had bij wijze van grap de lagere verdiepingen verhuurd aan de geldschieters, die door eerbare moslims werden verafschuwd. Het was een combinatie van camouflage en zoete ironie; een permanente herinnering aan alle moeite die het hem had gekost om zijn doel te bereiken.

'We zullen Rakkim in de gaten moeten houden,' zei de Oude. Met zijn rechterwijsvinger volgde hij het lichtspel van de Strip – alsof hij een symfonie dirigeerde; alsof hij de stad in zijn macht had. '*Hij* brengt ons bij het meisje, en zodra we haar hebben... Tja, als Allah het wil, ontdekken we waar ze haar idee voor het boek vandaan heeft. Zoiets kan ze niet in haar eentje hebben bedacht.'

'Ik zet een team van onze meest betrouwbare broeders op Rakkim,' verzekerde Ibrahim hem. 'Als hij ergens een broodje eet en er valt een kruimel op de grond, bent u de eerste die het weet.'

'Als hij een kruimel morst, is dat omdat hij merkt dat hij in de gaten wordt gehouden.' De blik van de Oude volgde een helikopter die geluidloos over de zwarte piramidevorm van het Luxor hotel vloog. Op de romp knipperden kleine blauwe lichtjes. In zijn jeugd, voordat hij had geweten dat ze over raketten beschikten, hadden helikopters op libellen geleken. Nu leken ze opnieuw op libellen. 'Nee, ik neem contact op met onze vriend. Hij is meer geschikt voor deze taak.'

Ibrahim huiverde. 'Darwin is niet te vertrouwen.'

'Natuurlijk niet. De besten hebben altijd verborgen motieven.'

'Maar hij is een duivel, vader.'

'Dat klopt. Een duivel, een demon, een djinn... maar Darwin is de enige die in staat is Rakkim te schaduwen. Als Rakkim het meisje vindt, kijkt Darwin toe. En als ze het bewijs vinden dat ze zoeken, is Darwin er ook bij.' De Oude knipte met zijn vingers naar zijn zoon. 'Je kunt vertrekken. Ik zal je de vernedering besparen en zelf met hem praten.'

Ibrahim verliet snel het vertrek en sloot de deur achter zich.

Beneden, over de drukke straten, kropen traag de auto's. De Oude stelde zich voor hoe er onafgebroken geclaxonneerd werd; het dikke glas was geluiddicht. Hij dacht aan Rakkim, het straatratje dat een man was geworden – een creatie van Roodbaard. Hij wilde dat hij meer van hem wist. Hij had natuurlijk Rakkims dossier gelezen, maar hij vroeg zich af hoeveel ervan hij moest geloven. Fedayeendossiers waren niet alleen topgeheim, maar bovendien berucht om hun onbetrouwbaarheid. Ze werden dan ook regelmatig gebruikt om valse informatie te verspreiden. Hij wist niet eens of de naam van de man klopte. Maar Roodbaard had hem in vertrouwen genomen, en daar ging het om.

Roodbaard en zijn oudere broer, James, waren sinds de oprichting van de Islamitische Republiek een doorn in zijn oog geweest. James Dougan was de eerste directeur van de Staatsveiligheidsdienst geweest en Roodbaard zijn tweede man. James was de charismatische leider van de dienst geweest, maar Roodbaard had voor de fundamenten gezorgd. Op een geschikt moment had de Oude geprobeerd de twee te laten vermoorden zodat zijn mol – de derde man binnen de dienst – de zaak had kunnen overnemen. De aanslag was maar gedeeltelijk succesvol geweest. James was omgekomen, maar Roodbaard, die weliswaar schotwonden had opgelopen, had gevochten voor zijn leven alsof hij de poorten van de hel had gezien. Onmiddellijk nadat ze Roodbaard zo goed en zo kwaad als dat ging, hadden opgelapt, had hij de leiding over de Staatsveiligheidsdienst op zich genomen.

Binnen een tijdsbestek van enkele dagen had Roodbaard tientallen van zijn eigen agenten laten executeren. De eerste was zijn mol geweest. Meer dan honderd politieagenten en Fedayeen waren terechtgesteld, en er waren zelfs Zwartjassen verdwenen. De meeste waren slechts zijdelings bij de aanslag betrokken geweest. Drieënveertig doden hadden echter tot zijn trouwe schare volgelingen behoord. Twee van zijn belangrijkste adjudanten waren gevangengenomen; mannen die al decennia voor hem hadden gewerkt. Als ze niet onmiddellijk de hand aan zichzelf hadden geslagen, zou de Oude mogelijk zelf gevangengenomen zijn.

Roodbaards gewelddadige optreden had de plannen van de Oude met jaren vertraagd, en nu dreigde het nichtje al zijn werk te ruïneren. Er zat iets in die familie: een of ander duister zaad, gestuurd door de duivel om zijn nobele bedoelingen te dwarsbomen. Wanneer hij met de nicht en haar nieuwe boek had afgerekend, zou de Oude Darwin achter Roodbaard aan sturen om hem voorgoed de mond te snoeren.

De glimlach verdween van zijn gezicht toen hij aan de taak dacht die hij zich gesteld had. Hij verheugde zich niet bepaald op een gesprek met Darwin, maar er zat niets anders op. Een telefoongesprek met de man was niet gevaarlijk; het was weerzinwekkend. De zure smaak was terug in zijn mond. *Je wordt week op je oude dag,* zei hij tegen zichzelf. Hoe vaak heb je niet een of ander monster bij je thuis uitgenodigd? Je hebt met varkens en honden gedineerd en ze zo hoffelijk behandeld dat niemand zich realiseerde wat je werkelijk dacht. Hoe vaak heb je jezelf niet in het hol van de leeuw gewaagd als dat nodig was? Praat met die man, geef hem je orders en luister of lach als dat zo uitkomt. En daarna *was* je je.

Ja, ja, ja – zo was het genoeg. Twijfel verzwakte lichaam en ziel, en de Oude kon zich dat niet veroorloven. Hij keek naar de windturbines op de bergen in de verte. De lichten van de Strip vormden nu nog slechts een verstrooiing. De vrede van het onbegrensde daalde over hem neer als een kus. De onverschrokken nomaden uit zijn geboorteland geloofden dat Allah het boek des levens al geschreven had. Hoewel bidden voor hen verplicht was, koesterden ze niet de illusie dat God zich door hun smeekbeden zou laten beïnvloeden. Hij zag de schoepen draaien in de koude woestijnwind en dacht aan Roodbaard, die hem zo lang had gedwarsboomd. Maar nu was het Roodbaards beurt om te draaien in de wind, overgeleverd aan het lot en de angst om zijn nicht. Op dit punt dachten Roodbaard en de Oude hetzelfde; ze hoopten allebei vurig dat Rakkim haar zou vinden.

5

Na het nachtgebed

'Sarah verdwenen? Wat bedoelt u daarmee?'

'Ze is twee dagen geleden weggelopen.' Roodbaard keek op zijn horloge. 'Ondertussen alweer drie dagen. Ze is vrijdagochtend verdwenen na haar eerste college.'

Rakkim legde een hand op zijn arm. 'Weet u zeker dat ze niet *ontvoerd* is?'

Roodbaard mepte Rakkims hand weg en liep van het pad af. Hij bewoog zich wat stijfjes.

Rakkim volgde hem dieper de tuin in. Hij moest bukken om grote varens en trossen hangende lelies te ontwijken, bloemen voor de doden; hij walgde van de geur. Het was donker in de tuin, ondanks de volle maan. Maar Roodbaard wist waar hij naartoe ging. Rakkim ook. Op een open plek bij een waterval liet Roodbaard zich op de grond zakken. Daarbij zocht hij even steun met een hand. Rakkim ging naast hem zitten.

Roodbaard tuitte zijn lippen. 'Sarah is in haar eentje vertrokken. Ik dacht eerst dat ze met jou was meegegaan, maar vrijdagavond belde ze me op. Ze zei dat ze veilig was en dat ik me geen zorgen hoefde te maken.'

'Waarom zou ze weglopen? Is er soms iets voorgevallen?'

'Ik heb mijn best voor haar gedaan,' zei Roodbaard met een dreigende blik in zijn ogen. 'Ik had voor haar een geschikte huwelijkskandidaat gevonden, en dat is geen sinecure op haar leeftijd, zeker niet na de publicatie van dat rotboek. De Saoedische ambassadeur heeft zijn vijfde zoon Soliman aangeboden – een directeur in de petrochemie – en ik heb zijn aanbod geaccepteerd. Soliman heeft twee vrouwen, maar die wonen in het koninkrijk, veilig voor de zogenaamde morele smet van onze natie. Sarah zou zijn hoofdvrouw worden en ze zouden in het complex van de ambassadeur gaan wonen. Soliman is goed opgevoed, een kosmopoliet...'

'Heel attent van u.' Rakkim had het tweetal samen gezien. Hij was ze zonder Sarahs medeweten gevolgd. De Saoedi hield zijn koffiekopje met twee handen vast als hij dronk – alsof hij bang was dat hij het zou laten vallen. 'Dus u heeft een gematigd moslim voor haar gevonden. Dan kan Sarah nog steeds lesgeven en naar de film gaan. Misschien mag ze zelfs dansen op haar eigen bruiloft.'

'Had ik soms moeten wachten totdat iemand zou ontdekken dat jullie stiekem in zonde leefden? Dan zouden Sarahs kansen definitief verkeken zijn.'

Rakkim zweeg. *Hij* kon Roodbaards mensen negeren, maar ondanks haar leeftijd en inkomen werd van Sarah verwacht dat ze haar voogd gehoorzaamde.

'Ik wil dat je haar terugbrengt.'

'Waarom ik? U heeft genoeg agenten.'

'Ik vertrouw je.'

'En waarom zou ik haar terugbrengen? Ik heb er alleen maar de pest over in dat ze mij niet eerst heeft gebeld.'

'Ik ben bang dat ze het anders niet overleeft,' zei Roodbaard zacht. 'Een ongetrouwde vrouw die zonder toestemming van huis wegloopt, is nooit veilig, en door wat ze schrijft, vormt ze een doelwit voor aanslagen. Ze begrijpt de situatie niet...'

'Zouden de Zwartjassen uw nicht iets durven aandoen?'

'Het zou erg onverstandig zijn, maar mensen met macht doen regelmatig onverstandige dingen.'

'Oxley is daar te slim voor, te voorzichtig...' Rakkim zweeg. 'Is er soms iets wat u voor me verzwijgt?'

'Mollah Oxley is heel behoedzaam, maar er zijn Zwartjassen die dat geen bewonderenswaardige eigenschap vinden.' Roodbaard voelde aan zijn baard. 'Ik heb mijn best gedaan om Sarahs afwezigheid te verhullen. Ze heeft eerder sabbaticals genomen als dat voor haar onderzoek nodig was. De voorzitter van de vakgroep Geschiedenis is er in getrapt, maar iemand anders niet.' In zijn hals klopte een ader. 'De dag na haar verdwijning kreeg ik bericht dat een groep premiejagers opdracht had gekregen naar haar op zoek te gaan. Specialisten in het terugbrengen van weggelopen echtgenotes en dochters. Mijn mannen hebben twee teams onderschept. Een van mijn beste agenten, Stevens – wiens neus je gebroken hebt – had de leiding, maar ik ben ervan overtuigd dat er nog andere teams op zoek zijn...'

'Door wie zijn ze ingehuurd?'

'Er is anoniem contact met ze opgenomen. De opdrachtgever is onvindbaar.'

'Maak u geen zorgen, oom. Ik vind haar wel. Ik breng haar niet terug om haar door u uit te laten huwelijken, maar ik weet haar te vinden. Dan kunt u Stevens achter *ons* aansturen.'

'Bespaar me je dreigementen. Ik heb de ambassadeur mijn excuses al moeten aanbieden. Ik heb hem verteld dat Sarah zich had teruggetrokken om spirituele steun te zoeken. Dat was voor hem reden om het huwelijk af te blazen. Vrome mensen staan altijd wantrouwig jegens devotie in anderen.'

'U had ons moeten laten trouwen.'

'Ik had zoveel moeten doen.'

'Ik was officier bij de Fedayeen. Het zou u extra aanzien hebben opgeleverd. Er was geen enkele reden om ons uw goedkeuring niet te geven.'

'Mijn goedkeuring is blijkbaar het enige wat jullie niet hebben gehad.'

Rakkim voelde dat hij bloosde.

'Je bent voorzichtig geweest, dat moet ik je nageven. Ik dacht dat het afgelopen zou zijn met die flauwekul als ze eenmaal getrouwd was.' Roodbaard liet een hand in het stroompje zakken en kneep zijn ogen halfdicht. Het koude water ruiste over zijn vingers. 'Ik heb met je imam gesproken. Het schijnt dat je al jaren niet meer in de moskee bent geweest.'

'Dat klopt.'

'Je mijdt het gezelschap van gelovigen en je brengt je tijd door tussen katholieken of erger.'

'Oh, *veel* erger.'

'Ben je dan soms ongelovig geworden?'

'Ik geloof dat er geen andere god is dan Allah en dat Mohammed zijn boodschapper is. Maar dat is dan ook *alles*. Ik ben nog steeds moslim. Geen goede, maar ik ben wel gelovig.'

'Dan is er in elk geval nog hoop voor je.' Roodbaard keek hem strak aan. 'Ik heb een verhaal gehoord dat je misschien interesseert. Het gaat over een reisagent die geen geld vraagt voor zijn diensten. Stel je voor. Emigratie zonder toestemming is verraad. Iedereen die ermee in verband wordt gebracht, krijgt de doodstraf. Maar deze smokkelaar werkt *gratis*. Waarom zou iemand zoiets doen?'

'Een goede moslim is verplicht iedereen die bij hem voor de deur staat eten en onderdak te geven.'

Roodbaard keek hem geamuseerd aan. 'Ah, maar jij bent *geen* goede moslim. Dat heb je net gezegd.'

Rakkim beantwoordde de glimlach niet.

'Ik had andere plannen voor Sarah. En ook voor jou.' Roodbaard bewoog zijn hand tegen de stroom in en er spatte water op het gebladerte. 'Maar het is er niet van gekomen.'

Rakkim zag dat de rechterhelft van Roodbaards gezicht slap was. Eerst had hij gedacht dat het door het zwakke licht kwam. 'Wat is er met u gebeurd?' Hij boog zich naar voren. 'U steunt op uw linkerbeen als u loopt, en hier...' Hij raakte voorzichtig Roodbaards wang aan. 'Een nieuw litteken. Uw baard groeit er niet meer. Er is iets gebeurd.'

'Er is afgelopen maand een aanslag op me gepleegd. Ze hebben het niet overleefd. Ik wel. Dat is alles.'

'De Zwartjassen?'

Roodbaard haalde zijn schouders op. 'Je zei het zelf al: mollah Oxley is te behoedzaam om openlijk tot de aanval over te gaan. Misschien was het iemand binnen de hiërarchie, een van zijn hulpjes die een wit voetje probeerde te halen. En het is natuurlijk altijd mogelijk dat er een nieuwe speler in het spel is.'

'Wie zat er volgens *u* achter de aanslag?' drong Rakkim aan.

'Zorg er eerst maar eens voor dat je Sarah vindt; misschien praten we er dan een andere keer nog wel eens over.'

Het had geen zin om te proberen nog meer informatie uit Roodbaard te trekken. 'Als Sarah al sinds vrijdag weg is, kan ze ondertussen overal zitten. U had eerder contact moeten opnemen.'

'Ze is nog steeds hier. Haar telefoontje vrijdag was lokaal. Haar signalement is meteen aan de luchthavens en treinstations doorgegeven...'

'Er zijn meer manieren om de stad uit te komen.'

'Sarah weet niet dat ze gevaar loopt. Ze denkt dat ik het huwelijk wel afblaas als ze lang genoeg onderduikt. Ze *kent* Seattle. Ze heeft niet het gevoel dat ze hier weg moet. Ze denkt dat ze me over een maand gewoon kan opbellen om me voor de lunch uit te nodigen en dat ik haar dan vergeef. Dat zou ik ook *doen,* maar die luxe hebben we momenteel niet.' Roodbaard rechtte zijn rug en huiverde. 'Ik heb een compleet dossier voor je samengesteld: haar telefoongesprekken van de afgelopen zes maanden, haar computergeheugen en een lijst met vrienden.' Hij klonk kalm. 'Als je nog meer nodig hebt, hoef je het maar te vragen en...'

'Ik kom er wel uit.'

Roodbaard keek langs hem heen. 'Toen je de Fedayeen verliet, heb ik gezworen dat ik niets meer met je te maken wilde hebben. Ik deed alsof je dood was – maar dat was je niet. De nachten lijken langer als je ouder wordt. Als ik tegenwoordig door het huis loop, hoor ik alleen mijn eigen voetstappen. Dan zou ik willen dat jij er was.' Hij slikte. 'Sarah...' Zijn stem stokte, maar hij hield het hoofd recht. 'En nu is zij ook weg. Het is mijn eigen schuld.'

Als Roodbaard soms dacht dat Rakkim hem zou tegenspreken, dan kon hij lang wachten.

Ze zaten zwijgend bij de waterval en luisterden naar het water. Ze waren de enigen in de tuin, uit het zicht van de sterren en de satellieten. Geen van beiden wisten ze of God naar hen keek.

Rakkim rolde zijn mouw op, stak zijn arm in de waterval en haalde twee flesjes Coca-Cola uit Roodbaards geheime bergplaats. Hij overhandigde de verraste Roodbaard er een, draaide de dop van de andere en nam een slok. De frisdrank was zo koud dat zijn tanden er pijn van deden. '*Ahhh.* Ze kunnen lullen wat ze willen, maar Jihad Cola is bocht.' Hij tikte zijn flesje tegen dat van Roodbaard. 'Dat embargo kunnen ze in hun reet steken.'

Roodbaard was ontzet. 'Hoe lang wist je dat al?'

'Een maand nadat ik hier kwam wonen.'

Roodbaard schudde zijn hoofd en opende het flesje. 'Dat krijg je ervan als je niet telt.'

Rakkim had er altijd voor gezorgd dat hij alleen gebruikte nadat Roodbaard de voorraad had aangevuld, en hoewel hij de flesjes met Sarah had gedeeld, had hij haar nooit van de geheime bergplaats verteld. Ze had zich onmogelijk kunnen beheersen en dat zou hen verraden hebben; niet uit begerigheid, maar puur om het feit dat ze iets deed wat verboden was. Sarah had soms het idee dat ze onkwetsbaar was, maar hij wist wel beter.

Rakkim nam een grote slok. 'Die bleekscheten in de Bijbelgordel mogen dan varkens eten; ze weten wel hoe je een fatsoenlijke frisdrank brouwt.'

Roodbaard nipte van zijn cola. 'Die bleekscheten hebben het recept, dat is het *enige* verschil.'

'Dan wordt het tijd dat onze wetenschappers ook eens aan dat recept gaan werken.' Rakkim bewonderde zijn flesje. 'Wie had ooit kunnen denken dat zoiets lekkers verboden zou worden?' vroeg hij op onschuldige toon. 'Bezit van contrabande. Twee jaar dwangarbeid zonder kans op vervroegde invrijheidsstelling.'

'Probeer maar niet de wet te begrijpen.'

'De wet gaat mijn bevattingsvermogen volledig te boven, dat weten we allebei.' Rakkim nam nog een slok. 'Heeft u ooit RC Cola gedronken?'

'Lang geleden.'

'Ik heb een jaar of acht geleden wat gehad... Tennessee... mijn eerste solomissie in de Bijbelgordel. Ik moest geruchten controleren over nucleaire activiteit bij het oude Oak Ridgecomplex.' Rakkim nipte van zijn cola en genoot van de smaak. 'Ik was drie maanden in het stadje geïnfiltreerd. Ik had mijn baard afgeschoren; ik leek wel een baby. Ik liep de huizen af als elektronicareparateur, heb met huisvrouwen en fabrieksarbeiders gepraat en ben lid van de plaatselijke kerk geworden. Ik heb naast de sheriff gezeten, een magere zwarte man met een wijnvlek op zijn wang, en we hebben samen heel hard *The Old Rugged Cross* gezongen. Schitterend gezang trouwens.' Hij nam nog een slok. 'Ik heb niks met slangen gedaan. Bleekscheten schijnen daar iets mee te hebben – iets met hun religie – maar ik heb het zelf nooit gezien. Beste mensen... Dat heeft me trouwens ook verbaasd. Ik vraag me af waarom. Sarah zei altijd dat ze niet anders waren dan wij. *Lees je geschiedenisboeken, Rakkim.*' Hij voelde Roodbaards blik terwijl hij met zijn flesje speelde. 'En het eten – bij de Pinkstergemeente kreeg je na de kerkdienst verse perziktaart met een bolletje zelfgemaakt vanille-ijs. Dan ga je je afvragen of je je niet tot die ouderwetse religie moet bekeren. Kijk niet zo verbaasd, het is echt waar. Ik ben er *zelf* geweest. De mensen, het eten, de kleine attenties... meisjes in hun zomerjurkjes... allemaal kleine dingen, maar als Sarah er niet was geweest...' Hij keek Roodbaard aan. 'Er waren geen kernwapens – of ik heb in elk geval geen radioactiviteit gemeten.' Hij keek naar de belletjes die opstegen in zijn flesje. 'De mensen in Oak Ridge drinken RC Cola. Hun wegen zijn slechter dan de onze en er is weinig rundvlees, maar ze hebben alles wat je ooit zou willen drinken. Bubble-Up, 7Up, Everclear Moonshine en bourbon zo zacht dat het lijkt alsof je zonlicht binnenkrijgt. Ik heb het *allemaal* gedronken, Roodbaard. Ik had weinig keus. Ze houden hun ogen open voor infiltranten, en iemand die een glas maïswhisky afslaat, wordt heel vreemd aangekeken. Maar Coca-Cola is nog steeds mijn favoriet, dus vertel mijn imam maar dat ik nog niet reddeloos verloren ben.' Rakkim nam een grote slok. De ijzige zoetheid vloeide als een lawine zijn slokdarm in. Hij keek naar Roodbaard. 'Al die pasgebottelde Coca-Cola... beter kun je het niet krijgen. En toch smaakte het nergens beter dan hier, als ik het uit uw geheime bergplaats had gepikt. Waarom zou dat zijn, oom?'

'Zorg dat je haar vind, Rikki. Alsjeblieft?'

Rakkim kon zich niet herinneren dat Roodbaard ooit het woord *alsjeblieft* in zijn nabijheid had gebruikt. Het was zo'n verrassing dat hij bijna vergat te denken. Bijna. 'Waarom is Sarah *nu* vertrokken?'

'Hoe bedoel je?'

'Waarom niet een week geleden? Of volgende week? Waarom nu? Wat was de aanleiding?'

'Er was geen aanleiding.'

'Dat is niet wat u me heeft geleerd. Als iemand abrupt een belangrijke beslissing neemt die zijn leven verandert, is er volgens u altijd een aanleiding. Zoek de aanleiding en je vindt de waarheid; dat zijn uw woorden.'

'Dit was geen abrupte beslissing, dus er was geen aanleiding,' zei Roodbaard. 'Ze heeft me er gewoon ingeluisd. Ik dacht dat ze haar verloving had geaccepteerd, maar ze was al veel langer van plan om te vertrekken. Ze had al maanden geld van haar rekening gehaald; steeds kleine bedragen zodat het mij niet opviel.' Hij fronste zijn wenkbrauwen. 'Vijfentwintig jaar – je zou verwachten dat ze me *dankbaar* was omdat ik een goede partij voor haar had gevonden.'

'Kunt u geen andere reden bedenken waarom ze weg wilde?'

Roodbaard keek hem recht in de ogen. 'Absoluut niet.'

'Ik vind haar wel.' Rakkim zette zijn lege Coca-Cola-flesje neer. Hij wist dat Roodbaard loog.

6

Voor het ochtendgebed

Toen hij bij Roodbaards villa wegreed, zag Rakkim de oude Stealths F-117 in formatie over de stad vliegen. Het was de normale patrouille van het beperkte luchtruim boven de stad. Het zwakke bulderen klonk geruststellend. Hij stak zijn nek uit voor een laatste blik en zette vervolgens koers naar huis. Hij reed via de I-90 en nam de rondweg terug naar de stad voor het geval hij werd gevolgd. Hij maakte zich geen zorgen over de mogelijkheid dat de staatveiligheidsdienst hem in de gaten hield. De geruisloze Ford die Roodbaard hem had geleend, had ongetwijfeld een verborgen GPS-systeem, vermoedelijk met twee zenders; één die gemakkelijk te vinden was en een tweede die door de fabriek was ingebouwd. Roodbaard kon altijd nagaan waar de auto zich bevond, maar dat interesseerde Rakkim niet. Hij maakte zich geen zorgen om Roodbaard – hij maakte zich net als Roodbaard zorgen om Sarah. Als de villa in de gaten werd gehouden, zou elke auto die er kwam of vertrok de interesse wekken.

Het verkeer om drie uur 's nachts bestond grotendeels uit zware trailers die goederen over de bergpassen vervoerden naar het oostelijke deel van de staat Washington en sneeuwschuivers die op weg waren naar Snoqualmie Summit. De teller van de Ford stond net iets boven de toegestane maximumsnelheid. Rakkim wierp een blik op het achteruitkijkscherm. Een groen bestelbusje wisselde van rijstrook terwijl dat nergens voor nodig was.

Rakkim zat nog steeds vol van het 'ontbijt' dat Angelina vlak na middernacht voor hem had klaargemaakt: bosbessenpannenkoeken en eieren met worstjes. Terwijl hij zich te goed had gedaan aan de maaltijd, had zij een tirade afgestoken over het feit dat hij zo mager was. Ondertussen had hij haar uitgehoord over Sarah. De pannenkoeken waren een groter succes geweest dan haar antwoorden – het was lang geleden dat Sarah haar in vertrouwen had genomen, zo had ze toegegeven terwijl ze een traan had weggeveegd.

Rakkim belde Mardi in de Blue Moon. 'Hé,' zei hij toen ze opnam. De korte begroeting liet haar weten dat het gesprek mogelijk werd afgeluisterd. 'Ik neem een tijdje vrij.'

Mardi aarzelde. 'Is alles goed?'

'Ik moet iets doen voor een vriend. Ik zie je over een paar...'

'Het is toch niet iets wat ik vanavond heb gezegd?'

'Dat overleef ik wel.' Rakkim verbrak de verbinding.

De snelweg zat vol gaten en het wegdek was op sommige plaatsen ontzet als gevolg van de stormen van afgelopen herfst. Hij nam de afslag bij Issaquah, een van de regionale technologiecentra. De kantorenparken en ondergrondse researchcomplexen werden afgeschermd door stroken biometrisch struikeldraad. Het groene busje nam dezelfde afslag en sloeg rechtsaf bij het verkeerslicht. Rakkim zag het verdwijnen op zijn achteruitkijkscherm. Een paar kilometer verderop verscheen een nieuwe achtervolger. Ditmaal was het een zilverkleurige sedan. Zelfs met maximale vergroting kon hij de bestuurder niet zien. Een gezinswagen met een voorruit van veiligheidsglas? Tuurlijk.

Een halfuur later reed hij weer in de richting van de stad via een alternatieve route. Het verkeer werd steeds rustiger, totdat hij alleen in de duisternis reed met als enige verlichting zijn koplampen. De sedan bevond zich nog steeds een kleine twee kilometer achter hem. In de verte zag hij af en toe de koplampen op de smalle slingerweg. De alternatieve route liep door een bos met hoge sparren en ceders in de uitlopers van het Cascadegebergte. Het was een oude weg, van voor de Omwenteling, goed aangelegd en nog steeds egaal. Een jaar of tien geleden waren hier huizen neergezet, maar er was er niet een verkocht. Ze waren slecht ontworpen, goedkoop gebouwd en lagen te ver van de stad. Tegenwoordig woonden er krakers. Ze hadden geen elektriciteit en riolering, de daken lekten, de vloeren kraakten, de tuinen waren verwilderd en overal stonden braamstruiken. De ooit zo nette oprijlaantjes waren gebarricadeerd met autowrakken om vreemdelingen op een afstand te houden. De autoriteiten bemoeiden zich er niet mee. Terwijl hij er voorbij reed zag Rakkim door de bomen vuren branden.

Het regende nu zachtjes en de ruitenwissers schaatsten over de voorruit. De zilverkleurige sedan had de afstand tot zijn prooi vergroot; de bestuurder was behoedzaam in dit verraderlijke terrein. Er was geen straatverlichting en er waren geen wegbermen, alleen aan één kant een steil talud en aan de andere kant het dichte bos. De auto had een programmeerbaar navigatiesysteem waarbij je alleen de bestemming hoefde in te toetsen. Daarna kon je je laten rijden of zelfs een dutje doen. Maar hij had zijn bestemming niet willen invoeren. Daarbij stond deze streek niet in de computer. Rakkim kende de weg op zijn duimpje. Hij wist waar de slechte plekken zaten en waar hij in het regenseizoen onderliep. Hij gebruikte dit onontgonnen gebied om mensen het land uit te smokkelen; joden, homoseksuelen en gevluchte fundamentalisten. Ze hadden er alles voor over om in het relatief veilige Canada te komen of in het gebied van de mormonen.

In de villa had Rakkim een uur in Sarahs suite doorgebracht en hij was nog steeds duizelig van haar geur. Haar favoriete speelgoedbeest zat nog op haar bed: een versleten konijn met rafelige oren dat een oog miste. Het had het grootste deel van zijn vulling al verloren toen hij het voor het eerst had gezien, vlak nadat Roodbaard hem had meegenomen naar zijn huis. Op een of andere manier had het ding hem altijd aan de lijken herinnerd die na het afkondigen van de staat van beleg aan de bruggen hadden gehangen. Hij had altijd de pest aan het beest gehad, maar vannacht had hij het rechtgezet op haar hoofdkussen. Vervolgens had hij haar slaapkamer doorzocht; haar kleerkast, haar bureau, haar verzameling moslimbarbies. Haar ladekast had hij voor het laatst bewaard. Hij herinnerde zich hoe haar zijden spulletjes door zijn vingers hadden gegleden.

De auto gleed weg en er spatten kiezels op. Rakkim dwong zichzelf om langzamer te gaan rijden. Hij wist niet of Roodbaard opzettelijk over de timing van Sarahs vertrek had gelogen, maar hij was er wel zeker van dat ze het niet op vrijdagochtend had gepland. Niet toen ze de villa verliet. Hij wist niet *wat* het was, maar er was een aanleiding voor haar beslissing geweest. Er was iets gebeurd nadat ze op de universiteit was aangekomen; iets waardoor ze gedwongen was geweest te vertrekken. Het bewijs zat in zijn borstzak: een foto ter grootte van zijn portefeuille.

De foto was Sarahs kostbaarste bezit, dat ze verborgen hield in een geheim compartiment van haar speeldoos. Ze had de foto een keer aan hem laten zien, maar hij had moeten beloven niemand er iets over te vertellen. Hij had zich aan die belofte gehouden. Het was een foto van Sarah en haar vader. Sarah als peuter, vredig slapend in de armen van haar vader, die recht in de camera keek. Er waren veel officiële portretten van James Dougan – de eerste directeur van de Staatsveiligheidsdienst werd als een van de grootste martelaars van de natie beschouwd. Maar dit was de enige foto waarop Rakkim de man ooit werkelijk gelukkig had zien kijken. Rakkim had nooit aan Sarah gevraagd waarom ze de foto verborgen hield. Alleen iemand die niet in dat huis was opgegroeid zou zich erover verbaasd hebben – elk geheim dat voor Roodbaard verborgen werd gehouden, was een overwinning. Hij tikte op zijn borstzak. Als Sarah die ochtend had geweten dat ze nog dezelfde dag zou vertrekken, had ze de foto nooit laten liggen.

Hij reed langs een open plek en ving een glimp op van Seattle, dat fonkelend in de verte lag. Boven Queen Ann Hill dreven tientallen luchtschepen die het presidentieel paleis bewaakten. De weg maakte een bocht en de zwakke lichtjes van de sedan verdwenen uit het zicht.

Op het witte grenen bureau in Sarahs slaapkamer lagen stapels echte boeken en gele vellen papier met Sarahs kleine handschrift. Ze was gek op antiek, computers met toetsenborden en balpennen, stripverhalen en dvd's. Sarah bezat geen enkele foto van haar moeder – ze had er ook nooit een bezeten. Katherine Dougan was vlak na de moord op haar echtgenoot verdwenen. Er werd algemeen aangenomen dat ze een aandeel had gehad in de samenzwering waarbij hij om het leven was gekomen; een poging van radicale christenen om het nieuwe moslimregime te destabiliseren. Ze was nooit gevonden, ondanks Roodbaards inspanningen, en hoewel er allang niet meer naar haar werd gezocht, had Roodbaard zelfs het noemen van haar naam in zijn huis verboden.

Rakkim herinnerde zich hoe hij vlak na zijn aankomst door de villa was gewandeld om de kamers te bewonderen. Terwijl hij een teen in het zwembad had gestoken, had hij tegen zichzelf gezegd dat hij hier maar beter niet aan gewend kon raken – het kon elk moment afgelopen zijn. Hij was net negen geweest; een vroegwijs straatjochie, altijd op zijn hoede. Sarah was toen vijf geweest, een levendig, slim meisje en net als hij wees. Ze had toen al kunnen lezen. De eerste keer dat hij haar had ontmoet, had ze blij geleken hem te zien, alsof ze al heel lang op hem had gewacht.

Ze waren samen opgegroeid in het grote huis, hadden baantjes getrokken in het zwembad, met hun lijfwachten insecten verzameld in het bos en zij aan zij hun huiswerk gemaakt in de studeerkamer. Als gematigd moslim in hart en nieren had Roodbaard erop gestaan dat Sarahs opleiding in niets van die van een man zou verschillen. Hij wilde haar stimuleren om zelfstandig na te denken en vond dat ze aan sport mocht doen en moderne kleren mocht dragen, behalve op de sabbat. Na de publicatie van haar boek had hij er waarschijnlijk spijt van gehad dat hij niet wat strenger voor haar was geweest.

De slingerweg ging over in een nog smallere weg. Hij lette goed op of er glas op de weg lag of kabels tussen de bomen gespannen waren. Als je je hier op straat begaf, was dat op eigen risico. Zelfs het leger reed hier alleen in konvooi. Hij maakte zich geen zorgen. Over een kilometer of vijftig zou het nog slechter worden. Er stond hem een opeenvolging van kronkelende zandpaden, verlaten mijnwegen, spoorwegconcessies en donkere bosgangen te wachten, waarvan de meeste niet eens meer op de kaarten stonden aangegeven.

Kaarten waren trouwens maar een benadering, dat had hij bij de Fedayeen geleerd. Vertrouw op je instinct, vertrouw op je ogen en vertrouw op je Fedayeenbroeders. Pas wanneer je geen andere keus hebt, mag je op een kaart vertrouwen. De vraag was nu: wat moest hij denken van de kaart die hij vannacht in Sarahs kamer had gezien? Op de wereldkaart boven haar bureau waren tientallen gekleurde punaises vastgeprikt, ongetwijfeld allemaal verband houdend met haar onderzoek naar de recente geschiedenis van Amerika.

De rode punaises symboliseerden de eerste militaire acties in de Bijbelgordel: Charleston, Richmond, Knoxville, Abilene, New Orleans. Alle aanvallen waren afgeslagen; de afgescheiden christenen hadden zich als dolle honden tot het uiterste verzet. Ze hadden zichzelf nog liever opgeblazen dan dat ze zich gevangen hadden laten nemen. De tegenoffensieven van de Bijbelgordel waren aangegeven met gele punaises… Chicago, Indianapolis, Topeka, Newark. Newark was een slagveld geweest; ruim vijfhonderdduizend doden, merendeels burgers. Na Newark was de roep om een wapenstilstand te luid geweest om nog door wie dan ook genegeerd te kunnen worden. Sindsdien heerste er een valse vrede.

De goudkleurige punaises stonden voor Rakkims Fedayeenoperaties – tenminste, degene waarvan Sarah op de hoogte was. Hoewel het leger sinds het verdrag een strikt defensieve rol had gekregen, voerden de elite-eenheden van de Fedayeen geheime operaties uit in binnen- en buitenland. Er staken goudkleurige punaises in de mormoonse staten Utah en Colorado, nog een aantal in Idaho en Montana, waar ze de bastions van de Aryan Identity hadden aangevallen, en nog meer in Brazilië en Nigeria. Er waren geen gouden punaises uit de laatste zes jaar van zijn dienstverband. Geen gouden punaises voor zijn soloacties in de Bijbelgordel en ook niet voor Corpus Christi, Nashville, Biloxi of Atlanta. En dat was misschien maar goed ook.

Rakkim had nog iets merkwaardigs gezien op de kaart in Sarahs slaapkamer. Het was hem opgevallen toen hij zijn ogen halfdicht had geknepen. Vanuit een bepaalde hoek had hij een gaatje gezien in het midden van China. Hij was naar de kaart toegelopen en had zijn hand over het papier bewogen. Hij had het duidelijk gevoeld. Er zat een speldenprik in de rivier de Yangtze – het enige gaatje in de kaart zonder punaise. Het was geen vergissing. Nergens in China waren punaises, alleen dat ene gaatje in niemandsland. De Islamitische Republiek had nooit een militaire aanval op China uitgevoerd. China, 's werelds enige supermacht, was strikt neutraal gebleven tijdens de chaos die was gevolgd op het Zionistisch Verraad. Waarom had Sarah dan de Yangtze gemarkeerd?

Rakkim nam gas terug en zocht naar de plek... de opening. Hij had er al eerder gebruik van gemaakt, maar door de regen was het zicht erg slecht. De opening kwam na een scherpe bocht in de weg; zijn achterlichten zouden dan onzichtbaar zijn voor degenen die hem volgden. Hij reed langzaam verder. *Daar.* Hij remde zachtjes, reed vervolgens achteruit de struiken in en parkeerde loodrecht op de weg. De takken zwiepten tegen de zijkant van de auto. Hij doofde de lichten, maar liet de motor lopen. Toen hij het venster een stukje omlaag draaide, vulde het interieur zich met de klamme kilte van het bos. Regendruppels die van de bomen vielen, sisten op de warme motorkap. Hij dacht aan Sarah.

Op zijn achttiende was de situatie tussen hen veranderd. Rakkim had op het punt gestaan om naar de Militaire Academie van de Fedayeen te vertrekken. Hij had zich naar voren gebogen om Sarah een afscheidskus te geven.

'Ik ga later met je trouwen,' had ze gefluisterd, en ze had haar armen om zijn hals geslagen. Ze was een mager, slungelig meisje van dertien geweest, maar ze had gesproken met het zelfvertrouwen van een vrouw.

Hij had aan haar haar getrokken omdat hij dacht dat ze een grapje maakte.

Maar ze had hem niet losgelaten. 'Je weet dat het zo is.'

Hij had erom gelachen, maar met het verstrijken der jaren was ook hij de aantrekking gaan voelen. Steeds als hij voor verlof naar huis ging, vond hij haar wijzer en volwassener. Bovendien kende ze hem van haver tot gort, wat ze regelmatig liet blijken met een grijns of een veelbetekenende blik. Ze zetten hun gevoelens nooit in daden om, en er werd ook zelden over gesproken; ze waren te sterk voor woorden. Op aandringen van Roodbaard stemde Sarah ermee in de moskee te gaan bezoeken met de zoon van een belangrijk senaatslid. Het stel maakte regelmatig lange wandelingen – gechaperonneerd, uiteraard. De romance duurde vier maanden; toen maakte Sarah er een einde aan. Die lente – Rakkim was net terug uit de Bijbelgordel – stapten ze Roodbaards kantoor binnen om zijn goedkeuring te vragen voor een huwelijk. Rakkim was vijfentwintig en net gepromoveerd. Hij had bovendien een aanbod op zak voor een benoeming in de stad. Sarah had haar universitaire studie afgerond. Ze waren verliefd. Het was tijd om te trouwen.

'Geen sprake van,' had Roodbaard gedonderd. Rakkim had aangevoerd dat hij uitstekende vooruitzichten had, terwijl Sarah had geprobeerd Roodbaard ervan te overtuigen dat hun liefde puur was en hun gedrag onberispelijk. Maar Roodbaard had alle argumenten met een gebaar van zijn hand van tafel geveegd. Vervolgens had hij Rakkim weggestuurd.

Als Rakkim bij de Fedayeen was gebleven, had hij mogelijk gehoor gegeven aan Roodbaards bevel bij Sarah uit de buurt te blijven. Zijn carrière verliep voorspoedig. Hij was onderscheiden voor zijn moed en zou op een gegeven moment een leidinggevende positie krijgen. Hij had kunnen trouwen, kinderen kunnen krijgen en zijn land kunnen blijven dienen. Maar in plaats daarvan had Rakkim, na nog twee langdurige missies in de Bijbelgordel, zijn ontslag ingediend en zich in de Zone gevestigd. Hij had dagelijks met het idee gespeeld contact op te nemen met Sarah, maar zij was de eerste die van zich had laten horen. Anderhalf jaar geleden was een gesluierde oudere vrouw op straat, voor het oorlogsmuseum, tegen hem op gebotst. Ze had hem een memochip in de hand gedrukt en was haastig weggelopen.

De volgende dag was Sarah naast hem komen zitten op de achterste rij van een verduisterde bioscoop. 'Ik dacht dat Fedayeen daadkrachtig waren. Waarom heb je niks van je laten horen? Was je soms van plan om Roodbaard je hele leven te laten bepalen...?'

Rakkim kuste haar

'Dat is beter.' Sarah streelde zijn gezicht.

In het jaar dat erop volgde, ontmoetten ze elkaar wekelijks, soms vroeg op de avond, als het donker was, soms halverwege de ochtend, als ze geen college moest geven. Ze waren altijd heel voorzichtig. Rakkim had militaire acties uitgevoerd waarbij hij minder had moeten plannen. Hun verhouding was riskant en kon onmogelijk geheim blijven, wat haar op een of andere manier nog aantrekkelijker had gemaakt. Nadat een politieagent Rakkim had herkend en hem de hand had geschud, hadden ze beloofd een einde aan de relatie te maken. Maar de belofte werd een week later alweer verbroken onder een gouden maansikkel – de glimlach van geliefden in de nacht.

'We zouden gewoon moeten trouwen,' had Rakkim achteraf gezegd, ademloos van de inspanning en de vreugde van het opnieuw samen zijn. 'We hebben Roodbaards toestemming helemaal niet nodig.'

'Natuurlijk wel,' zei Sarah, die altijd de meest praktische van de twee was.

'Dan moeten we ermee stoppen. Een vrouw met jouw status... Op deze manier ruïneer je je toekomst.'

'Die is al geruïneerd.' Ze had gelachen. 'Maak je geen zorgen. Roodbaard verandert nog wel van gedachten.'

Het begon harder te regenen. Hij herinnerde zich hoe Sarahs lippen voelden, hoe ze smaakten en hoe ze in bed haar voeten tegen de zijne wreef. Hij had niet verwacht dat het eeuwig zou duren, maar het verbaasde hem wel dat het einde zo abrupt was gekomen. Hij was naar het huis van een vriend gegaan die op vakantie was en had daar op haar gewacht. Maar ze was niet gekomen. De volgende dag had ze hem gebeld en gezegd dat ze elkaar niet meer konden zien. De situatie was onmogelijk geworden. De telefoon was bijna te zwaar geweest om nog vast te kunnen houden. Hij had gevraagd of ze er zeker van was, en dat was ze. Dat was zes maanden geleden. Sindsdien had ze drie keer contact met hem opgenomen, maar ze was alle drie de keren niet op komen dagen. Nu was ze verdwenen en...

Rakkim hoorde de motor van de zilverkleurige sedan nog voordat het schijnsel van de koplampen door de bomen danste.

Langs de weg lichtten ogen op. Een doorweekt hert gevangen in het licht.

Rakkim zette Roodbaards geruisloze Ford in de versnelling en de sedan remde af voor de bocht. Het volgende moment gaf hij plankgas. Hij raakte de sedan vol in de zijkant en duwde hem de weg af, over de rand. De auto schoot omlaag door het kreupelhout en klapte met veel gekraak op de twee andere wrakken die er lagen.

Het hert knipperde met zijn ogen en rende weg.

Rakkim manoeuvreerde de Ford weer in positie. Hij zag geen lichten achter of voor zich. Hij was alleen met de regen en zijn herinneringen.

7

Voor het ochtendgebed

Mollah Oxley lachte. Daarbij opende hij zijn mond zo wijd dat Khaled Ibn Azziz in zijn walgelijke slokdarm kon kijken. Het onderwerp van zijn vrolijkheid was zo mogelijk nog walgelijker. Oxley bevond zich aan het hoofd van de bankettafel, omringd door hooggeplaatste Zwartjassen. Ibn Azziz zat onmiddellijk rechts van hem. Een eervolle plek, maar met een weerzinwekkend uitzicht.

'Kijk eens wat vrolijker, Khaled,' zei Oxley, het hoofd van de Zwartjassen. '*Lach* eens een keer. Dat chagrijnige smoelwerk van jou bederft het feest.'

Ibn Azziz deed wat hem bevolen was. Althans, dat probeerde hij.

'Moet je hem nou zien,' bulderde Oxley terwijl er stukjes gegrild duivenvlees van zijn lippen vielen. 'Hij vast zoals gewoonlijk. Als je naar onze uitgemergelde broeder kijkt, zou je denken dat voedsel gevaarlijk is.' Meer gelach. 'In het openbaar verwacht ik goede manieren van mijn ministers, maar je bent hier onder vrienden, Khaled. Het is *feest*. We vieren onze groeiende macht – Allah zij geloofd – en mijn belangrijkste hulpsheriff kijkt zo zuur als een jood op de dag des oordeels.'

Er steeg een oorverdovend gebulder op en de andere hulpsheriffs sloegen zo hard met hun vuisten op tafel dat de borden en de kristallen bokalen begonnen te dansen. De hoogste gelederen van de Zwartjassen hadden de hele nacht gegeten en gedronken. Inmiddels kwam de zon bijna op, maar het einde van het feest was nog niet in zicht.

Ibn Azziz liet zijn blik over de aanwezigen glijden. Hij zag alleen maar zwakkelingen en lafaards in zwarte zijden gewaden, mannen die dik en inhalig waren geworden en hun missie vergeten waren. Alleen Tanner en Faisal lieten het hoofd hangen. Ze schaamden zich voor hem. Ze hadden hun eten niet aangeraakt en hun handen lagen gevouwen in hun schoot.

De top van de religieuze politie was vergeven van hypocrieten; mannen die om persoonlijk gewin voor de heilige orde hadden gekozen; liefhebbers van luxe die hun primitieve behoeften onder hun gewaden verborgen en dachten dat niemand daar iets van zou merken. Oxley was de ergste. Zijn optreden in het openbaar was nog acceptabel, maar privé was hij een zatlap en een pedofiel. Of het nu meisjes of jongens waren, het maakte Oxley niet uit, zolang hij ze hun onschuld maar kon ontnemen. Zijn perversiteiten waren al een gruwel, maar het feit dat hij regelmatig met de gematigden aanpapte om het op een akkoordje te gooien, was een regelrechte ramp. Oxley was de derde mollah van de religieuze politie in de afgelopen twintig jaar. De laatste keer dat hij een risico voor zijn geloof had genomen, was toen hij zijn voorganger had vermoord.

Oxley wuifde de acolieten weg die hem bedienden, pakte een wijnfles en schonk Ibn Azziz opnieuw bij, hoewel diens bokaal al boordevol was. De rode wijn liep over de rand en maakte een vlek op het witte tafellaken. ‘Drink op, Khaled. *Drink*, verdomme!’ Hij bleef doorschenken en de wijn stroomde van tafel op het gewaad van Ibn Azziz. ‘Ik heb genoeg van dat sikkeneurige gezicht.’

Ibn Azziz reikte voorzichtig naar de bokaal, bracht hem naar zijn mond en nam een minuscuul slokje. Hij moest bijna overgeven.

Oxley zette de fles met een klap op de tafel. ‘*Dat* is beter.’ Hij hief zijn eigen glas, wachtte totdat de anderen zijn voorbeeld volgden en leegde het vervolgens in een grote teug. Nadat hij zijn mond had afgeveegd, boerde hij luid en met wiegende onderkinnen. ‘Misschien is er toch nog hoop voor dit wandelende skelet.’

Ibn Azziz staarde recht voor zich uit. De bleke asceet met de uitpuilende ogen en het ziekelijke lichaam beschikte over opmerkelijk veel kracht en een onstuimig temperament. Hij had een dunne baard en zijn vettige zwarte haar reikte tot aan zijn schouders. Het was ongekamd en ongewassen aangezien hij zelden een bad nam; zo voorkwam hij dat zijn naaktheid tot onreine gedachten zou aanzetten. Toen hij net lid van de orde was, hadden zijn collega’s de spot met hem gedreven, maar hij had snel carrière gemaakt. Oxley had hem als zijn rechterhand gekozen, ondanks het feit dat er een groot aantal oudere gegadigden was geweest. Ibn Azziz was Oxleys ‘afschrikmiddel’. Alle ogen werden neergeslagen wanneer hij binnenkwam. Oxley gebruikte Ibn Azziz om politieke vijanden en ambitieuze ondergeschikten te intimideren. Hij had alleen geen rekening gehouden met het feit dat het geloof van Ibn Azziz uiterst puur was. Ibn Azziz leefde celibatair. Hij bezat niets anders dan twee gewaden en een koran. Hij was ongevoelig voor corruptie en verleiding. Voor hem waren gematigden en modernisten gevaarlijker dan de zionisten, het menselijke rot binnen de perfecte islamitische staat.

Oxley keek naar Ibn Azziz. 'Ik begrijp niet waarom je niet wat vrolijker bent. De Super Bowl was een groot succes. Onze broeders hebben een stel modernisten op hun falie gegeven vanwege hun onfatsoenlijke gedrag – en het is allemaal uitgezonden. De hele wereld heeft gezien dat we niet met ons laten spotten.'

'Er is nauwelijks bloed gevloeid,' zei Ibn Azziz terwijl de wijn van zijn gewaad druppelde.

'Geduld, Khaled.' Oxley richtte zich tot de andere aanwezigen. 'Onze jonge broeder had liever gezien dat ayatollah al-Azufa in het rustgebed was voorgaan en niet ayatollah Majani.'

Ibn Azziz wist dat hij beter kon zwijgen, maar eerlijkheid was zijn enige slechte gewoonte. 'Ayatollah al-Azufa is een soldaat van God. Majani is een charmeur die zelfs de modernisten nog het gevoel geeft dat ze heel devoot zijn.'

Oxley kneep zijn ogen half dicht. Zijn gezicht was rood van de drank. 'Je weet heel goed dat ik voor Majani heb gekozen.'

Het werd stil aan tafel. Oxleys twee lijfwachten legden hun hand op hun dolk en bogen zich iets naar voren. Ze stonden aan weerszijden van hem; een gedrongen Jemeniet met een donkere huid en een langere Amerikaan die ooit in de Super Bowl had geschitterd voor de San Francisco Falcons.

Oxley sloeg Ibn Azziz op de schouder. Hij lachte, en de anderen volgden zijn voorbeeld, blij dat de spanning verbroken was. 'Als ik al-Azufa had laten voorgaan, zou hij naar de president hebben uitgehaald vanwege diens gebrek aan piëteit. En waarschijnlijk had hij voor de goede orde ook nog wel een stel overspeligen laten stenigen. Hoe zou dat er op televisie uit hebben gezien?'

Oxley straalde. 'Khaled is pas tevreden als de Super Bowl met de hoofden van zondaars wordt gespeeld in plaats van met een football.' Een minzaam schouderklopje voor Ibn Azziz. 'Je moet nog veel leren, jonge broeder. Subtiliteit is de hoogste vorm van politiek.'

'Wij moeten ervoor zorgen dat de wetten van Allah worden nageleefd,' zei Ibn Azziz. 'Dat is iets anders dan politieke spelletjes spelen.'

'Als we Roodbaard weg willen hebben, zullen we de politiek even hard nodig hebben als Allah,' blafte Oxley.

Ibn Azziz sloeg de ogen neer, geschokt door de godslasterlijke taal van zijn meerdere.

'Dat is toch ons doel, of niet soms?' zei Oxley op prekerige toon. De andere hulpsheriffs mompelden instemmend. 'Roodbaard is degene die ons in de weg staat.'

'Waarom laten we hem dan niet kennismaken met onze zwepen?' Ibn Azziz keek de tafel rond voor steun. 'Een uur geleden heeft een voertuig van de Staatsveiligheidsdienst met opzet een van onze auto's geramd. Drie broeders zijn ernstig gewond geraakt.' Hij tikte met een vinger op het tafelblad. 'Dit is niet het juiste moment om lijdzaam toe te kijken en feest te vieren.'

'Onze broeder staat te trappelen van ongeduld om ten strijde te trekken, maar in zijn haast zou hij ons te gronde richten.' Oxley zwaaide met een kalkoenpoot naar Ibn Azziz om hem de mond te snoeren. 'We zullen uiterst behoedzaam te werk moeten gaan,' zei de mollah, genietend van zijn eigen stemgeluid. 'De imam van Roodbaards eigen moskee heeft vorige week – na mijn persoonlijke bemoeienis – een fatwa uitgevaardigd waarin de verdorvenheid van de populaire cultuur wordt veroordeeld. Moderne muziek en mode worden "sociaal terrorisme" genoemd, "even gevaarlijk als de dreiging van de Bijbelgordel". Een gevoelige nederlaag voor Roodbaard.' Oxley zette zijn tanden in de kalkoenpoot. 'Kijk, Khaled, *dit* is de weg naar de overwinning: kleine hapjes. We blijven net zo lang aan Roodbaard knagen totdat er niets meer van hem over is.'

'Kleine hapjes...?' Ibn Azziz schoof zijn bord opzij. 'Dus u wilt dat wij, de instrumenten van de Almachtige, muizen zijn?'

Oxley liet de kalkoenpoot op zijn bord vallen. 'Ben jij soms te goed om een muis te zijn, Khaled? Heb je me daarom niet gehoorzaamd?'

De rest van de Zwartjassen ging verzitten en de lijfwachten deden een stapje achteruit.

'Afgelopen vrijdag kwam Khaled bij me,' zei Oxley. 'Hij was ervan overtuigd dat Roodbaards nicht door lustgevoelens zou zijn overmand en was weggelopen om zich bij een geliefde te voegen...'

'De slet was niet komen opdagen voor haar college. Mijn contactpersoon op de vakgroep Geschiedenis zei dat het hoofd geen bericht van verhindering had ontvangen. Het was een geweldige *kans* voor ons.'

'Een kans?' Oxley maakte een weids gebaar met zijn armen. 'Dat kreng heeft gewoon last van een maandelijks ongemakje en Khaled krijgt kramp.'

De Zwartjassen huilden van het lachen. Zelfs de lijfwachten grijnsden.

'Onze broeder kwam permissie vragen om een stel mannen op pad te sturen en de nicht te gaan zoeken,' zei Oxley, die niet langer glimlachte. 'Wat heb ik toen tegen je gezegd, Khaled?'

'U zei dat het risico om haar voor het gerecht te brengen te groot was.'

'Ik zei dat we de strijd aan het winnen zijn. Het is niet nodig om Roodbaard rechtstreeks aan te vallen,' zei Oxley. 'Niet zolang hij het vertrouwen van de president geniet.'

'De president is een inhoudsloze zwakkeling,' zei Ibn Azziz. 'Hij mist de kracht om...'

'Je vroeg om permissie en ik heb nee gezegd. En wat heb je toen gedaan? Toe, Khaled, vertel je broeders eens hoe je op het bevel van je mollah hebt gereageerd.'

Ibn Azziz voelde een ijzige kilte over zich komen. Ze vulde zijn aderen totdat er geen gevoel meer over was. Geen pijn, geen genot, alleen een kristalhelder weten.

'We *wachten* op je, Khaled,' zei Oxley.

'Ik heb het bevel van mijn mollah naast me neergelegd en me aan de voorschriften van Allah gehouden.'

'Je verwart het suizen in je oren met de stem van Allah,' zei Oxley op spottende toon. 'Je bent een onderlegd geestelijke, Khaled. Vertel eens, wat is de prijs voor ongehoorzaamheid?'

Ibn Azziz stond op, boog naar Oxley en legde zijn handen plat op de tafel.

'Je bent een gewaardeerd dienaar geweest,' zei Oxley. 'Scherpzinnig en daadkrachtig.' Hij wenkte naar zijn lijfwachten. 'Ik zal je daarom met een snelle, pijnloze dood belonen. Hopelijk zul je in het hiernamaals de vleselijke geneugten ontdekken die je in deze wereld hebt afgewezen.'

De Amerikaanse lijfwacht kwam naast Ibn Azziz staan. 'Maak je geen zorgen, broeder,' zei de grote blonde moordenaar uit Wyoming zacht. Zijn stem klonk lichtelijk nasaal. 'Ik breek je nek zo snel, dat je al tussen de maagden ligt te stoeien voordat je beseft dat je dood bent.'

Ibn Azziz keek naar Oxley toen hij de kreet van de Amerikaanse lijfwacht hoorde. Het was een zachte kreet. De kreet van een baby. Oxleys ogen openden zich wijd en Ibn Azziz glimlachte.

De Jemenitische lijfwacht liet de Amerikaan op de grond zakken en trok de dolk uit zijn brede rug.

Oxley probeerde op te staan, maar de alcohol en de verbazing maakten hem traag. Ibn Azziz stond al achter hem, draaide een linnen servet rond zijn nek en begon het aan te draaien. Oxley trok aan het servet, en zijn nagels drukten zich in de huid van Ibn Azziz.

Ibn Azziz schonk geen aandacht aan Oxleys wanhopige worsteling. Hij bleef het servet aandraaien. Oxley was twee keer zo groot als hij, maar zijn zonden hadden hem zwak gemaakt. Ibn Azziz had een puur hart. Hij bezat bovendien de kracht en de helderheid van de rechtschapenen. *God zal u ter verantwoording roepen voor alle dingen die u onthult en alle dingen die u verbergt,* citeerde hij terwijl zijn greep zich verstevigde.

Oxley gorgelde en zijn ogen puilden uit hun kassen. Hij stribbelde uit alle macht tegen. Er stroomden tranen over zijn wangen die in zijn baard druppelden.

Ibn Azziz duwde Oxley omlaag. *En Allah zei... Allah zei tegen Iblis, de duivel: 'Het pad dat naar Mij voert is recht, en u heeft geen gezag over Mijn dienaren, behalve over degenen die dwalen... die dwalen en u volgen. Hun eindbestemming zal de hel zijn.'*

Oxleys lippen werden paars als een rijpe druif. Hij klauwde naar het tafelkleed en er vielen schalen en glazen op de grond. Zijn bewegingen werden trager... steeds trager... totdat hij in elkaar zakte.

Ibn Azziz liet hem los. Oxley viel van de stoel en bleef dood op de grond liggen. Ibn Azziz veegde zijn handen aan het servet af en wierp het opzij. Hij liet zijn blik over de aanwezigen glijden. De hulpsheriffs staarden bevend naar hun borden, behalve Tanner en Faisal, die de kralen van hun gebedskettinkjes door hun vingers lieten glijden. Langzaam en met vormelijke bewegingen nam Ibn Azziz aan het hoofd van de tafel plaats. De Jemenitische lijfwacht ging achter hem staan en nam zijn plaats in. Ibn Azziz voelde zich omringd door puur wit licht. Hij was zesentwintig jaar oud. Er was veel werk te doen, en hij was nog maar nauwelijks begonnen.

8

Het middaggebed

De volgende middag zat Rakkim achter Sarahs bureau op de universiteit. Hij keek het kantoor rond om te zien wat zij zou hebben gezien en glimlachte. In de boekenkast stond een foto van Sarah op de Mount Rainier. Ze droeg een oranje parka en stak triomfantelijk haar armen in de lucht. Toen hij wat beter keek, zag hij zijn eigen spiegelbeeld in haar zonnebril. Hij droeg een blauwe parka en richtte zijn camera op haar. Nog een van Sarahs geheimen en een van hun privégrapjes.

Terwijl hij Sarahs bureau doorzocht, schuifelden er studenten langs het kantoor. De tweede bel waarschuwde hen dat ze nog vijf minuten hadden alvorens ze in hun lokaal werden verwacht. De universiteit trad streng op tegen laatkomers en studenten die zich niet aan de kledingvoorschriften hielden, maar het budget voor onderhoud mocht wel eens omhoog. Hoewel de campus brandschoon was en nergens op het terrein afval te bespeuren viel, zaten de ongelijke houten vloeren vol scheuren, waren de lokalen klein en pasten de tafels en stoelen niet bij elkaar. De kantoren van de professoren zagen er al niet beter uit. Het meubilair was goedkoop en de muren zaten vol met opgevulde gaten. De computers waren antiek, bezaten geen satellietverbinding en hadden maar beperkt toegang tot het internet – zogenaamd om de alomtegenwoordige Russische virussen buiten te houden. De eerste keer dat Rakkim het terrein op was gewandeld, was hij verbijsterd geweest over de verwaarlozing – de complexen waar de Fedayeen werden getraind, waren hypermodern. Ze hadden er alles, van slimme bureaus tot en met holografische gevechtstraining. In vergelijking daarmee was de universiteit een armoedig, bij elkaar geraapt zootje. Het goedkope slot op Sarahs kantoor was een aanfluiting en verdiende die naam eigenlijk niet.

’s Ochtends vroeg had hij Roodbaards auto achtergelaten in een ondergrondse parkeergarage in het centrum van Seattle. Toen hij naar buiten was gewandeld, had van de minaretten de stem van de muezzin geklonken die had opgeroepen tot het ochtendgebed – *God is de grootste, God is de grootste. Ik getuig dat er geen andere god is dan God. Ik getuig dat Mohammed Gods boodschapper is. Ik getuig dat Mohammed Gods boodschapper is. Haast u naar het gebed! Haast u naar het gebed!* Overal in de stad, de staat, de natie, overal ter wereld had de immense schare vrome moslims vergelijkbare oproepen gehoord die ze als één persoon had beantwoord.

Rakkim was stil blijven staan in de roze gloed van de dageraad. Zijn lichaam was in resonantie geweest met het geluid. Een hart. Een ziel. Een god. Hij had al drie jaar niet gebeden, maar zijn lippen hadden de woorden van de muezzin gevormd terwijl de mensen zich langs hem heen hadden gehaast in de richting van de moskee. Zakenlieden in driedelige kostuums, tieners in jeans, vrouwen met kinderen aan de hand die hun kroost aanspoorden om niet te laat te komen. Het gezamenlijk gebed in de moskee zou zevenentwintig keer effectiever zijn dan individuele gebeden, en degenen die als eerste binnen waren, zouden meer zegeningen ontvangen dan de rest. Enkele minuten later zouden de gelovigen op hun knieën liggen met hun gezicht in de richting van de Kaäba in Mekka; een perfect gesynchroniseerde golf van onderwerping, onzelfzuchtig en onbegrensd, rollend door de eeuwigheid. Rakkim had gezien hoe ze zich naar de moskee haastten en was jaloers geweest op hun toewijding.

Gedurende het hierop volgende halfuur had Rakkim lukraak een aantal bussen door de Zone genomen. Ergens halverwege een blok was hij eruit gesprongen en zijn appartement binnen geglipt. Niemand wist waar hij woonde, zelfs Mardi niet. Hij had snel een douche genomen en een paar uur geslapen. Toen hij wakker was geworden, had hij wat koude kip gegeten en vier aspirines geslikt. Even later had hij een onbekende auto van een parkeerterrein voor langparkeerders geleend om naar de universiteit te rijden.

Roodbaard had gezegd dat hij vrijdagavond, toen de campus verlaten was, persoonlijk het kantoor had doorzocht, maar Rakkim wilde het met eigen ogen zien. Hij wilde ook Sarahs collega dr. Barrie spreken. Waarschijnlijk zou ze na haar college van 15:00 uur even langskomen. Het kantoor was oorspronkelijk voor één professor ontworpen, maar om budgettaire redenen – of misschien wel vanwege de morele richtlijn het privécontact tussen student en docent te minimaliseren – werden alle kantoren gedeeld.

Rakkim inspecteerde Sarahs bureauladen en noteerde in gedachten de inhoud alvorens hij dingen verplaatste. Er was een groot aantal notitievellen met aantekeningen voor haar colleges *Amerika ná Irak 301* en *Introduc-*

tie tot de forensische populaire cultuur. Er waren cijferlijsten en een dik handboek van de administratie – met voetnoten uit de relevante koranverzen – waarin tot in de kleinste details de correcte gedragscodes waren opgenomen.

Vastgespijkerd aan een boekenplank, uit het zicht van bezoekers, hing een exemplaar van de oude *Bill of Rights*, waarin de Amerikaanse burgerrechten waren opgenomen. Hij wist dat er onder het oude regime tien amendementen waren geweest, maar het was vreemd om ze hier zo te zien. Hij vroeg zich af of het een bewuste provocatie van Sarah was, of dat ze niet wilde vergeten hoezeer de dingen veranderd waren. Het Eerste Amendement was volgens Sarah uitgehold, en de bescherming die de andere ooit hadden geboden, was beperkt. De meeste mensen leek dat overigens niet te deren. Rakkim had ooit gelezen dat het verbranden van de vlag onder de vrijheid van meningsuiting was gevallen. Het Tweede Amendement was compleet geschrapt, wat een stuk controversiëler was geweest. Sommige ouderen klaagden er nog steeds over, hoewel ze net als iedereen hun wapens hadden ingeleverd. Tegenwoordig was het burgers niet toegestaan om wapens te bezitten. Rakkim had geen wapens nodig. Hij was zonder al gevaarlijk genoeg.

Hij bestudeerde de boekenkast: grotendeels academische teksten en biografieën, maar de onderste plank was gewijd aan Sarahs passie: de populaire cultuur rond de eeuwwisseling. Boeken over *Star Wars*, *X-Men*, *The Lord of the Rings*, boeken over detective- en horrorfilms, romantische komedies en politieke thrillers. Flashgeheugens met vijftig jaar *TV Guide* en een stripverhalenencyclopedie. Platenboeken over chique schoenen en kleding voor jongeren, opgevoerde auto's en retrosieraden. Je kon het zo gek niet bedenken; alles was interessant voor haar ongebreidelde nieuwsgierigheid. Een van haar favoriete uitdrukkingen was: *Alles past, Rakkim. Alles past – wij hoeven alleen maar te ontdekken welk plaatje de puzzel oplevert*. En dat zei ze niet zomaar. Sarah bevatte in één oogopslag het culturele koffiedik. Door een combinatie van inzicht en intuïtie kon ze conclusies trekken voordat de meeste academici hun data zelfs maar hadden geanalyseerd.

Maar er waren geen boeken over China. Geen downloads. Hij had gehoopt iets te vinden dat de speldenprik in haar wereldkaart zou verklaren, zoals een Chinees kookboek of een reisgids naar het leefgebied van de panda's – maar er was niets. Hij had vanochtend een aardrijkskundige website bestudeerd en ontdekt dat de speldenprik met de locatie van de Drieklovendam correspondeerde, maar hij zag geen verband. Sarah was een expert op het gebied van Amerikaanse geschiedenis, en China had nauwelijks iets met het nieuwe Amerika te maken. China was een supermacht, terwijl de Islamitische Republiek als een technologisch achterstandsgebied werd gezien; politiek gefragmenteerd en een schaduw van wat het land ooit was. De vraag was dus: waarom was Sarah in China geïnteresseerd? Rakkim schudde zijn hoofd. Misschien was het toch gewoon een speldenprikje. Een vergissing. Concentreer je op wat je *weet* en laat dan je fantasie erop los; dat zou Roodbaard hebben geadviseerd.

Hij wist dat Sarah vrijdagochtend van de universiteit was verdwenen. Ze was vertrokken nadat ze haar college *Vooroorlogse Amerikaanse geschiedenis* had gegeven en ze had haar auto in de faculteitsgarage laten staan. Volgens Roodbaard was ze gevlucht voor een gearrangeerd huwelijk, maar Rakkim geloofde daar niet in. Als dat de reden was, had ze Rakkim alleen maar tijdens de Super Bowl hoeven te vertellen dat ze wat haar betrof samen de benen konden nemen. Wat was de aanleiding?

Er gleed een roze memovelletje onder de deur door.

Het was een bericht aan Sarah van dr. Hobbs, Geschiedenis. Ze moest hem bellen in verband met een presentatie voor het faculteitsbestuur. Rakkim staarde naar de deur. Sarah had haar vrijdagmiddagcollege gemist en vanochtend *Geavanceerde methoden van historisch onderzoek,* maar de meeste collega's wisten waarschijnlijk nog niet dat ze verdwenen was. Waarom was *dit* dan het eerste bericht dat ze had gekregen? Hij doorzocht opnieuw haar bureau. Geen memo's. Maar haar collega... Het bureaublad was bezaaid met roze berichten.

Vier berichten voor dr. Barrie, allemaal van andere professoren van de vakgroep Geschiedenis; een verzette lunchafspraak, een uitnodiging voor een universitair thee-uurtje, een verzoek om een kopie van haar aantekeningen over Frans-Algerijnse emigratiepatronen en een *tweede* herinnering om een boek aan dr. Phillipi te retourneren. Er waren twee berichten voor Sarah. Een van de voorzitter van de vakgroep Geschiedenis met het verzoek contact op te nemen en een ander met het stempel *Sociologie* van Marian waarop stond: 'Heb ik de verkeerde dag? Bel me.' Hij stak de memo in zijn zak. Het volgende moment hoorde hij hoe er een sleutel in het slot werd gestoken. Hij had de deur met opzet niet op slot gedaan.

'Wat doet *u* hier?' Er stond een vrouw van middelbare leeftijd in de deuropening die een stapel papier tegen haar borst drukte.

'Dr. Barrie?' Rakkim stak zijn hand uit, maar ze nam hem niet aan. 'Het kantoor was open, dus ik heb mezelf maar binnengelaten. Ik hoop dat u het niet erg vindt. Ik heb een afspraak met dr. Dougan.'

'Werkelijk?' Dr. Barrie liet de deur wijd openstaan, liep langs hem heen en liet de stapel papier op haar bureau vallen. De overgebleven roze memo's fladderden op. 'Tja, dan ben ik bang dat ze u heeft laten zitten. U bent niet de eerste.'

'Ik geloof niet dat ik u begrijp.'

'Hare koninklijke hoogheid maakt weer eens een snoepreisje naar een van haar onderzoeksprojecten, en nu mag ik de boel weer achter haar opruimen. Niet even een berichtje; geen idee wanneer ze weer terug is.' Dr. Barrie liet zich in haar stoel vallen en duwde met een wijsvinger haar bril naar achteren. De overwerkte academica droeg een jurk met lange mouwen en haar grijze haar zat in de war. 'Ik heb niets met haar zogenaamde expertise. Ik ben gespecialiseerd in de demografische patronen van moslims aan het einde van de twintigste eeuw, niet die populistische flauwekul waar zij zich mee bezighoudt.'

Rakkim glimlachte. 'Ik ben geen historicus.'

'Tel uw zegeningen.' Dr. Barrie keek hem onderzoekend aan. '*Wat* voor gesprek?'

'Ik schrijf een artikel over professor Dougan voor de *Islamic-Catholic Digest*.'

'Nooit van gehoord.'

'We zijn een klein tijdschrift dat gericht is op een beter begrip binnen de gemeenschap.'

'Welke gemeenschap?' vroeg dr. Barrie.

'Dat moet u mij niet vragen. De uitgever heeft subsidie gekregen, ik doe alleen de interviews.'

'Als het hare majesteit belieft om terug te komen, vraag ik subsidie aan voor een sabbatical in Zuid-Frankrijk,' zei dr. Barrie. 'Er zijn daar allerlei erg interessante volkstellingsarchieven die ik graag een maandje zou bestuderen om vervolgens thuis door een leuke jongeman te worden geïnterviewd.'

Rakkim wees op de ingelijste foto's op haar bureau. 'Zijn dat uw kinderen?'

'Mijn zes schatten, stuk voor stuk met bloed, zweet en tranen op deze wereld gezet.' Dr. Barrie sloeg een kruisje. 'Goede katholieken zijn net als goede moslims niet bang om hun plicht te doen. Kent u professor Dougan?'

'Niet echt. Ik heb haar boek doorgebladerd.'

'Ik heb niks tegen haar, hoor. Ze is alleen erg onvolwassen. Ik heb haar verteld dat de allereerste verantwoordelijkheid van de vrouw is dat ze trouwt en kinderen krijgt. Ze kan een baan nemen wanneer de kinderen de deur uit zijn. Zo heb *ik* het gedaan.' Dr. Barrie veegde haar stompe neus af. 'Ik werk hard. Ik ga elke dag naar de mis. Ik respecteer het gezag.' Ze zette een van de foto's recht en keek hem aan. 'Bent u gematigd of modernist?'

'Ik weet het eigenlijk niet. Ik doe gewoon mijn best.'

'Een vreemd antwoord voor jullie soort mensen.' Dr. Barrie glimlachte. Haar tanden waren groot en ongelijk, maar de glimlach was oprecht. 'U klinkt als een katholiek. Wij zetten overal vraagtekens bij.'

'Ik ben katholiek opgevoed.' De leugen kwam gemakkelijk.

'Bekeerd, hè? Ik heb er zelf ook wel eens over gedacht.' Dr. Barrie keek naar de deur en wachtte even totdat een keuvelend groepje studenten gepasseerd was. 'We gaan allemaal naar het paradijs, maar sommige mensen zitten achter in de bus, als u begrijpt wat ik bedoel.'

'Ik begrijp het helemaal,' zei Rakkim. 'Jammer dat professor Dougan er niet is voor het interview. Was het een dringende kwestie?'

'Ze was nog hier toen ik vrijdag om negen uur college ging geven en ze was weg toen ik terugkwam. Ze heeft met geen woord gerept over dat ze wegging. Dat vind ik eerlijk gezegd nogal onbeschoft.'

'Heeft ze die ochtend nog bezoek gehad?'

Dr. Barrie keek hem aan over haar brillenglazen.

'Ik hoop dat ik haar kan vinden. Als ik dit interview niet inlever, heb ik een probleem met mijn redactie.' Rakkim ging in Sarahs stoel zitten en rolde een stukje naar dr. Barrie toe. Hij wierp een blik op de geopende deur en liet zijn stem zakken. 'U weet hoe het is. Je mag je dan bekeerd hebben, maar je moet harder werken dan de rest.' Hij keek schaapachtig. 'Maar ik moet u niet lastigvallen met mijn problemen.'

Dr. Barrie legde haar papieren recht. 'Het is overal hetzelfde. Katholieken en moslims zijn allemaal gelovig; kinderen van Abraham. En toch... wanneer het tijd is om de eerste beloningen uit te delen...' Ze legde haar bril op het bureau, boog zich naar voren en fluisterde: 'Ik zeg wel eens tegen mijn echtgenoot, als ik moslim was, zou ik afdelingshoofd zijn, en als ik *Arabische* was, zou ik aan het hoofd van deze universiteit staan.'

'Dat bedoel ik maar,' zei Rakkim. 'Ik had alleen gehoopt... Als u iets weet waardoor ik de professor zou kunnen vinden, dan zou ik dat erg waarderen.'

Dr. Barrie wreef over haar voorhoofd en schudde uiteindelijk haar hoofd. 'Het spijt me. Dr. Dougan is erg op zichzelf. De studenten zijn natuurlijk gek op haar, maar haar collega's vinden haar... niet erg academisch.'

'Zijn er studenten waar ze veel samen mee is?'

'Dat wordt niet echt aangemoedigd door het bestuur. Zeker niet als het een ongetrouwde professor betreft.'

'Ik heb het over compleet onschuldige dingen. Koffiedrinken in de kantine of... Ik had begrepen dat ze Marian van de vakgroep Sociologie goed kent.'

Dr. Barrie schudde haar hoofd. 'Niet dat ik weet, maar sociologie is ook weer zo'n nepwetenschap, als u het mij vraagt. Ik heb er echt geen idee van wat dr. Dougan de hele dag doet.'

Rakkim stond op. 'In elk geval bedankt.' Hij was al bij de deur toen ze opnieuw sprak.

'Ik heb professor Dougan vrijdagmorgen nog wel in het Mecca Café gezien.'

Rakkim hield zijn enthousiasme voor zich. 'Het Mecca Café?'

'Op Brooklyn Way, een paar blokken van de campus. Er hangen vooral studenten rond, maar wetenschappelijk medewerkers eten er ook wel eens een sandwich. De kantine is nogal duur.'

'En daar was ze vrijdag?'

'Ja, maar ze praatte met niemand. Ik moest stoppen voor het verkeerslicht en toen zag ik haar op een van de computers achter in het café werken. Ik heb er toen niet bij stilgestaan, maar ik vraag me wel af waarom ze haar computer hier niet heeft gebruikt. Die is traag, maar wel gratis.'

Rakkim haalde zijn schouders op. 'In elk geval bedankt. Ik maak wel een nieuwe afspraak als ze terug is.'

'Waarom overweegt u geen interview met een andere geschiedenisprofessor?' riep dr. Barrie hem na. 'Iemand met een *echt* academisch curriculum.'

9

Voor het middaggebed

Rakkim verliet het warenhuis Four Kings en haastte zich naar Pike Street, waar hij op de bus stapte. Hij ging op de achterbank zitten om de weg te kunnen zien, maar hij werd niet gevolgd. Voor de zekerheid bleef hij nog acht blokken kijken.

Het was een gewoonte geworden, zijn wonderlijke straatballet waarbij hij de halve stad doorkruiste en zich een weg baande door verlaten gebouwen en openluchtmarkten. Hij zag zelden iemand die hem volgde, maar toch kwam het vaak genoeg voor. Hij ging ervan uit dat het Roodbaards spionnen waren of undercoveragenten die mot zochten. Eigenlijk genoot hij van zijn onvoorspelbare rondritjes. Zijn behoedzaamheid had hem gedurende zijn eerste jaren bij de Fedayeen ettelijke keren het leven gered, en aan het front had het zijn team voor een hinderlaag behoed. De anderen vonden dat hij geluk had en een beschermeling van Allah was. Ze deden er alles voor om bij hem in de buurt te kunnen zijn. Rakkim kon het niet over zijn hart verkrijgen ze te vertellen dat geluk geen vuur was dat iedereen verwarmde die zich eromheen schaarde. Het was met geluk net als met bescherming van Allah. Je had het – of niet.

Na zijn gesprek met Dr. Barrie op de universiteit was Rakkim naar het Mecca Café gereden. Daar had hij een kop koffie gedronken en met de serveerster gepraat. Vervolgens was hij weer naar het centrum gereden. Na de geleende auto te hebben teruggezet, maakte hij een ommetje over de markt alvorens via de draaideur Four Kings binnen te gaan. Hij had besloten contact op te nemen met Spider.

Hij stapte bij First Hill uit de bus en sloot zich aan bij een stel mistroostig uit de ogen kijkende ziekenhuiswerknemers die op het punt stonden aan hun dienst te beginnen. Hij liep een blok met hen op en luisterde naar hun klachten over het ziekenhuisbestuur om vervolgens koers te zetten in de richting van het Reservoir District.

Het Reservoir District was een arbeidersbuurt waar voornamelijk katholieken en afgegleden moslims woonden; een combinatie van armoedige woningen en bedrijfspandjes met een lage huur. Gezette huisvrouwen in plastic jassen haastten zich door de regen terwijl her en der mannen rond brandvaten stonden te praten en elkaar flessen in papieren zakken doorgaven. Op de muur was met verf gesprayd: *Ga naar de moskee.* Ernaast had iemand met een viltstift *Loop naar de hel* geschreven – een gevaarlijke reactie: godslastering kon je je tong kosten. In de voortuin van een van de huizen stond een oude Lexus met lekke banden op blokken weg te roesten in de regen. Van de trottoirs was weinig over en de straatnaamborden waren gestolen om de politie of buitenstaanders in verwarring te brengen.

De bananen onder de luifels van de groentewinkels waren zacht en bruin en de appels hadden wormen. Uit de muziekwinkel klonk de nieuwste atonale rotzooi. Het meisje met het rode haar achter de toonbank was bezaaid met kleine tatoeages. Overal lag hondenstront. Het maakte niet uit hoe arm ze waren; elk katholiek gezin had minstens één hond – een subtiel teken van verzet tegen de moslimmeerderheid die honden als onreine dieren beschouwde. Geen enkele vrome moslim zou een huis betreden waarin zich een hond bevond – je zou evengoed van ze kunnen verlangen dat ze een varken zouden kussen. Rakkim liep over het gras om een verse bolus te ontwijken die midden op het trottoir was gelegd. Hij moest toegeven dat de moslims gelijk hadden.

Rakkim stapte de kapperswinkel binnen. Er stonden slechts drie stoelen en de ouderwetse laserscharen zoemden vrolijk. De straathond die naast de deur lag, keek even op, kefte zachtjes, en sliep vervolgens verder. Rakkim sloeg de regen van zich af, liep langs de wachtende klanten en nam plaats op het schoenpoetsgestoelte achter in de winkel. Hij pakte een beduimeld nieuwsmagazine en deed zijn laarzen omhoog.

'Gewoon of speciaal?' snoof Elroy. Hij was verkouden. Elroy was altijd verkouden.

'Doe die speciale anti-vochtbehandeling maar,' zei Rakkim terwijl hij naar een foto van de president keek waarop hij de troepen feliciteerde die thuiskwamen van het front in Quebec. Iemand had hoorns op het hoofd van de president getekend. Hij sloeg de pagina om. 'Dat spul met nertsolie.'

Elroy schroefde langzaam een van zijn blikjes met was open. Hij was ongeveer twaalf, klein en mager; een knorrig joch met onhandelbaar zwart haar en diepliggende ogen. Zijn neus was klein; een echt knopneusje. Rakkim had gehoord dat het ding, voordat Spider het had laten opknappen, een echte adelaarsgok was geweest. Spider liet de neuzen van al zijn kinderen veranderen zodat ze niet meer op hem leken. Te Semitisch – veel te gevaarlijk. Niet dat hij Spider ooit had gezien. Het gerucht ging dat niemand wist hoe hij eruitzag.

Rakkim had de afgelopen jaren een keer of vijf, zes van Spiders expertise gebruikgemaakt, meestal om te controleren of de mensen die wilden emigreren bonafide waren en zich ervan te verzekeren dat ze hem niet zouden belazeren, of om ze te helpen met ontsnappingsroutes. Sinds Spider het computersysteem van de gemeente Boise, Idaho, had gekraakt, was hij op de hoogte van de strategie van de politie en de grenspatrouilles. Hij wist zelfs hoeveel nachtkijkers ze hadden, inclusief het typenummer en de staat van de batterijen. Boise was een goed vertrekpunt geweest, totdat een andere reisagent – een slordig, inhalig type – was gepakt toen hij een groep van zeventien personen over de rivier de Snake wilde zetten. *Zeventien.* Wat een idioot. Ze waren allemaal geëxecuteerd; mannen, vrouwen en kinderen. Rakkim had het live op televisie gezien in de Blue Moon. Boise was verleden tijd. Daar kwam geen hond meer ongemerkt doorheen.

Mardi had hem in contact gebracht met Spider. Een van Spiders oudere kinderen werkte als bordenwasser in de Blue Moon; een bijziende knul van vijftien die op de middelbare school al universitair onderwijs kreeg. Mardi liet hem in de club slapen als hij niet bij zijn familie was. Rakkim had er geen idee van hoeveel kinderen Spider had. Volgens Mardi zaten ze overal in de stad. Stuk voor stuk harde werkers en bovendien erg slim. Toen Rakkim met Spider wilde onderhandelen, ging dat via Elroy in plaats van de bordenwasser. Nog zo'n merkwaardige zet.

'Hoe staan de zaken?' vroeg Rakkim.

'Veel te veel krenten.' Elroy drukte een punt van zijn oude lap in de zwarte pasta en draaide zijn vinger langzaam langs de rand van het blikje. 'Niemand interesseert zich hier voor zijn uiterlijk. De mensen zouden op klompen lopen als ze dachten dat niemand er wat van zou zeggen.' Hij wreef de was zorgvuldig in Rakkims laarzen met de polymere neuzen. 'Fijne stappers. Van wie heb je die?'

'Een of andere kerel die jou waarschijnlijk een enorme fooi had gegeven.' Rakkim sloeg de bladzijde van zijn tijdschrift om. Een paginagrote advertentie van Palestine Adventures, even buiten San Francisco. Vrolijke gezinnen die naar de camera wuifden en kinderen die plastic zelfmoordriemen droegen en met AK-47s zwaaiden. 'Ben jij weleens in Palestine Adventures geweest?'

'Ja. Ik heb een keer samen met de grootmoefti in de Wilde Bus gezeten,' zei Elroy terwijl hij aan de andere laars begon. 'Echt tof. Ik heb een varkenskarbonaadje gegeten en m'n bodywarmer met explosieven helemaal ondergekotst.'

Rakkim keek naar het voorste gedeelte van de winkel, maar er was niemand die zich voor hen interesseerde. Hij leunde naar achteren, liet Elroy zijn werk doen en genoot van het kletsen van de poetsdoek en het zoemen van de laser. Op het wandscherm was een spelshow te zien, maar er was geen holografische converter. Niet de moeite waard om naar te kijken. Bovendien waren de vragen veel te simpel.

'Klaar,' zei Elroy.

Rakkim keek naar zijn laarzen. 'Mecca Café,' zei hij zachtjes terwijl hij zijn hand in zijn zak stak om geld te pakken. 'Ze hebben twee computers, maar ik weet niet in welke ik geïnteresseerd ben, dus vraag aan Spider of hij ze allebei hackt. Ik wil al het in- en uitgaande dataverkeer van afgelopen vrijdag tussen acht en tien 's ochtends.' Hij betaalde Elroy voor de poetsbeurt en gaf hem een vette fooi.

Elroy haalde zijn neus op. 'Wauw, nu kan ik studeren aan mijn favoriete uni.'

Rakkim wierp hem een balpen toe. 'Is die van jou?' Elroy bevestigde hem aan de boord van zijn T-shirt. 'Er zitten twee geheugensticks in.' Een ervan had hij bij Sarah thuis uit de computer gehaald en de andere uit die op haar kantoor. 'Kun je Spider vragen of hij ernaar kijkt?'

'Met al die regen van de laatste tijd hebben je schoenen over een week weer een beurt nodig.'

'Ik heb geen week de tijd.'

'Dat zou wel eens prijzig kunnen worden.'

Rakkim stond op. 'De kosten doen er niet toe.'

'Waar is Simmons?' vroeg Mardi.

'Meneer Simmons ligt in het ziekenhuis met een of andere infectie. De details ken ik niet.' Darwin glimlachte naar haar en zette zijn koffertje op het bureau in haar kantoor. 'Ik vrees dat u het met mij zult moeten doen.'

'Ik koop mijn drank al via Simmons sinds ik deze tent geopend heb. Ik vertrouw hem. Jij bent gewoon een of andere kerel van de straat die hier binnen komt vallen.'

'We werken voor hetzelfde bedrijf. Dezelfde prijzen. Zelfde hoge kwaliteit.' Darwin tikte op zijn koffertje. Er zat een minuscuul bloedspatje op; een van zijn grapjes. 'En dezelfde koffer. Ziet u het monogram?' Hij knipoogde naar haar. 'Simmons zei dat ik op moest passen met u. Hij zei dat u een harde was.'

Mardi leunde tegen haar bureau en kruiste haar lange benen. 'Ik hou er niet van om genaaid te worden.'

'Ik ben hier niet om u te naaien.' Darwin raakte zijn stropdas aan; het gebaar dat lomperiken en sukkels maken als ze een mooie vrouw tegenover zich hebben. Ze was inderdaad een stoot. Zo'n katholieke chick met sproeten op haar armen en zachte blonde haartjes op haar bovenlip. Hij was ervan overtuigd dat ze gilde. Hij pakte een fles uit zijn koffer en zette twee borrelglazen op het bureau. 'We hebben een nieuw, hoogwaardig product.'

Mardi keek naar de borrels die hij inschonk. Hij was niet gierig. Niet zoals Simmons, die met pijn en moeite de bodem van de glaasjes natmaakte. 'Onze klanten zijn niet echt in kwaliteit geïnteresseerd.' Ze nam haar glas, hield het tegen het licht en bestudeerde de lichte karamelkleur. 'Ze willen vooral lol maken en genoeg kunnen drinken om dat voor elkaar te krijgen.'

Darwin proostte met haar en nam een slok. Hij liet het brouwsel even warm worden in zijn mond alvorens hij het doorslikte. Zij had hetzelfde gedaan. Hij glimlachte naar haar.

Mardi glimlachte terug.

'Ik heb nooit echte Kentucky bourbon geproefd, maar er is me verteld dat dit bijna even lekker is,' zei Darwin.

Mardi likte haar lippen af. 'Niet slecht.'

'Simmons had gelijk. U bent *inderdaad* een harde.'

'Wat kost een doos van dit spul?'

'Voor u?' Darwin keek naar het plafond en rekende het uit. 'Zevenhonderd... Nee, laten we er zeshonderdvijftig van maken.'

Mardi schudde haar hoofd. 'Dan zou ik twintig dollar per glas moeten vragen om uit de kosten te komen.'

Darwin vulde haar glas bij en zag de verrassing in haar ogen. En het plezier. 'Zie het als een lokkertje; iets speciaals om klanten te trekken. Alle clubs in de Zone hebben hetzelfde waterige bier en borrels die naar afwaswater smaken. De Blue Moon zou een unieke bestemming zijn.' Hij proostte opnieuw, maar zijn ogen waren op haar borsten gericht. 'Zoals uw bord zegt: *Geniet u al?*'

Mardi nipte van haar glas.

Darwin keek naar hoe ze slikte. De manier waarop haar keel bewoog, wond hem op. Hij voelde zijn begeerte toenemen – en ook zijn concentratie. Het zou perfect zijn als hij haar meteen al kon afmaken. Maar er waren andere prioriteiten. De Oude had dat duidelijk uitgelegd. Er kwam nog genoeg tijd om haar koud te maken. Hoe sterker het verlangen, des te groter het genot. Maar er ging niets boven een snelle moord. Een plotselinge moord. De bliksem van God.

'Waar denkt u aan?'

Darwin glimlachte. 'Aan hoe geweldig mijn werk is.'

Mardi haalde een pakje sigaretten tevoorschijn.

Darwin hield haar een aansteker voor. 'Is uw partner er niet?'

'Die heeft een dagje vrij.'

'Jammer. Volgens Simmons is het een apart figuur.' De Oude had gezegd dat Rakkim een harde was die vol met listen zat. Een *uitdaging*, had de oude man gezegd, in de wetenschap dat het Darwin zou doen watertanden. De foto's die naar zijn telefoon waren gestuurd, toonden een tengere man met een harde blik, eerder macho dan stijlvol; een levensgevaarlijke tegenstander. Precies zoals Darwin het graag had.

Hij had op bed gelegen toen de oude man hem had gebeld, mijmerend over zijn gelukkige herinneringen. De oude man had hem de opdracht aangeboden en had vervolgens het gesprek zo snel mogelijk willen beëindigen, maar Darwin had hem aan de lijn gehouden en hem gevraagd naar zijn gezondheid en renpaarden en al zijn prachtige kinderen. De oude man was zoals altijd heel beleefd gebleven, maar zijn stem had een scherp randje gehad. Buiten Darwin was er niemand die dat zou hebben gehoord.

Darwin zag rook uit haar neusgaten kringelen. 'Ik ben nog een paar dagen in de stad. Ik zou hem graag ontmoeten.' Hij legde zijn kaartje op het bureau. 'Bel me maar. Het komt niet vaak voor dat ik de hand van een Fedayeen kan schudden.'

Mardi haalde haar schouders op.

Darwin vulde haar glas nog eens bij. 'Zeg maar niet tegen mijn baas dat ik de winst weggeef.'

'Probeer je me soms dronken te voeren, Darwin?'

'Zo te zien ben je een vrouw die haar mannetje staat. Kan ik je noteren voor een doos? Of wil je er eerst met je partner over praten?'

Haar ogen vlamden. 'Zoals ik al zei, ik denk niet dat het voor mij haalbaar is.'

'Onzin. Saint Patrick's Day staat voor de deur. Het is dan wel geen officiële feestdag, maar je weet wat ze zeggen.' Darwin bracht opnieuw een toast uit. 'Op Saint Paddy's Day is de hele wereld katholiek.'

10

Na het ochtendgebed

In het Good Woman netcafé klonk een onafgebroken geratel als van een zware hagelbui. Twintig vrouwen zaten achter hun beeldschermen te werken en lieten hun vingers over de toetsenborden dansen. Vijf of zes andere vrouwen stonden op hun beurt te wachten. Alle bezoeksters droegen een chador. Veel ervan waren zwart, maar de jongere vrouwen kozen vaak voor lichtere kleuren. Sarah had haar sluier losgehaakt om haar gezicht vrij te hebben. Meestal kleedde ze zich als modernist of katholiek in jeans of een lange broek. Ze droeg het haar los en gebruikte weinig make-up. Als ze haar e-mail las, droeg ze de chador. Een fundamentalistisch café waar de internettoegang streng gecontroleerd werd en zelfs potentieel ongepaste sites geblokkeerd werden, was de perfecte locatie voor het lezen en verzenden van gecodeerde berichten.

De vrouw achter de computer naast haar, een meisje van hooguit zeventien, neuriede tijdens het typen een populair liedje. Het ging over twee tieners die naar Canada probeerden te skiën en doodvroren in elkaars armen. Als de vader van het meisje zou horen dat ze het liedje zong, zou hij haar net zolang slaan totdat ze niet meer kon lopen. Hij zou haar kamer doorzoeken om te controleren of ze haar radio misschien had omgebouwd om naar obscene zenders te kunnen luisteren. Het meisje had haar hemelsblauwe chador losgehaakt en haar blonde haar viel naar buiten. Net als de andere vrouwen in het café droeg ze een duidelijk zichtbare plastic kaart om haar hals. Hiermee verleende de vader of echtgenoot de vrouw toestemming om zich buitenshuis te bevinden. Sarah droeg er ook een; een vervalsing die ze maanden geleden in de Zone had gekocht. De kaart voelde als een molensteen om haar hals.

Sarah wachtte totdat de site geladen was. In dit café was het bekijken van foto's natuurlijk niet toegestaan en door alle filters was het systeem vreselijk traag. Op de muren waren in roze allerlei slogans en andere teksten geschreven: *Gehoorzame kinderen zijn het geschenk van een moeder aan God; Veel kinderen = een gelukkig hart; Eert uw echtgenoot; Een strenge broeder is een zwaard tegen de zonde.*

Ze luisterde naar de vrouwen en was zich bewust van hun beperkingen; hun afgeschermde leven. Toch leken ze gelukkig; *verbonden* op een manier zoals zij en haar modernistische vrienden dat niet waren. Sarah zei dagelijks haar gebeden en ging elke vrijdag naar de moskee, maar het geloof vormde alleen de buitenkant van haar leven, niet de ruggengraat en de ziel van haar bestaan. Ze had een baan. Ze was academica, maar haar werk gaf haar niet de diepe rust die ze in de ogen van de gelovigen zag; de zekerheid dat alle dingen in de handen van Allah lagen. Eerder het tegenovergestelde. Gedurende de afgelopen dagen had ze opmerkelijk genoeg troost gevonden in de zedigheid van de chador en de hoofddoek; de anonimiteit van de sluier. Het was gênant, en ze zou het nooit toegeven, zelfs niet aan Rakkim, maar soms had ze het gevoel dat ze een wel erg hoge prijs voor haar intellectuele integriteit betaalde.

Welkom bij de Deugdzame Huisvrouw, meldden flitsende gouden letters op het scherm. Ze schrok er even van.

Sarah liep het lijstje met recente berichten langs, op zoek naar een vraag over de juiste bereiding van een feestmaal met hazenvlees, zoete aardappelen en *victory radish.* Er waren een hoop vragen over vergelijkbare onderwerpen, maar in geen ervan werden de radijzen genoemd. De term werd dan ook al twintig jaar niet meer gebruikt. Ze liep opnieuw de lijst na. De vraag bevatte een code die haar naar een andere site zou brengen waar ze een privé-gesprek kon voeren met de afzender. Nog steeds geen bericht over victory radishes.

Sarah klikte op *Vraag stellen.*

Mijn moeder, God hebbe haar ziel, maakte regelmatig een recept met victory radishes, maar ik kan ze nergens vinden. Ik zou graag in contact komen met iemand die me kan vertellen waar ik die groente kan vinden – als het tenminste een groente is. Ik wil mijn moeder graag gedenken door mijn gewaardeerde vader dit gerecht voor te zetten.

Net toen ze op *Verzenden* klikte, ging de deur van het café open. Er trok een rimpeling van angstig gefluister door de ruimte. Sarah keek op en wendde onmiddellijk haar blik af. Ze ademde plotseling zwaar. Terwijl ze naar haar monitor keek, haakte ze langzaam haar sluier weer op zijn plaats. Vanuit haar ooghoeken zag ze de Zwartjas door het café lopen. Het was een korte, vastberaden man met kleine ronde brillenglazen op het puntje van zijn neus. Zonder de lange, flexibele stok in zijn hand en de aura van macht die hij uitstraalde, zou hij er lachwekkend hebben uitgezien.

Zwiep. Zwiep. Zwiep. De Zwartjas zwaaide met zijn stok terwijl hij langs de rijen liep. Het was nu muisstil, alleen het geluid van de stok was te horen. *Zwiep. Zwiep.*

Vrouwen trokken hun chador recht en controleerden of hun enkels en polsen bedekt waren. Het meisje naast haar trok haastig haar hoofddoekje omhoog en stopte haar haar naar binnen.

'Zuster?' zei de Zwartjas zacht.

Een oudere vrouw keek de man aan, en haar onderlip trilde.

Het uiteinde van de stok kwam een centimeter van haar neus terecht. 'De site die u bezoekt is een belediging voor uw echtgenoot.' De stem van de Zwartjas was hoog en schril, alsof hij door zijn baard werd gefilterd. '"Het huwelijksbed"... dit is smeerlapperij.'

'Het is een advies van de imam van Chicago,' fluisterde de vrouw.

De Zwartjas sloeg op de monitor. 'De imam van Chicago moedigt abominaties aan.'

De vrouw liet zich voor de Zwartjas op de grond vallen en kuste de zoom van zijn gewaad.

De man kwam nu Sarahs richting op, en ze staarde recht voor zich uit. Haar maag deed pijn omdat ze verkrampt probeerde niet te bewegen. De Zwartjas bleef achter het meisje staan dat naast haar zat.

De stok tikte op de vloer.

Het meisje vouwde haar handen in haar schoot. Ze beefde zo erg dat haar chador leek te vervagen.

De stok tilde een lok van haar lange blonde haar op die uit de hoofddoek was gegleden. Ze probeerde de krul terug te duwen, maar de Zwartjas sloeg met de stok op haar hand, en ze gilde het uit. 'U pronkt met uw haar zodat de hele wereld het kan zien,' siste hij. 'Bent u een katholieke hoer of een vrome moslimvrouw?'

Het meisje huilde en schoof haar haar onder de hoofddoek. Op haar hand stond een rode striem.

De Zwartjas moest Sarahs woedende ogen hebben gevoeld. Hij schonk haar een dreigende blik. 'De almachtige Allah *verfoeit* aanstootgevende vrouwen.'

Sarah sloeg de ogen neer. Ze was blij dat ze de sluier droeg.

Plotseling rukte de Zwartjas de permissiekaart van haar hals. Ze viel bijna van haar stoel. 'Abu Michael Derrick,' las hij. Achter de bril zagen zijn ogen er overdreven groot uit. 'Uw echtgenoot heeft zijn plichten verzuimd. U gaat bescheiden gekleed, u bent gesluierd als een goede moslimvrouw, maar uw ogen verraden uw werkelijke aard. Eerbiedigt u eigenlijk de Profeet – zijn naam zij gezegend – of alleen de onderdanige dienaars die proberen op de naleving van zijn wetten toe te zien?'

Sarah boog haar hoofd. Ze was woedend op zichzelf omdat ze zich zo had laten kennen – en ze was ook bang. De zeggenschap die Zwartjassen over modernisten hadden, was beperkt, maar Sarah ging als fundamentaliste gekleed. Hij zou niet buiten zijn boekje gaan als hij haar het café uit zou sleuren, op straat af zou tuigen en haar vervolgens voor verdere tuchtiging bij haar echtgenoot zou afleveren.

'Naar welke moskee gaat u?' vroeg de Zwartjas op scherpe toon.

'Heilige martelaars van het moederland,' zei Sarah met neergeslagen ogen.

'Een respectabele moskee. Imam Plesa heeft een goede opleiding genoten.' De Zwartjas tikte met zijn stok op de rug van haar stoel. 'Slaat uw echtgenoot u?'

'Als ik het ernaar gemaakt heb,' zei Sarah op berustende toon.

'Een goed antwoord, zuster, maar u heeft er alleen baat bij als uw echtgenoot streng genoeg is.' De Zwartjas boog zich over haar heen. Vanuit een ooghoek kon Sarah zien hoe zijn vingers zich rond de stok spanden. De stok kwam naar voren en tilde haar hand op zodat hij die kon bestuderen zonder haar aan te raken. Ze was blij dat ze alle restjes nagellak had verwijderd. En gelukkig had ze ook een trouwring omgedaan. Daarbij had ze aan Rakkim gedacht. 'Uw handen zijn zacht. De handen van een gemakzuchtige, egoïstische vrouw. Een vrouw met bedienden of een vrouw die het niet kan schelen hoe haar huis eruitziet.' Hij liet vol afkeer haar hand vallen. 'Uw echtgenoot verwent u. Heeft u hem soms gemanipuleerd met uw vrouwelijke sluwheid? Bent u soms *aantrekkelijk,* zuster?'

'Als mijn echtgenoot dat vindt, is dat te danken aan Allah, de Genadige, die ons geschapen heeft.'

'Nog een goed antwoord.' De stok zwiepte. 'Bent u soms *geschoold,* zuster?'

Sarah aarzelde; ze wist niet goed hoe ze moest antwoorden. Ze voelde hoe de aandacht van alle aanwezigen op haar gericht was. De andere vrouwen waren blij dat de Zwartjas iemand anders had gekozen.

'Geef antwoord!'

De stok raakte met kracht haar schouder. Ze kreunde en beet op haar onderlip. Het klonk als tijdens de momenten van vurige passie met Rakkim, waarbij hun rauwe keelklanken met hun verstrengelde lichamen versmolten. Ze bloosde bij de herinnering.

'Heeft u de universiteit bezocht? Heeft u gedronken van dat vunzige water?'

'Ja... een jaar, totdat mijn echtgenoot het me verbood. En daar ben ik hem dankbaar voor.'

De Zwartjas knikte. 'Misschien is er toch nog hoop voor hem.' Hij schraapte zijn keel. 'Ik zal uw imam erop aanspreken. Hij moet uw gedrag maar eens aan uw echtgenoot voorleggen.'

'Dank u,' zei Sarah, het hoofd nog steeds gebogen. Haar schouder deed pijn van de stokslag.

De Zwartjas smeet haar permissiekaart op de grond.

Sarah maakte geen aanstalten om hem op te pakken. Haar ogen waren vochtig, maar ze weigerde te huilen. De Zwartjas slenterde tussen de tafeltjes door en verliet het café.

Zodra de deur achter hem dicht was gevallen, begon het gefluister. Sommige vrouwen giechelden, meer uit nervositeit dan omdat ze het grappig hadden gevonden. Niemand keek naar haar, zelfs het meisje naast haar niet.

Sarah hoorde hoe de vingers weer over de toetsenborden begonnen te ratelen, maar ze bewoog zich niet. Ze had verhalen gehoord over het wangedrag van de Zwartjassen en hun repressieve optreden tegen vrouwen – maar dat was alleen van horen zeggen. Haar pijnlijke schouder was een tastbaar bewijs. Alle gedachten die ze over de positieve aspecten van het fundamentalisme had gehad, waren verdwenen als sneeuw voor de zon. De prijs die ervoor betaald moest worden, was te hoog.

Geschiedenis was een smerig, verraderlijk zaakje, zo had haar favoriete docent haar geleerd, maar de waarheid was het allemaal waard. Sarah was overtuigd geweest van de wijsheid van de professor, maar toen hij de gebeurtenissen rond de zionistische aanslag ter discussie had gesteld, had ze zich serieus afgevraagd of ze hier wel verder mee moest gaan. Het herschrijven van de geschiedenis was een open uitnodiging aan de chaos, inclusief alle daarbij behorende pijn en ellende. Maar de Zwartjas met zijn jampotbrilletje had een einde aan haar twijfels gemaakt. Sommige dingen waren erger dan chaos. Ze zou doorgaan met haar onderzoek, ongeacht de risico's. Het ging om de waarheid, wat die ook was.

11

Voor het middaggebed

'Rakkim Epps,' herhaalde hij tegen de bewaker. 'Ik heb geen afspraak met Professor Warriq. Zeg maar dat het over een gemeenschappelijke kennis aan de universiteit gaat.' Hij wachtte terwijl de bewaker telefoneerde, met zijn blik op hem gericht. Even later hing de man op. De slagboom ging omhoog en Rakkim reed het terrein op.

Het was woensdag, vijf dagen na Sarahs verdwijning en drie dagen nadat Roodbaard hem bij zich had geroepen. Gisteren had hij Sarahs telefoonadministratie en elektronische betalingen van het afgelopen jaar doorgenomen, op zoek naar een of ander patroon dat zou kunnen aangeven waar ze naartoe was gegaan. Maar dat was er niet, en er was ook geen nummer waar ze regelmatig contact mee had gehad. Het verbaasde hem niet – Sarah belde hem altijd met de wegwerpmobieltjes die je overal in de Zone van onder de toonbank kon krijgen. Het GPS-systeem onder haar auto onthulde tot in de kleinste details waar ze was geweest en leverde daar zelfs een kaartje bij. Sarah was om die reden altijd per taxi naar hun ontmoetingsplaats gegaan en had contant betaald. Hij had gehoopt dat ze met haar andere uitgaven minder voorzichtig was geweest, maar er waren geen bonnetjes die niet met de GPS-informatie overeenstemden. Tot zijn schaamte controleerde hij zelfs of er hotelrekeningen waren, maar niets wees erop dat ze iets met een ander had. Ze was Roodbaards nicht, dus ze maakte geen domme fouten. Toch controleerde hij alles.

Gisteren had hij Roodbaard gebeld en hem opnieuw verzocht Sarahs irisscans in het transitveiligheidssysteem in te voeren. Roodbaard had aangevoerd dat Sarah nog in de stad was en dat het sowieso te laat was om de procedure te starten. Maar Rakkim had erop aangedrongen de informatie in te voeren – als ze ergens in het land van het openbaar vervoer gebruikmaakte, zou dat onmiddellijk worden doorgegeven. Roodbaard had uiteindelijk bekend dat er een probleem met de software was geweest; het systeem was gecrasht door een hardnekkige Chinese worm en niemand was erin geslaagd het te debuggen. Ze moesten de veiligheidsmatrix opnieuw opbouwen vanaf de basis. Rakkim had gevraagd hoe lang dit al gaande was, maar Roodbaard had geweigerd zijn vraag te beantwoorden. Rakkim had opgehangen met het gevoel dat de wereld rondom hem in slow motion bewoog. Verkeerslichten werkten soms dagen achtereen niet, in nieuwe snelwegen verschenen scheuren na de eerste vorst en nu had een van de meest geavanceerde beveiligingssystemen van het land het begeven zonder dat duidelijk was wanneer het weer zou functioneren. Geen wonder dat Roodbaard hem erbij had gehaald om Sarah te vinden.

Eerder die ochtend had hij met behulp van het roze memootje dat hij in Sarahs kantoor had gevonden de vakgroep Sociologie gebeld en naar Marian gevraagd. De secretaresse had gezegd dat *professor Warriq* alleen op vrijdag college gaf. Rakkim had zich verontschuldigd, opgehangen en haar adres opgezocht in de database waarvan Roodbaard hem de toegangsprivileges had gegeven. Hij had niets beters te doen en ze leek een goede vriendin van Sarah.

Rakkim reed door een kronkelende straat in een woonwijk en sloeg linksaf bij een met schitterend blauw tegelmozaïek afgewerkte moskee. Marian Warriq woonde in een exclusieve moslimenclave hoog in de heuvels met uitzicht op de stad. De lage huizen waren zo gebouwd dat het panorama optimaal was. Een dure buurt voor een professor in de sociologie. De straten waren bijna leeg, de gazons weelderig en de trottoirs geboend. Op de huizen waren geen namen of nummers te zien. Zonder de informatie uit de database zou hij de woning nooit gevonden hebben. Er was dus in ieder geval nog *iets* wat werkte.

Er werd opengedaan voordat Rakkim had kunnen aankloppen. In de deuropening verscheen een lelijke krachtpatser met een geschoren hoofd, een dichte zwarte baard en een gezicht als een aambeeld.

'Laat meneer Epps maar binnenkomen, Terry,' riep een vrouwenstem vanuit het huis.

De lijfwacht ging opzij en stootte daarbij tegen Rakkim aan.

Rakkim trok zijn laarzen uit en liep de woonkamer binnen. Professor Warriq zat op een paarse sofa met een bloemmotief. Haar handen lagen in haar schoot gevouwen en ze had haar hoofd bedekt. Ze had een rond gezicht met heldere ogen en ze was begin vijftig. In haar groene chador waren gouden draden verwerkt. Zijn komst was voor haar een verrassing, maar zij verraste hem ook. Marian Warriq was Sarahs tussenpersoon geweest; de vrouw die Sarahs eerste uitnodiging had gebracht nadat Roodbaard hem de toegang tot zijn villa had ontzegd. Marian had die dag een sluier gedragen, maar hij was er zeker van dat ze het was. Het waren de ogen die haar verraadden… en haar dichte, licht met henna opgemaakte wenkbrauwen. Hij neigde het hoofd. 'Professor. Goed u weer te zien.'

Ze sloeg de ogen neer om aan te geven dat ze de onderliggende betekenis van zijn begroeting had begrepen en gebaarde naar de sofa tegenover haar. 'Ga zitten.'

De woonkamer was gevuld met antieke Italiaanse marmeren beelden en tsaristische wandkleden. Er stonden ook een stenen hoofd van Angkor Wat en een klein bronzen paard met groene corrosievlekken. De sculptuur was zo levensecht dat het bijna leek alsof ze elk moment de kamer uit kon galopperen. Terry bleef in de buurt staan, met zijn armen gekruist voor zijn brede borstkas.

'Ik stel het op prijs dat u me zonder uitnodiging wilt ontvangen,' zei Rakkim. 'U vraagt zich waarschijnlijk af hoe ik u heb gevonden. Ik was in Sarahs kantoor…'

'Sarah zei al dat u erg vindingrijk was.' Marian bestudeerde hem. 'Ze is niet komen opdagen voor onze lunchafspraak op vrijdag en ze heeft niet gebeld om zich te verontschuldigen. Dat is helemaal niets voor haar. En nu staat *u* voor de deur. Er kan maar één reden voor uw bezoek zijn.' Haar handen telden rusteloos gebedskralen die er niet waren. 'Er is iets met haar gebeurd, nietwaar?'

'Nog niet.'

Marian dankte Allah met een zacht prevelen.

'Maar ik moet haar zien te vinden.' Rakkim keek naar haar lijfwacht en vervolgens weer naar haar. 'Misschien kunnen we op de veranda praten.'

'Natuurlijk.' Marian vermande zich en stond op. 'Ik kom zo bij u.'

Rakkim keek haar na terwijl ze in ritselende zijde de woonkamer uit liep. Hij zat nog op zijn plaats toen Terry voor hem kwam staan met een dreigende blik in zijn ogen.

'Je ziet eruit als iemand die problemen komt maken,' zei de man.

'Relax, Terry. Ik wil de professor geen last bezorgen. Je hebt mijn woord.'

'Je *woord?*' Terry liet een hand over zijn schedel glijden. Door zijn platte gezicht, de littekens en de epicanthus zag hij eruit als een bokser of een van de Mongoolse moslims die na de omwenteling naar de Islamitische Republiek waren geëmigreerd om deel uit te maken van het grootse experiment. Plotseling kneep de man zijn ogen samen, en hij wees op Rakkims linkerhand. 'Is die Fedayeenring echt?'

'Zo echt als maar kan.'

Terry observeerde hem. 'Ik heb in het leger gezeten.'
'Je ziet eruit alsof je aardig wat hebt meegemaakt.'
'Dat kun je wel stellen. Ik was bij Newark.'
Rakkim bracht als saluut zijn rechtervuist naar zijn borst.
Terry beantwoordde de begroeting. 'Gedraag je tegenover de dame, Fedayeen,' gromde hij, 'anders vertrek je hier zonder hoofd.'
Marian schreed de kamer binnen in het gezelschap van een gedrongen vrouw met een chador in dezelfde kleur grijs als de tuniek van de lijfwacht. De vrouw droeg een zwaar zilveren theeservies alsof het gewichtloos was. Terry gooide de deuren naar de veranda open en deed een stap opzij zodat de vrouw in de grijze chador het dienblad op een klein tafeltje kon zetten. De vrouw schonk de thee in en vertrok. Ze sloot de deuren achter zich. Niet één verspilde beweging.
Marian wachtte totdat Rakkim had plaatsgenomen. 'Ik weet niet waar Sarah is. Als u daarom hier bent, ben ik bang dat u voor niks gekomen bent.'
Rakkim glimlachte. 'Benzine is goedkoop. Bovendien vertrouwde Sarah u genoeg om u die eerste keer contact met mij op te laten nemen. Misschien weet u meer dan u denkt.'
Marian nipte van haar thee. Haar pink was krom en wees van haar kopje weg. De koele bries deed haar chador rimpelen, maar haar houding was zodanig dat haar eerbaarheid niet werd aangetast.
Het was laat op de ochtend. De smog van de fabrieken in de Kent Valley begon zich op te bouwen en strekte zijn zwavelhoudende tentakels over de stad uit. Door de nevel zag hij tientallen roestende olietankers in de Sound liggen; supertankers die regelrecht uit het Arctic Reserve kwamen, klaar om te lossen. Achter de schepen lag het vliegdekschip *Osama bin Laden* – de voormalige USS *Ronald Reagan* – dat nu permanent buitengaats patrouilleerde. Zeventien jaar geleden had een groep terroristen – een christelijke eindetijdssekte uit Brazilië – een jumbojet gekaapt en geprobeerd het vliegtuig op het Capitool te laten crashen. Door de genade van Allah – en de verouderde versie van de Microsoft Flight Simulator die de terroristen hadden gebruikt om te oefenen – was een ramp voorkomen. De staart van de jumbojet stak nog steeds uit het water van de Sound, buiten de scheepvaartroute, als een waarschuwing voor de mensen om alert te blijven. Rakkim draaide zijn stoel in de richting van Mount Rainier; een rotsachtige slapende vulkaan die bedekt was met ijs en in rossig licht gehuld was.
'Sarah deed precies hetzelfde als we hier buiten zaten,' zei Marian. 'Ik

ben ook dol op het uitzicht. De mensen. De auto's en vrachtwagens die komen en gaan. De *energie.* Ik heb niks met natuur, maar Sarah… Zij keek het liefst naar de berg, net als u.'

Rakkim stelde zich voor hoe Sarah hier zat, op een dag als vandaag, nippend van haar thee. Hij had haar al zes maanden niet gezien; zes maanden van gebroken beloften. 'Bezocht Sarah u vaak?'

'Bijna elke week. We hebben elkaar ongeveer anderhalf jaar geleden op de universiteit leren kennen. Puur toevallig. Ze kwam in de faculteitskamer bij me aan tafel zitten en het was alsof we elkaar al jaren kenden.' Marian liet haar wijsvinger over de rand van het theekopje lopen. 'Ik had natuurlijk wel van haar gehoord. *Hoe het Westen werkelijk veroverd werd* was een sensatie op de campus. U heeft er geen idee van hoeveel verontwaardiging dat boek onder haar collega's heeft veroorzaakt.' Marian bleef hem aankijken, maar uiteindelijk verbrak ze het oogcontact, alsof ze besefte dat het niet gepast was om te blijven staren. 'De voorzitter van mijn vakgroep zei dat ik beter niet meer met haar om kon gaan, maar dat advies heb ik genegeerd. Ik vond het eerlijk gezegd wel interessant om zo'n beeldenstormer op de universiteit te hebben. Het gaf mij het gevoel ook een beetje een buitenbeentje te zijn.'

'Wanneer heeft u haar voor het laatst gezien?'

'Hm… twee zondagen geleden. Een prachtige dag.' Marian vouwde haar handen ineen. Haar nagels waren netjes bijgehouden en de vorm was perfect.

Een van de eerste dingen die Rakkim was opgevallen toen hij voor het eerst in de Bijbelgordel infiltreerde, was het feit dat de vrouwen vieze, onverzorgde nagels hadden. Moslims borstelden hun nagels en hielden ze kort, zoals de koran dat voorschreef. De vrouwen in de Bijbelgordel gaven de voorkeur aan handen die er als klauwen uitzagen. Daarbij werden de nagels vaak met schreeuwerige kleuren beschilderd. Een populair motief was hun vlag, de oude 'stars and stripes', met in het blauw een christelijk kruis.

'Smaakt de thee soms niet, meneer Epps?'

Rakkim bracht zijn kopje omhoog. Marian zag er zelfverzekerd, maar tegelijkertijd vermoeid uit in het ochtendlicht. In haar ooghoeken zag Rakkim kraaienpootjes. Zijn bezoek moest haar ergste vermoedens omtrent Sarah bevestigd hebben, maar ze weigerde in paniek te raken. Geen wonder dat zij en Sarah vriendinnen waren. Hij boog zich naar voren om haar gerust te stellen, maar toen zag hij Terry's reactie in de woonkamer. 'Volgens mij zoekt uw lijfwacht een excuus om klappen uit te delen.'

'Terry is erg beschermend. Hij zorgt samen met zijn vrouw voor het huis, maar ze zorgen ook voor mij. Mijn ouders zijn dood, en een ongehuwde vrouw heeft behoefte aan gezelschap.' Marian trok haar chador recht. 'Er staat geschreven dat eenzaamheid een deur voor de duivel is, meneer Epps.'

'Er zijn veel deuren waardoor de duivel naar binnen kan, professor. Te veel deuren en onvoldoende sloten. Eenzaamheid is wel de minste van onze problemen.'

Marian glimlachte en sloeg haar ogen neer. 'Het is vreemd om hier met u te zitten. Hoewel ik u nooit eerder ontmoet heb, heb ik het gevoel dat ik u ken. Sarah had het *voortdurend* over u.' Ze keek hem aan. 'Ik zou willen dat ze nu hier was.'

'Ik ook.'

'We werkten samen aan een boek. Heeft ze u dat verteld?'

Rakkim schudde zijn hoofd.

'Dan vertel ik het u. We waren begonnen met het maken van aantekeningen en het verzamelen van gegevens...' Marian trok haar hoofddoek goed en duwde een haarlok weg die naar buiten was gekomen. 'We zouden gaan schrijven over de intellectuele terugval van onze samenleving sinds de Omwenteling. Een riskant onderwerp, maar Sarah verheugde zich op de discussies die het zou oproepen. Als tegenwicht zou ik de vruchten noemen die we kunnen plukken dankzij het werk van de religieuze autoriteiten.' Marian deed nog een suikerklontje in haar thee. Tijdens het roeren tikte het lepeltje tegen de binnenkant van haar kopje. 'Ik ben een geboren moslima. U heeft er geen idee van hoe het was om op te groeien onder het oude regime. De beledigingen, de hatelijkheden...' Haar lippen verstrakten zich tot een smalle lijn. 'Als kind is mijn hijab zo vaak van mijn hoofd getrokken dat ik het niet meer heb bijgehouden. Na elf september is het erger geworden. Ik vertel u dit trouwens niet om medelijden op te wekken. De mooiste dag van mijn leven was de dag waarop we een islamitische natie zijn geworden, maar als socioloog maak ik me zorgen over de dingen die ik zie.' Ze keek hem recht in de ogen. 'Vroeger stonden we vooraan op het gebied van wetenschap en technologie. Je kunt het je haast niet meer voorstellen. Elk jaar zijn er minder afgestudeerden in wiskunde en de technische vakken. Onze fabrieken zijn verouderd, onze landbouwproductie daalt en het aantal patentaanvragen bedraagt nog maar veertig procent van dat tijdens het oude regime.' Ze speelde met haar theelepel, legde hem ten slotte neer en dwong zichzelf haar handen stil te houden. 'Ik praat te veel, nietwaar?'

Rakkim dacht aan het feit dat de beveiligingssoftware voor irisscanners niet functioneerde en dat de weerberichten nattevingerwerk waren omdat de satellieten zich niet meer in de juiste baan bevonden. Maar er heerste nog geen hongersnood in de Islamitische Republiek en er vroren in de winter nog geen mensen dood omdat ze zich geen stookolie konden veroorloven. De Bijbelgordel mocht dan Coca-Cola hebben en de Carolina's loofbossen; er waren ook meer stroomstoringen en er heerste Engelse ziekte. En in tegenstelling tot de islam, waar het geven van aalmoezen voor elke goede moslim een vereiste was, leden de bedelaars in de Bijbelgordel honger.

'Veel praten is een beroepsrisico van professoren,' zuchtte Marian. 'Gelukkig zijn onze studenten een en al oor.'

'Wat is er met dat boek gebeurd waaraan u met Sarah werkte?'

'Ze is van gedachten veranderd. Een halfjaar geleden, zomaar van de ene op de andere dag.'

'Was dat tijdens haar verloving met de zoon van de Saoedische ambassadeur?'

'Van wie heeft u dat?' Marian trok een gezicht. 'Haar oom probeerde haar voor de petro-prins te interesseren, en de prins zag er wel wat in, maar u kent Sarah.'

'Maar al te goed.'

Rakkim kende Roodbaard ook. Het verbaasde hem daarom niet dat de man tegen hem had gelogen. Maar de reden voor de leugen maakte hem nieuwsgierig. Het was trouwens een doorzichtige leugen. Roodbaard moest hebben geweten dat Rakkim achter de waarheid zou komen. Misschien had Roodbaard een onnodige onwaarheid verteld om een veel belangrijker leugen te verbergen. *Dat* was Roodbaards stijl. 'Sarah heeft onze relatie ongeveer rond dezelfde tijd verbroken als die waarop ze de samenwerking met u beëindigde. Misschien ligt daar een verband. Waarom is ze uit dat project met u gestapt?'

Marian aarzelde. 'Ze had besloten een ander boek te schrijven, maar ze wilde me niet vertellen waarover. Volgens haar was dat te gevaarlijk.'

'De helft van het land kan haar bloed ondertussen wel drinken. Wil ze zich nu ook de woede van de rest nog op de hals halen?'

'Ze was *bang*. Wanneer heeft u Sarah voor het laatst bang gezien?'

Rakkims glimlach verdween.

'Ze maakte zich ook zorgen om mij. Ze nam een taxi als ze bij mij op bezoek kwam en ze vroeg of ik haar niet wilde bellen. We schreven elkaar altijd memootjes...'

'Weet u echt niet waar dat nieuwe boek over ging?'

'Ze wilde er niks over zeggen.' Marian sloeg de handen ineen. In de binnenkant van haar rechtermiddelvinger zat een deukje van het schrijven met een pen. Ze was een traditionaliste. 'Ik weet niet of het er iets toe doet, maar een van de redenen waarom Sarah me de afgelopen maanden bezocht, was dat ze van mijn bibliotheek gebruik wilde maken. Ik heb vrij veel specialistische boeken. Eigenlijk zijn ze van mijn vader. Het zijn *zijn* boeken en aantekeningen.'

'Was uw vader historicus?'

'Hij was geologisch ingenieur.' Marian stak haar kin naar voren. 'Mijn vader was ontzettend koppig, maar hij was een geweldige ingenieur. Hij heeft overal op aarde dammen en bruggen en sportstadions gebouwd.'

Rakkim herinnerde zich de kaart in Sarahs kamer met het speldenprikje in de Yangtze. 'Heeft uw vader ook in China gewerkt?'

'Ja, jarenlang.'

'De Drieklovendam?'

'Hoe weet u dat?' Marian verwachtte geen antwoord. 'De Drieklovendam is de grootste dam ter wereld. Mijn vader maakte deel uit van het ingenieursteam. Hij was niet de projectleider, maar hij was erg trots op het werk dat hij had gedaan. De eerste studies dateren van lang voor de Omwenteling – 1992 geloof ik. Maar zelfs na de voltooiing moest zijn team om de twee jaar terug om de constructie te inspecteren. De Yangtze is erg onvoorspelbaar en de ingenieurs moesten de stroming van de rivier voortdurend in de gaten houden.'

'Dus... Sarahs nieuwe boek ging over China?'

'Dat heb ik haar gevraagd. Ze zei dat het een klein onderdeel van het boek was, maar verder wilde ze er niets over kwijt. Ik had altijd het gevoel dat ze het op een gegeven moment wel zou vertellen. Zou ze daarom verdwenen zijn? Gaat het om het boek waaraan ze werkt?'

Rakkim speelde met zijn sikje. 'Heeft u vaak met Sarah over uw vader gesproken? Was ze nieuwsgierig naar zijn werk... zijn politieke ideeën?'

'Niet echt. Mijn vader was erg op zichzelf. Ik heb hem in veel opzichten nauwelijks gekend. Volgens mij was Sarah meer in zijn boeken geïnteresseerd dan in iets anders. Ze is een briljant onderzoekster.'

'Dan ligt het voor de hand dat ik een kijkje in uw vaders bibliotheek neem. Als u dat tenminste niet erg vindt.'

'Geen probleem. Ik hoop alleen dat u niet snel verveeld raakt. Na de dood van mijn vader heb ik zijn aantekeningen doorgenomen. Hij had ze altijd achter slot en grendel, dus ik verbeeldde me al dat er een of ander duister geheim in stond of dat ik nieuwe inzichten in zijn gedachtenleven zou krijgen.' Marian schudde haar hoofd. 'Ik hield van mijn vader, maar ik kon nauwelijks door het eerste deel komen. Ik ben geen nieuwe inzichten tegengekomen, alleen lange waslijsten met afgezaagde observaties.' Ze trok haar zeegroene chador glad. 'Ik heb er geen idee van wat Sarah zo interessant vond aan die boeken, maar ze bleef erin lezen, week in week uit.'

'Ik zou ze wel eens willen zien.'

Marian leek hem niet te hebben gehoord. 'U bent precies zoals Sarah u beschreven heeft. Een strijder met warme ogen. Ze houdt erg veel van u. Ik voelde me jaloers.' Marian bloosde.

'Wacht maar totdat u me wat beter kent... dan bent u niet meer jaloers.'

Marian glimlachte. 'Sarah zei dat het huis waarin ze opgroeide erg stil was, totdat u kwam. Vanaf dat moment was er leven en werd er gelachen. Ze zei dat u de enige was die niet bang was van Roodbaard. Zij was dat wel.'

'De enige manier om Roodbaard te overleven is niet bang voor hem te zijn – of dat in elk geval niet te laten merken.'

'U bent een doorzetter, dat is wel duidelijk.' Marian tikte peinzend op haar theekopje. 'Ik ben niet zo'n doorzetter. Ik ben tenminste nooit echt op de proef gesteld... ik heb gewoon geluk gehad. Ik had mijn familie, mijn inkomen, de universiteit. Alles gaat gewoon zijn gangetje. U was een wees, u leefde op straat. Ik kan me niet voorstellen hoe dat moet zijn geweest.'

'Laten we maar zeggen dat je leert niet te treuzelen met eten.'

'Waarom bent u bij de Fedayeen gegaan?'

'Ik wilde onafhankelijk zijn, een eigen leven hebben. Dat was me nooit gelukt als ik in dat huis was gebleven.'

'Maar u bent bij de Fedayeen weggegaan?'

Rakkim glimlachte. 'Misschien was ik niet te spreken over de man die ik was geworden.'

Marian beantwoordde de glimlach niet. 'Dat betwijfel ik.'

Als Rakkim had geweten hoe scherpzinnig ze was, had hij misschien zijn mond gehouden. Aan de andere kant; misschien hoefde Marian niet met hem te praten om te weten wie hij was. *Alsof we elkaar al jaren kenden;* zo had Marian haar eerste ontmoeting met Sarah beschreven. Voor hem zou het langer duren, maar misschien zouden Rakkim en Marian op een dag ook vrienden zijn.

'Gelooft u dat elke mens maar één ware liefde kent, meneer Epps?' Marian speelde opnieuw met haar lepeltje. 'Een persoon waarmee we ons leven moeten delen?'

'Ik weet het niet.'

'Hm... Ik ben er absoluut *zeker* van, en Sarah ook.' Een plotselinge bries bewoog Marians chador, en heel even, vlak voordat ze de stof omlaag trok, leek het alsof ze zweefde. Het was een kort moment, maar Rakkim bleef de indruk houden dat ze niet werkelijk met de aarde verbonden was. 'Ik ontmoette mijn geliefde toen ik tweeëntwintig was. Hij was computerprogrammeur en een eerzaam moslim, maar mijn vader had andere huwelijkskandidaten in gedachten. Hij wilde niet toegeven, maar ik ook niet. Er heerste enkele jaren een impasse bij ons thuis terwijl mijn geliefde en ik elkaar stiekem bleven ontmoeten, net als u en Sarah. Ik hoopte dat mijn vader uiteindelijk zou zwichten, maar toen zetten de zionisten de wereld op zijn kop. Mijn geliefde was op vakantie in Washington D.C. toen de bom explodeerde. We hadden afgesproken dat ik hem daar zou ontmoeten, maar ik heb me op het laatste moment bedacht.' Ze bette haar ogen. 'Er gaat geen dag voorbij dat ik me niet afvraag waarom hij juist op *die* dag in *die* stad moest zijn. En elke dag denk ik weer, was ik maar met hem meegegaan.'

Rakkim raakte haar hand aan.

Ze trok hem weg. 'Zorg ervoor dat u haar vindt, meneer Epps.'

'Dat beloof ik.'

12

Voor het namiddaggebed

De Wijze Oude onderging een bloedzuivering toen Ibrahim de verkoeverkamer binnenkwam. Zijn oudste zoon keek vandaag somber uit zijn ogen. 'Slecht nieuws?'

Ibrahim aarzelde. 'Onze broeder Oxley is dood. Hij zou een hartaanval hebben gehad, maar...'

'Hij is vermoord. Ibn Azziz heeft Oxley gewurgd.'

'Ik... ik heb het nieuws nog maar net gehoord,' zei Ibrahim met iets van ergernis in zijn stem. Hij bleef staan. Hij was even mager en donker als zijn lang geleden overleden Arabische moeder. Hij leek zich nooit op zijn gemak te voelen in de verkoeverkamer, maar dat was te verwachten – hij was pas drieënvijftig en vertrouwde zoals alle mensen die nog jong waren op het probleemloos functioneren van het lichaam.

De Oude luisterde naar het zoemen en sissen van de machines die om hem heen stonden. De plastic buisjes in zijn aderen klopten op het ritme van zijn gezuiverde bloed. De moord op Oxley had niet op een slechter moment kunnen komen, maar de Oude zweeg. Ibrahim was geneigd om zelfs in het vallen van een dor blad of het tjirpen van een mus de hand van Allah te zien. Hij was dan ook zichtbaar van zijn stuk door de dood van hun marionet Oxley. Maar als hij merkte dat de Oude zich nu ook zorgen maakte, zou de angst zich als een virus door de familie verspreiden. 'We zullen Oxley missen, maar hij heeft zijn doel gediend. Er is geen reden tot ongerustheid.'

'Ik had u niet moeten storen, vader.'

De Oude wuifde de verontschuldiging weg. 'Maak je geen zorgen, zoon. Er is niets aan de hand.'

De verkoeverkamer was geheel wit – de vloer, de muren, het plafond en zelfs de machines. Het maakte de ruimte bijna oneindig en het bloed van de Oude in het doorzichtige plastic leek er nog roder door. Het bloed werd verhit om alle toxinen te doden en vervolgens weer afgekoeld tot 37°C. Er werd ook vers bloed aan toegevoegd; vers bloed met extra zuurstof voor extra energie; bloed van John, de acoliet met de blonde baard en de roomwitte huid. Zijn zoon. Bloed van zijn bloed. Bloed dat hem nieuw leven schonk.

De Oude had gehoopt dat zijn luchtige reactie op Oxleys dood een teken voor Ibrahim zou zijn om te vertrekken, maar hij bleef staan, de handen gevouwen achter zijn rug – een houding die hij had opgepikt aan de London School of Economics. Ibrahim was zichtbaar van slag, maar de Oude bespeurde nóg iets. Een misrekening van de kant van de Oude was een kans voor Ibrahim. De last van een oudste zoon. De frustratie van een hoofdadviseur wiens raad niet was opgevolgd. 'Zeg het maar, Ibrahim.'

'Vader... Mahdi... het heeft jaren geduurd voordat we Oxley zover hadden dat hij met ons wilde samenwerken en het heeft Oxley nog meer tijd gekost om in de gunst te komen bij de Fedayeencommandant. Hoe zou hij *ooit* vervangen kunnen worden?'

'Broeder Oxley is nu in het paradijs. We zullen ons op Ibn Azziz moeten richten.'

'Kunt u Darwin niet met Ibn Azziz laten afrekenen?' stelde Ibrahim voor. 'U kunt toch vast wel een flexibeler opvolger regelen dan deze man?'

'Darwin heeft belangrijker zaken aan zijn hoofd,' zei de Oude, die genoot van Ibrahims bezorgdheid. 'Maar maak je geen zorgen. Alle mensen zijn hetzelfde. Verdwaald in een doolhof van behoeften en verlangens. Oxleys verleiding vroeg om een bepaalde... *stimulans*. Als we Ibn Azziz om willen krijgen, hebben we gewoon een andere stimulans nodig. Het is zaak om die te vinden en vervolgens te benutten.'

'Maar de *tijd*, vader, we hebben geen tijd...'

De Oude maakte een dramatisch gebaar dat zijn slangetjes deed dansen. 'Vertel *mij* niets over tijd.'

Ibrahim sloeg de ogen even neer, maar keek zijn vader vervolgens opnieuw aan. Drie jaar geleden had Ibrahim geprotesteerd tegen de selectie van Ibn Azziz in de bovenste gelederen van de Zwartjassen. Ibrahim was slim genoeg om daar nu niet over te beginnen; slim genoeg om te beseffen dat het niet nodig was.

De drie artsen in het vertrek hadden evengoed doof kunnen zijn. Ze hielden zich alleen met hun apparatuur bezig en pasten soms een instelling aan.

'Verman je,' zei de Oude. 'Oxley was volgzaam... maar ook overdreven voorzichtig. Ibn Azziz is opvliegend en lastiger te sturen – maar *als* we hem voor ons karretje kunnen spannen, is hij oneindig veel meer waard dan zijn voorganger.'

'U heeft gelijk, Mahdi,' mompelde Ibrahim. Zijn donkere ogen gleden over de slangetjes die in het lichaam van de Oude waren aangebracht, maar zijn gezichtsuitdrukking bleef onleesbaar.

'Misschien hebben de Fedayeen wel meer respect voor het ascetische karakter van hun nieuwe commandant dan voor de excessen van Oxley,' zei de Oude. 'Generaal Kidd is een godvrezend mens. Het interesseerde hem niet dat Oxley de zegen van de grootayatollah had gekregen; hij bleef de man weerzinwekkend vinden. Nee, mijn zoon, de komende jaren zul je zien dat de promotie van Ibn Azziz de manifestatie was van de wil van Allah, de Alwetende, bij wie alle dingen mogelijk zijn.'

Ibrahim bracht zijn geopende handen omhoog en gaf zijn vader zijn zegen.

'Ik stel voor dat je overleg pleegt met onze broeders onder de Zwartjassen. Zoek de weg naar het hart van Ibn Azziz zodat we in actie kunnen komen.'

Ibrahim liep langzaam achterwaarts de verkoeverkamer uit.

De Oude liet zich terugzakken op de behandeltafel. *Was* het maar zo eenvoudig. De moord op Oxley was een ramp, precies zoals Ibrahim had gezegd. Oxley was profaan en corrupt geweest, maar in de politieke arena was hij ongeëvenaard. Zo had hij op slinkse wijze aangepapt met leden van het Congres. Dat had hun bondgenoten de aura van Oxleys godvruchtigheid verleend terwijl hun vijanden via elke moskee de verdoemenis in waren gepreekt. En nu was de man dood. De Oude had Ibn Azziz onderschat. Hij had niet meer in hem gezien dan de zoveelste gedreven geestelijke die zich tot de Zwartjassen aangetrokken had gevoeld. Het was een grove misrekening geweest dat hij de daadkracht van deze man niet had onderkend. Het feit dat hij de afgelopen maanden druk was geweest met andere dingen, was geen excuus.

Een van de artsen inspecteerde zijn nagelriemen en noteerde vervolgens iets op zijn kaart.

De Oude had er een hekel aan zijn handen en voeten op de onderzoekstafel te zien. Door een combinatie van steroïden en genetische infusen bleef hij vitaal, en met het verstrijken der jaren had hij regelmatig orgaantransplantaties laten uitvoeren. Maar aan zijn handen en voeten was niets te doen. Ze waren mager en doorschijnend en toonden een glimp van zijn ware leeftijd. Ze boden hoop aan degenen die naar kwetsbaarheid zochten. Hij wierp een blik op de deur. Ibrahim was rusteloos. De Oude nam een risico door hem zo'n belangrijke opdracht te geven. Als hij Ibrahim geen verantwoordelijkheden gaf, zou hij verstoken blijven van zijn niet onaanzienlijke talenten. Maar te veel macht zou de ambitie van de jongen aanwakkeren. Daarom hield de Oude er een eigen netwerk van spionnen op na, zowel in Las Vegas als in de Islamitische Republiek. De Oude wilde weten wat er gebeurde, en die informatie wilde hij als eerste. Hij zou Ibrahim de komende weken beter in de gaten moeten houden.

De Oude strekte zijn vingers en balde ze vervolgens tot vuisten. Tegenover Ibrahim had hij de gevolgen van Oxleys dood gebagatelliseerd, maar zelf wist hij wel beter. Het verlies van Oxleys invloed op het congres was al erg genoeg, maar de relatie met de Fedayeen stond ook op het spel, en dat was rampzalig. Generaal Kidd had Oxleys excessen verafschuwd, maar door zijn heimelijke bemiddeling met Kidds imam had de generaal langzaam maar zeker zijn aversie overwonnen. Het had jaren geduurd, maar toen het moment van de waarheid was gekomen, hadden generaal Kidds troepen zich achter de Mahdi geschaard in plaats van achter de president.

Het leger was trouw gebleven aan de president, maar dat was geen onoverkomelijk probleem. Hoewel de Fedayeen geringer in aantal waren, waren ze op militair gebied duidelijk superieur. In een confrontatie zou het leger snel capituleren. Het probleem was dat Oxley het enige rechtstreekse contact tussen generaal Kidd en de Oude was geweest. Door zijn dood was de toch al wankele coalitie op losse schroeven komen te staan. Als de Fedayeen aarzelden wanneer er een beroep op ze werd gedaan; als generaal Kidd ook maar iets van twijfel voelde... dan zou zijn plan gedoemd zijn te mislukken.

Een arts boog zich over de Oude. 'Uw nieuwe nieren functioneren nog steeds perfect. Er is niets dat op eventuele afstoting wijst – Allah zij dank.'

De Oude negeerde hem. Het was zijn vierde paar nieren. De artsen benadrukten altijd het miraculeuze boven de wetenschap in de hoop met hun gevlei een wit voetje te halen.

Het was vanwege de Fedayeen dat de Oude Darwin niet had opgedragen Ibn Azziz te doden. De Zwartjassen zouden het verhaal van Oxleys betreurenswaardige hartaanval wel verspreiden, maar generaal Kidd zou snel genoeg achter de waarheid komen. Ibn Azziz uit de weg ruimen zou te veel opschudding veroorzaken onder de Zwartjassen en hun gezag ondermijnen. Het was mogelijk dat ze de steun van generaal Kidd volledig zouden verliezen.

De Oude voelde zijn wangen en vingertoppen tintelen. Het gaf aan dat zijn wekelijkse behandeling er bijna op zat. Zijn gezichtsvermogen leek scherper, evenals zijn gehoor. Zelfs zijn geslacht voelde voller aan; een honger die verder ging dan het vlees. Hij kwam langzaam overeind en wreef in zijn handen alsof hij ze wilde laten vonken.

Het zou tijd kosten om Ibn Azziz te manipuleren, maar de Oude twijfelde er niet aan dat de jonge zeloot zich uiteindelijk bij hem zou aansluiten. De Oude was door Allah gekozen voor deze historische missie; de herinvoering van het kalifaat. Als Ibn Azziz zich werkelijk door God liet leiden, zou hij dat inzien. De knul had alleen wat begeleiding nodig. Maar eerst moest Darwin het meisje zien te vinden. En volgen. In het hart van zijn plan had zich een kanker gevormd, en alleen Darwin beschikte over een mes dat scherp genoeg was om het weg te snijden zonder verder schade te veroorzaken. Eerst het meisje. Daarna zou de Oude contact opnemen met Ibn Azziz. Als dat niet werkte – als de geestelijke weigerde zijn heerschappij te aanvaarden – zou de Oude rechtstreeks met generaal Kidd in contact treden.

De Oude trok de slangetjes uit zijn armen en smeet ze opzij. Er druppelde bloed op de witte vloer toen hij zich van de tafel liet glijden.

13

Na het nachtgebed

Rakkim glipte via de zijdeur de Blue Moon uit, vlak achter een luidruchtig groepje arbeiders van een van de booreilanden voor de kust. De dronken mannen werkten zich met hun ellebogen een weg door de menigte. De wind van de Sound deed hem huiveren, maar de arbeiders droegen jeans en T-shirts met opgerolde mouwen en pronkten met hun spieren zodat de modernisten opzij gingen. Rakkim bleef een tijdje dicht genoeg bij hen in de buurt om de olie in hun woeste haardossen te kunnen ruiken. Ten slotte wandelde hij een van de steegjes met kinderkopjes in.

Hij was bij de Blue Moon langsgegaan nadat hij een hele middag in Marians bibliotheek had doorgebracht – zonder ook maar één aanwijzing te hebben gevonden. Hij had met Mardi gedineerd en ze had hem zijn aandeel van de recette van die week gegeven – het deel dat ze niet aan de belastingdienst opgaven. Ze had de mond vol gehad van een of andere fantastische bourbon die een nieuwe verkoper haar had laten proeven. Vervolgens had ze opnieuw gevraagd of hij haar kruidenier en zijn familie wilde helpen naar Canada te ontsnappen. Hij had weer geantwoord dat het waarschijnlijk wel lente kon worden. Misschien, als hij Sarah vond, zou hij *iedereen* naar Canada brengen. Winter of niet; hij vond wel een manier.

Daarna was Rakkim zwijgzaam geworden. Mardi kende hem goed genoeg om hem met rust gelaten. Terwijl hij van zijn stoofschotel at, dacht hij na over geologie, aardbevingen en dragende balken. Marians vader, Richard Warriq, had honderden studieboeken in de bibliotheek, maar volgens Marian was Sarah in zijn dagboeken geïnteresseerd geweest. Warriq was gedurende een periode van ruim veertig jaar regelmatig naar China gereisd, zowel voor als na de omwenteling. Hij was een van de weinige Amerikanen die daarvoor toestemming hadden gekregen. Sarah had naar iets in zijn dagboeken gezocht. Waarschijnlijk had ze het niet gevonden, want volgens Marian was ze van plan geweest om zaterdag – de dag na haar verdwijning – meer onderzoek te doen.

Drie jongens in universiteitssweaters kwamen op hem afgesjokt, glibberend over de gladde keien. Hun pluizige baarden hingen onder hun kin als smerige ijspegels. In het steegje dansten fastfoodpapiertjes zenuwachtig op de wind. Rakkim gaf de studenten de ruimte, maar ze zagen hem nauwelijks. Met de armen om elkaars schouders zongen ze een onverstaanbaar dronkemanslied. Hij zette de pas erin en haastte zich door het labyrint van steegjes. De winkeltjes die hij passeerde, hadden op dit uur de rolluiken omlaag.

Rakkim had er geen idee van waarnaar Sarah onderzoek deed. Er waren zoveel onderwerpen waarover je beter niet kon schrijven, zelfs als je de nicht van Roodbaard was. Elk onderzoek naar het wettelijk gezag van de Zwartjassen kon tot problemen leiden, en geen enkele uitgever zou de financiën van belangrijke congresleden of het militair opperbevel openbaar willen maken. Rakkim bleef maar terugkomen op Sarahs interesse in China en het werk van Marians vader aan de Drieklovendam – dat was het enige verband.

Hoewel Rusland de zionisten asiel had aangeboden, had China – de rijkste en meest voortvarende natie – het islamitisch opperbevel de meeste hoofdbrekens gekost. Generaal Kidd, de Fedayeencommandant, had de meest strijdlustige taal geuit – vooral wanneer hij zijn mond vol verse khat had gehad. De meeste westerlingen prefereerden een distillaat van het middel, dat gevoelens van euforie opwekte. Kidd gaf de voorkeur aan de verse bladeren, die dagelijks vanuit Jemen werden ingevlogen. Privé had Kidd beweerd dat hij – voor het geval de Chinezen ooit een pact met het Russisch Blok zouden sluiten of aangrenzende moslimlanden zouden aanvallen om hun olie – alvast een lijst klaar had liggen met doelwitten die vernietigd zouden worden. Hij had ze nooit bij naam genoemd, maar de Drieklovendam stond ergens bovenaan. Met een hoogte van bijna tweehonderd meter vormde de dam een rechtstreekse verbinding tussen de zee en het Chinese binnenland. De overstroming zou een grondoppervlak van een half miljoen hectare onder water zetten en de Chinese economie van de ene op de andere dag volledig verlammen.

Als Sarah een kritisch boek over de Fedayeen schreef, zou dat haar als gevaarlijk kwalificeren aangezien de meeste geheime operaties het staakt-het-vuren met de Bijbelgordel met voeten traden. De punaise in de kaart moest voor Sarah een visueel geheugensteuntje zijn geweest – ze had het ding alleen weggehaald toen ze had beseft dat Roodbaard er misschien vragen over zou gaan stellen.

Rakkim had gehoopt in Warriqs dagboeken bewijzen te vinden; een aanwijzing voor het feit dat hij de Fedayeen informatie over China doorspeelde; informatie voor een eventuele toekomstige aanval of sabotageactie. Helaas waren de dagboeken al even onleesbaar als de studieboeken. Warriqs handschrift was sierlijk, maar erg kriebelig. De woorden waren zo in elkaar geschoven dat er nauwelijks ruimte tussen zat. Zijn privédagboeken namen een complete schap in beslag. Achtendertig ervan bevatten aantekeningen over zijn werk in China. Rakkims ogen waren na twee delen al zo vermoeid geweest dat hij ermee had moeten stoppen.

Marian had gelijk – de dagboeken van haar vader waren inderdaad 'waslijsten': lange opsommingen van nutteloze informatie. Warriq noteerde elke maaltijd, vermeldde elk oriëntatiepunt en verantwoordde elk uur van zijn dagindeling. De man was bovendien nooit tevreden. Het vlees was slecht, de tomaten smakeloos, de soep koud. Zijn bed was te hard – of te zacht. De hygiëne tijdens de gebeden was gebrekkig. De wegen waren erbarmelijk. Het weer was beroerd. Over zijn Chinese werkgevers was hij al even kritisch. Ze werden omschreven als 'onbenullen', 'atheïsten' en 'varkens- en hondenvreters'. Zijn superieuren brachten het er al nauwelijks beter van af en de berichtgeving over zijn werk bevatte niets interessants. Rakkim vond geen bewijzen van spionage, maar voldoende reden om te kunnen concluderen dat de man een verwaande kwal was geweest die iedereen het bloed onder de nagels vandaan haalde. Rakkim had Marian gevraagd of hij een paar delen mee mocht nemen, maar dat had ze beleefd doch resoluut van de hand gewezen. Ze had wel gezegd dat hij altijd welkom was voor verdere studie.

Achter hem in het steegje klonk het geluid van een aluminium blikje. Rakkim draaide zich om, maar er was niemand. Hij luisterde, maar hij hoorde alleen het zwakke zoemen van auto's. Hij bleef nog een minuut roerloos staan en liep vervolgens verder. Hij werd gevolgd, maar zijn belager was niet bepaald bedreven. Er ging wel eens wat mis als je iemand volgde. Je was geneigd je te haasten om je prooi niet uit het oog te verliezen, maar daardoor kon je struikelen of trapte je iets om. Die dingen gebeurden nu eenmaal. Het geheim was dat je vervolgens niet moest proberen je te verbergen. Je kon veel beter een hoop kabaal maken; vloeken omdat je je pijn had gedaan. De persoon die gevolgd werd, zou zich dan gerustgesteld voelen, concluderen dat je ongevaarlijk was en zijn weg vervolgen. Stilte was een grond voor achterdocht.

Rakkim zou de achtervolger moeiteloos van zich af kunnen schudden; hij kende de steegjes op zijn duim. Maar hij wachtte – met zijn mes in zijn hand. Een Fedayeenmes was een technologisch wonder: een koolstofpolymeerlegering met DNA van de eigenaar. Het was ruim een centimeter dik, onbreekbaar, scherper dan chirurgisch staal en onzichtbaar bij metaal- en biologische scans. Letterlijk een verlengstuk van de strijder.

Twee ongure types in zwarte regenjassen kwamen achter hem de hoek om en bleven staan toen ze hem zagen.

Rakkim wenkte naar ze, maar draaide zich om toen hij in het steegje vóór hem iets hoorde.

Anthony jr. en een andere knul, ook in regenjassen, sprongen van een brandladder. Rakkim was plotseling ingesloten door vier mannen. Anthony droeg een headset. Hij had Rakkim vanaf de daken gevolgd, waar het licht beter was, en zo het andere tweetal achter hem aan geloodst. Niet dom.

'Je had tijdens de Super Bowl mijn spullen niet moeten afpikken.' Anthony jr. zette zijn headset af. 'Zoiets is niet koosjer.'

Rakkim glimlachte. Anthony was een luizig diefje, maar hij had de humor van zijn vader.

Uit de binnenzakken van de vier regenjassen kwamen honkbalknuppels tevoorschijn.

'Leuke choreografie,' zei Rakkim. 'En die zwarte jassen zien er ook goed uit. Wie heeft dat bedacht?'

'Da's een idee van Anthony,' zei de knul naast Anthony jr. 'Niet gek hè?'

'Kop dicht,' zei Anthony jr.

Het eerste stel kwam dichterbij. De mannen zagen eruit als broers; bovenmaatse hyena's met vlasachtig blond haar en grote voorhoofden. Terwijl ze op hem af liepen, tikten ze met hun knuppels op de keien. Hoewel dat waarschijnlijk bedoeld was om Rakkim angst aan te jagen, zagen ze er eerder uit als blinden die met hun stok de grond aftastten.

Anthony jr. bleef op drie meter afstand staan en zwaaide een paar keer met zijn knuppel; een slagman die zich voorbereidt op de wedstrijd. Rakkim voelde de luchtverplaatsing op zijn gezicht.

'Weet je zeker dat je dit wilt, Anthony?' zei Rakkim.

'Reken maar,' zei Anthony jr.

Rakkim keek ontspannen toe terwijl het groepje hem insloot. Als ze met zijn tweeën waren geweest, had hij met zijn rug naar de muur kunnen staan, maar in dit geval koos hij voor mobiliteit.

'Hij heeft een mes,' zei de eerste hyena.

'O, wat zijn we nu bang,' hinnikte Anthony jr.'s buurman; een raddraaier met O-benen die een stel voortanden miste. Hij sprak met consumptie. 'Vorige maand hebben we een stel soldaten te pakken genomen. Die hadden ook messen. Een stuk groter dan dat speelgoeddingetje van jou.'

'Wees voorzichtig met hem,' waarschuwde Anthony jr. 'Hij is niet zoals die anderen.'

'Ik heb op een van die soldaatjes een homerun geslagen,' zei de eerste hyena. 'Nadat ik zijn knieschijf had gemold, smeekte hij ons bijna zijn uitrusting mee te nemen.' Hij stak zijn linkerpols in de lucht. 'Dit is z'n horloge. Hoe laat heb jij het, vader?'

'Je mag je horloge houden, Rakkim,' zei Anthony jr. 'Mijn pa heeft een hoge pet van je op, dus dat wil wat zeggen. Als je je portemonnee even geeft, dan staan we wat mij betreft quitte.'

'Ik ben blij dat er nog zoons zijn die respect voor hun vader hebben,' zei Rakkim.

'Krijg ik die portemonnee nog, of hoe zit dat?' vroeg Anthony jr.

Rakkim liet zijn blik over de mannen glijden en schudde zijn hoofd. 'Ik heb drie- of vierduizend dollar bij me. Zoveel geld raak ik niet graag kwijt.'

'Bingo!' zei de raddraaier naast Anthony jr. strijdlustig, en hij deed een stap naar voren.

'Voorzichtig, zei ik,' zei Anthony jr. 'Hij is een Fedayeen.'

'"Hij is een Fedayeen"', imiteerde de hyena met een hoog stemmetje. Hij gooide zijn blonde krullen naar achteren, deed alsof hij geeuwde en haalde plotseling uit met zijn knuppel.

Rakkim stapte naar voren, ontweek het slaghout en stak zijn aanvaller in de schouder. Vervolgens draaide hij zich om en stak de andere hyena in de borst. Hij voelde de knuppel van Anthony jr. langs zijn hoofd suizen en drukte zijn mes in de buik van de knul. Zijn volgende uithaal veroorzaakte een diepe snee in de kin van de tandeloze raddraaier. Het was één vloeiende beweging geweest; een dansfiguur waarbij hij als enige de muziek had gehoord. Het was een Fedayeenspel dat ze in het trainingskamp dagelijks hadden gespeeld. Ze hadden alleen het puntje van het mes gebruikt; net voldoende om bloedende wondjes te veroorzaken, maar niet genoeg voor blijvende schade. Na afloop van het kamp hadden de meeste rekruten minstens honderd littekens. Rakkim had er niet veel meer dan tien.

Het viertal kwam opnieuw op hem af en hij voerde nogmaals zijn dans op; een draai, een duik, steeds daar waar ze hem niet verwachtten. De punt van het mes kerfde armen, benen, ruggen, handen en gezichten open. De mannen probeerden het steeds opnieuw, jankend en vloekend van pijn en frustratie. Hun regenjassen hingen aan flarden om hun schouders. Overal was bloed.

Rakkim vertraagde, alsof hij moe begon te worden. Anthony jr. zag zijn kans en haalde uit. Maar Rakkim stapte op het laatste moment opzij en de knuppel raakte de eerste hyena vol in de borst. Het klonk alsof er een boomtak knapte. De hyena maakte een zacht geluidje – meer een vochtige snik – en zakte in elkaar. Zijn knuppel rolde weg over de keien.

'Wat doe je *nou,* Anthony?' schreeuwde de andere hyena, en hij schoot onmiddellijk zijn broer te hulp. Hij had een grote snee in zijn oor en het kraakbeen fladderde op en neer. 'Ben je niet goed bij je *hoofd?*'

'Ik... krijg... geen lucht,' siste de eerste hyena terwijl de ander naast hem neerknielde.

'Niks aan de hand.' Anthony jr., die ook bloedde, deed nog steeds verwoede pogingen om Rakkim uit te schakelen.

'Krijg... geen... lucht,' herhaalde de eerste hyena. Uit een neusgat groeide een bloedbel – die knapte.

'Ik breng hem naar het ziekenhuis,' zei de andere hyena. Hij schoof een arm onder zijn broer.

De eerste hyena schreeuwde terwijl hij werd opgetild.

'Eerst deze klus afmaken,' zei Anthony jr.

'We worden *zelf* afgemaakt,' mompelde de andere hyena terwijl hij zijn broer het steegje uit droeg.

'Dit gaat mis, Anthony,' zei de raddraaier met de missende tanden. De flarden van zijn regenjas waren besmeurd met bloed en zijn gezicht lag open. 'Die vent is een wandelende cirkelzaag.'

'Oké, hij kent leuke trucjes,' moest Anthony jr. toegeven. 'Maar wij ook.'

De raddraaier schudde zijn hoofd en vertrok in dezelfde richting als de hyena's.

Anthony jr. staarde Rakkim aan. 'Ik ben niet bang voor je.'

'Gefeliciteerd.'

Anthony jr. bracht zijn knuppel omhoog. Zijn knokkels zaten onder het bloed. 'Ik heb nog steeds een appeltje met je te schillen vanwege dat geintje tijdens de Super Bowl. Ik had die portefeuille eerlijk gepikt.'

Rakkim hield een hand omhoog. 'Rustig aan.'

Anthony jr. deed opmerkelijk genoeg wat hem was gezegd.

'Je kunt tegen je vader zeggen dat ik je zal aanbevelen voor de Fedayeen.'

'Dat zal wel.'

'Ik meen het.' De Fedayeen kenden een hoog sterftecijfer, maar als Anthony jr. zo doorging, hield hij het in een uniform langer uit dan op straat.

Anthony jr. keek hem aan. 'Je houdt me niet voor de gek, hè? Want dat pik ik niet.'

'Ik hou je niet voor de gek.'

Anthony jr. knikte langzaam. 'Oké. Bedankt.' Hij liet de honkbalknuppel met trillende handen in zijn regenjas glijden. 'Ik bedoel... dat zou geweldig zijn.'

'Hou er maar rekening mee dat je het niet meer zo geweldig vindt als je eenmaal in het trainingskamp zit. Maar misschien ben je me dankbaar wanneer je het achter de rug hebt. *Als* je er tenminste levend doorheen komt.'

'Ik ga het redden.' Anthony jr. keek even om zich heen. 'Is het waar wat ze zeggen? Je weet wel. Fedayeen... Jullie zijn opgevoerd, hè?'

'Nee, dat is niet waar.'

'Kom op. Moet je zien wat je net met mij en m'n mannetjes hebt gedaan. Ze doen iets met je als je Fedayeen wordt, hè? Nieuw en verbeterd, dat wil ik ook.'

'Fedayeen zijn geen supermensen.'

'Maar het bestaat niet dat jij normaal bent.'

Rakkim lachte. 'Oké, *dat* is waar. Na de eerste maand basistraining gaan degenen die het overleefd hebben en er niet mee opgehouden zijn naar de dokter. En die geeft ze de cocktail.'

'Wat is dat? Een of ander toverdrankje?'

'Genentherapie. Je krijgt een aantal injecties...'

'Ik *wist* het.'

'Er is niks magisch aan. Achtennegentig procent van dat wat een Fedayeen zo gevaarlijk maakt is zijn training. Training en houding. Als je de juiste houding niet hebt, helpt de genentherapie ook niet, en zonder de training heb je ook niks aan de juiste houding. Sterker nog; als je de juiste houding hebt, maar niet getraind bent, leg je gegarandeerd het loodje. De cocktail stelt je in staat om te trainen op een niveau dat een normaal mens fysiek of mentaal onmogelijk aankan. De basistraining van de Fedayeen duurt een heel jaar. In dat jaar moet je afstanden van vijftien kilometer zwemmen en tachtig kilometer hardlopen. Je leert geïmproviseerde wapens te gebruiken en je traint je in man-tegen-mangevechten in de hitte en in de kou. En al die tijd mag je blij zijn als je 's nachts drie uur slaap krijgt. De cocktail maakt dat mogelijk. Fedayeen hebben snelle reflexen. Ze hebben een hoge pijngrens, een perfect richtingsgevoel en hun wonden helen sneller, maar het is de *training* die een Fedayeen van ze maakt. Ben je daar klaar voor?'

'Die cocktail... Zit die nog steeds in je?'

Rakkim knikte. 'Die is permanent.'

'Eens een Fedayeen, altijd een Fedayeen. Dat zeggen ze.'

'Dat zeggen ze.'
'Dat wil ik ook.'
'Vertel me dat maar wanneer je door je eerste jaar heen bent.'
Anthony jr. grijnsde. 'Je zei *wanneer*, niet als.'
'Als ik jou was zou ik maar eens naar huis gaan om die sneeën te verzorgen. Zal ik het je vader vertellen?'
'Dat lukt mij ook wel.' Anthony jr. keek hem aan en plukte aan zijn onderlip. 'Zeg, Rakkim, waarom ben je eigenlijk bij de Fedayeen weggegaan? Waarom zou iemand dat willen?'
Rakkim glimlachte. Er was toch nog hoop voor de jongen.

14

Na het nachtgebed

Sarah ontwaakte uit een nachtmerrie – Rakkim zat op zijn knieën met een hand tegen zijn zij en er sijpelde bloed tussen zijn vingers door. Maar de realiteit was niet veel beter.

Ze was wakker geworden door het geluid van een knappend bubbeltje noppenfolie; een restje verpakkingsmateriaal in de schaduw van de steeg waar de veiligheidsverlichting niet kon komen. Ze had het neergelegd op een plek waar iemand die achterom kwam zijn voeten wel moest neerzetten. De afvalcontainer een paar meter verderop zat vol met kartonnen dozen, piepschuim en verpakkingsmateriaal. Iemand die op de noppenfolie trapte, zou denken dat hij gewoon pech had... slordige huurders. Maar de voetstappen haastten zich nu. De persoon die achter haar aan zat, had zich niets wijs laten maken.

Ze liet zich van de bank rollen, volledig gekleed. Alles wat ze nodig had, zat in haar wijde broek en het jack waarin ze sliep. Het appartement bevond zich op de tweede verdieping en het venster kwam uit op het steegje. Er was geen tijd om te ontsnappen, maar ze kon nog wel de deur naar de gang openzetten en hem op een kier laten staan zodat het leek alsof ze halsoverkop was vertrokken. Ze had ook nog tijd om het houten paneel achter de kachel los te halen. Het was een oud gebouw, van voor de Omwenteling, met dikke buitenmuren om de warmte binnen te houden. Gas en olie waren toen duur geweest. In de muur was een plekje waar ze zich kon verbergen; een kleine ruimte die ze geïsoleerd had. Terwijl ze door het gat kroop, hoorde ze voetstappen de trap op komen. Ze zette het paneel op zijn plaats en bad dat de naden in het donkere vurenhout op één lijn lagen met de rest. Plat tegen de grond gedrukt, luisterde ze naar het sissen van de verwarming. Ze wachtte. Precies zoals ze het al die keren geoefend had – alleen was ze toen niet meteen drijfnat geweest van het zweet. Ze dacht aan Rakkim en vroeg zich af of hij nog steeds boos op haar zou zijn omdat ze hem tijdens de Super Bowl had laten zitten. Waarschijnlijk. Hij kon behoorlijk rancuneus zijn. Voetstappen in de gang. De voordeur ging piepend open. Haar hart bonkte zo luid dat ze het gevoel had de donder te horen.

Sarah sloot haar ogen en worstelde om de angst en de claustrofobie te verdrijven. Ze stelde zich voor dat ze in een auditorium stond en voor een college haar gedachten op een rij zette. Er klonken nu stemmen in de kamer en er werd meubilair omgetrapt. Ze opende haar ogen. Er zat een kier in het paneel; een kier die erin was gekomen door de warmte van de kachel en waardoor ze een glimp kon zien van de mannen die het appartement doorzochten. Ze waren met z'n tweeën... Nee, met zijn drieën. Ze had niet het gevoel dat het mannen van Roodbaard waren. Ze waren veel te lomp en te lawaaierig – twee van hen, tenminste. Maar de derde... Ze drukte een oog tegen de kier en haar wimpers veegden langs het ruwe hout. Terwijl de twee anderen door het appartement stoven, liep een kale man naar de bank en legde een hand op het kussen. Hij voelde de warmte van haar lichaam die daar was achtergebleven. Ze huiverde alsof hij *haar* had aangeraakt.

'Controleer het dak,' beval de kale man.

Sarah zag hoe een man in een lange leren jas zich naar buiten haastte. Hij deed niet eens moeite om stil te zijn en rende luid bonkend de trap op. Het was midden in de nacht, maar de buren beseften ongetwijfeld dat ze beter binnen konden blijven.

'Dat kreng is *verdwenen,*' gromde een lange vogelverschrikker met sproeten.

De kale man pakte een bak met Chinees eten van de salontafel; de restjes van haar avondeten. Hij rook eraan. 'Dat bepaal ik wel. Ga eerst dit stinkhok maar eens scannen.' Hij ging zitten, legde zijn voeten op de salontafel en stak de chopsticks in het eten. Op weg naar zijn mond vielen stukjes kip en taugé in zijn schoot. Hij nam nog een hap.

De vogelverschrikker begon de woonkamer systematisch te doorzoeken met een draagbare thermische scanner. Hij scande de stoel, de bergkast, het plafond en de vloer. Hij controleerde ook de muren. Het apparaat bliepte toen hij langs de kachel liep.

Sarah beet op een vinger om te voorkomen dat haar tanden zouden gaan klapperen. Het zweet liep over haar gezicht.

De vogelverschrikker vervolgde zijn werk. Toen hij klaar was, liep hij naar de slaapkamer.

'Vergeet niet achter de kasten te zoeken,' zei de kale man. 'En in de plee!' Hij werkte een restje zoetzuur varkensvlees naar binnen en begon met open mond te kauwen.

De leren jas kwam terug. 'Niemand op het dak. Het is een flinke sprong naar het volgende gebouw, maar misschien heeft ze het gered.' Hij lachte. 'Met een flinke dosis schrik in de benen...'

De kale man likte de chopsticks schoon en stond op. 'Haal de hele boel overhoop. Ik doe de slaapkamer en haar privé-spullen.'

De leren jas rukte een poster van de Al-Aqsamoskee in Jeruzalem van de muur, bekeek de achterkant en smeet hem vervolgens op de grond. Hij werkte de hele woonkamer af. Het bureau werd leeggeveegd, de laden omgekeerd en het televisiescherm dubbelgevouwen.

Sarah bewoog haar hoofd weg van de kier in het paneel en luisterde naar het geluid van vernieling in de woning. Ze haalde adem door haar mond. De lucht was schroeiend heet. Ze had het appartement maanden geleden gehuurd, maar altijd gehoopt dat ze het nooit nodig zou hebben, vooral de schuilplaats niet. Ze kon niet geloven dat ze haar gevonden hadden. Ze was *zo* voorzichtig geweest. Dit waren geen mannen van Roodbaard... Ze moesten door de Oude gestuurd zijn. Ze gluurde opnieuw door de kier.

'Dat juffie heeft niet veel spullen bij zich,' zei de vogelverschrikker tegen de kale man terwijl ze de woonkamer weer binnen liepen. 'Alleen een tandenborstel in de badkamer. Geen portemonnee, geen notitieblok, geen papieren.'

De kale man ging op de bank zitten met een pak melk in zijn hand. Hij dronk gewoon uit het pak. Het idee dat hij haar koelkast plunderde, deed haar bijna uit haar vel springen.

'Ik weet het niet hoor – Ibn Azziz als opvolger van Oxley,' zei de vogelverschrikker. 'Ze zeggen dat hij niet rookt, niet drinkt en geen hoeren naait. Hoe kun je zo'n vent vertrouwen?'

'Zo hoort een grootmollah te *zijn*, stomme heiden.' De kale man schudde zijn hoofd. 'Het enige wat telt is dat hij de premie betaalt.'

'Geef mij Oxley maar,' zei de leren jas. 'Die man wist tenminste wat feesten was...'

De kale man smeet het lege melkpak op de grond en veegde met de rug van zijn hand zijn lippen af. 'Die Ibn Azziz laat er geen gras over groeien. We gaan vast voor hem werken.'

Sarah ging verzitten en haalde haar arm open aan een spijker in de vloer. Ze beet op haar lip. Deze kerels waren helemaal niet door de Oude gestuurd – het waren premiejagers. De Zwartjassen hadden een klein legertje huurlingen onder contract om het vuile werk op te knappen; ex-soldaten, ex-agenten en ex-misdadigers. De Zwartjassen hadden het nooit eerder aangedurfd Roodbaard rechtstreeks uit te dagen – en nu zaten ze achter zijn nicht aan?

'Als we hier vijf minuten eerder waren geweest, hadden we dat wijf te pakken gehad,' zei de vogelverschrikker. 'Ik had met mijn aandeel een nieuwe auto kunnen kopen.' Hij gaf een trap tegen een antieke lessenaar. Het dunne mahoniehout versplinterde. 'Als dit eikeltje hier niet zo nodig had moeten pissen...'

'Ik heb een zwakke blaas,' zei de leren jas.

'Ja, en als je *geen* zwakke blaas had, reed ik morgen in stijl.' De vogelverschrikker speelde met een Filippijns knipmes. *Tikkerdeklik*, klonk het. 'Ik vrees dat een van de andere teams de premie gaat opstrijken.'

Andere teams? Sarah proefde stof in haar mond.

'We vinden haar wel,' zei de kale man. 'Zo'n jonge meid kan zich niet eeuwig blijven verstoppen.'

De vogelverschrikker stak met een vreugdeloze blik zijn mes in de bank en trok het er weer uit. 'Wat willen de Zwartjassen trouwens met haar?'

De kale man keek naar de vogelverschrikker. 'Geen idee. En het interesseert me niet ook.'

Sarah hoorde vloeistof op de grond klateren. De stem die bij de leren jas hoorde, zei: 'Ahhhhh, dat lucht op.'

'Wat ben jij toch een ziek mannetje,' zei de vogelverschrikker. Stukken vulsel van de bank dansten via de zitting naar de grond.

De kale man stond op. 'Laten we er maar een punt achter zetten. Ze is op de vlucht, ze is bang en ze denkt niet helemaal helder. We pakken die kakmadam wel een andere keer.'

Sarah luisterde naar de voetstappen die langzaam wegstierven. Even later sloeg de deur dicht. Ze bewoog zich niet. Ze bleef zitten waar ze zat in haar kleine donkere hok. Ze haatte het donker. Ze had jarenlang met een nachtlampje geslapen. Roodbaard had geprobeerd haar die gewoonte af te leren, maar zelfs *hij* had het opgegeven. Rakkim... Rakkim had naast haar bed op de grond geslapen als ze nachtmerries had. Dat was het enige geweest wat geholpen had.

Het was stil in de woonkamer en ze viel bijna in slaap van de warmte. Hoe hadden ze haar in vredesnaam gevonden? Wat had ze fout gedaan? Ze had bij het verlaten van het appartement steeds andere kleren gedragen. Soms had ze er als vrome fundamentalist uitgezien, dan weer als modernist en zelfs als katholiek. Ze had nooit een rechtstreekse route naar het appartement genomen en nooit meer dan eens dezelfde winkel bezocht. En toch hadden ze haar gevonden. Haar ogen brandden en er was geen ruimte om erin te wrijven. Ze moest iets doen. De kale man had gezegd dat ze bang zou zijn en niet helder zou denken. Hij had meer gelijk dan ze wilde toegeven.

Na wat een eeuwigheid leek, draaide ze haar hoofd zodat ze de lichtgevende wijzerplaat van haar horloge kon zien. Ze kneep haar ogen half dicht. De premiejagers waren ruim twintig minuten geleden vertrokken. Haar benen deden pijn en haar longen voelden zwaar van de hitte, maar ze bleef zitten waar ze zat. Als je niet slim bent, moet je geduld hebben. Dat had Roodbaard altijd gezegd. De belediging was de prijs voor zijn wijsheid.

Ze wilde dat Roodbaard hier was. Hij zou ongetwijfeld weten wat ze moesten doen. Ze had hem willen vertellen waar ze mee bezig was; ze had tegen zichzelf gezegd dat ze hem kon vertrouwen. Maar het resultaat was steeds hetzelfde geweest. *Vertrouw niemand.* En toch had ze het beter kunnen vertellen.

Ze kreeg kramp in een been en haar neus jeukte. Een paar avonden terug was ze in de buurt van de Blue Moon geweest. Ze had de muziek van Rakkims club kunnen horen. Ze had zich voorgesteld hoe ze naar binnen zou lopen om een borrel met hem te drinken en onder de tafel haar hand op zijn knie zou leggen. Maar ze had zich omgedraaid, kwaad op zichzelf omdat ze zo dicht in de buurt was gekomen. De Blue Moon zou de eerste plaats zijn waar ze haar zouden zoeken. Ondanks alles wat ze wist, had ze zich de afgelopen dagen gedragen alsof het weer een spel was tussen haar en Roodbaard; een soort verstoppertje. Het verschijnen van de premiejagers had daar een einde aan gemaakt. Roodbaard was de minste van haar zorgen.

Sarah keek opnieuw op haar horloge. Het was meer dan een uur geleden dat de mannen waren vertrokken. Ze keek door de kier, drukte het paneel naar buiten en verstijfde toen het op de grond viel. Maar ze hoorde en zag verder niets. Ze kroop haar schuilplaats uit. Haar gewrichten knakten; ze waren zo stijf dat ze nauwelijks in staat was haar armen en benen te buigen. Het duurde vijf minuten voordat ze weer enigszins normaal kon ademen.

Het appartement was een puinhoop. Alle laden waren uit de kasten gehaald en haar kleren lagen op de grond. Maar het deed er niet toe; ze was niet van plan iets mee te nemen. Ze liep naar het keukentje en pakte een mes. Het was goedkoop en had een dun lemmet, maar ze voelde zich er veiliger mee. Ze liep naar het raam en gluurde door de jaloezieën naar buiten. De steeg was donker en leeg. Ze liep naar de deur, draaide de knop om en...

Naast de deur van het appartement tegenover het hare leunde de kale man tegen de muur. Hij zag er groot en log uit en hij had zijn armen voor zijn borst gekruist. 'Jezus, dame; ik begon me al af te vragen of je ooit nog uit je schuilplaats tevoorschijn zou komen.'

Sarah sloeg de deur dicht, maar hij trapte hem open, en toen ze het mes voor zijn neus hield, mepte hij het uit haar hand. Hij sloeg haar zo hard dat ze bijna het bewustzijn verloor. Hij was nu in het halletje en sleurde haar mee naar binnen met zijn hand rond haar keel. Toen ze probeerde hem te bijten, sloeg hij haar opnieuw.

'Ik hoop dat je het geen punt vind dat ik de jongens naar huis heb gestuurd,' zei de kale man. 'Zo'n vette premie deel ik liever niet met iemand anders... Er zijn trouwens wel meer dingen die ik niet graag deel.' Hij lachte en smeet haar op de bank.

Sarah probeerde zich los te worstelen terwijl hij op haar kwam liggen. Zijn adem had de geur van Chinees eten en melk... haar melk, die nu zuur, warm en ranzig rook. Zijn ogen waren grijs en stonden griezelig kalm, alsof hij dagelijks een kronkelende vrouw onder zich had.

'De Zwartjassen willen je levend hebben,' zei hij terwijl hij zijn knie tussen haar benen drukte. 'Je hoeft je dus geen zorgen te maken dat ik permanente schade aanricht. Ik zal je geen pijn doen.' Hij drukte zijn knie nog verder tussen haar benen en haar adem stokte. 'Kijk eens aan – dat was toch niet zo erg?'

'Ga van me af,' zei Sarah hijgend terwijl ze uithaalde naar zijn gezicht. '*Rot op.*'

'Niet gek,' zei de kale man terwijl hij met één hand de knoop van zijn broek losmaakte. 'Ik hou wel van een pittig wijf.'

Sarah spuwde in zijn gezicht. 'Mijn oom... Ik ben de nicht van Roodbaard, smeerlap!'

De kale man hield even in, greep vervolgens haar haar vast en trok haar naar zich toe. 'Daar was ik bijna in getrapt. Leuk geprobeerd, schatje.'

Sarah rukte zich los. 'Het is waar!'

De kale man drukte haar met een elleboog tegen de bank en trok de rits van zijn gulp open. 'Aangenaam kennis te maken, nicht van Roodbaard. Ik ben Dave Thompson.' Zijn ogen waren als stilstaand water. 'Voel je je nu beter?'

Sarah schreeuwde.

'Harder,' zei hij grommend terwijl hij zijn hand in haar slipje liet glijden. 'Ik kan je niet horen.'

Sarah kromde haar rug.

'En dit is wat ik doe,' zei hij hijgend. 'Dit is mijn werk. Ik zoek weggelopen sletjes en breng ze terug, en soms, *heel soms*,' – hij stak zijn middelvinger in haar – 'mag ik een beetje met ze spelen. Om ervoor te zorgen dat niemand ze terug wil.' Hij wurmde zijn vinger heen en weer. 'Niet gek,' fluisterde hij terwijl ze probeerde hem te trappen. 'Zo strak als een nieuwe handschoen.'

Sarah trapte zo hard als ze kon terwijl zijn vinger dieper in haar gleed. Ze probeerde hem te bijten, maar hij bleef buiten haar bereik.

De kale man probeerde met zijn vrije hand haar broek omlaag te trekken. 'Hoe meer je tegenspartelt, des te prettiger het voor mij is – dat besef je toch? Ik mag weglopertjes graag wat praktische kennis bijbrengen; over de echte wereld, buiten het huis van je vader. Je krijgt van mij een professionele training, juffie.'

Sarah trapte tegen de lege bak met eten en de chopsticks vlogen kletterend over tafel. Ze voelde met haar handen.

'De meeste weglopers...' De man kreunde nu, en zijn ogen waren vol verlangen. 'De meesten grienen alleen maar en bidden, maar jij... jij bent een echte vechter.' Er druppelde zweet langs zijn bakkebaarden. 'Kom op, vecht. *Vecht.*'

Sarahs vingers voelden rond op de salontafel. Haar nagels tikten op het glas.

'Ik ben niet zo'n slechte vent. De ouwe Dave zal je laten genieten – of je dat nou doorhebt of niet.' Hij lachte, wroette met zijn neus tussen haar borsten en kwam omhoog voor lucht. 'Ik ga je helemaal open...' Hij bewoog zijn mond, maar er kwam geen geluid uit. Zo bleef hij boven haar hangen, alsof hij plotseling bevroren was, met zijn hand nog steeds in haar slipje. Zijn lippen trilden en toonden zijn onregelmatige gele gebit.

Sarah keek naar de chopstick in zijn linkeroog. Alleen het puntje stak nog uit de kapotte kas. Ze had hem diep in de hersenen gedrukt. Op het uiteinde van het stokje waren rode Chinese ideogrammen aangebracht. Waarschijnlijk betekenden ze zoiets als *veel geluk*. Ze bewoog zich niet. Ze had geen haast. In het wit van zijn andere oog verscheen een bloedvlekje. Een roosje dat aan zijn grijze oog ontsproot. Plotseling zakte hij in elkaar en ze rolde hem van zich af. Zijn dode hand flapte uit haar slipje en zijn hoofd sloeg tegen de salontafel. Het volgende moment lag het lichaam levenloos op de grond. Sarah liep naar de badkamer en waste haar gezicht en haar handen. Vervolgens rukte ze haar slipje kapot en waste zich. En nog een keer. Ze voelde hem nog steeds in haar. Ze was niet misselijk en haar handen trilden niet. En wat nog gekker was: ze voelde zich prima.

Toen ze weer in de woonkamer kwam, lag de man op de grond. Er sijpelde een of andere stroperige vloeistof over zijn wangen. Misschien had hij ergens kleinkinderen. Dikke, blozende jochies met wie hij voetbalde; meisjes voor wie hij snoepjes meenam en die hij 's avonds voor het naar bed gaan een verhaaltje voorlas. Ze trapte zo hard ze kon tegen zijn hoofd. De holle bons klonk als muziek in haar oren. Geen snoepjes meer en geen verhaaltjes voor het slapengaan.

15

Voor het avondgebed

Rakkim zat aan een tafeltje tegen de muur van het restaurant in de binnenstad – precies zoals het bericht op zijn mobiele telefoon had voorgesteld. De eerste golf eters – baardloze modernisten – was inmiddels terug naar de kantoorgebouwen en de conservatieven waren vertrokken voor het avondgebed. Toch was het nog steeds zo druk dat de stemmen door de kale bakstenen ruimte galmden. Als Sarah en hij zich in het openbaar hadden kunnen vertonen, zouden ze naar een dergelijke gelegenheid gaan; ontspannen, gezellig en met een gemêleerd publiek. Zijn telefoon ging. Het was opnieuw Colarusso; zijn derde poging sinds Rakkim de afgelopen nacht Anthony jr. tegen het lijf was gelopen. Ofwel Colarusso belde hem om hem een uitbrander te geven omdat hij Anthony jr. bij de Fedayeen had aanbevolen – of het was een uitnodiging voor het diner op zondag. Het leek Rakkim in elk geval beter om niet op te nemen.

Er kwam een serveerster op hem af en Rakkim was blij met de afleiding. Ze droeg een blauwe fluwelen jurk op knielengte en kousen met een Schotse ruit. Haar haar was in een strakke bijenkorfvorm op haar hoofd vastgezet. Ze boog zich naar voren en leunde met haar ellebogen op de tafel. 'Wat gaat het worden, schat.' Op haar naamkaartje stond *Carla*.

Rakkim had haar nooit eerder gezien. Het enige kind van Spider met wie hij contact had was Elroy. Carla was een potige meid van een jaar of zeventien, achttien. Ze had een vriendelijk gezicht en een knopneus die niet bij haar paste. De ogen waren van haar vader – net als bij de andere kinderen. Ze had een touchpad om de bestellingen te noteren, maar dat was voor de show. Waarschijnlijk had ze een complete encyclopedie in haar hoofd en kon ze elke pagina oplepelen waarvan je het nummer noemde. Rakkim bestudeerde het menu

'Hij werkt nog steeds aan die geheugensticks die je hem gegeven hebt,' zei Carla met haar hand op de rug van zijn stoel, 'maar hij heeft inmiddels wel de mail van het Mecca Café die je wilde hebben.'

'Geweldig. Ik verwacht sowieso niet veel van dat geheugen.'

'Je weet er blijkbaar niet veel van.' Carla legde een hand op zijn schouder. Het flirten was typisch iets voor een gelegenheid die op modernisten gericht was – het leverde fooien op en hield fundamentalisten op een afstand. 'Volgens Spider is de stick van de universiteitscomputer gewist, maar die van haar eigen machine schijnt nogal interessant te zijn.'

Rakkim wees op een van de menuopties. 'Interessant? Hoezo?'

Carla leek te dansen op muziek die alleen zij kon horen. 'Geen idee... Hij is er nog steeds mee bezig. Ik heb hem al een tijd niet meer zo enthousiast gezien.'

Rakkim staarde naar het menu. 'Wat weet je over de mail van het café?'

Carla kwam dichter bij hem staan en liet een vinger over het menu glijden. Ze rook naar uien en frites. 'Afgelopen vrijdag, zeven uur tweeëntwintig. Kort contact. Geen formaliteiten. WEGWEZEN. METEEN. Dat was het eerste. In hoofdletters. Beetje ouderwets als je het mij vraagt.' Carla deed alsof hij een grapje had gemaakt en trok speels aan zijn sikje. Ze hield tijdens het praten haar mond naar beneden gericht zodat niemand het gesprek kon volgen. 'Toen schreef Sarah: *Ik kan niet.* De eerste persoon reageerde met: NU. METEEN NA COLLEGE. GEVAAR. Nog steeds in hoofdletters. Sarah: *Ik heb zondag een afspraak met* hem. *Ik moet hem zien.*' Carla keek hem aan. Ze glimlachte. En dat was niet omdat ze dacht dat ze misschien in de gaten werden gehouden. 'Dat gaat over jou, hè? Jij bent die *hem* waar ze het over heeft. Die Sarah is een taaie. Dat ze haar afspraak met jou wilde nakomen terwijl ze gewaarschuwd was dat ze moest verdwijnen. Ze vindt je zeker de moeite waard.' Ze maakte opnieuw een dansje. 'Ten slotte schreef de eerste persoon: WEGWEZEN. METEEN. Vervolgens was er een pauze, een seconde of twintig, en toen schreef Sarah: *Oké.*' Carla wees op de lijst met specialiteiten die aan de muur hing. 'Dat was het.'

'Heeft Spider er enig idee van wie haar gemaild heeft... of waar de mails vandaan kwamen?'

Carla schudde haar hoofd. 'Geen idee. Ze hebben een stel anonieme servers gebruikt. Hij is over de hele wereld geweest, maar volgens hem is de bron ergens in de Islamitische Republiek.' Ze kneep in zijn schouder. 'Ik word over drie maanden achttien. Een rijpe pruim, nooit geplukt.' Het puntje van haar tong gleed langs haar tanden. 'Spider staat open voor huwelijksaanzoeken, maar ik heb het laatste woord, dus jij hebt een puntje voor.'

Rakkim keek haar aan. 'Wat bedoel je?'

'Hou het gewoon in gedachten. Het ziet ernaar uit dat je vriendinnetje niet terugkomt.' Carla noteerde iets in haar touchpad en drentelde weg. Haar heupen trokken de aandacht van vier mannen aan een tafeltje verderop.

Rakkim nam een slok van zijn water. Misschien had Carla wel gelijk en kwam Sarah niet terug. Hij beet een ijsblokje kapot. Waarom ging ze niet naar Roodbaard als ze zich bedreigd voelde? En waarom kwam ze niet naar *hem?*

Er liep een jong stel voorbij; modernisten in blauwe uniseks kostuums met overal ritssluitingen en haar dat niet veel langer was dan een centimeter of twee. Te oordelen naar de zwarte plastic portfolio's die ze droegen, zaten ze in de reclame of marketing. Een Zwartjas bestudeerde hen vanaf de overkant van de straat en sprak in een mobiele telefoon.

Rakkim draaide zich om toen hij aan een tafel verderop lachen hoorde. Toen hij weer naar buiten keek, was de Zwartjas verdwenen. Hij speelde met het bestek en dacht na over Sarahs e-mailconversatie. Hij vroeg zich af wie het gezag had om haar te bevelen zo plotseling te vertrekken. Of beter nog: wie had het gezag om haar te doen gehoorzamen?

Carla kwam terug met zijn cheeseburger, de frites en een Jihad Cola – vanille. 'Er was nog een e-mailwisseling vóór die van afgelopen vrijdag. Heel kort. De eerste persoon zei: WEES VOORZICHTIG. BEREID JE VOOR. Sarah antwoordde: *Is het goed als ik het* hem *vertel?* NEE. *Alsjeblieft?* vroeg Sarah. Maar het antwoord bleef onveranderd.'

'Zei Sarah *alsjeblieft?* Weet je dat zeker?'

'Nou niet beledigend worden, zeg.' Carla legde de rekening met een klap op tafel. 'Spider neemt contact op zodra hij meer weet. En vergeet niet wat ik gezegd heb – drie maanden. Ik neem een bruidsschat mee, maar na onze huwelijksnacht ben je daar absoluut niet meer in geïnteresseerd.'

Rakkim haalde een frietje door een plas ketchup en keek haar na terwijl ze wegliep. Sarah luisterde zelden naar een ander, maar ze had de persoon die haar gemaild had wel gehoorzaamd. Ze had zelfs gesmeekt Rakkim nog een keer te mogen zien. Het was onmogelijk om vast te stellen of haar contactpersoon een man of een vrouw was, maar Rakkim voelde zich verschrikkelijk jaloers. Sarah die toestemming vroeg om hem te mogen zien… alsof ze het tegen een vader of echtgenoot had. Hij begon aan de burger, maar proefde nauwelijks wat hij at.

Carla kwam terug naar zijn tafel en vulde zijn water bij. Ze had nu kauwgum in haar mond. 'Je moet weg.'

'Hoezo?'

'Geen idee.' Ze flirtte niet meer. 'Zodra ik weg ben sta je op en loop je

naar de wc. Daar zit Elroy. Spider wil je spreken.'
'Krijg ik Spider te zien?'
Haar kaken maakten smakkende geluiden. 'Glimlachen en knikken.'
Rakkim deed wat hem gezegd was en hield de burger omhoog. 'Ik dacht dat Spider geen rechtstreeks contact met zijn klanten wilde.'
'Dit is de eerste keer.'
'Wat is hier aan de hand, Carla?'
Ze blies een grote roze bel en prikte hem door met een vingernagel. 'Spider heeft iets gevonden op die geheugenstick. Het is blijkbaar nogal speciaal.' Ze draaide zich om, liep weg en begon een babbeltje met de twee modernisten aan de aangrenzende tafel.

16

Namiddaggebed

'Weet jij waar dit over gaat?' Rakkim volgende Elroy door het steegje. 'Ik heb gehoord dat Spider onder de bustunnel woont. Gaan we daar soms naartoe?'

Elroy sloeg plotseling rechtsaf, wurmde zich door een smalle opening in een afrastering en liep verder. Hij keek niet achterom.

Rakkim haalde zijn jasje open aan het hek en moest zich haasten om het knulletje bij te houden in de avondschemering. Dit deel van de binnenstad was slecht verlicht en bezaaid met smoezelige hotelletjes en verlaten gebouwen. Rakkim had in deze buurt gewoond nadat zijn vader was gestorven. Uiteindelijk had Roodbaard hem van de straat gehaald. De doolhof van steegjes mondde uit op een kiezelpad en even later moesten ze een stel versleten stenen trappen af. Op een gegeven moment bevonden ze zich in een lange verroeste metalen buis vol afval en kapotte eieren. Hij rook aan de geur van rottende groenten dat ze ergens onder de markt zaten, niet ver van het water. Op het allerlaatste moment sloegen ze af in de richting van Pioneer Square, het oudste gedeelte van de stad.

Elroy controleerde Rakkim met een microgolfscanner. 'Oké,' zei hij, en hij borg het apparaatje weer op in zijn sweatshirt. Hij drukte een hand tegen een massief uitziende stenen muur en een deel ervan zwaaide open. Elroy wachtte totdat Rakkim zich door de opening heen had gewurmd en liet de muur weer dichtvallen. Er klonk een geluid van een slot dat werd dichtgeschoven. Het was aardedonker en de lucht was kil en klam.

Rakkim wachtte een paar seconden om zijn ogen te laten wennen, maar het bleef pikdonker.

'Deze kant op,' zei Elroy.

Rakkim liep met uitgestrekte armen in de richting van de stem.

'Gewoon doorlopen,' zei Elroy, die zich voor hem bevond. 'Er komt een bocht aan.'

Rakkim struikelde bijna en Elroy gniffelde. 'Elroy?' Zijn stem klonk hol. 'Doe eens een lamp aan.'

'Ik heb geen lamp nodig,' snoof Elroy. De stem klonk nu verder weg. 'Ik weet waar ik ben.'

Rakkim liep zwaaiend met zijn armen op de stem af en greep Elroys shirt vast, maar de jongen trok zich los.

'Als je me nog een keer aanraakt, laat ik je hier achter. Na een paar dagen in het donker ben je zo beurs als een rotte appel en weten de katten en ratten wel raad met je.'

'Je zou me bij Spider brengen.' Geen reactie. Rakkim stapte in de richting van de plek waar de stem had geklonken en stootte zijn hoofd. Hij vloekte.

'Je begint toch niet bang te worden?' zei Elroy.

Rakkim bleef staan. Hij kon normaal gesproken prima zien in het donker, maar hier was helemaal geen licht en hij wist niet meer precies waar ze vandaan waren gekomen. Het duister rook naar mos.

Elroys lach galmde door de ruimte.

Rakkim verroerde zich niet. Hij hoorde Elroy dichterbij komen. De jongen maakte nauwelijks geluid. Hij wachtte geduldig en hield zijn adem in. Plotseling haalde hij uit. Zijn hand greep een mager armpje vast. De jongen sloeg naar hem en probeerde zich los te rukken. Maar Rakkim was veel sterker en uiteindelijk gaf Elroy zich gewonnen.

'Leuk hoor,' hijgde Elroy. 'Je bent vast heel trots op jezelf.'

'Breng me bij Spider,' zei Rakkim. Hij liet de jongen niet los.

'Als ik je had willen dumpen, had ik dat allang gedaan. Het zou trouwens niet voor het eerst zijn.' Elroy probeerde zich opnieuw los te wurmen – tevergeefs. 'Laat me los, oké? Ik hou er niet van als mensen me aanraken. *Alsjeblieft?*'

Rakkim liet hem los, half-en-half verwachtend dat de knul hem in het donker zou achterlaten.

'Ik durf te wedden dat je dacht dat ik ervandoor zou gaan,' zei Elroy.

'Nee hoor.'

'Leugenaar.' Elroy snoof. 'Steek je rechterhand uit totdat je de muur voelt. Heb je hem? Oké, hou je hand tijdens het lopen tegen de muur. Ik zeg wel waar we afslaan.'

Gedurende het halfuur dat volgde, maakten ze snel vorderingen. Rakkim hield in gedachten bij hoeveel stappen hij nam en hoeveel bochten hij om ging. Zevenenveertig stappen, dan naar rechts, tweehonderdachttien stappen, linksaf… Het leek alsof ze een neerwaartse spiraal volgden en hij was ervan overtuigd dat Elroy van tijd tot tijd een stuk in tegengestelde richting ging om hem in de war te brengen. Soms hoorde Rakkim het gerommel van de ondergrondse en voelde hij het trillen door de stenen vloer. Twee keer plonsden ze door koude waterplassen. Rakkim struikelde een keer en stootte drie of vier keer zijn hoofd. Hij raakte bijna de tel kwijt toen hij viel, maar hij herhaalde de getallen in zijn hoofd om het patroon te herstellen. Hij hoorde dingen voorbijrennen; klauwen die rikketikten. En niet een keer zag hij ergens licht.

'We zijn er,' zei Elroy.

Rakkim besefte pas hoe luid zijn hart bonkte toen hij bleef staan. Hij knipperde met zijn ogen toen Elroy een deur opende. Rakkim volgde de jongen naar binnen, het licht in.

Ze bevonden zich in een soort magazijn. In de hoek was een gootsteen en aan de muur hingen handdoeken. Elroy was al begonnen zich te wassen. Hij zeepte zijn handen en gezicht in en spoelde zich af met water. Vervolgens trok hij een schone, ruime overall aan die aan een haak hing. Hij gaf Rakkim er ook een en trok zijn schoenen uit. Het kraanwater was ijskoud, maar Rakkim was blij dat hij het vuil van zijn lichaam kon wassen. Hij zag bloed op de handdoek toen hij zijn gezicht afdroogde, en toen hij in de spiegel keek, zag hij dat er een snee in zijn voorhoofd zat.

'Ik ben Spider,' zei de man die hen opwachtte. Hij zag eruit als een dwerg zonder schoenen. Zijn gezicht werd gesierd door een donkere, weelderige baard en hij droeg een zwart kalotje. Hij verplaatste zijn gewicht van zijn ene naar zijn andere been. 'Goed je eindelijk te ontmoeten.' Rakkim stak een hand uit, maar Spider draaide zich om en liep weg. Elroy haastte zich achter zijn vader aan en ze begonnen te praten. Rakkim volgde.

Het licht was zacht. De vloer was bedekt met hoogpolig tapijt; perzen van museumkwaliteit in rood en blauw met zijden ornamenten in subtiele roze- en geeltinten die er zo teer uitzagen dat hij er niet overheen wilde lopen. De ruimte was warm en schoon en de lucht fris. In de verte rook het naar knoflook en gegrilde kip. Niets herinnerde aan het klamme gangenstelsel dat hen hier had gebracht. De muren waren behangen met vele tientallen kostbare wandtapijten. Hij was wel vaker in luxe huizen geweest, met Roodbaard: woningen van senatoren en zakelijk leiders. Daar zou één van deze tapijten al een bijzonderheid zijn geweest. Rakkim keek zijn ogen uit en begon achterop te raken. Hij haastte zich achter het tweetal aan. Even verderop schoof Spider een geborduurd gordijn opzij waarachter een kantoortje lag. Hij wees Rakkim op een stapel paarse kussens en nam vervolgens tegenover hem plaats. Elroy bleef buiten.

Spider had allerlei merkwaardige tics. Zijn huid had de kleur van paarlemoer en zijn handen en voeten zaten vol knobbels. Hij droeg een zwarte zijden pyjama. Zijn baard was lang, zijn grijzende haar hing in een vlecht over zijn schouders en zoals Rakkim al had gehoord, leek zijn neus op de bek van een koningsarend. Het was moeilijk om zijn leeftijd te schatten aangezien hij al zo lang het daglicht niet meer had gezien, maar hij leek niet ouder dan veertig. 'Volgens mijn zoon heb je het goed gedaan in de tunnels.'

Rakkim keek om zich heen. In het kantoortje was weinig te zien. Alleen tegen de achtermuur hingen schappen met lange rijen sneeuwbollen. Toeristische hebbedingetjes van voor de Omwenteling. Hij zag de Golden Gatebrug, de Hollywoodletters, de Space Needle, de kerstman in zijn slee... zelfs de Twin Towers. Uit een ander gedeelte van de opslagruimte hoorde hij vrouwenstemmen en het geluid van een huilende baby. 'Hoe diep onder de grond zitten we?'

Spider gaf geen antwoord. Er begon nog een baby te huilen, maar Spider leek het niet te merken. Hij hield zijn blik op Rakkim gevestigd. De pupillen van zijn ogen waren sterk verwijd. Omdat zijn huid zo wit was, waren de zwarte pupillen het enige wat zijn gezicht iets van kleur gaf. 'Ik wilde je al heel lang ontmoeten. Wist je dat de Blue Moon de enige club in de Zone is die geen protectiegeld betaalt?'

'Heel interessant, maar waarom ben ik hier? Wat heb je gevonden op de...'

'Je koopt zelfs de politie niet om. Je geeft de agenten *presentjes*. Verjaardagscadeaus voor hun vrouwen en liefjes, afstudeergeschenken voor hun kinderen. Gulle giften – maar geen steekpenningen.' Spider knipperde met zijn ogen. 'Ze zullen het wel waarderen dat ze niet als dieven in uniform behandeld worden.'

'Wat heb je op dat computergeheugen gevonden?'

'Toen je met de club begon, was ik benieuwd wat er zou gebeuren als de zware jongens zouden aankloppen.' Spider bewoog zijn nek heen en weer. 'Die kerels van het Hamertrio waren de eerste – en de laatste. Vuile honden. Die hebben de Zone flink geterroriseerd. Maar dat is gelukkig verleden tijd.' Zijn glimlach ging over in een van zijn tics. 'Twee voormalige elitesoldaten en een Fedayeen in ruste...'

'Hij was geen Fedayeen. Hij was binnen een maand alweer weg.'

'Echt? Iedereen zei...' Spider knikte. 'Niet dat het er nog iets toe doet. Ze zijn gekomen... en weer gegaan.' Hij keek Rakkim recht in de ogen. 'Is het waar dat je hun hamers nog een week op de bar hebt laten liggen? Drie bankhamers?' Rakkim haalde zijn schouders op. 'Ik heb een hekel aan geweld, maar er heeft nooit meer iemand geprobeerd bij jullie te incasseren, nietwaar?'

Twee dochters van Spider – een tweeling – renden giechelend door de gordijnen het kantoortje binnen. Ze wezen op Rakkim, fluisterden tegen elkaar en begonnen te lachen.

Rakkim zweeg totdat de kinderen vertrokken waren. 'Hoeveel kinderen heb je eigenlijk?'

'Niet genoeg,' zei Spider, volkomen serieus.

'Wat doe ik hier eigenlijk, Spider?'

'O ja. Natuurlijk.' Spider knipperde met zijn ogen. 'Op het geheugen uit de universiteitscomputer was niks bijzonders te vinden, maar dat van Sarahs privécomputer bevatte een heel ingenieus beveiligingssysteem.' Hij vouwde zijn armen rond zijn lichaam. 'Ik zou heel graag willen weten waar ze dat vandaan heeft.'

'Ik zal het haar vragen zodra ik haar heb gevonden.'

Spiders vingers maakten een verkrampte beweging. 'Er zat een dubbel geheugen in. Het eerste was toegankelijk voor iedereen die de toegangscode zou weten te kraken – en dat was een fluitje van een cent. Maar achter het primaire geheugen zat een *spookgeheugen* dat een stuk moeilijker te benaderen was. Sterker nog; het spookgeheugen had een zelfvernietigingsmechanisme met een timer. Als niet elke tweeënzeventig uur een code ingevoerd werd, zouden de bestanden door een virus vernietigd worden. Daarbij zou het primaire geheugen intact blijven. Iemand die de computer onderzocht, zou dus alleen maar de gebruikelijke academische blabla aantreffen. Niemand zou zelfs maar ontdekt hebben dat er iets was verdwenen. Heel indrukwekkend. Ik heb er geen idee van wie het heeft gemaakt, maar het is in elk geval niet Russisch, Chinees of Zwitsers. Niet een van de gangbare codebouwers. Het is van een individu; een eenling met een ongebruikelijke werkwijze – maar wel een erg intelligente. Net als ik.' Hij maakte een wapperend gebaar met zijn vingers. 'Misschien dat ik er daarom in geslaagd ben de code te kraken.'

'Heb je het spookgeheugen gekraakt?'

Spiders glimlach veranderde in een scheve grijns.

'Weet je toevallig of de bestanden al door iemand anders bekeken zijn?'

'Roodbaard, bijvoorbeeld?' Spider snoof. 'Nee, ik was de eerste.' Hij trok aan zijn onderlip en er verschenen witte tanden. 'Als ik het geheugen eerder had gekregen, had ik je nog veel meer kunnen vertellen. Het virus heeft de meeste bestanden gewist, maar er was nog genoeg over om bepaalde onderdelen te kunnen reconstrueren. Ik heb het voorwoord van een boek waaraan ze werkte. Waarschijnlijk was dat een van de laatste dingen die ze heeft ingevoerd. Het virus heeft de oudste gegevens het eerst gewist.' Onder zijn rechteroog begon een tic die zijn wang een paar keer op en neer deed gaan. Hij boog zich naar voren en keek Rakkim recht in de ogen.

'Het Zionistisch Verraad was het keerpunt binnen de moderne geschiedenis. Elk schoolkind kent het verhaal, en de mensen staan erbij stil door op de dag van de aanslag om twaalf uur 's middags een moment stilte in acht te nemen. We weten allemaal dat op die verschrikkelijke dag afvallige elementen uit de Israëlische regering doelwitten in de Verenigde Staten en de heilige stad Mekka hebben aangevallen met de bedoeling de acties op extremistische moslims af te schuiven en de islam in diskrediet te brengen. Iedereen weet dat het complot ontdekt is, waarna Israël onder de voet gelopen is en de islam zijn weldadige invloed over de wereld verspreid heeft. En toch... Stel nu eens dat alles wat we over de aanslagen weten, een leugen is? Stel dat het Zionistisch Verraad niet door de zionisten is gepleegd?'

Rakkim haalde zijn schouders op. 'Ik heb zoveel samenzweringstheorieën over het Zionistisch Verraad gehoord. Heeft ze bewijzen?'

'Het boek is nog niet af, en ik heb alleen delen van de tekst terug kunnen halen. Het Zionistisch Verraad was de zoveelste lastercampagne tegen de joden. De ergste tot dan toe.'

'Dat zeg jij. Er zijn geen bewijzen, maar de joden zijn onschuldig. Komt dat even handig uit.' Rakkim zag dat hij de man gekwetst had. 'Wie zat er volgens Sarah achter de aanslagen?'

'Haar o-o-onderzoek,' stotterde Spider, 'geeft daar geen uitsluitsel over. Ze heeft het over een niet bij name genoemde Saoedi of Jemeniet...' Spider wriemelde met zijn vingers. 'Hij heeft een oude moslimlegende van stal gehaald; de oude man uit de bergen, een elfde-eeuwse mysticus...'

'Ja, Hassan-i-Sabah. Ik ken het verhaal. Hij wist zich schijnbaar van zoveel loyaliteit te verzekeren dat de mensen zich al van de rotsen wierpen als hij zelfs maar naar ze wees.'

'Die verhalen zijn waar. Hassan-i-Sabah geloofde dat God hem had uitverkoren om alle moslims te verenigen, en daar handelde hij dan ook naar. Zijn volgelingen vermoordden in die tijd tientallen moslimvorsten, inclusief de kalief van Bagdad.'

Rakkim bleef sceptisch. 'Dus de joden krijgen de schuld van de aanslagen en Damon Kingsley wordt president voor het leven van de nieuwe Islamitische Republiek. Denk je dat hij bij het bedrog betrokken was? Sorry hoor, maar Kingsley is geen extremist.'

'Ja, Kingsley is gematigd, een ernstige zonde voor een oprechte gelovige. Sterker nog: als de Oude ook maar een beetje op de oorspronkelijke oude man uit de bergen lijkt, staat hij even vijandig tegenover andere moslims als tegenover joden. Het feit dat Kingsley gekozen is, betekent dat de Oude zijn doel niet helemaal heeft bereikt.' Spider huiverde. 'Maar dat betekent niet dat het plan is stopgezet. Het doet er zelfs niet toe of de Oude al dan niet in leven is.'

'Waarom heeft Sarah niks tegen Roodbaard gezegd?'

'Misschien was ze bang dat hij haar niet zou helpen... of misschien besefte ze dat hij onvoldoende macht had om er iets aan te doen.' Spider knipperde met zijn ogen. 'Ik heb acht jaar geleden de code voor de begroting van het Congres gekraakt. Volg het geld en je vindt de waarheid.' Zijn ogen knipperden snel achter elkaar. 'In de afgelopen drie jaar is het budget van Roodbaard met veertig procent gekort. Er is nauwelijks geld voor rekrutering en training. Alles gaat naar het leger en de religieuze autoriteiten. Buiten de kiescommissie is er niemand die het weet. Ik dacht eerst dat de Zwartjassen hem via het Congres buitenspel probeerden te zetten, maar ik begin het me af te vragen.'

'Je trekt een hoop conclusies uit al die kleine stukjes informatie.'

'Dat is wat ik doe. En jij doet het ook, Fedayeen.' Spider keek Rakkim aan, die probeerde de nieuwe informatie te verwerken. 'Lastig hè, om de wereld ineens in een heel ander perspectief te zien. Het houdt mij ook voortdurend bezig.' Hij overhandigde Rakkim een wafer met flashgeheugen. 'Dit is alles wat ik tot nu toe boven water heb gekregen.'

Rakkim duwde het schijfje in de daarvoor bestemde sleuf van zijn horloge. 'Met wie heeft Sarah contact gehad in het Mecca Café? Heb je kunnen achterhalen met wie ze samenwerkt?'

Spider schudde zijn hoofd. 'Het contact liep via Las Vegas, maar daar heb je weinig aan. Vegas is een knooppunt van verbindingen. Er hangen zoveel satellieten boven die stad, dat de afzender overal ter wereld kan zitten.' Er begon opnieuw een baby te huilen. 'Er zijn zoveel mensen vermoord. Huizen verbrand. Bedrijven geplunderd. Er heeft een burgeroorlog gewoed... en het was allemaal een leugen.' Door zijn tics leek het alsof hem elektrische schokjes werden toegediend. 'Je hebt geluk gehad, Rakkim. Als wees heb je bepaalde... kansen.'

'Wat wil je daarmee zeggen?'

'Alle archieven die tijdens de Omwenteling verdwenen zijn. De geïnfecteerde databases... Ik kon je nergens vinden. Je bent gewoon een van de velen waarover absoluut geen informatie beschikbaar is. Wie zou het je kwalijk nemen als je je eigen geschiedenis zou herschrijven?'

'Ik ben moslim.'

'Een moslim die zijn leven op het spel zet om joden te redden? Ik ben nog nooit zo iemand tegengekomen.'

'Joden, homo's, afvalligen, heksen – ik heb ze allemaal naar het beloofde land gebracht. Ben ik dan ineens Mozes?'

'Nou, dan ben je in elk geval te mooi om waar te zijn.'

Rakkim negeerde die opmerking. 'Ben je nog iets over China tegengekomen? Of over de Drieklovendam?'

'Nee, hoezo?'

'Hoeveel krijg je van me?'

'Dat regelen we wel als ik klaar ben.' Spider ontspande zich. Er gleed een bijna serene blik over zijn gezicht. 'Wat denk je van mijn dochter?'

'Carla? Ik had het gevoel...' Rakkim lachte. 'Ik vroeg me al af waarom Elroy me niet meteen naar jou bracht. Ik had niet eens honger. Je had me ook zelf over haar kunnen vertellen. Ik voel me gevleid, Spider, maar je had me niet naar dat restaurant hoeven sturen om te zien of ze m'n goedkeuring zou wegdragen...'

'*Jouw* goedkeuring?' Spiders gezicht vertrok van het ingehouden lachen. 'Ik heb je naar dat restaurant gestuurd om te zien of jij *haar* zou bevallen.'

'Ze kan wel wat beters krijgen.' Rakkim stond op. 'Kan Elroy me terugbrengen?' Hij had geen hulp nodig, maar het was onverstandig om daarmee te koop te lopen. 'Ik hoor wel hoe het met het geheugen gaat.'

'Sjalom, Rakkim.'

'Salam aleikum.'

17

Ochtendgebed

Rakkim maakte gebruik van de oproep voor het gebed om langs het bordje *Verboden toegang* te glippen en zich naar de bovenste verdieping van het House of Martyrs oorlogsmuseum te begeven. De geüniformeerde legersergeant boven aan de trap was druk met zijn gebedsmatje in de weer. Rakkim bleef aan de rand van zijn gezichtsveld en kopieerde geruisloos zijn bewegingen terwijl hij langs hem sloop. Fedayeentraining – schaduwtraining – bijna hetzelfde als onzichtbaarheid. Rakkim kon tussen een groepje vrome vrouwen doorlopen zonder hun chadors aan te raken. En als ze later ondervraagd werden, zou niemand zich hem herinneren. De vrouwen zouden hoogstens de vage indruk hebben dat iemand hen had aangespoord sneller te lopen; het gevoel dat ze laat waren geweest voor de moskee. Hij kon opgaan in een lange rij mijnwerkers in de Bijbelgordel en meedoen met het gesprek. En als een van hen zich zou afvragen waar de man was gebleven met wie hij net nog over de autoprijzen had gepraat, was hij allang weer verdwenen. Schaduwtraining.

'In de naam van Allah.' Het collectieve fluisteren... 'In de naam van Allah.' Vanaf het balkon zag Rakkim hoe de vroege bezoekers de rituele wassing uitvoerden en plaatsnamen op hun matje. De lucht in het museum werd gezuiverd; volgens de grootmoefti was het gebruik van water bij de wassing dan ook niet verplicht. De meesten volgden wel de voorgeschreven procedure, maar 'reinigden' hun handen, mond, neus, gezicht, oren, voorhoofd, hoofd en voeten in de gewijde atmosfeer. Daarna stelden ze zich in nette rijen op, de handen geheven ter hoogte van het hoofd. De mannen namen vooraan plaats en de vrouwen achterin. Bescheidenheid en onderwerping; modernisten, gematigden en fundamentalisten; wielen in wielen voor Allah. Rakkim keek ernaar en voelde zich ontspannen door de ritmische bewegingen van hun devotie. Ze bogen zich voorwaarts vanuit het middel en lieten de handen op de knieën rusten. Vervolgens wierpen ze zich ter aarde, de handen vlak op de grond en het voorhoofd tegen het matje. Nadat ze weer overeind waren gekomen, begon het proces opnieuw en nog een keer. Totdat ze uiteindelijk afsloten op hun hielen.

In tegenstelling tot de mechanisch aandoende gebedssessie tijdens de Super Bowl, gedroegen de gelovigen zich hier heel gracieus en plaatsten ze hun handen en voeten perfect. Iets in de grootsheid van het oorlogsmuseum, het sombere minimalisme van het interieur en de ineengezakte Space Needle die door de vensters te zien was, deed zelfs de modernisten aan hun geloof hechten. Hij hoorde hoe de gelovigen Allahs macht en bescherming bevestigden. De stemmen galmden in de enorme ruimte: 'Glorie zij onze Heer, de Allerhoogste.'

Rakkim liep verder. Roodbaard was er al. Rakkim had twintig minuten eerder zijn team van verkenners gezien – vier mannen gekleed als toeristen, lange slungels met naamkaartjes. Hij had gezien hoe ze zich hadden opgesplitst en in de richting van de smalle gedeelten waren gekuierd; de plekken waar een eventuele hinderlaag het effectiefst was.

Rakkim had nauwelijks geslapen nadat hij Spider had gezien, maar Roodbaard had erop gestaan hem die ochtend te ontmoeten. Hij was benieuwd of Rakkim al verder was gekomen met zijn onderzoek. *Je bent toch ondertussen wel wat verder gekomen, Rakkim?*

Natuurlijk, oom. Maar het hangt er wel vanaf wat u onder verder komen verstaat. Rakkim liep naar de Duivelskamer en stapte opzij toen een moeder haastig haar kinderen naar buiten loodste. Het jongetje huilde. Het leek in de kamer vijf tot tien graden kouder dan in de rest van het museum. In het verduisterde vertrek werd doorlopend Richard Aaron Goldbergs bekentenis afgespeeld. Dit jaar zou de zevenentwintigste verjaardag zijn van het moment waarop hij publiekelijk had bekend voor de zionistische aanslag verantwoordelijk te zijn. De televisiezenders hadden zonder onderbreking verslag gedaan van de ontwikkelingen – iets wat ze elk jaar op deze datum weer deden, onder andere met billboards en mobiele telefoons die knipperden: 5-9-2015 NEVER FORGET.

Rakkim keek naar de beelden van Goldberg. De man keek recht in de camera. Hij zag er mager en angstig uit. Het geluid stond bijna af, maar dat deed er niet toe. Iedereen in het land kon zijn bekentenis woord voor woord opzeggen.

'*Mijn naam is Richard Aaron Goldberg. Elf dagen geleden heeft mijn team gelijktijdig drie kernwapens tot ontploffing gebracht. Een ervan heeft New York City verwoest, het tweede Washington D.C. en het derde heeft Mekka in een radioactieve necropool veranderd. Het was de bedoeling...*' Goldberg legde een hand op zijn bevende knie. '*Het was de bedoeling dat de schuld bij radicale moslims zou worden gelegd. Om een wig te drijven tussen het Westen en de moslims en chaos te veroorzaken binnen de moslimwereld zelf. Ik denk... Volgens mij zouden we erin geslaagd zijn als we niet toevallig wat pech hadden gehad.'* Hij stak zijn kin naar voren. '*Ik ben Richard Aaron Goldberg. Mijn team en ik maken deel uit van een geheime Mossadeenheid.'*

Rakkim keek nog een keer naar de bekentenis en liep vervolgens de grote zaal weer in. Spider mocht wat hem betrof in al die stukjes informatie geloven die hij in Sarahs flashgeheugen had gevonden. Misschien geloofde zelfs *Sarah* in de dingen die ze geschreven had. Maar Rakkim wist wel beter. Als Sarahs ideeën over het Zionistisch Verraad klopten, betekende dat, dat Richard Aaron Goldberg en de andere vermeende Mossadagenten door het bekennen van hun misdaad hun eigen graf hadden gegraven. Het zou ook betekenen dat Richard Aaron Goldberg en de anderen, die geboren en getogen waren in Israël, zich tegen hun eigen land en hun eigen religie hadden gekeerd. In theorie was dat natuurlijk niet onmogelijk, maar Rakkim had zojuist de bekentenis een tweede keer bekeken en alles genegeerd wat Goldberg had gezegd. Hij had zich op Goldbergs houding geconcentreerd, zijn instinctieve bewegingen en de blik in zijn ogen... Die smeerlap vertelde de waarheid. Sarah had het mis.

Het was natuurlijk altijd mogelijk dat er een Oude was; een of andere Arabier die zichzelf tot Mahdi wilde uitroepen; een gezworen vijand van Roodbaard. Best. Laat hem maar achter in de rij gaan staan. Roodbaard had zoveel vijanden. De enigen die voor de kernaanval op New York, D.C. en Mekka verantwoordelijk waren, waren de Israëli's. Het feit dat Sarahs alternatieve verhaal niet klopte, veranderde trouwens niets aan het feit dat ze nog steeds in gevaar verkeerde. Maar als Roodbaards invloed tanende was, zoals Spider had gezegd, dan kon hij Sarah ook niet voldoende beschermen en zat de Oude – of een andere vijand – in de lift. Een gevaarlijke verandering van het machtsevenwicht. Misschien was dat de werkelijke reden waarom Roodbaard hem om hulp had gevraagd.

Rakkim liep door.

Het oorlogsmuseum was een bescheiden koepelvormig bouwwerk dat naast de ruïne van de Space Needle was neergezet. Het oude monument lag op zijn kant weg te roesten. Op de buitenmuur van het museum waren door schoolkinderen gemaakte tegeltjes geplaatst. In elk ervan was de naam van een martelaar gegrift. Het interieur was eenvoudig ingericht en de verlichting was bescheiden. Op de muren was blauwgeaderde lazuursteen aangebracht. Bezoekers, zelfs kinderen, liepen er langzaam, wat bijdroeg aan de sombere bekoring die het geheel uitstraalde. In het centrum van het museum bevond zich een eenvoudige Arabische uitgave van de koran. Er was geen kogelvrij plastic of stikstofkoepel nodig om het boek te beveiligen. Het was gevonden in de ruïnes van Washington D.C. tussen gebroken glas en verwrongen constructiestaal. De koran was niet aangetast door de kernexplosie. De omslag was als nieuw en de pagina's waren fris en wit.

Het maken van foto's in het museum was niet toegestaan en er waren ook geen reproducties verkrijgbaar. Dit was heilige grond. Het stond iedereen vrij hier binnen te komen, ongeacht zijn of haar religie. De Zwartjassen hadden er alles aan gedaan om het museum alleen open te stellen voor vrome moslims, maar na een uitspraak van de president had de federale regering als enige de verantwoordelijkheid voor het museum gekregen. De dagelijkse gang van zaken was daarbij in handen van legerpersoneel, terwijl legerimams voor de gebeden zorg droegen.

Na de burgeroorlog hadden beide partijen Washington D.C. opgeëist. Er was gevochten om de dode straten in de hoop nog iets van de glorie van de voormalige hoofdstad in de wacht te kunnen slepen. De koran uit D.C. was voor de Islamitische Republiek de hoofdprijs geweest. De Bijbelgordel had het standbeeld van Thomas Jefferson uit het gedenkteken gehaald en het geblakerde marmeren gevaarte in de nieuwe hoofdstad Atlanta geplaatst. Rakkim had de sculptuur met eigen ogen gezien. Hij had uren in de rij moeten staan om heel even door veiligheidsglas het plechtige gezicht van de president te kunnen bekijken. New York City was grotendeels onaangeraakt gebleven. De ineengezakte wolkenkrabbers lagen er verlaten bij en in de straten van Manhattan kabbelde de vervuilde Hudson omdat de zeespiegel door de smeltende poolkappen steeds verder steeg.

Rakkim was maar een keer in New York geweest, als lid van een verkenningsteam. Ze hadden naar financiële archieven gezocht die zich volgens geruchten onder het gebouw van de effectenbeurs hadden bevonden. Hij had drie dagen in een beschermend pak rondgelopen en al die tijd geen vogel gezien. Zelfs geen rat. Niet één levend wezen. Afgezien van de kakkerlakken. De kakkerlakken bevolkten de kelders. Ze glommen in het licht van de zaklantaarns en fladderden opgewonden met hun vleugels. Hij wilde niet weten waarmee ze zichzelf in leven hielden. Drie dagen... Als er onder het beursgebouw iets te vinden was, dan lag het er nog steeds; veilig beschermd tegen de levenden. Hij was nooit zo blij geweest dat hij ergens kon vertrekken.

Rakkim kuierde in de richting van de wandkaarten waarop de grote veldslagen van de oorlog afgebeeld waren. Chicago dat in de as lag. De autofabrieken van Detroit, vernietigd door bommen van terroristen. Santa Fe. Denver. De ingestorte Gateway Arch van St. Louis. Newark, waar de legers van de christenen het diepst tot in islamitisch gebied waren doorgedrongen. Newark was in vlammen opgegaan. Er was om elk blok gevochten. In Newark was de opmars van de christenen eindelijk tot staan gebracht door de islamitische versterkingen – waarvan de meeste soldaten nog op de middelbare school hadden gezeten. Newark was een dodenakker geweest. De foto's van de gesneuvelden liepen bijna vijftig meter door. Rakkim had het museum honderden keren bezocht en de foto's van de 'oorlogsoverblijfselen' hadden hem altijd het meest aangegrepen. Zoals de schoen; een zwarte nette schoen met een veter. Hij glom zo dat de weerspiegeling van de fotograaf erin te zien was. Of de platgereden fiets. En een op zijn kop staande brievenbus waaruit post naar buiten was gegleden en in de modder terecht was gekomen: telefoonrekeningen, liefdesbrieven en verjaardagskaarten.

Het officiële dodental van de Tweede Burgeroorlog was negen miljoen, maar volgens Roodbaard lag het werkelijke cijfer wel drie tot vier keer zo hoog. Dat kwam door de uitbraak van tyfus, de pest en andere duistere ziekten die tijdens de nasleep de kop hadden opgestoken. Het ergst waren de door mensen gemaakte chemische gifstoffen geweest; de in laboratoria ontwikkelde koortsverwekkers die geïnfecteerden in krijsende hoopjes snot en bloed kotsende gedrochten hadden veranderd. Zelfs nu waren er nog complete steden in quarantaine, zoals Phoenix, Dallas en Pittsburgh, waar geen mens zich in de buurt waagde.

Rakkim keek naar een in een gewaad gehulde pelgrim die langs de muur tegenover hem schuifelde, het hoofd gebogen in gebed. Het gezicht ging schuil in een kap, maar er was iets aan de tred wat hem bekend voorkwam. Gezichten konden verborgen worden en lengte en gewicht worden aangepast, maar aan iets dat zo elementair was als lopen, kon nauwelijks iets veranderd worden. De pelgrim was Stevens; het pokdalige fatje dat Roodbaard die avond in de Blue Moon op hem af had gestuurd om hem bij Roodbaard te brengen. Rakkim liep verder in de richting van de trap. Hij vroeg zich af of het gezicht van de man nog gezwollen was en wat hij van zijn gebroken neus vond. Misschien pronkte hij er wel mee als zijnde beroepsletsel.

Roodbaard reed zijn elektrische rolstoel tussen de groepjes schoolkinderen door die het oorlogsmuseum bevolkten. Hun stemmen klonken gedempt en ze keken om zich heen alsof ze zich in een onbekende moskee bevonden. Roodbaard droeg een ondoorzichtige bril. De verlengde baard die over zijn buik hing, was witgepoederd. Terwijl hij geruisloos over de granieten vloer gleed, maakte zijn slap hangende linkerarm krampachtige zenuwtrekjes. Op zijn wijde djellaba was een medaille gespeld; een eremedaille die aangaf dat hij een gewonde veteraan uit de onafhankelijkheidsoorlog was. Er kwam een zakenman op hem af die een buiging maakte en een biljet van twintig dollar in zijn schoot legde, boven op de andere aalmoezen. Roodbaard maakte een draaiende beweging met zijn hoofd en mompelde een zegenwens. De zakenman deed een stap achteruit en bedankte hem voor zijn inspanningen.

Nog steeds geen teken van Rakkim.

Roodbaard kwam graag in het museum, vooral bij zonsopgang. Het House of Martyrs sloot nooit, en er waren altijd bezoekers. De mensen eerden de doden; degenen die de hoogste prijs hadden betaald voor hun geloof. Hij herinnerde zich nog hoe het in de oude tijd was geweest, voor de Omwenteling. De begraafplaatsen voor de oorlogsdoden waren overwoekerd geweest en de graven verwaarloosd. Er waren nauwelijks bugelspelers geweest voor de ceremoniën zodat het leger opgenomen muziek had moeten afspelen om de martelaars eer te bewijzen. Militaire parades waren nauwelijks bezocht, of erger: de vaandelwacht had fluitconcerten te verduren gekregen van mensen wier vrijheid betaald was met het bloed van anderen. Een afschuwelijke tijd voor helden. Een wereld zonder glorie met een volk dat zijn blik op de modder gericht had in plaats van op de hemel. Geen wonder dat de wijsheid van de Profeet – zijn naam zij geheiligd – als een lopend vuur door het land was getrokken om het te zuiveren van de dingen die ervoor waren geweest. Na alles wat er sinds de Omwenteling was gebeurd, en door de dingen die hij over de Oude wist, was er nooit een moment geweest waarop Roodbaard het oude regime had gemist.

Er reed een andere man in een rolstoel voorbij. Hij knikte naar Roodbaard. Het was een jonge man in een legeruniform. Hij miste zijn benen vanaf boven de knie.

Bij de muur aan de andere kant had een vrouw in een felblauwe chador een meisje aan de hand. Ze hield haar bij de vingers alsof ze een boswandeling maakten om bloemen te plukken. Het meisje was jong, misschien een jaar of vijf, zes, maar het was de vrouw die Roodbaards aandacht trok. Ze leek op Katherine. Sarahs moeder. De vrouw van zijn broer.

Roodbaard begon hen te volgen zonder rekening te houden met de bezoekers die voor hem liepen. Mensen stapten opzij en verontschuldigden zich alsof *zij* niet goed opgelet hadden, maar hij hield zijn ogen op de vrouw gericht. Het was natuurlijk onmogelijk. Katherine durfde hier niet te komen. Hij wist niet eens of ze nog leefde. Na de moord op zijn broer was ze gevlucht. Sarah had ze achtergelaten in het ziekenhuis. Toen had hij gedacht dat ze bang was voor de Oude. Volgens de eerste rapporten waren zowel hij als zijn broer vermoord. Roodbaard had die rapporten zelf verspreid in de hoop dat ze de samenzweerders uit de tent zouden lokken. En dat had gewerkt. Hoewel hij gewond was geweest, had Roodbaard wekenlang vrijwel onafgebroken de arrestanten ondervraagd. Hij had het netwerk van de Oude opgerold, of in elk geval het grootste deel ervan. Maar de natie had een hoge prijs betaald. James was een charismatische figuur geweest, geliefd bij en bewonderd door zowel burgers als politici. Roodbaard was alleen gevreesd. Een paar weken nadat Katherine gevlucht was, had hij beseft dat ze bang voor *hem* was geweest. Ze had waarschijnlijk gedacht dat hij zijn eigen broer had vermoord. Om de macht… en misschien om haar. Hij had twee jaar naar haar gezocht. Daarvoor had hij alle beschikbare mensen en hulpbronnen op de zaak gezet. Maar hij had gefaald.

De vrouw in de blauwe chador en het kind zwaaiden onder het lopen zachtjes met hun armen. Roodbaard had Sarah niet zo zien glimlachen totdat hij Rakkim mee naar huis had genomen. Het straatdiefje dat zijn hart had gestolen – en dat van Angelina. Roodbaard was voorzichtiger geweest met zijn emoties, maar uiteindelijk had de jongen ook hem voor zich gewonnen. Het had jaren geduurd, maar hij was van Rakkim gaan houden. De jongen met de blik van een wolf. Zijn enige troost was het feit dat hij zijn gevoelens nooit had onthuld. Roodbaard was ervaren in het misleiden van mensen. Hij had ook nooit zijn gevoelens voor Katherine onthuld.

Roodbaard rolde langzaam door de grote zaal. Hij kwam steeds dichter bij de vrouw en het meisje. Het kon Katherine onmogelijk zijn. Het was meer dan twintig jaar geleden… Ze zou er niet hetzelfde uitzien. Ze kon het niet zijn. En toch moest en zou hij het zeker weten.

De vrouw draaide zich om, hoewel zijn wielen geen geluid maakten. Ze had zijn aanwezigheid gevoeld, en zijn hart sprong op om de verbondenheid tussen hen… De vrouw was aantrekkelijk en haar blik was mild, maar het was niet Katherine. Ze maakte een buiging. Het meisje rende op hem af, kuste zijn hand en liep vervolgens weer naar de vrouw. Hij schonk het tweetal een zegenwens en reed met opeengeklemde kaken weg.

Rakkim naderde Stevens. Zijn voetstappen bewogen in hetzelfde ritme als die van het pokdalige fatje. Stevens' gezicht ging schuil achter de kap van zijn boernoes terwijl Rakkim een effen grijs pak en een gebreid kalotje droeg; kenmerkend voor de goed geklede modernist. Hij had zijn sikje bijgewerkt – het was nu smaller – en zijn baard liep vanaf de bakkebaarden in een dunne lijn omlaag langs zijn kaak. Zijn tred was zelfverzekerd, met de schouders naar achteren, en zijn blik miste niets. De beste camouflage was jezelf te bewegen alsof je niet bang was bekeken te worden.

Een man met een kinderwagen kruiste Stevens' pad. De agent leek hem opzij te willen duwen, maar hield zich in en liet hem passeren.

Roodbaards man vervolgde zijn weg en Rakkim kwam steeds dichterbij. Een ruk aan zijn rechteroorlel... Ja, dat was de perfecte begroeting. Hem omdraaien aan dat kraakbeenflapje. Hem meevoeren als een lam naar de slachtbank. Oog om oog. Geen permanente schade. Alleen een gekwetst ego. Houd de haat in stand.

Rakkim wist niet waarom hij zo'n hekel had aan de man. Zijn zelfvoldane optreden in de Blue Moon had er iets mee te maken, maar het was meer dan dat. Ze hadden elkaars bloed wel kunnen drinken vanaf het eerste moment dat ze elkaar hadden ontmoet. Rakkim had zijn laatste water gedeeld met stervende mannen die nog vlak daarvoor hadden geprobeerd *hem* te doden. Hij had hun hand in de zijne genomen en ze verteld dat alles goed zou komen. Maar Stevens was een ander verhaal.

Rakkim bevond zich nog maar twee stappen achter de agent; voldoende dichtbij om zijn aftershave te kunnen ruiken. Stevens had ervan genoten zijn stungun op Rakkim te gebruiken. Als hij de kans kreeg, zou hij tussen het verkeer door een weg overschieten om hem aan te kunnen rijden – en Rakkim zou hem met open armen ontvangen. Dat was er natuurlijk ook de reden van dat Roodbaard zich vandaag door Stevens liet vergezellen. En waarom Stevens naar de Blue Moon was gestuurd om hem op te pakken. Rakkim had toen gedacht dat het toeval was geweest, maar hij had beter moeten weten. Roodbaard geloofde niet in toeval. Hij wilde Rakkim opfokken. Om daar zijn voordeel mee te doen. Rakkim bleef staan en liet Stevens verder lopen. Maar het was te laat.

'Zal ik je dijbeenslagader doorsnijden of word je liever gecastreerd?'

Rakkim draaide zich niet om. Hij voelde hoe het puntje van het mes door de stof van zijn broek tegen zijn dijbeen prikte. 'Goedemorgen, oom.'

Roodbaard liet het mes weer in zijn mouw glijden en leunde naar achteren in zijn rolstoel.

Rakkim draaide zich langzaam om. Een *rolstoel.* Zijn tred zou hem in elk geval niet verraden hebben. Hij maakte een buiging.

'Blijf daar niet staan, knul. Je zou me wel eens kunnen duwen.' Roodbaard gebaarde naar Stevens en de veiligheidsagent wandelde knorrig terug. 'Je hebt hem alweer voor gek gezet,' zei hij terwijl Rakkim achter hem ging staan. 'Je zou toch zeggen dat je inmiddels wel genoeg vijanden hebt gemaakt.'

'Dat moet u nodig zeggen.'

'Wat heb je over Sarah gevonden?'

'Wilt u dat hier bespreken?' Rakkim begon de rolstoel vooruit te duwen. 'Die man met de aktetas die de luchtfoto's van Indianapolis bekijkt, doet zich als zakenman voor, maar hij heeft bijna onzichtbare vlekken rond zijn mondhoeken. Betelnootsap. Een Zwartjas...'

'Ik heb een stoorzender bij me. Je kunt zeggen wat je wilt.'

'Zeker weten?'

'Zo'n *Russisch* ding. Blokkeert alle frequenties, van subsoon tot ultrasoon.' Roodbaard schudde zijn hoofd. 'Ik herinner me nog de tijd dat de beste apparatuur in *dit* land werd gemaakt.'

'Ik niet.'

'Dan heb je wat gemist.' Roodbaard gebaarde naar een bijgebouw.

'Ik heb met een van haar collega's gesproken... of eigenlijk een vriendin. Een professor in de sociologie: Marian Warriq. Ze dronken af en toe thee samen, maar ze heeft Sarah al weken niet gesproken.'

Ze passeerden de koran uit Washington en Rakkim ging langzamer lopen. Het licht glooiende koepeldak weerkaatste het tikken van gebedskralen in honderden handen.

'Is dat alles?' zei Roodbaard. 'Je zou toch denken dat je wel een of andere methode had om contact met Sarah op te nemen.' Hij stond op en liep het bijgebouw binnen. De rolstoel bleef achter.

'Daar hadden we een manier voor. Die heb ik gebruikt, maar ze heeft niet gereageerd.'

'Zo zie je maar. Liefde is ook niet alles.' Roodbaard rekte zich uit en leek twee keer zo groot te worden. 'Je zult wel teleurgesteld zijn.'

'Ik vind haar wel.'

'We hebben niet veel tijd.' Ze liepen langs de buitenmuur van het museum en Roodbaard nam Rakkims hand in de zijne. 'Weet je wie Ibn Azziz is? Nee? Hij is de nieuwe grootmollah van de Zwartjassen.'

'Nou en? Hij kan niet veel erger zijn dan Oxley.'

'Doe niet zo idioot. Oxley was voorspelbaar. Hij vond het geen punt om zijn tijd af te wachten en zijn macht langzaam op te bouwen. Hij zou nooit achter Sarah aan zijn gegaan. Maar Ibn Azziz is een fanaticus. Hij is agressief en gedreven. *Hij* heeft de premiejagers achter Sarah aan gestuurd. Hij heeft al eerder in het geheim gehandeld omdat hij bang was dat Oxley woest zou worden. Maar nu is er niemand meer die hem kan tegenhouden.'

'Ik hou hem wel tegen.'

'Heel verleidelijk. Maar ik heb je nodig om Sarah te vinden. Laat mij Ibn Azziz maar onder handen nemen.'

'Ik heb ontdekt dat Sarah niet verdwenen is vanwege dat gearrangeerde huwelijk. Dat lijkt me bruikbare informatie.' Rakkim boog zich naar hem toe. 'Zei u iets? Of was dat het geluid van uw in elkaar stortende verhaal?' Hij keek Roodbaard recht in de ogen. 'Ze werkte aan een boek. Ze leek te denken dat het gevaarlijk was.'

'Als dat boek gevaarlijk was, had ze op haar plek moeten blijven, dan had ik haar kunnen beschermen.'

'Misschien dacht ze dat u haar niet *kon* beschermen.' Rakkim klopte Roodbaard op de schouder en hij verstijfde. 'U had de waarheid moeten vertellen, oompje. Ik heb mijn tijd verspild, en nu zijn we weer terug bij af.' Rakkim maakte een buiging. 'Ga met God.'

18

Middaggebed

Rakkim wist dat er iets mis was toen hij voor het hek van Marians moslimenclave in de heuvels stopte en zag dat het huisje van de bewaker leeg was. Hij liet de motor draaien, bleef in de auto zitten en keek om zich heen. Hij had Marian niet van tevoren gebeld omdat hij ervan overtuigd was dat Roodbaard haar telefoon inmiddels liet aftappen. Het was niet nodig om hem te laten denken dat Marian meer was dan een collega van Sarah; een goede moslimintellectueel met wie ze wel eens theedronk. Nóg een telefoontje van Rakkim zou Roodbaard een reden geven om Marian permanent in de gaten te laten houden. Het was beter om onaangekondigd voor de deur te staan. Marian had tenslotte gezegd dat hij altijd langs mocht komen.

Rakkim wist nog niet hoe China en de Drieklovendam in Sarahs onderzoek pasten, maar Sarah had naar iets in Warriqs dagboeken gezocht. Hij wilde ook nog een keer met Marian praten; misschien herinnerde ze zich iets. Iets wat Sarah had gezegd. Of iets wat ze *niet* had gezegd. Het eerste contact was altijd wat onwennig. Vertrouwen kostte tijd. Wantrouwen was direct. Vanmorgen, in het oorlogsmuseum, had hij heel even overwogen Roodbaard over de dagboeken te vertellen. Maar die impuls was voorbijgegaan. Terwijl hij met zijn vingers op het stuurwiel trommelde, zag hij een andere auto het bewonerspad oprijden. De chauffeur verzond een toegangscode en het hek schoot omhoog. Nadat de auto naar binnen was gereden, gleed het hek weer omlaag.

Rakkim reed een stukje achteruit en zette zijn wagen op de bezoekersparkeerplaats. Hij liep naar het bewakershuisje, glipte naar binnen en belde de woning van Marian. Geen antwoord. Misschien was ze met haar personeel naar de stad om boodschappen te doen of naar de moskee voor het middaggebed. Hij besloot toch even poolshoogte te nemen. Eerst liep hij op zijn gemak, vervolgens versnelde hij zijn pas en uiteindelijk rende hij over het steile kronkelpad omhoog.

Buiten adem en met pijn in zijn borst bereikte hij Marians voordeur. Hij drukte op de bel en bonkte al op de deur voordat eventuele aanwezigen hadden kunnen reageren. De deur zat op slot – met een solide slot, en hij had geen gereedschap bij zich. Hij liep achterom en keek door het raam, maar kon niet naar binnen kijken. De achterdeur stond op een kier – een uitnodiging. Het mes was in zijn hand.

Hij opende langzaam de deur en liep op zijn hielen naar binnen. Af en toe bleef hij even staan om te luisteren. Er zoemde een vlieg om zijn hoofd. Hij sloeg ernaar, maar het insect kwam terug. Het was een dikke, trage groene vlieg die irritant zoemde. Rakkim sloop geruisloos door de keuken. Het enige geluid was het tikken van de antieke staande klok in de hal. En het zoemen van de vliegen.

Rakkim borg het mes op. Nog voordat hij de geur rook, wist hij dat de persoon die hier geweest was, uren geleden was vertrokken. Hij haalde diep adem en liep via de hal de woonkamer binnen. Even later was hij terug in de keuken. Hij boog zich voorover en steunde met zijn handen op zijn knieën. Gelukkig had hij niet ontbeten. Hij had mensen gezien die uit elkaar waren gerukt door kogels en landmijnen; mensen die plotseling waren gestorven met een verbaasde *wat-krijgen-we-godverdomme-nou*-blik in hun ogen. Mensen die stil de laatste adem hadden uitgeblazen en al dood waren geweest voordat ze er erg in hadden gehad. Hij had het allemaal gezien, en nog veel meer. Maar na één blik in die kamer waren zijn woede en zijn walging hem bijna te veel geworden. De andere doden hadden eigenlijk niets met hem te maken gehad – ze waren gesneuveld in de strijd als deel van een groter proces dat het schuldgevoel verdoofde en Rakkim op een of andere manier het gevoel had gegeven dat hij een voorbijganger was – hoewel geen onschuldige. Maar dit was anders. In de woonkamer bevond zich een tentoonstelling van gruweldaden die speciaal voor hem was georganiseerd. Hij waste zijn gezicht in de gootsteen, maar het koude water kon zijn razernij niet stillen. Hij draaide zich om en liep opnieuw de woonkamer binnen. Hij nam geen moeite zijn adem in te houden. Het was niet de geur die hem ziek maakte.

De vliegen werden actief zodra hij het vertrek binnen stapte. Ze stegen op in een duistere, gonzende wolk, om enkele seconden later weer plaats te nemen op de hoofden van de lijfwacht en zijn vrouw. Het tweetal zat naast elkaar op de paarse sofa met het bloemmotief alsof er een officieel portret voor een bruidsreportage moest worden gemaakt. Terry had het afgehakte hoofd van zijn vrouw in zijn schoot en zijn vrouw het zijne. Hun haar was doorweekt met bloed en hun ogen staarden recht vooruit. Op hun grijze kleding zaten donkere bloedkorsten. Hierdoor leek het alsof ze een oud, roestig pantser droegen. Op de doorweekte sofa wemelde het van vliegen, en ook het tapijt was getooid met hun metaalachtig groene schittering. Groen, de kleur van de islam. De kleur van de vlag van de Profeet; de kleur van het gewaad van Ali, de vierde kalief. Rakkim herinnerde zich zijn lessen goed. De vliegen krioelden door elkaar. Groen, de kleur van obsceniteit.

Rakkim liep ernaartoe. Hij wilde – nee, *moest* – het zien. Dit tableau was bewust door iemand gecreëerd; dit was morele en visuele sabotage. Nog iets dichterbij. Marians lijfwacht was een ervaren soldaat, maar iemand had ze moeiteloos vermoord. De dader had het gedaan terwijl ze op de bank zaten te wachten en had de hoofden omgewisseld als groet voor Rakkim. Op de muur achter hen stond in bloed gekrabbeld: *Geniet u al?* Dezelfde slagzin die Mardi in neon aan de muur van de Blue Moon had hangen. Ondanks de pogingen zijn sporen uit te wissen, had Rakkim de moordenaar hiernaartoe geleid… en de moordenaar had een visitekaartje achtergelaten dat niet over het hoofd kon worden gezien.

Rakkim wist niet waarom hij vermoedde dat de dader alleen had gehandeld. Misschien was het de uitzonderlijke esthetiek. De plaats van de misdaad was op een groteske manier kunstzinnig. De spottende slagzin uit de club en de verwisselde hoofden wezen op een unieke zienswijze. Een grappenmaker die geen hulp wilde of nodig had.

Hij sloeg de vliegen weg, boog zich naar voren en keek in de dode ogen van de lijfwacht. Het was lang geleden dat Rakkim gebeden had, maar dit was er het juiste moment voor. Hij bad dat Terry hem wilde vergeven voor het feit dat hij de dood naar dit huis had gebracht en ook dat Terry in het paradijs verwelkomd mocht worden om er de eeuwigheid in het gezelschap van de gelovigen door te brengen. *De godvrezenden zullen tuinen met waterstromen bezitten om er eeuwig in te wonen met hun gelouterde echtgenotes en met instemming van God.* Hij sloot Terry's ogen en herhaalde de procedure voor zijn vrouw. Rakkim kende haar naam niet eens.

Marian bevond zich niet in de woonkamer, maar Rakkim hoefde alleen de bloedige voetstappen maar te volgen. Ze leken op de schema's van danspassen die hij in oude boeken had gezien: foxtrot, wals, tango en rumba; stijldansen uit goede tijden die niet terugkwamen. Hij volgde de donkere voetstappen de trap op. Ze werden steeds zwakker. In dit deel van het huis bevonden zich geen wolken met vliegen – er waren helemaal geen vliegen. Hij vond Marian in de grote slaapkamer, ondergedompeld in de badkuip. Haar handen en voeten waren vastgebonden met elektriciteitsdraad en haar zwarte haar zweefde als zeewier in het water. Ze was naakt. Uiteraard.

Hoewel Marians in een hoek gesmeten chador aan flarden gesneden was, zag hij op haar lichaam geen verwondingen. Nog een aanwijzing voor het feit dat de moordenaar uiterst vaardig was met zijn mes. Rakkim ging op de rand van de badkuip zitten en keek naar de vrouw. Het water stond bijna tot aan de rand, en door haar wanhopige pogingen zich los te rukken, lagen er ook plassen op de vloer. Marians gezicht bevond zich onder water en hing naar één kant, weg van Rakkim. Haar borsten en schaambeen kwamen aan het oppervlak; een archipel van dood vlees.

Hij bestudeerde haar profiel en zag de kneuzingen op haar hals waar ze onder water was gehouden; twee kleine plekken aan weerszijden van haar luchtpijp... De moordenaar had een subtiele aanraking. Hij had juist voldoende kracht gebruikt om haar vast te houden; te weinig om haar te wurgen. Marian was niet compleet opengesneden zoals Terry en zijn vrouw, die zich in een soort horrorshowdiorama hadden bevonden. Maar haar dood was nog gruwelijker geweest. Marian, die gedurende haar leven maar van één man had gehouden, die maar één man had toegestaan haar naaktheid te zien, was langzaam verdronken, schreeuwend en spartelend en water ophoestend, zich volledig bewust van het feit dat ze hier zou worden achtergelaten zodat de hele wereld haar zou kunnen zien. Geen wonder dat ze zich – hoewel ze vastgebonden was – zo verzet had.

Rakkim had haar die keer op het balkon de waarheid moeten vertellen. Ze had hem gevraagd of hij geloofde dat er voor iedereen maar één geliefde bestond en hij had gezegd dat hij het niet wist. Ze had geweten dat hij had gelogen, maar hij was bij zijn leugen gebleven. Misschien was de leugen niet voor haar bedoeld, maar voor hemzelf; misschien had hij *zichzelf* willen overtuigen. Maar hij had geen van beiden iets wijs kunnen maken.

Hij moest Colarusso op de hoogte stellen. Dit deel van Seattle bevond zich weliswaar buiten zijn bevoegdheid, maar dat kon Roodbaard regelen met een telefoontje naar de hoofdcommissaris. Roodbaard zou een hoop vragen hebben, maar dat was de prijs die hij voor het telefoontje moest betalen. Het zou niet lang duren voordat de buren zich af gingen vragen wat er met de bewaker bij het hek was gebeurd, of anders zou de nachtwaker wel alarm slaan, en dan zou het hier in no time wemelen van lokale politie. Het was beter om Colarusso erop af te sturen. Die zou naar Rakkim luisteren en doen wat hem gevraagd was. Een echt onderzoek was ondenkbaar. De forensisch onderzoekers zouden hem op basis van de voetsporen in het bloed een schatting kunnen geven van de lengte en het gewicht van de moordenaar. Misschien zouden er zelfs vingerafdrukken en huidmonsters van onder Marians vingernagels worden gevonden om allerlei DNA-tests op uit te voeren – maar dat deed er allemaal niet toe. De man die dit had gedaan, bevond zich buiten de jurisdictie van de politie. Hij stond boven de wet. Daar zou Rakkim hem vinden. Hij leefde er tenslotte zelf ook.

Colarusso zou natuurlijk vragen hebben, maar hij zou Rakkims antwoorden accepteren. Misschien kon de rechercheur hem zelfs helpen. Maar eerst wachtte Rakkim nog een belangrijke taak. Hij liep de badkamer uit naar de kledingkast om een schone chador uit te zoeken. Hij zou Marian uit het bad halen, op haar bed leggen en aankleden. En hij zou ook voor haar bidden.

19

Namiddaggebed

Sarah voelde een misselijkmakende druk op haar maag. 'Opschieten, alstublieft.'

De taxichauffeur haalde zijn schouders op en reed weg.

Sarah kreunde toen ze Marians huis naderde. Het terrein was afgezet met gele tape. Veel te vrolijk voor zo'n bewolkte, druilerige dag. Ze was nog te ver weg om de woorden te lezen, die rimpelden in de wind, maar ze wist wat er stond: POLITIE. VERBODEN TOEGANG. Voor het huis stonden politiewagens en een busje van het forensisch laboratorium. De agenten leunden tegen hun auto's en praatten met elkaar. Op het trottoir liepen buren rond, die zich dik hadden aangekleed vanwege de kou. 'Stop hier maar.' Haar stem klonk hol in haar oren; emotieloos. Rakkim zou haar waarschijnlijk niet eens herkennen.

De chauffeur parkeerde zijn taxi langs de stoeprand. Hij draaide zich om en keek naar haar door het plastic venster. 'Wilt u er hier uit, zuster?'

'Nee.' Hoewel de vensters van de taxi om privacyredenen alleen naar buiten toe doorzichtig waren, trok Sarah haar sluier recht toen de buren naar de auto keken. Maar ze richtten hun aandacht onmiddellijk weer op het huis. In de taxi klonk, behalve het grommen van de automotor, geen geluid. Er was Marian iets afschuwelijks overkomen. Sarah was ervan overtuigd. Ze had niet gebeld voordat ze in de taxi stapte. Ze had pas op het allerlaatste moment besloten naar haar toe te gaan in de hoop Marian te verrassen en haar over te halen haar de dagboeken van haar vader te lenen. Nu wist ze niet wat ze moest doen.

De chauffeur rolde zijn raam omlaag. 'Wat is hier aan de hand?' blafte hij naar een ouder stel op het voetpad.

'Een vrouw vermoord,' zei de man, die elegant gekleed ging in een blauw kostuum met een gele pochet en bijpassende stropdas. Hij wees op het huis. 'Professor Warriq. Doceerde op de universiteit. Een vrome vrouw. De genade van Allah zij met haar.'

'Je weet niet zeker of ze dood is,' zei de vrouw; een stijf, spichtig dametje in een kasjmieren mantel. 'Je probeert alleen maar aandacht te trekken.'

'Zie jij een ambulance dan?' zei de man. 'Ze is *vermoord*. En haar hulp ook. Het is daarbinnen een slachthuis, dat zei die agent zelf. Afgrijselijk. Als je het mij vraagt, waren het leden van een katholiekenbende die het een en ander op hadden.'

'Jij altijd met je katholieken,' sneerde de vrouw.

'Ze hebben haar *verdronken* in haar eigen badkuip,' zei de man. 'Waarschijnlijk hebben ze haar verteld dat ze haar gingen dopen en hebben ze haar uitgelachen terwijl ze hen smeekte te stoppen.'

Het stel kuierde ruziënd weg.

Sarah keek naar het huis. Haar ademhaling was oppervlakkig. Marian was vermoord, maar ze geloofde absoluut niet dat de daders katholieken waren. Roodbaard had altijd gezegd dat geloven in toeval geen kwaad kon, zolang je je maar *gedroeg* alsof het niet bestond. Nee, iemand had Marian vermoord vanwege haar connectie met Sarah. Ze zou bang moeten zijn en meteen moeten vertrekken, maar ze wilde niet weg. Nog niet. Ze staarde naar het huis. Vreemd... Ze dacht aan Marians handen. Ze had prachtige handen, sterk en capabel, maar Marian vond ze te groot. Onvrouwelijk. Ze hield haar nagels kort en vouwde haar handen in gezelschap om er de aandacht niet op te vestigen. En nu was ze dood en dacht Sarah aan haar prachtige handen. Ze wilde dat iemand haar ervan had kunnen overtuigen hoe knap ze was.

De zachte snikkende geluidjes kwamen blijkbaar van haar, want de chauffeur draaide zich half om. 'Is het goed als ik de radio aanzet, zuster?' Toen Sarah geen antwoord gaf, draaide hij de knop om. Uit respect voor haar traditionele gevoelens – zo nam hij aan – koos hij voor een populaire belshow voor vrome moslims: *Wat moet ik doen, imam?*

'Goedemiddag, imam. Ik weet dat ik als goed moslim niet naar muziek mag luisteren, maar ik vroeg me af of er misschien toch muzieksoorten zijn die geen kwaad kunnen. En zou het iets uitmaken als ik in mijn eentje luisterde?'

'Een goede vraag, mijn dochter. De Heilige Koran is hier heel duidelijk in: muziek is verboden. Een van Allahs gezanten heeft gezegd: "Er zal een natie komen die het maken van muziek een warm hart toedraagt. Maar op een goede dag zullen de mensen die zich aan muziek en alcohol laven bij het ontwaken ontdekken dat hun gezichten in varkenskoppen zijn veranderd." De gezant vertelde ook dat hij gezonden was om alle muziekinstrumenten te vernietigen. En nee, mijn dochter, de zonde is even groot wanneer iemand al-

leen naar muziek luistert. Het is beter om in plaats daarvan naar de Heilige Koran te luisteren.'

Sarah keek naar de taxichauffeur, die achteloos zijn hoofd krabde. Ze had afgelopen vrijdag met Marian zullen lunchen, maar dat was voordat ze de e-mail had gekregen. Toch had ze overwogen contact op te nemen met Marian om haar te laten weten dat ze een tijdje weg zou zijn. Toen waren de premiejagers gekomen. Sarah huiverde toen ze zich de adem van de kale man herinnerde... zijn walgelijke aanraking. Ze had Marian meteen daarna moeten bellen om haar te waarschuwen... Sarah schudde de gedachte van zich af. Ze weigerde toe te geven aan haar wanhoop. Het was te laat voor zelfverwijt. Marian was dood, en Terry en zijn vrouw ook – als ze de buren moest geloven. Wroeging zou hen niet terugbrengen.

Ze inspecteerde de trottoirs, op zoek naar iemand die niet tussen de mensen paste. De meeste belangstellenden waren echtparen van middelbare leeftijd of ouder. Er waren ook moeders met kinderen. Ze zag geen mannen die alleen waren, hoewel aan de overkant van de straat enkele zakenlieden in kostuums voorbijliepen. Ze wist niet of de zakenlieden er al waren geweest toen ze arriveerde en ze had ook niet gezien of er iemand uit de menigte was weggelopen. Ondanks Roodbaards jarenlange training was ze vergeten zijn belangrijkste les in de praktijk te brengen. *Observatie is de sleutel tot overleven, Sarah. Neem eerst het grote geheel in je op en leg dat in je geheugen vast. Concentreer je vervolgens op de individuen. Een paar minuten later neem je opnieuw het grote geheel in je op en ga je na wat er veranderd is – wat is erbij gekomen en wat is er verdwenen?* Ze had zich laten afleiden door haar verdriet. *Les twee: emoties zijn sluipmoordenaars.* Nog een grove fout van haar kant.

Roodbaard had Rakkim en haar op dezelfde manier opgevoed. Hij had haar niet voorgetrokken omdat ze een vrouw was. *Het leven is gevaarlijk, Sarah. Zorgeloosheid is voor onschuldigen, dwazen en doden. Wij horen daar niet bij. Gebruik je hersenen, Sarah.* Ze had niet goed opgelet. Rakkim zou die fout niet hebben gemaakt. Ze rechtte haar rug, nam de omgeving in zich op en maakte gebruik van de achteruitkijkspiegel om te kunnen zien wat zich achter haar bevond.

Twee politieagenten stonden met elkaar te praten en rookten een sigaret. Het waren knappe mannen. Ze hadden hun handen in hun zakken en hun petten naar achteren. Sarah zou het liefst uit de taxi springen, de sigaretten uit hun mond slaan en ze wat respect bijbrengen, zodat ze in elk geval zouden doen alsof ze geïnteresseerd waren in wat er in het huis was gebeurd. Maar ze bleef zitten waar ze zat. Ze had vandaag genoeg fouten gemaakt.

'Allah zij met u, imam. Ik hoop dat u een oplossing kunt geven voor een meningsverschil dat ik met mijn vriendin heb. Is het volgens de islam zo dat vrouwen minder intelligent zijn dan mannen?'

'Allah zij met u, mijn zoon. De leer stelt glashelder dat vrouwen minder intelligent zijn dan mannen. Daarom is het de man, en niet de vrouw, die aan het hoofd van het gezin staat. De vrouw kan wel geraadpleegd worden, maar het uiteindelijke gezag ligt bij de man.'

Sarah huiverde achter haar sluier. De arrogante zelfverzekerdheid van de imam maakte haar razend. De radio was een bron van verstrooiing. Ze kon beter op het huis letten. In de voortuin stonden Marians prachtige rozenstruiken. Ze sliepen nu en waren één en al doornen, maar in de lente zouden ze weer uitlopen. Marian zou er alleen niet meer zijn om ze te snoeien en de kleurenpracht te bewonderen. Ze zou er niet meer zijn om de roest en de mijt en de wortelrot te bestrijden. De mensen die Marian hadden vermoord, hadden ook alles vermoord waarvan ze hield. Ze hadden bovendien niet op eigen houtje gehandeld – Sarah had hen geholpen.

Marian was dood vanwege haar connectie met Sarah; er was geen andere verklaring. Sarah had geprobeerd hun vriendschap te bagatelliseren, zeker nadat ze met het nieuwe boek was begonnen. Maar er waren te veel mensen op de universiteit die hen samen thee hadden zien drinken. Eén persoon – meer had de Oude niet nodig gehad.

Het moest de Oude zijn geweest die het liquidatieteam op pad had gestuurd. De regering en de Zwartjassen draaiden hun hand niet om voor een moord die kon voorkomen dat dit boek werd geschreven, maar ze betwijfelde of die er enig idee van hadden waar zij mee bezig was. Als ze het wisten, zou Roodbaard het ook weten – hij had overal spionnen – en Roodbaard had niet laten merken dat hij op de hoogte was. Het *moest* de Oude wel zijn. Maar waarom zou hij Marian laten vermoorden? Waarom had hij haar niet gewoon in de gaten laten houden en gewacht totdat Sarah was verschenen? Waarom had hij haar niet ondervraagd? Marian betekende niets voor de Oude... Tenzij ze al gepraat had.

Sarah moest haar best doen om de plotseling opkomende angst te onderdrukken en ze dwong zichzelf de situatie objectief te bekijken. Nee, Marian was vermoord omdat de daders onterecht hadden geconcludeerd dat ze niet belangrijk was. Sarah *kende* Marian. Marian was een moedige, loyale vrouw. Hoewel ze in leven had kunnen blijven als ze haar moordenaars alles had verteld wat ze over Sarah wist, had ze ervoor gekozen te sterven. Marian was een gelovig mens, en haar geloof gaf haar kracht. Sarah maakte zich op dat punt geen enkele illusie. Ze trok geërgerd haar sluier recht. Ze zou er nooit aan wennen.

Het was zinloos om hier nog langer te blijven, maar ze kon haar blik niet van het huis weghalen. Op een of andere manier hoopte ze dat Marian naar buiten zou komen en dat alles een grote vergissing zou blijken. Een communicatiestoornis. Maar dat zou niet gebeuren. Ze had het geweten vanaf het moment dat ze het busje van het forensisch lab had gezien. Een voorteken. Of een slecht geweten. Ze klemde haar kaken op elkaar.

Later zou er genoeg tijd zijn voor schuldgevoelens. Nu moest ze uitzoeken of de moordenaars de dagboeken hadden meegenomen. Was de Oude op de hoogte van de reden voor Sarahs regelmatige bezoekjes? Het was onmogelijk om daar nu achter te komen, maar ze *moest* het weten. En als de dagboeken nog in het huis waren, zou Sarah terug moeten komen om ze op te halen. Opnieuw het weeë gevoel in haar maag – alsof ze viel. Het was angst. Maar het deed er niet toe. Angst of niet – ze zou terug moeten komen om de dagboeken op te halen. De dagboeken vormden de sleutel... een van de sleutels. De enige waarover haar was verteld.

De wind wakkerde aan en deed het wintergroen buigen. Sarah huiverde, ondanks de warmte van de taxi. Ze had slaap nodig. De afgelopen week had ze in een vreemd bed gelegen, draaiend en woelend. Alles had haar wakker gehouden: de wind, het ritselen van de takken tegen het venster en vooral haar eigen gedachten. Ze had geld. Ze had kleren en een tandenborstel gekocht en over twee dagen zou ze online gaan om uit te zoeken wat haar volgende stap was. Ze hoefde zich de komende dagen alleen maar rustig te houden zodat haar niets zou overkomen.

'Hallo, imam, ik ben veertien en ik, eh... ik weet dat we volgens de Heilige Koran ons gezichtshaar niet mogen verwijderen, maar mijn oudere zus heeft erg dikke wenkbrauwen en... ik wilde weten of het dan misschien toch mag zodat ze er wat leuker uitziet. Dank u wel.'

'Jij bedankt, mijn dochter. Is je zuster getrouwd?'

'Ja, imam.'

'Vertel haar dan maar dat de Heilige Koran het weliswaar verbiedt, maar dat ze de wenkbrauwen mag bijwerken tot een meer geschikte omvang als ze zo dicht zijn geworden dat het de echtgenoot afstoot.'

Sarah staarde naar buiten. Gisteravond had ze Rakkim bijna gebeld. Ze was weggedommeld, had rennende voetstappen gehoord en was vervolgens huilend wakker geworden. Vals alarm. Deze keer. Ze had haar mobiele telefoon gepakt omdat ze zo graag zijn stem had willen horen. Maar het volgende moment had ze hem weer neergelegd. Het was te laat voor dat soort zwakheden. Er stonden te veel levens op het spel. Ze wilde de chauffeur net vertellen dat ze konden vertrekken, toen de voordeur van Marians huis openging. Heel even dacht ze dat Marian naar buiten zou komen, maar toen zag ze Rakkim, gevolgd door een vriend van hem, rechercheur Anthony Colarusso.

'Is er een probleem, zuster?' vroeg de chauffeur.

Sarah schudde haar hoofd. Ze was zo verbijsterd dat ze geen woord kon uitbrengen. Natuurlijk, Roodbaard. Hij moest Rakkims hulp hebben ingeroepen om haar te zoeken. Ze was niet verbaasd dat het Rakkim was, maar wel dat hij Marian zo snel had gevonden.

Rakkim praatte met de politieagenten. Ze wisten blijkbaar niet wie hij was, want ze bleven naar Colarusso kijken, die druk aan zijn oor friemelde met een wijsvinger.

Ze had Rakkim al zes maanden niet gezien. Hij zag er net zo aantrekkelijk uit als altijd, maar ook uitgeput en bezorgd. Op zijn hemd zaten vochtige plekken, en ze vroeg zich af wat hij in Marians huis had gezien. Een slachthuis, had de buurman met het witte haar gezegd. Er rolde een traan over haar wang die werd opgenomen door haar sluier, maar ze bleef naar Rakkim kijken, blij dat ze hem kon zien.

Ze vroeg zich nog steeds af of ze hem had moeten vertellen waaraan ze werkte. Misschien had ze hem zelfs om hulp moeten vragen. Ze vertrouwde Rakkim met haar leven; waarom kon ze hem dan niet met de waarheid vertrouwen? Hij was nu met de specialisten van het forensisch laboratorium in gesprek. Ze merkte op dat hij steeds knikte als ze praatten en dat hij hen op de schouders klopte. Hij drong binnen op hun terrein – hij wist dat hij op een betere samenwerking kon rekenen als hij ze aan zijn kant kreeg. Roodbaard zou veel krachtiger zijn opgetreden en onmiddellijk eisen hebben gesteld, maar hij zou niet meer uit ze hebben gekregen dan Rakkim. Waarschijnlijk zelfs minder.

Ze moest gaan. Het was gevaarlijk om hier te blijven. De taxi zou na verloop van tijd de aandacht trekken – een nieuwsgierige politieagent, een verveelde politieagent – en dat zou onplezierige gevolgen kunnen hebben. Roodbaard zei altijd dat het de kleine details waren die mensen de das omdeden omdat ze zich alleen maar op grote problemen voorbereidden. Nee, het was beter om te vertrekken. Ze zou later wel terugkomen voor de dagboeken, als het veilig was. En zelfs als het niet veilig was, zou ze ze op een of andere manier in haar bezit moeten zien te krijgen. Ze was er nu zekerder van dan ooit dat ergens in die dagboeken de informatie was die ze zocht.

Maar ze zei niets. Ze bleef kijken en zag hoe de wind door Rakkims korte donkere haar speelde. Hij had zulk zacht haar, zelfs zijn sikje, en ze bloosde bij de herinnering aan hoe het haar meest intieme plekje had gekriebeld. Rakkim kamde met zijn hand door zijn haar alsof hij haar blik voelde. Ze tikte op het plastic venster, harder dan ze van plan was geweest. 'We kunnen gaan.' Ze bleef naar Rakkim kijken terwijl de taxi keerde. Als ze hier nog langer zou blijven, zou ze zich onmogelijk kunnen beheersen en zou ze uitstappen.

20

Namiddaggebed

‘Je belt *mij* niet,’ zei de Oude, ‘ik bel jou.’

‘Zal ik even ophangen?’ zei Darwin opgewekt. ‘Dan kunt u mij terugbellen en doe ik alsof ik me verheug over de belangstelling.’ Hij luisterde. ‘Hallo?’

‘Ga verder.’

‘Weet u het zeker?’ zei Darwin. ‘Ik doe u graag een plezier.’

De Oude zweeg. Hij wenste niet verder op het thema in te gaan.

Darwin had zijn handen in zijn zakken. De minuscule telefoon bevond zich in zijn oorkanaal; de ontvanger was nauwelijks groter dan een teek. Het microfoontje was nog kleiner: een sproet die vlak boven zijn lip was aangebracht. Zelfs als je naast hem stond, merkte je nauwelijks dat hij in gesprek was. De telefoon was het meest recente model uit Japan; een echte doorbraak. ‘Ik wilde u het laatste nieuws even doorgeven. Ik heb kat en muis gespeeld met Rakkim en een bezoekje gebracht aan Sarahs vriendin van de universiteit. Rakkim was er een dag eerder ook al geweest. Grote geesten en zo.’

Darwin had gisteren bij Marian aangebeld en zich voorgedaan als iemand die vanwege een religieuze volkstelling kwam. Er hadden papieren uit zijn koffertje gestoken en hij had er uitgezien als een zenuwachtige pennenlikker met een onverzorgd sikje in een veel te groot pak. Marians lijfwacht, een lelijke kleerkast die de deuropening had gebarricadeerd, had Darwin weg willen sturen, maar Marian had hem binnengelaten. Hij was de woonkamer in gelopen en had zich verontschuldigd voor het feit dat hij haar had gestoord. Toen hij de zwakke geur van Rakkim had geroken, had hij geweten dat hij op het juiste adres was.

‘Wat voor nieuws?’ vroeg de Oude.

‘De vriendin heet Marian Warriq,’ zei Darwin. Hij had zich net geschoren en droeg een pak van driezduizend doller. ‘Halverwege de vijftig. Professor in de Sociologie aan de universiteit. Vroom, maar niet fundamentalistisch. Zegt dat u iets?’

'Nee.'

'Het doet er ook niet toe. De dame bevindt zich momenteel in hogere sferen.'

'Heb je haar vermoord?'

Darwin keek naar het politielint dat rond Marian Warriqs huis fladderde en naar de mensen op de trottoirs die naar het huis en de politieagenten staarden. Hij voelde zich net een impresario die midden in een spectaculaire productie zat terwijl het publiek niet echt begreep wat het zag.

'Waar is dat voor nodig? Zo maak je Rakkim er alleen maar op attent dat hij gevolgd wordt.'

'Ik stel voor dat u me niet vertelt hoe ik mijn werk moet doen, dan vertel ik u niet hoe u de macht moet grijpen.' Darwin hoorde het droge lachje van de Oude. Het klonk als het ritselen van oude kranten. Hij genoot van dat lachje. 'Het doet er niet toe of Rakkim gewaarschuwd wordt; hij laat zich nergens door van de wijs brengen. Ik probeer nog steeds zijn manier van werken te begrijpen, maar voorlopig kan ik hem niet echt volgen. Ik hoop dat hij misschien een steekje laat vallen wanneer hij Marian in cadeauverpakking aantreft.'

'Hoe weet je dat hij haar vindt?'

'Ik kan hem zien,' zei Darwin terwijl Rakkim op de veranda verscheen met een of andere zwaarlijvige smeris. 'Aan zijn gezicht te zien, heeft hij zijn cadeautje opengemaakt.'

'Is hij *nu* daar?'

'Yep.' Darwin glunderde in de kille lucht. Hij had Rakkim een flinke tik bezorgd. Hij was ongetwijfeld van slag.

'Kan hij jou zien?'

'Dat maakt niks uit. Hij weet niet wie ik ben.' Er kwam een ruziënd ouder stel voorbij. Darwin knikte en wenste hen goedemiddag. De man knikte terug. Darwin had gehoord dat de lichamen waren gevonden door naar de politielasercom te luisteren – hij had niet verwacht dat Rakkim er al was. De mogelijkheid dat Rakkim de lichamen had ontdekt, was bijna te mooi om waar te zijn, maar daar was hij, in eigen persoon en met een blik op zijn gezicht alsof hij iets verkeerds had gegeten. Darwin voelde een tinteling van plezier.

Darwin zag Rakkim met de rechercheur praten. Het gezicht van de dikke man werd steeds roder. Iemand die een smeris zo over de zeik kon krijgen, verdiende Darwins respect. Hij kon haast niet wachten op het moment dat hij Sarah vond en de zaak kon afronden. Dan kon hij zich op zijn gemak met Rakkim gaan bezighouden – in zijn eigen tempo.

'Heeft die Marian Warriq nog iets over Sarah gezegd voordat je haar... in die cadeauverpakking stopte?'

'Niet veel.'

'Des te meer reden om haar in leven te houden totdat ze ging praten.'

'Het zou niets uit hebben gemaakt – ze was sterk in haar geloof, en u weet hoe dat is,' zei Darwin terwijl hij zich haar in eerste instantie kalme protesten herinnerde en vervolgens haar steeds luidere korancitaten. De dingen die mensen verzonnen als ze wisten dat ze gingen sterven. Het verbaasde hem steeds opnieuw.

'Geloof kan gebroken worden. *Dat* weet ik wel.'

'Ze zou nooit gepraat hebben. Ze had alleen mijn tijd maar verspild.' Darwin wuifde vrolijk naar een jonge moeder die een kinderwagen over het trottoir duwde. *Poediebroedieboe.* De moeder negeerde hem, maar het kind zwaaide terug. Lelijke snotaap. Er zat een veeg opgedroogde melk op een wang.

'Je hebt te haastig gehandeld,' drong de Oude aan. 'Je kreeg zin om te moorden en vervolgens ben je het perspectief kwijtgeraakt.'

'Mijn perspectief?' Darwin grinnikte. 'U heeft geen idee van mijn perspectief.'

'Ik zal wat inlichtingen inwinnen over die professor in de Sociologie. Misschien komt daar nog iets uit. Probeer je in elk geval in te houden. Ik heb Rakkim levend nodig.'

Darwin staarde naar de taxi die een stukje verderop geparkeerd stond. Een geblokte wagen van Saladin. Er pruttelde rook uit de uitlaat en langs de voorruit parelde condens.

'Darwin?'

'Ik ben er nog.' De taxi stond er al minstens vijf minuten. De passagier had al tien keer uit kunnen stappen. 'Ik spreek u later.' Darwin verbrak de verbinding en begon in de richting van de taxi te lopen – niet gehaast, maar duidelijk geïnteresseerd.

'Meneer?' De charmante jonge politieagent hield zijn hand op alsof hij het verkeer regelde. De andere hand bleef op de kolf van zijn pistool.

Darwin glimlachte, maar hield zijn ogen op de taxi gericht. 'Ik moet naar een bespreking.'

'Mag ik uw papieren zien, meneer?'

Darwin trok zijn portefeuille uit de binnenzak van zijn colbert en klapte hem open. 'Darwin Conklin, tot uw dienst.' Hij liet de agent zijn rijbewijs zien en overhandigde hem vervolgens een wit visitekaartje. 'Ik ben makelaar. Ik kreeg net een telefoontje van het kantoor. Ik moet er echt vandoor.'

De politieagent staarde naar het visitekaartje alsof het in Mayahiërogliefen geschreven was. Het naamplaatje op zijn borst vermeldde dat hij *Hanson* heette. 'Bent u dit?'

'Dat klopt. Kan ik nu alstublieft gaan, agent?'

De politieman draaide het kaartje om en gaf het terug. 'We moeten alle omstanders controleren, meneer Conklin. Dat hoort er nu eenmaal bij. Ik vind het verloren tijd, maar mijn chef is een pietje precies.' Hij was lang, roze en dom en op zijn knokige kin groeide een dun blond baardje. Zijn hand lag nog steeds op zijn pistool. Een echt groentje. Onder de nieuwe Bill of Rights was het bezit van handwapens een halsmisdaad. Alleen de politie droeg ze. Vooral jonge agenten vonden het interessant en hadden het gevoel dat ze zichzelf ermee beschermden tegen alle kwaad.

Darwin glimlachte.

'Bent u hier om een huis te verkopen?'

'Ik inspecteer regelmatig de betere buurten voor mijn klanten om te zien of er misschien objecten vrijkomen.'

'Geen prettig verhaal, hè? Dat huis daar. Van Warriq. Ik durf te wedden dat u dat niet zo een-twee-drie kwijt zou raken. Niet als ik de verhalen van mijn chef moet geloven.'

'Tja, vastgoed is vaak een hele uitdaging.'

'Mijn chef heeft over zijn schoenen staan kotsen. Dit zaakje lijkt me wel wat meer dan een uitdaging.'

Darwin zag de taxi achteruit een oprit in draaien. 'Zijn we klaar, agent? Ik heb *echt* haast.'

'Doet u ook in appartementen?' vroeg de politieagent. 'Ik woon bij mijn ouders en ik word er niet goed van. Mijn moeder kookt geweldig en zo, maar toch...'

Darwin overhandigde opnieuw het kaartje. 'Bel me morgen maar, dan praten we verder.'

De politieagent negeerde het kaartje. 'Ik zoek gewoon een flat met één slaapkamer. De katholieke wijk is prima. Ik heb geen problemen met vleeseters.' Hij grijnsde en liet zijn grote witte tanden zien. 'Hun vrouwen zijn ook niet gek, als u begrijpt wat ik bedoel.'

'Ik weet precies wat u bedoelt,' zei Darwin terwijl hij de wegrijdende taxi nakeek. Hij verpakte zijn ergernis in een minuscuul bolletje ijs en stopte het weg in zijn hart. Daar zou het veilig zijn. Bij het absolute nulpunt. Hij klopte de politieagent op de schouder. Een gespierde knul. Waarschijnlijk zat hij op allerlei zelfverdedigingscursussen en deed hij elke dag aan fitness om de stress eruit te zweten. 'Agent Hanson, hè? Ik stel voor dat we een keer afspreken om te zien of we iets in uw prijsklasse kunnen vinden. Als u me uw adres geeft, dan kom ik wel bij u langs.'

'Hé, dat zou geweldig zijn.' De agent grinnikte opnieuw. 'Een gezonde vent woont niet bij zijn ouders. Wat dacht u van vanavond? Mijn dienst zit er om vier uur op.'

Darwin zag Rakkim om het huis naar de achterkant lopen, gevolgd door de corpulente rechercheur. Hij liet er geen gras over groeien. 'Liever morgen. Vanavond heb ik al iets.'

21

Na het nachtgebed

'Nou, je wordt bedankt, vriend.' Colarusso sloeg zijn drankje achterover. 'Die man haalt me van een lekker simpel inbraakje af om naar een stel arme sloebers te komen kijken die van hoofd hebben geruild. Mijn dag is weer helemaal goed. Ik wist trouwens niet dat je nog contact met Roodbaard had – dat zei de hoofdinspecteur tenminste. Ik heb nog nooit eerder meegemaakt dat hij zo onder de indruk van me was.' Hij zette zijn glas met een klap op de bar. 'Doe er nog maar een, padre.'

De katholieke priester kwam aanlopen vanaf de andere kant van de bar en vulde Colarusso's glas met gealcoholiseerde wijn. Hij zegende de wijn met twee vingers en keek naar Rakkim.

Rakkim schudde zijn hoofd. Hij wachtte totdat de priester weer naar de andere kant van de bar was gelopen, waar de ruzie tussen drie gepensioneerde politieagenten over het beste honkbalteam aller tijden hoog opliep. 'Ik sta bij je in het krijt, Anthony.'

'Blijkbaar niet genoeg om me te vertellen wat dit allemaal te betekenen heeft.'

'Ik heb je alles verteld wat ik kan.'

'Wat je *wilt*.' Colarusso schudde zijn hoofd. 'Nou ja, laat ook maar. Ik heb Sarah een paar keer gezien, en ik mocht haar wel. Als jij zegt dat ze in de problemen zit, dan is dat voor mij genoeg.' Hij wreef over zijn klompneus. 'Aan de andere kant... als ik *Geniet u al?* in bloed geschreven op de muur van een plaats delict zie, dan denk ik toch dat die moorden als boodschap aan jou bedoeld zijn. Of zit ik er nou helemaal naast?'

'Nee, je hebt gelijk.'

'Nou, *dat* is goed nieuws. Ik dacht al dat mijn geoefende speurdersneus me in de steek begon te laten – en wat zou er dan van de wetshandhaving moeten worden?' Colarusso boerde en stak een grote hand in een schaal met oude pinda's. Er rolden nootjes over het barblad.

'Ik dacht dat je bij wijn hosties moest eten,' zei Rakkim.

'Geen grapjes over mijn religie, oké?' Colarusso wipte de pinda's een voor een zijn mond in. 'Geen karbonaadjes, geen Schotse whisky, geen honden, geen rock en roll, geen striptenten,' zei hij terwijl hij met zijn mond open kauwde. 'Is er eigenlijk iets dat jullie *wel* mogen?'

'Je moet mij de schuld niet geven, ik ben vóór al die dingen.'

'Je bent een waardeloze moslim.'

'Yep.'

Colarusso knikte. 'Maakt niet uit. Ik ben een waardeloze katholiek.'

Rakkim nam een slok wijn. Waardeloos spul. Colarusso had hem meegenomen naar een katholieke kerk in Seattle waarvan het souterrain na sluitingstijd van de normale etablissementen als bar voor politieagenten dienstdeed. Colarusso had na het zien van de plaats delict gezegd dat hij een borrel wilde; niet in de Zone, maar onder zijn eigen mensen. Rakkim kon ook wel een borrel gebruiken, en hoewel dit communiedrankje bocht was, vond hij de rust en het gezelschap wel prettig. Rakkim was vast niet de eerste moslim die hier binnenkwam, maar te oordelen naar de blikken die de aanwezigen hem toewierpen, had dat evengoed wel het geval kunnen zijn. Colarusso had hem voorgesteld aan een stuk of tien agenten aan de bar. Hij had verklaard dat hij voor hem instond en dat iedereen die daar een probleem mee had het maar moest zeggen. De agenten hadden niets gezegd en de priester had de drankjes ingeschonken.

'Weet je zeker dat het hele huis doorzocht is?' zei Rakkim.

'*Twee keer.* Dat heb ik al gezegd. Als ze afgeluisterd werd, dan zouden ze iets gevonden hebben. Ik heb ook de ongediertebestrijding gebeld om ervoor te zorgen dat het verhaal niet in het nieuws komt.'

'Goed zo. Laat ze het huis morgen nog een keer doen.'

Colarusso had zich geërgerd aan het feit dat Rakkim de plaats delict had verstoord, maar hij besefte ook dat Rakkim daar zijn redenen voor had. Toen hij Marian op het bed had zien liggen, discreet gekleed en met de koran in haar handen... had Colarusso dat begrepen.

'Dit is een krankzinnige zaak.' Colarusso gebaarde met zijn drankje. 'Kijk, als je iemand een kopje kleiner wilt maken – ga je gang. Dat moet jij weten. En daarna grijp ik je in je kladden. Maar mensen dood op de bank zetten met hun hoofd in hun handen... Wie doet nou zoiets?' Hij ging verzitten. Zijn grijze pak zat vol kreukels en vlekken van snelle happen. 'Ik ben geen amateur, Rakkim. Ik heb dingen gezien waarvan je ogen net zo uitpuilen als die van Wile E. Coyote.'

'Wie is Wile E. Coyote?'

Colarusso schudde zijn hoofd. 'Ik voel me oud.' Hij pakte een paar pinda's van de bar. 'Ik heb met Ernstige Delicten gebeld en gevraagd of er in deze contreien soms thrillkillbendes opereren. Herinner je je die smeerlappen van vorig jaar nog?'

'Die lijmsnuivers?'

'Lijm, benzine, terpentine – je kon het zo gek niet bedenken. Ze kozen een aardige buurt uit, trapten ergens een achterdeur in en slachtten de bewoners af. En vervolgens maakten ze er een ontzettende puinhoop van. We vonden oren in de koelkast, lijken in de schoorsteen... maar dat van vandaag leek veel erger.'

'Omdat hier intelligentie aan het werk is geweest.'

'Er is in elk geval *iets* aan het werk geweest.' Colarusso sloeg de helft van zijn glas wijn in één keer achterover en zijn gezicht verslapte. 'Ik wil de bende vinden die dit gedaan heeft.'

'Misschien was het geen bende. Misschien was het één man.'

Colarusso snoof. 'De lijfwacht was een harde; een veteraan met een jas vol onderscheidingen. Om zo iemand uit te schakelen heb je meer mensen nodig.'

Rakkim reageerde niet. Hij was uitgeput, niet alleen door wat hij in het huis van Marian had gezien, maar ook door het gebrek aan slaap. Hij bracht zijn drankje naar zijn mond. Na het tweede glas smaakte de wijn beter. Hij dacht aan Marian in de badkuip en het haar dat in het water rond haar lichaam had gezweefd. Hij herinnerde zich hoe stijf haar vlees was geweest, hoeveel moeite het hem had gekost om haar aan te kleden en hoe haar natte haar had gevoeld toen hij haar naar de slaapkamer had gedragen, worstelend met de dood. 'Ik heb haar vermoord, Anthony. Ik heb ze alle drie vermoord.'

'Als dat zo was – dat zou de zaak een stuk eenvoudiger maken.'

'Ik dacht dat ik mijn sporen had uitgewist, maar iemand moet me gevolgd hebben naar Marians woning. Ik had haar evengoed zelf kunnen vermoorden.'

'Hou op met dat gejammer. Zal ik je vergiffenis schenken? Dat kan ik. Ik ben priester geweest.'

Rakkim staarde hem aan.

'Echt waar. Ik ben gewijd in Woodinville, op mijn eenentwintigste. Maar na de Omwenteling ben ik er uitgestapt. Ik zag de bui al hangen. En het celibaat was ook niks voor mij. Als je aan je opleiding begint, denk je dat het je wel lukt, maar zodra je weer in de gewone wereld bent, blijkt je pik daar ineens heel anders over denken. Nou ja, ik ben geen priester meer, maar ik heb er nog wel gevoel voor. Ik ga nog elke week naar de mis. Ik biecht altijd bij pastoor Joe... en daarna gaan we hiernaartoe en drinken we een glaasje. Meer kun je van een man van God niet vragen.' Colarusso boog zich naar Rakkim. 'Wil je soms bij mij biechten?'

'Moslims leggen hun ziel alleen voor Allah bloot.'

'Zeker weten?'

'Ik houd mijn zonden liever voor mezelf. Allah heeft genoeg aan zijn hoofd.' Rakkim lachte... Zo klonk het tenminste, maar er rolden tranen over zijn wangen. 'Ik geloof dat ik dronken ben. Ik kan katholieken niet bijhouden.'

'Je doet het anders prima.'

Rakkim dronk zijn glas leeg en zette het met een klap op de bar om het opnieuw te laten vullen. Hij knikte naar de pooltafel. Het groene laken glom en was op verschillende plekken gescheurd, maar het geheel zag er nog steeds uitnodigend uit. 'Het verbaast me dat er niemand speelt.'

'De tafel is verboden terrein,' zei Colarusso. 'Vorig jaar heeft een stel druiloren ruzie gekregen over een spelletje eightball. Ze hebben de hele tent verbouwd. Pastoor Joe heeft zelfs een keu op een van hen kapotgeslagen.'

'Heeft dat nog littekens opgeleverd?'

Colarusso grijnsde en wreef over zijn achterhoofd. 'Nee, maar ik heb nog wel regelmatig hoofdpijn.'

Rakkim bekeek het vertrek in de spiegel. Hij zag de agenten aan de bar en was blij dat hij Colarusso's aanbod had geaccepteerd. Het was een kale, donkere ruimte met een laag plafond en taaie, verbitterde klanten die geen behoefte hadden aan alle toeters en bellen in de Zone. De koorknapen, zo had Colarusso de stamgasten genoemd – hoewel de meeste geen praktiserende katholieken waren. Lutheranen, katholieken, agnosten en atheïsten; agenten en rechercheurs, maar geen hoge pieten. De koorknapen waren misschien niet religieus, maar ze waren te trots om zich te bekeren vanwege het carrièrevoordeel. De vloer was smerig en er hingen foto's van boksers aan de muur. Er was ook een schilderij van Jezus, wiens hart doorboord was met doornen. De bar in het souterrain was een plek waar je je rustig kon bezatten met pseudolegale wijn om de scherpe kantjes van de dag te poetsen.

'Hoe zit dat met die boeken die je uit het huis meegenomen hebt?' vroeg Colarusso.

'Die waren van Marian Warriqs vader – zijn privédagboeken. Er staat informatie in die ik nodig heb. Ik weet alleen niet wat het is.'

Er stapte een reusachtige rechercheur op hen af die een arm om Colarusso legde. De goedgeklede kolos had een satijnzwarte huid, een geschoren hoofd en een gouden piercing door zijn neus. Hij wierp een blik op Rakkim. 'Zeg, Anthony, je weet toch dat we hier geen handdoekhoofden binnenlaten?' Zijn donderende lach vulde de omgeving met de stank van vergiste druiven.

'Rakkim, dit zielige politiemannetje is Derrick Brummel,' zei Colarusso. 'Derrick – Rakkim Epps.'

Ze schudden elkaar de hand; die van Rakkim verdween in de klauw van de rechercheur.

'Ik wilde alleen even gedag zeggen,' zei Brummel tegen Colarusso. Hij wendde zijn blik af.

'Je kunt alles te zeggen waar Rakkim bij is,' zei Colarusso.

Brummel staarde Rakkim aan. 'Echt?'

'Waarom probeer je het niet?' zei Rakkim.

Brummel keek Colarusso aan. 'Heb je dat verhaal over die beroving gehoord? Een of ander klootzakje heeft een robijnring van de vinger van een zakenman gerukt en is verdwenen in de spits. Ik heb de zaak even gecheckt, en zijn beschrijving kwam overeen met die van een knul die ik al een paar keer eerder had opgepakt. Ik heb hem de volgende dag in zijn kladden gegrepen.' Hij boog zich naar voren – en de temperatuur leek omhoog te gaan. 'Vanmiddag hoorde ik dat de imam van de zakenman die knul volgens de sharia gaat berechten.' Brummel keek naar Rakkim. 'Dat joch is *katholiek,* Anthony.'

'Ik geloof er niks van,' zei Colarusso.

'Geloof het maar,' donderde Brummel. Verschillende hoofden aan de bar draaiden zich om. 'Of denk je dat ik mijn eigen zaken niet ken?'

'Denk aan je bloeddruk, Derrick,' zei Colarusso. 'Ga zitten en neem nog een drankje.'

'Ben ik een man van de wet?' vroeg Brummel op scherpe toon.

'Zeker weten.'

'Ben ik gedoopt?'

'Ik was er zelf bij,' zei Colarusso.

'Dan weet je ook dat ik die knul niet probeer te matsen. Hij is een dief en een slappeling maar hij verdient het niet dat zijn hand er afgehakt wordt.'

'Het bestaat niet dat de Zwartjassen zoiets bij een katholiek doen,' zei Colarusso op scherpe toon. 'Vergeet het maar.'

'Als de zakenman beweert dat hij de ring aan zijn moskee wilde schenken, zou hij het recht wel eens aan zijn kant kunnen hebben,' zei Rakkim zacht. 'Het is vergezocht, maar het is een interpretatie van de Koran.'

'Als de Zwartjassen een katholiek voor een religieus gerecht kunnen brengen, kunnen ze *iedereen* te grazen nemen.' Brummel keek Rakkim recht in de ogen. De lampen boven zijn hoofd weerspiegelden in zijn schedel. 'Klotebaantjes, klotewoningen en een klotebehandeling. En nu ook nog kloterechtspraak? Christenen pikken een hoop, maar er komt een moment dat we het gehad hebben – en let maar eens op wat er dan gebeurt.'

'Ik vind het net zo rot als jij,' zei Rakkim.

'Geloof hem maar,' zei Colarusso.

'Als jij het zegt.'

'Dat is niet nodig – *ik* zeg het,' zei Rakkim.

Brummel sloeg Rakkim op de schouder. 'Oké, kerel, we hebben het er een andere keer wel over.' Hij wierp een blik op Colarusso. 'Ik ben niet dronken, maar het scheelt niet veel. Tijd om naar huis te gaan en moeder de vrouw lastig te vallen met mijn problemen.'

Colarusso en Rakkim keken Brummel na. Toen de deur achter hem was dichtgevallen, werden de gesprekken aan de bar plotseling luider van toon.

'Hij is een prima agent, maar hij heeft de pest aan moslims. Waarschijnlijk baalt hij ervan dat hij niet naar de Bijbelgordel is geëmigreerd toen hij de kans kreeg. De meeste zwarten zijn vertrokken, maar hij is gebleven. Hij vond dat hij de nieuwe regering een kans moest geven. Dat heb ik ook gedaan.' Colarusso zuchtte. Zijn adem rook naar overrijpe druiven. 'Jij bent te jong om je te herinneren hoe het voor de Omwenteling was, maar ik kan je één ding vertellen: het was geen pretje. Drugs en mensen die elkaar om niks de hersens insloegen. Man tegen man, zwart tegen wit en God tegen iedereen – belachelijk. Ik heb er alleen nooit om moeten lachen.' Colarusso haalde de schouders op. 'En toen bliezen de joden New York en D.C. op. Toen leken onze problemen ineens op zo'n Engelse theeparty waar ze waterkerssandwiches zonder korstjes serveren. Toen hebben we pas *echt* geleerd wat ellende is. De moslims waren de enigen met een duidelijk plan en een helpende hand, en in de ogen van Allah was iedereen gelijk. Dat zeiden ze tenminste.' Zijn ogen stonden glazig. 'Trouwens, de straffen voor het plegen van misdaden zijn niet mals en ze nemen godslastering heel serieus. Dat is een goede zaak. De oude regering heeft zelfs een keer iemand betaald om een crucifix in een pot met pis te gooien en daar een foto van te maken. Kijk niet zo – ik *meen* het. Hij kreeg geld voor het nemen van de foto en de mensen stonden in de rij om hem te kunnen zien. Ik verlang niet echt naar de goeie ouwe tijd terug, maar inmiddels lopen er Zwartjassen op politiebureaus rond die zich gedragen alsof de boel van hen is.' Hij schudde zijn hoofd. 'Dat klopt gewoon niet.'

'Nee, dat klopt niet.'

'Gisteren zag ik Anthony jr. trouwens toen hij uit bed kwam. Hij had zeker twintig of dertig sneeën over zijn hele lichaam. Geen diepe, en er zaten al korstjes op. Hij had zich ingesprayed met Heal-Qwik – fantastisch spul. Maar hij wilde niet vertellen waar hij ze had opgelopen. Hij zei dat het "privé" was.' Colarusso peuterde met een wijsvinger in zijn mond, haalde een stuk pinda tussen zijn tanden vandaan en gooide het op de grond. 'Weet je zeker dat je niet wilt biechten?'

'Help mij nou maar om Sarah te vinden.'

'Je zegt het maar. Weet je...' Colarusso viste zijn mobiele telefoon uit zijn binnenzak. Hij luisterde, en vervolgens knikte hij. 'Zeker weten?' Hij liet de telefoon weer in zijn zak glijden en knipperde even met zijn ogen. Er zat hem iets dwars.

'Wat?'

'Dat was het bureau.' Colarusso plukte aan zijn onderlip. 'Er was nauwelijks bloed in de woonkamer, alleen op de bank. Ik dacht dat die lui ergens anders waren vermoord en vervolgens op de bank waren gezet, maar nu zegt de patholoog-anatoom dat ze overleden zijn op de plaats waar jij ze gevonden hebt. Ze hadden het over spuitende slagaders.'

'Klopt.'

'Wat weet jij daarvan?' Maar Colarusso wachtte niet op antwoord. 'De doodsoorzaak was een messteek in de hals. Volgens de patholoog-anatoom is er zo weinig bloed omdat ze geen stress hadden toen ze stierven en de hartslag normaal was. Geen spuitende slagaders dus – alsof ze doodleuk op hun moordenaar zaten te wachten.' Hij schudde zijn hoofd. 'Dat slaat toch nergens op. Er waren vreemden in het huis. Die zijn met geweld binnengekomen. De slachtoffers *moeten* wel bang zijn geweest. Ze hadden de muren onder moeten spuiten toen ze dat mes in hun hals kregen.'

'Het was één man, en ze hebben het niet aan zien komen.'

'Ik zei toch dat die lijfwacht een harde was,' zei Colarusso geïrriteerd. 'Ik heb zijn dossier gezien – hij was *getraind*. Ik kan maar moeilijk geloven dat hij zo verrast was dat hij zich niet eens bewogen heeft. En zelfs als hij als eerste vermoord is, zou je toch denken dat zijn vrouw nog wel geprobeerd heeft zich te verzetten? Maar ze is gewoon blijven zitten. Ik bedoel... wie is er zo snel met een mes?'

'Een Fedayeen,' zei Rakkim. 'Een Fedayeen is zo snel dat je al dood bent voordat je bloed in je mond proeft.'

'Een Fedayeen? Zoals jij?'

'Nee, niet zoals ik.'

Colarusso staarde hem aan. Hij was plotseling nuchter. 'Ik krijg de kriebels van je.'

Rakkim herinnerde zich hoe Terry en zijn vrouw op de bank hadden gezeten, onder het bloed en met hun hoofden in hun schoot. 'De moordenaars vormen een kleine elite-eenheid binnen de Fedayeen. Uit elke duizend rekruten – de besten van de besten – wordt er hooguit één geselecteerd, en die haalt misschien niet eens de eindstreep. Ik had wel de snelheid, maar niet de mentaliteit. Je moet je op een bepaalde manier... kunnen afsluiten voor dingen.'

'Jij had *gevoel.*'

'Doe trouwens geen moeite voor vingerafdrukken. Deze vent staat in geen enkele database. Ik zou wel graag jullie rapport willen zien. Er bestaat een kleine kans dat de buren iets is opgevallen. Een beschrijving zou prettig zijn.'

'Die moordenaar... Zou jij hem aankunnen?'

'Nee.'

'Je zei dat je de snelheid had.'

Rakkim gaf geen antwoord.

'Oké, ik hou erover op.' Colarusso deed een greep in de schaal met pinda's en schudde ze in zijn vuist. 'Laten we het nog even over Anthony jr. hebben. Tijdens de Super Bowl zei je dat je hem niet bij de Fedayeen wilde aanbevelen en nu doe je het toch. Waarom ben je van gedachten veranderd?'

'Hij heeft talent. En met de dingen die hij nu doet, belandt hij eerder in een kist dan bij de Fedayeen. En zelfs als hij er halverwege uit stapt, is hij beter af.'

'Ik weet dat hij met een stel ruwe klanten omgaat...'

'Hij is de *aanvoerder* van die ruwe klanten. Hij vertelt ze wat ze moeten doen.'

Colarusso bleef zijn pinda's schudden.

'Ik heb gedaan wat volgens mij het beste voor hem is. Dat weet je.'

Colarusso meed Rakkims blik. 'Je had zijn gezicht moeten zien toen hij ons vertelde dat je hem zou aanbevelen. Ik heb hem in jaren niet zo gelukkig gezien.'

'Hij is een beetje wild, maar het is een beste knul.'

'Jij was ooit ook een beste knul.' Colarusso gooide de pinda's op de bar en ze rolden over de rand. 'En moet je zien wat er met jou is gebeurd.'

22

Na het nachtgebed

'Jezus, meneer, dit is geloof ik een soort record.' De katholieke tiener achter de toonbank had felrode puistjes met witte koppen. 'U moet wel heel dol zijn op aardbeienmilkshakes.'

Darwin stak een rietje in zijn shake. 'Een godendrank.'

'Wat bedoelt u?' Het gezicht van de verbaasde tiener glom van het vet, en door de tl-buizen leek het alsof hij licht uitstraalde. Hij steunde met zijn ellebogen op de toonbank; een goedgebouwde knul met kleine blauwe ogen en een flinke dosis nieuwsgierigheid. 'U heeft thuis zeker een zwangere vrouw? Dat zien we hier regelmatig. De aanstaande moeder wil ineens een milkshake en manlief moet hem gaan halen.'

Darwin pakte zijn beker. 'In mijn huis woont geen aanstaande moeder; ik ben alleen met mijn honger.' Hij gaf de knul een biljet van vijf dollar en gebaarde dat hij het wisselgeld kon houden. Darwin gaf altijd royale fooien, was heel beleefd en gooide nooit afval op straat. De perfecte burger. Hij liep naar de deur van Dick's Drive-In en floot een vrolijk deuntje.

Het was bijna middernacht en er stonden geen sterren aan de hemel. Hij wandelde op zijn gemak naar de straat waar hij zijn auto had geparkeerd. Hij had bijna drie uur staan wachten tegenover de parkeerplaats bij de kerk en er viel weinig meer te doen dan een wandelingetje maken naar Dick's. Drie uur en vier grote aardbeienmilkshakes. Hij zoog aan het rietje en genoot van de zoete massa. Dick's maakte geweldige milkshakes, met echt ijs en echt fruit. De burgers en de friet stonden ook goed bekend, maar Darwin at geen vlees en gefrituurd voedsel. Hij zoog opnieuw aan het rietje en stelde zich voor dat hij een reusachtige wesp met gaasachtige vleugels en platte ogen was; een reusachtige wesp met een kromme, zwarte angel, die op zoetigheid leefde.

Even verderop, op Aurora Boulevard, was het nog druk, maar deze straat met woningen was rustiger, en de meeste huizen waren al donker. Het was een oude katholieke arbeiderswijk, met rommelige gazonnetjes en afgereden auto's op de oprit. Darwin stapte in zijn donkerblauwe sedan. Zijn verhemelte was heerlijk gevoelloos van de kou.

Vanuit de schaduw onder een magnoliaboom had hij een uitstekend zicht op het parkeerterrein bij de kerk. Rakkims auto stond er tussen een stuk of tien andere; gewone en politiewagens. Een kroeg voor smerissen, maar dan wel met glas-in-loodramen. Je moest genoegen nemen met wat je kon krijgen. Darwin smakte met zijn lippen. Amen. Het terrein werd omgeven door een drie meter hoog hek van harmonicagaas met prikkeldraad erop. De boel werd in de gaten gehouden met behulp van een videocamera. Darwin maakte zich er geen zorgen over. Rakkim zou op een gegeven moment naar buiten moeten komen en Dick's was vierentwintig uur per dag geopend. De blonde knul achter de toonbank had geen flauw benul van records. Hij haalde met de nagel van zijn pink een aardbeizaadje tussen zijn tanden vandaan.

Het was simpel geweest om Rakkim en de dikke rechercheur te volgen vanaf de plaats delict. De rechercheur was vertrokken in zijn dienstwagen met Rakkim in zijn kielzog. Darwin had voldoende afstand gehouden en gebruikgemaakt van een truck met oplegger om zijn onopvallende sedan aan het zicht te onttrekken. Hoewel Rakkim voortdurend zijn achteruitkijkscherm in de gaten had gehouden, was hij ervan overtuigd dat niemand hem had gezien. Het vrolijke tafereeltje in het huis had Rakkim van zijn stuk gebracht, precies zoals hij tegen de Oude had gezegd. De oude man moest zich met zijn eigen zaken bemoeien. Darwin was bijna vijftien jaar geleden bij de Fedayeen weggegaan en had sindsdien onafgebroken voor hem gewerkt. Je zou denken dat hij Darwin inmiddels vertrouwde. Hij kon van geluk spreken dat Darwin zijn blijken van geringschatting niet persoonlijk opvatte. Hij nam nog een slok van zijn milkshake. Darwin had niet direct naast Rakkim gestaan toen die de badkamer binnen was gelopen, maar hij was wel vlakbij geweest. Hij had zijn gezicht gezien. Kerels als Rakkim vergaten vrij snel wat Darwin op de sofa had aangericht. Het ging om de details; zoals Marian die met uitpuilende ogen in de badkuip had gelegen... *daarmee* kreeg je de taaiste kerels klein.

En Rakkim was een taaie. Darwin had ongeveer een uur geleden een telefoontje gekregen van een van zijn contactpersonen; een specialist op het gebied van regeringsarchieven die in staat was allerlei beveiligingen te omzeilen. Rakkim Epps was een uitstekende Fedayeenrekruut geweest, de beste van zijn lichting. Hij had al snel de leiding gekregen over kleine operaties in de mormoonse gebieden. Gevaarlijk werk: korte speldenprikacties. De training was een vuurdoop voor de elitetroepen. Twee jaar later was hij in alle categorieën de beste geweest. Met zijn connecties had hij een hoge positie kunnen bereiken, maar in plaats daarvan had hij zich vrijwillig gemeld voor verkenningsmissies in vijandelijk gebied; hij was een schaduwstrijder. Darwin had dit opmerkelijk gevonden en zijn contactpersoon gevraagd of hij zeker van zijn zaak was.

Schaduwstrijders infiltreerden soms maanden achtereen in vijandelijk gebied. Ze vermengden zich met de bevolking, werkten alleen en doodden niet. Het was de meest riskante taak die een Fedayeen op zich kon nemen, gevaarlijker nog dan het werk van een sluipmoordenaar. Schaduwstrijders liepen niet alleen het risico ontmaskerd te worden in vijandelijk gebied; het gevaar was minstens zo groot dat ze zich verbonden gingen voelen met de plaatselijke bevolking en de gewoonten van de vijand overnamen. Dat was aan de ene kant ook noodzakelijk; zonder internalisatie van bepaalde eigenschappen was zo'n missie gedoemd te mislukken. Aan de andere kant kon zoiets ertoe leiden dat de betreffende agent na afloop niet langer binnen de Fedayeen kon functioneren. Te gevaarlijk om te laten gaan, maar ook te gevaarlijk om in dienst te houden. Ze werden over het algemeen steeds teruggestuurd – totdat ze sneuvelden. Schaduwstrijders hadden een levensverwachting van tweeënhalf jaar – vanaf het begin van hun eerste missie tot aan hun dood, maar Rakkim had het bijna zes jaar volgehouden en was vervolgens gewoon opgestapt. Verbazingwekkend. Darwin was blij dat hij de man niet hoefde te doden, nog niet tenminste. Gelukkig kreeg hij eerst de kans hem beter te leren kennen.

Darwin schudde zijn aardbeienmilkshake en nam met halfgesloten ogen een grote slok. Verrukkelijk. Schaduwstrijder en moordenaar waren de twee meest extreme Fedayeenspecialisaties; eenzame wolven die op pad gestuurd werden om een geheime missie te volbrengen. Schaduwstrijders werden naar de Bijbelgordel of de mormoonse gebieden gezonden om de slagkracht van de vijand in kaart te brengen en toekomstige aanvallen te helpen plannen. Moordenaars werden uitsluitend ingezet voor buitenlandse missies – om zakenlieden en politiek leiders uit te schakelen en verwarring te zaaien terwijl het in eigen land rustig bleef. Darwin glimlachte. Dat was tenminste de bedoeling.

Hij reikte in zijn jaszak en pakte zijn Cyclops. Het was een ontvanger met afspeelmogelijkheid in de vorm van een sigarettenkoker. De buitenkant was van puur zilver. Gemaakt in Rusland, uiteraard. Het scherm had de dikte van een menselijke haar en de camera's die bij het apparaat hoorden waren niet groter dan een speldenknop. Hij klapte de Cyclops open en spoelde op hoge snelheid naar zijn favoriete opnamen. Daar liep Rakkim de woonkamer van Warriq binnen. Hij draaide zich om, liep weg en kwam vervolgens weer terug. Hij vertraagde de playback en zoomde in op Rakkims gezicht. Hij was onder de indruk van de snelheid waarmee de man erin slaagde zijn walging opzij te zetten en zich voorover boog naar het vlees. Meteen ter zake. Eens een Fedayeen, altijd een Fedayeen.

Darwin had vier camera's in het huis geplaatst: aan de binnenzijde van de voordeur, bij de achterdeur, in de woonkamer en in de grote badkamer. De camera's verzamelden onafgebroken informatie, sloegen die op en verzonden het materiaal op commando in één korte burst. Vrijwel onmogelijk te traceren. Het was een goed systeem, maar het had zijn beperkingen. Hij keek naar Rakkim en de dikke smeris, die elk een kartonnen doos uit het huis droegen. Ze waren gefilmd door de voordeurcamera, maar hij had er geen idee van wat er *in* de dozen zat. Andere systemen konden door kleding of karton scannen – bijvoorbeeld om te zien of een vrouw zwanger was – maar die waren een stuk groter, en de elektronische signatuur was bovendien gemakkelijker op te sporen. Darwin prefereerde een onopvallende werkwijze. Hij spoelde terug en bekeek de beelden opnieuw. Te oordelen naar de manier waarop de dikke rechercheur zwoegde, was de inhoud van de dozen zwaar. Het moest iets zijn waarvan Marian had geweten; iets wat ze voor hem verborgen had gehouden. Groot gelijk. En dat meende hij.

De oude man had niet ontspannen geklonken. Na al het werk dat Darwin voor hem had gedaan, had hij voor het eerst het gevoel dat hij zich zorgen maakte. Vier jaar geleden had Darwin voor hem een inlichtingenofficier geëlimineerd; een driesterrengeneraal die na wat wijzigingen in de staatsarchieven plotseling carrière had gemaakt. Een lastige klus. De generaal was een drilsergeant geweest die nooit het terrein had verlaten en zich had omringd met een privédetachement. De oude man had zich zorgen gemaakt om de generaal, maar niet zoals nu. Darwin had nooit te horen gekregen waarom de generaal dood had gemoeten of waarom hij Sarah in leven wilde laten. Hij moest haar zoeken en in de gaten houden. De oude man ging er blijkbaar van uit dat ze iets op het spoor was; een of andere schat, misschien. Maar de oude man was al rijker dan een mens ooit zou hoeven zijn, dus het ging niet om iets waardevols in de gebruikelijke zin van het woord. Misschien was het niet iets, maar iemand? Darwin kon het weinig schelen; het ging hem alleen om de klus, de uitdaging. Maar de oude man was in herhaling gevallen – *ik wil niet dat haar iets overkomt, Darwin. En Rakkim ook niet. Nog niet, in elk geval.* Tja, je kon moeilijk verwachten dat hij niet nieuwsgierig zou worden.

Darwin had zich al in zijn stoel laten wegzakken voordat hij zich bewust was van naderende voetstappen. In de zijspiegel zag hij een jong stel hand in hand over het voetpad wandelen. Ze stapten in een zee van licht die uit een garage stroomde en hij ving een glimp van de vrouw op: een dik, bleek type met rood haar. Darwin zag ook een veeg lipstick. Ze bleven staan, kusten elkaar innig en lieten elkaar weer los. Het meisje sjokte de trap op naar haar huis terwijl de jongen wegliep in de richting waaruit hij was gekomen. Ze zwaaide naar hem vanaf de veranda, maar hij zag het niet en haastte zich weg met zijn erectie. Darwin zoog aan zijn rietje. Hij was bijna op de bodem en kreeg inmiddels evenveel lucht als zoetigheid binnen. Hij dacht aan Marian in haar laatste momenten, happend naar lucht terwijl de belletjes uit haar neusgaten borrelden.

In een fundamentalistische buurt zou het jonge stel door de vaders en ooms gestenigd zijn wegens losbandig gedrag en het te schande zetten van de families. Zelfs modernisten vermeden innig fysiek contact in het openbaar. Maar katholieken leken genoegen te scheppen in dit soort provocaties. Elkaars hand vasthouden, kussen, de huid laten zien. Zulk schandelijk gedrag zette aan tot opstandig vlees, zoals een van de ayatollahs in een beroemde preek had gesteld. Darwin dronk zijn milkshake leeg en gooide de beker in de vuilniszak die hij in de auto had. Wat hem betrof neukten er katholieken midden in de Grote Moskee tijdens het hoogtepunt van de ramadan. En als fundamentalisten homo's levend verbrandden en marshmallows roosterden in hun as, dan was dat hem ook worst. Het interesseerde hem allemaal niks, en hij was ervan overtuigd dat het God – als die al bestond – ook absoluut geen zak kon schelen.

Fundamentalisten wekten altijd de indruk dat God heel snel op Zijn teentjes getrapt was, maar Darwin zag dat anders. Een god die deze krankzinnige beerput van een wereld kon maken, was allesbehalve fijngevoelig. *Niets* verontwaardigde God. Iedereen die zijn ogen open hield, zou moeten concluderen dat we van God maar één ding zeker wisten, namelijk dat voor Hem het gillen van een mens mooier klonk dan het fluiten van een nachtegaal. Darwin glimlachte. En waarschijnlijk zou Hij ook gek zijn op aardbeienmilkshakes.

Fedayeenrekruten waren ogenschijnlijk moslims; ofwel bekeerd, of geboren. Dat was voor Darwin niet anders geweest. Religieus onderricht maakte deel uit van de training. Er werd vijf keer per dag gebeden en je moest je streng aan de voedselvoorschriften houden. Niet dat het had geholpen. Devotie hielp mogelijk diegenen die zelf de moed ontbrak, maar voor een man als Darwin was het geloof alleen maar een obstakel. Toen hij voor de moordenaars was geselecteerd, hoefde hij niet langer te doen alsof. Voor moordenaars bestonden geen wetten, geen beperkingen en geen gebeden. Moordenaars waren vrij.

Darwin frutselde met zijn Cyclops en zag opnieuw hoe Rakkim de badkamer binnen kwam. Hij genoot vooral van het gedeelte waar Marian uit de badkuip werd getild en haar naakte vlees en druipende haar zijn kleren doorweekte. Rakkim droeg haar met een vreemd, teder soort respect naar haar slaapkamer en je kon zien dat hij probeerde niet naar haar te kijken. Darwin zou die tederheid tegen hem gebruiken. Rakkims tederheid zou zijn dood worden.

Een druk op de knop downloadde het afgelopen uur van de bewakingscamera's. Darwin liep snel door de beelden heen. Het scherm was in vieren verdeeld, één voor elke camera. Er werd nu met behulp van infrarood gefilmd. Het was stil en donker in de woning van Warriq nu de lichamen weg waren. Jammer. Hij had gehoopt dat de persoon in de taxi misschien zou terugkomen als de politie weg was. Of het nu Sarah was of niet; er was een connectie. Darwin had een instinct voor dat soort dingen. Hij liet de Cyclops in zijn jaszak glijden en glimlachte. Misschien nam Sarah een gepaste tijd voor de rouw in acht alvorens ze terugkwam naar het huis.

De deur van het kerksouterrain zwaaide open en Rakkim en de dikke rechercheur kwamen naar buiten. Ze liepen enigszins onvast.

Darwin was klaar. Hij zou Rakkim volgen om uit te zoeken waar hij tegenwoordig woonde. De mensen van de oude man hadden de Blue Moon in de gaten gehouden, maar Rakkim had zich niet laten zien. Idioten. Darwin had Rakkims appartement gevonden, maar er was al dagenlang niemand geweest. Rakkim had alles weggehaald dat anderen eventueel konden gebruiken, maar Darwin had van zijn bezoekje genoten. Hij had de kleren in de kast gepast en was even op het bed gaan zitten om de vering te testen. Rakkim had waarschijnlijk overal in de stad zijn plekjes; kamers, studio's en garageappartementen die hij onder valse namen huurde. Rakkim zat vol met trucjes, maar geen ervan zou hem vannacht helpen. Darwin hoefde alleen maar te weten waar zijn basis was; de plek waar Rakkim zich veilig voelde en waar hij sliep en droomde. Als Darwin dat wist, zou de rest vanzelf gaan.

Darwin zag hoe Rakkim de deur van zijn auto opende, er een van de kartonnen dozen uithaalde en die in de wagen van de dikke rechercheur zette. Even later volgde de tweede doos. De dikke rechercheur hielp hem niet. Zat er soms bewijsmateriaal in de dozen? Onwaarschijnlijk. Als er al bewijsmateriaal was, zou dat zich vanaf het begin in de auto van de dikzak hebben bevonden. Interessant. Rakkims wagen was natuurlijk gestolen; Darwin had het kenteken gecheckt. Waarom stonden Rakkim en de rechercheur er eigenlijk nog? Waar wachtten ze op?

De deur van de kerk ging opnieuw open en er wankelden drie agenten naar buiten die deden alsof ze elkaar een mep wilden verkopen. Rakkim riep ze. De dikzak volgde zijn voorbeeld. Zijn stem was zo hard dat Darwin de woorden bijna kon verstaan. De drie agenten zochten hun wagens op en stapten in terwijl de dikke rechercheur naar het hek liep om het te openen. De drie auto's reden langzaam het parkeerterrein af en bleven vervolgens met lopende motor staan terwijl ze met hun schijnwerpers de straat verlichten.

Slimme jongen. Darwin liet zich onder het dashboard zakken en de schijnwerper gleed over de voorruit. Hij hoorde een auto langzaam voorbijrollen, en nog een, maar hij bleef zitten waar hij zat. De schijnwerper kwam terug in een regelmatig patroon. Toen hij de auto's hoorde versnellen, gluurde hij over het randje. In de verte zag hij rode achterlichten. De politiewagens reden in een rij achter de auto van de dikke rechercheur aan. Bij elke straat verliet een van de wagens het escorte om te controleren of ze eventueel gevolgd werden. Zo verzekerden ze zich ervan dat hij zonder aanhang de snelweg kon bereiken.

Darwin startte zijn auto, maar nam niet de moeite achter zijn prooi aan te gaan. Hij moest het hem nageven; de man gedroeg zich permanent alsof hij gevolgd werd. Rakkim besefte goed hoe gemakkelijk zelfs de allersterksten de controle konden verliezen. Kracht door bescheidenheid; zo ging een echte schaduwstrijder te werk. Darwin had er maar twee of drie gekend. Ze waren stuk voor stuk heel prettig in de omgang – totdat de situatie omsloeg. Dan kon je maar beter oppassen. Je kon ze overal op aarde neerzetten. Binnen tien minuten waren ze versmolten met hun omgeving en maakten ze deel uit van het menselijk landschap. Maar onzichtbaar zijn kostte energie en de kleinste misrekening kon fataal zijn. Uiteindelijk vielen zelfs de beste schaduwstrijders door de mand, waarna ze hun vergissing met de dood moesten bekopen. Behalve Rakkim. De doorzetter.

Om een of andere reden moest hij aan de jonge politieman denken die hij vanmiddag bij het huis had gezien; echt een groentje, op zoek naar een appartement om op zichzelf te gaan wonen. Tja, de jeugd heeft de toekomst. Darwin reed weg. Hij had zin in nog een aardbeienmilkshake.

23

Voor het ochtendgebed

Rakkim glipte via de zijdeur van het halflege kantoorgebouw de koele avondlucht in. Hij droeg een spijkerbroek en een donkerblauw sweatshirt waarvan hij de kap ver over zijn voorhoofd had getrokken. *Geniet u al?* Dat had de moordenaar hem gevraagd. Een boodschap in bloed op de muur van Marians woonkamer. Als ik je te pakken krijg, zullen we eens zien wie er geniet. Rakkim had Colarusso verteld dat hij geen kans maakte tegen de moordenaar, maar niets was zeker. Hij had alleen wat geluk nodig. Meer geluk dan waarop je normaal gesproken kon hopen.

Onder zijn schoenen knapte gebroken glas en in het trottoir zaten scheuren. Het was vier uur 's nachts, en hij was de enige op straat in Bellytown – zoals de bewoners hun vervallen buurt rond de enorme openluchtmarkt noemden die de stad van voedsel voorzag. Vier uur 's nachts, en hij had een kater van de kerkwijn. Zijn maag speelde op van woede en vermoeidheid, maar hij wilde niet slapen. Steeds als hij zijn ogen sloot, zag hij Marians gezicht in een aureool van haar en water. Een dode meermin, ver weg van de zee. Hij vroeg zich af waar Sarah was en of ze veilig was. Maar hij vroeg zich vooral af of ze besefte waar ze mee bezig was.

Er danste een vergeelde krant over straat, voortgeblazen door de wind. Bellytown was schaars verlicht. De portieken van de gebouwen waren dichtgespijkerd. Er woonden krakers, aan lagerwal geraakte gepensioneerden en immigranten van het platteland die in de hoofdstad hun geluk hoopten te vinden. De regering sprak al jaren over sloop en nieuwbouw, maar tot op heden was er niets gebeurd.

Colarusso had Rakkim een uur eerder afgezet in het steegje achter het kantoorgebouw. Hij had geholpen de dozen in een dienstlift te laden en was vervolgens weggereden. Rakkim had in een verlaten kantoor geslapen sinds Roodbaard hem bij zich had geroepen. Hij zou er hooguit nog een dag of twee blijven om de dagboeken door te nemen, die hij mee zou nemen naar zijn volgende schuilplaats. Maar eerst moest hij met Harriet praten.

De moordenaar liep vrij rond en wilde dat Rakkim dat wist. Ofwel hij hoopte dat Rakkim in paniek zou raken, of hij was gewoon zo arrogant dat hij zich niet kon inhouden. Arrogantie en genotzucht: beroepsrisico's van moordenaars. Dat deed het doden van mensen met je. De macht om over leven en dood te beschikken, kon zelfs een krachtig mens uithollen, en moordenaars waren van nature zwak. Ze hadden alleen een bijzondere gave. Het feit dat de moordenaar zijn aanwezigheid kenbaar had gemaakt, betekende dat hij erop rekende dat Rakkim zijn scherpte zou verliezen en een fout zou maken. Maar het was de moordenaar die een fout had gemaakt, en als hij dat niet besefte, was ook dat een fout.

Er klonk muziek uit het flatgebouw aan de overkant van de straat... oude muziek uit de voorlaatste oorlog; muziek uit de tijd waarin mensen elkaar in het openbaar hadden aangeraakt en vastgehouden. Waarschijnlijk een bejaarde die niet kon slapen of naar de wc moest en de goede oude tijd miste. De muziek stopte, en het volgende moment startte hetzelfde nummer opnieuw. Rakkim stelde zich voor hoe de man of vrouw herinneringen aan vroeger ophaalde door steeds weer dezelfde muziek te draaien. Hij liep verder.

De trottoirs vulden zich met arbeiders die op weg waren naar de markt; mannen die gekleed waren als hij, met de handen in hun zakken en een sigaret in hun mond. Er denderden vrachtwagens met landbouwproducten door de straten, het geluid van claxons verscheurde de nacht en de lucht vulde zich met de geur van rijpe vruchten en groenten. Hij liep een Starbucks binnen. De vensters waren groezelig en het was er druk en lawaaierig. Hij bestelde een dubbele espresso en een kaneelbroodje. De barista zette zijn bestelling op de toonbank en hij gaf haar zes dollar. Hij liet haar het wisselgeld houden.

Het geld zag er goed uit, dat moest je het nieuwe regime nageven. Hij kon zich het oude nauwelijks herinneren, maar hij wist nog wel dat het groen was geweest en dat er hoofden van dode mannen op hadden gestaan. De nieuwe biljetten hadden felle kleuren; een combinatie van blauw, roze en geel. Ze waren ook groter dan het oude geld. En geen dode presidenten. Op het biljet van vijf dollar was de wapenfabriek van Detroit afgebeeld. Het tientje toonde de gevallen Space Needle en op het briefje van twintig was de halvemaan te zien boven de ruïnes van New York City. Op het biljet van vijftig dollar stond de Grote Moskee van de hoofdstad en op het honderdje de heilige Kaäba, de grote zwarte kubus in Mekka die de komende tienduizend jaar radioactief zou blijven.

Hij sloeg zijn espresso in één keer achterover en nam een hap van zijn kaneelbroodje terwijl hij de deur uitliep. Hij besefte nu pas dat hij een vreselijke honger had. Nadat hij het broodje had verorberd, likte hij netjes zijn vingers schoon. Ondanks alles wat er gebeurd was, gedroeg hij zich nog steeds als een goede moslim. Christenen vonden het maar vreemd dat moslims na het eten hun vingers aflikten. Ze vonden het onhygiënisch en een blijk van slechte manieren, maar moslims wisten wel beter. Voedsel was een geschenk van Allah, en je wist nooit welk stukje zijn zegen bevatte.

Even verderop zag hij Harriet. Ze baande zich een weg door de menigte en dwong de mensen door haar enorme omvang opzij te gaan. Harriet was een wanstaltig dikke matrone van in de zestig met feloranje haar en een verzameling onderkinnen die bij elke stap op en neer deinde. Ze boog zich over een van de fruitstalletjes, pakte een perzik en rook eraan. Ze gooide hem meteen weer terug en liep verder. De marktkoopman keek haar dreigend na, maar zei niets.

Rakkim volgde haar. Harriet was een gewoontemens die haar gebruikelijke rondje over de markt maakte. Ze was altijd een van de eerste klanten zodat ze het allerbeste kon uitzoeken voor haar kieskeurige smaak. Haar voorspelbaarheid bracht haar nooit in de problemen. Ze moest beschikbaar zijn voor potentiële klanten en ze werd bovendien beschermd. Aan de overkant van de straat zag Rakkim een man die gepofte kastanjes uit een papieren zak at en ondertussen min of meer gelijk met haar opliep. Het was een grof, gedrongen type in een blauwe jopper met opstaande kraag en een dikke gebreide muts. Standaard zeemansplunje. Maar het was geen zeeman. Hij had niet die turende zoutwaterblik. Vlak achter Harriet bevond zich nog een lijfwacht; een lange man met een stok. Er was alleen niets mis met zijn benen; de zool van zijn rechterschoen miste het slijtagepatroon dat bij het door hem geveinsde slepen hoorde. Daarbij draaide hij niet genoeg met zijn heupen. De meeste mensen dachten dat je zo'n rol prima kon vertolken door gewoon met een wandelstok te gaan lopen, maar je moest ook allerlei subtiele eigenschappen leren. Het was duidelijk dat deze man dat onvoldoende had gedaan.

Harriet keurde de perziken van een andere koopman. Ze pakte er een, streek met haar duim over de schil en snoof de geur op. Ze knikte en overhandigde de eigenaar vervolgens een voor een een aantal perziken. Na betaald te hebben, borg ze de papieren zak met vruchten in een boodschappentas op, om vervolgens de straat over te steken naar de kraampjes van de moslimslagers. Rakkim wandelde achter haar aan. Hij zag een van haar lijfwachten een andere positie innemen; de man in de jopper bespeurde zijn interesse. Niet slecht.

De slagers stonden over snijtafels gebogen hun messen te slijpen. Het geluid was als dat van reusachtige krekels. Hun witte schorten zaten onder het bloed en onder het slijpen prevelden ze onafgebroken de naam van God. Dat was niet echt nodig: volgens de islamitische wetgeving moest het alleen op het moment van slachten gebeuren. De Zwartjassen waren echter van mening dat de naam van God niet vaak genoeg kon worden aangeroepen en de slagers hadden daar absoluut geen bezwaar tegen. De christelijke slagers bevonden zich aan de andere kant van de markt, nabij de grote vuilnisbelt. Ze verkochten vlees dat verkeerd was geslacht – met behulp van elektriciteit. Hun kraampjes bevonden zich naast de vishandelaars, die producten verkochten waar devote moslims verre van bleven, zoals krab, kreeft, oesters, mosselen en octopus.

'Hallo, Rakkim.' Harriet inspecteerde de perfecte T-bones terwijl de slager achter de toonbank geduldig op haar beslissing wachtte. Als toegewijd atheïste minachtte ze alles wat ook maar iets met religie te maken had. Ze wist echter ook dat het beste van alles voor de gelovigen gereserveerd was. Ze wees op een grote, mooie lap vlees, draaide zich vervolgens om en sloot Rakkim – voor zover haar omvang dat mogelijk maakte – in de armen. Haar warme bontjas dampte in de klamme ochtendlucht en ze rook naar dure Franse parfum. 'Wat zie jij er verrot uit.'

Rakkim voelde aan het dikke bruine bont. 'Muskusrat?'

'Russische sabel.' Harriet duwde zijn hand weg en controleerde vervolgens of haar zwarte parelketting nog om haar hals hing. Ze betaalde de slager voor de steak. Even later liepen ze samen over het trottoir. De twee lijfwachten volgden op een afstand. 'Ga je eindelijk op mijn aanbod in?'

'Dat is niet waarom ik hier ben.'

'Je wilt blijkbaar het onderste uit de kan hebben.' Harriets oranje krullen waren grijs aan de wortels. De rouge op haar wangen vormde korstjes, maar haar grijze ogen keken hem indringend aan. 'Ik heb een algemeen directeur van een boormaatschappij die in een patentstrijd verwikkeld is met een van zijn concurrenten. Een *heel* smerig zaakje. Hij rijdt in een gepantserde limo en wordt vierentwintig uur per dag bewaakt, maar hij schijt nog steeds blubber als hij naar de moskee gaat. Als je voor twee jaar als privélijfwacht tekent, kun je daarna een villa in Hawaï kopen en elke dag strippers laten komen. Aangenomen dat hij het overleeft, natuurlijk. Je hoeft alleen je prijs maar te noemen.'

'Ik heb geen prijs.' Rakkim stak een hand in haar boodschappentas, liet de perziken voor wat ze waren en pakte een abrikoos. De vrucht was precies rijp en onvoorstelbaar zoet. Harriets lijfwachten waren dichterbij gekomen. De man in de jopper deed alsof hij een lamsribstuk inspecteerde.

Harriet maakte een handgebaar en de lijfwachten namen wat meer afstand. 'Oké, waarom ben je dan *wel* hier?'

Rakkim nam nog een hap. 'Ik heb een probleempje.'

'Heb je soms een wapen nodig?' vroeg Harriet. Haar onderkinnen dansten. 'Zelf doe ik natuurlijk niet in dat soort dingen, maar ik heb zo mijn bronnen.'

'Het nut van wapens wordt zwaar overschat.' Rakkim nam de laatste hap van zijn abrikoos en smeet de pit in de goot. De zeemeeuwen die in het afval zochten, vlogen op. 'Ik heb je hulp nodig bij het vinden van een moordenaar.'

'Geen punt. Je weet dat ik van alle markten thuis bent.'

Rakkim boog zich naar haar toe. 'Een Fedayeenmoordenaar.'

Harriet produceerde een kakelend lachje dat klonk alsof er een kraai aan stukken werd gescheurd. Een vroege bezoeker keek om en wendde haastig de blik weer af. Harriet liep gewoon door. Haar bontjas fladderde rond haar knieën.

'Ik begrijp dat er niet veel op de markt zijn,' zei Rakkim.

'Er is er niet één op de markt. Ik zit al twintig jaar in het vak en ik heb nog nooit een echte ontmoet. O, er zijn er zat die zich zo voordoen, maar die blijken later altijd nep.' Ze pakte zijn arm vast en kneep er plotseling in met haar dikke vingers. 'De echten passen er wel voor op om de aandacht op zich te vestigen, nietwaar?'

Rakkim gaf geen antwoord.

'Er staan genoeg ex-militairen in mijn zwarte boekje, en ook een hoop oud-politieagenten. Zelfs een stel voormalige presidentiële lijfwachten, maar Fedayeen... Die kom je zelden tegen. Je voldoet trouwens zelf aan die beschrijving.' Harriets ogen versmalden zich. 'Je bent niet zomaar een Fedayeen, dat weet ik in elk geval wel.'

'Ik was geen moordenaar.'

'Daar gaat het niet om. Je staat eenzaam aan de top, dat zag ik meteen toen ik je ontmoette. Je bent slim en beheerst en je hebt een blikveld van driehonderdzestig graden zonder dat het iemand opvalt. Op een gegeven moment vallen de stukjes van de puzzel op hun plaats, toch?' Harriet likte haar gebarsten, oranje geverfde lippen. 'Toen ik je voor het eerst zag, zei ik tegen mezelf: die man is in staat om door een regenbui te rennen, alle druppels te ontwijken en niet nat te worden.'

'De moordenaar naar wie ik op zoek ben, heeft nadat hij bij de Fedayeen weg is gegaan mogelijk nooit meer ergens zijn diensten aangeboden. Misschien heb je hem niet persoonlijk ontmoet, maar er bestaat een kans dat je zijn werk hebt gezien. Heb je wel eens meegemaakt dat een prominente cliënt op een dag plotseling dood was terwijl je mensen dat niet hadden zien aankomen?'

Harriet bleef staan bij het kraampje van een visverkoper en inspecteerde de zilverkleurige rijen met verse zalm en roodgespikkelde forel.

'Harriet? Heb je dat scenario met die prominente cliënt wel eens meegemaakt?'

'In de beveiligingsbranche worden nu eenmaal fouten gemaakt. Als zoiets gebeurt, betaal ik de familie in kwestie de boete en daarna gaat het leven weer gewoon verder.'

'Dit heeft niks met fouten in de beveiliging te maken. De man naar wie ik op zoek ben is uiterst bedreven. Het ene moment is alles nog in orde... Je mensen hebben misschien een minuut tevoren nog stemcontact gehad met de beveiliging van de cliënt en vervolgens wordt alles stil. Als de versterkingen arriveren is iedereen al dood. De beveiliging, je klant, iedereen. Misschien zijn ze wel op een *interessante* manier aan hun einde gekomen. Het is ook heel goed mogelijk dat je nooit ontdekt hebt hoe ze zich zo hebben kunnen laten verrassen. Kun je je zo'n geval herinneren? Of iets vergelijkbaars bij een concurrent?'

Harriet keek hem aan. 'Als je geen moordenaar was, wat was dan de specialiteit? Ik weet dat je geen standaardwerk deed.'

'Ik was baliebediende in de wasserij. Ik heb nooit een vlek gezien die ik er niet uit kon krijgen.'

Harriet glimlachte. Ze liep verder naar een volgend kraampje, waar glanzende lappen rund-, schapen- en geitenvlees waren uitgestald. Ze inspecteerde een stapel geitenkoppen terwijl ze met een wijsvinger tegen haar onderkinnen tikte. 'Prachtig, hè?'

Rakkim keek naar de koppen; een en al ogen en snuiten. Door het ijsbed waarop ze lagen, liepen roze stroompjes. 'Ik hou niet van eten dat me aankijkt.'

'Och, wat ben jij fijngevoelig.'

In de roestvrijstalen bak op de weegschaal van de slager zag Rakkim een weerspiegeling van de gedrongen man in de jopper. Het beeld vervormde toen de man zijn gewicht naar het andere been verplaatste. De man met de stok kwam trekkebenend hun kant op vanaf de overkant van de straat. 'Volgens mij beginnen je mannetjes het op hun heupen te krijgen.'

'Je hebt ze ontdekt.' Harriet schudde haar hoofd. 'Ik heb dat stel nog op proef. Ze zijn misschien niet ideaal voor bewakingstaken, maar knokken kunnen ze als de besten. Tipps, die lange met die stok, gaf les in straatvechten bij de veiligheidsdienst van hct Congres. Grozzet, in de jopper, heeft bij de commando's gezeten. Heeft vijf of zes jaar een executieteam van de Zwartjassen aangevoerd. Een echte jodenjager, van wat ik gehoord heb; zo fanatiek als een varken dat truffels ruikt. Ik denk dat ik beter betaal, of misschien had hij geen zin om voor de nieuwe mollah te werken, Ibn Azziz.'

'Misschien zijn de joden op.'

'Ze zeggen dat Oxley een hartaanval heeft gehad. Dat is tenminste de officiële versie.' Harriet gebaarde opnieuw met een hand. 'En wat zeggen jouw bronnen? Had Roodbaard er iets mee te maken?'

Rakkim hield zijn blik op de weegschaal gericht. 'Laat eerst dat mannetje maar eens vertrekken.'

Ze draaide zich om en zag Grozzet naderen. 'Ik denk niet dat dat gaat lukken. Hij is een beetje nerveus.'

'Ik heb een slecht humeur, Harriet.'

Harriet deed een stap opzij en dook weg in het zachte genot van haar sabelbont. '*Let the games begin.*' Haar ogen stonden meisjesachtig.

De andere, Tipps, bevond zich aan de overkant van de straat. Hij trok een rapier uit zijn stok en begon ermee te zwaaien. Grozzet was dichterbij. In zijn vuist glom iets scherps. Hij deed geen poging zijn bedoelingen te verbergen. Inderdaad een nerveus mannetje. Waarschijnlijk zat hij onder een van de zware amfetaminevarianten. Executieteams functioneerden het beste op een flinke dosis laboratoriumlef – om jezelf op te peppen en eventueel opspelende morele bezwaren de kop in te drukken.

'Weet je zeker dat je dit wilt, Harriet? Als ze dood zijn, heb je niks aan ze.'

'Ik heb nu ook niks aan ze. Nog niet.'

De vroege marktbezoekers verspreidden zich, maar niet al te ver, en zochten bescherming achter nabijgelegen toonbanken. Ze wilden kijken, evenals de bewakers en de slagers en de visverkopers. Iedereen keek gespannen toe en fluisterde tegen zijn buurman of buurvrouw. Twee Zwartjassen op een straathoek speelden met hun gebedskettingen, in stilte de negenennegentig namen van God tellend.

Rakkim begroette Grozzet. 'Goeiemorgen.'

Grozzet hield in. Hij was een grote man met een stierennek en een onverzorgde zwarte baard. Zijn ogen schoten vuur. 'Valt deze smous je soms lastig?' zei hij tegen Harriet.

'Heb jij soms een mondelinge bevestiging nodig van mijn noodsignaal?' beet Harriet. 'Dat zal ik potentiële klanten moeten doorgeven.'

'Ik was net van plan om te vertrekken,' zei Rakkim.

'Niks vertrekken, je was van plan om dood te gaan.' Grozzet liet zich door zijn knieën zakken en omklemde zijn commandodolk.

'Ik heb die positie nooit wat gevonden,' zei Rakkim. 'Heel aardig voor Zwartjassen die er maar wat op los hakken, maar je wordt een stuk minder mobiel.' Hij gaapte en zag aan de rand van zijn gezichtsveld Tipps naderen. 'Je houdt je mes veel te krampachtig vast, maar misschien maakt dat jou niet uit.'

Grozzet glimlachte. Hij had een prachtig gebit; heel gelijkmatig en wit. Al het andere aan hem was oud en versleten, maar zijn tanden zagen eruit alsof ze regelrecht uit de fabriek kwamen. De man hield zijn ogen op Rakkim gevestigd en verplaatste de dolk in zijn hand. 'Let maar eens op, Harriet. Als je ziet wat ik met dit mannetje doe, verdubbel je mijn minimumtarief.'

'Waarom zo kwetsend?' Rakkim keek naar Grozzet. Niet naar zijn ogen, maar naar zijn oog*hoeken*. Daar zou de aanval vandaan komen. 'Ik geloof dat ik moet huilen...'

Grozzet nam een klein stapje. Eigenlijk best een goede zet – zoiets bracht veel mensen uit hun evenwicht. Maar Rakkim was snel genoeg om niet naar Grozzets hand te hoeven kijken... Hij keek alleen naar de ogen.

Toen het stapje niet tot gevolg had dat Rakkim uit balans raakte, sloeg Grozzet hard toe. Rakkim timede het perfect. Hij greep een geitenkop en zwaaide hem in de richting van Grozzets gezicht. De kop, die voornamelijk uit been en hoorn bestond, brak Grozzets neus en versplinterde zijn voortanden. Grozzet wankelde, liet de dolk vallen en zakte op straat in elkaar.

Rakkim, die Tipps nu langzaam dichterbij zag komen, zwaaide met de geitenkop, die hij vasthield aan een hoorn. Tipps gebaarde dreigend met de rapier, maar Rakkim bleef met de geitenkop zwaaien. Er droop bloed van zijn vingers.

Grozzet lag opgerold in de goot. Het bloed gutste over de stompjes van zijn tanden en sijpelde door zijn baard.

'Het is lastig om te bepalen wat je moet doen, nietwaar?' zei Rakkim tegen Tipps. 'Misschien had ik geluk... of misschien was Grozzet niet zo goed als iedereen dacht. Ik durf te wedden dat jij het een *stuk* beter doet.'

Tipps aarzelde, bracht vervolgens in een saluut de rapier naar zijn voorhoofd en liep achteruit weg. Toen hij de overkant van de straat bereikte, begon hij te rennen.

Rakkim legde de geitenkop terug op het ijs.

Harriet keek Tipps na, die verdween tussen de stalletjes en in zijn haast een aantal marktgangers opzij duwde. 'Je pikt de mensen die gestudeerd hebben er meteen uit – als ze geen kans maken, zijn ze slim genoeg om dat op tijd te beseffen.' Ze voelde aan haar kapsel. 'Kijk eens aan, Rakkim. Er staan hier een stuk of dertig, veertig mensen die de voorstelling gezien hebben. Tegen de lunch hebben tien keer zoveel mensen erover gehoord. Hoeveel zouden er vandaag besluiten dat ze koste wat het kost een lijfwacht moeten hebben? We leven in een gevaarlijke wereld, dat heb je duidelijk laten zien.' Ze keek naar Grozzet, die langzaam wegkroop, en ze raakte haar parels aan. 'Ik had gedacht dat hij je meer problemen zou geven. Hij is me van alle kanten aanbevolen.'

De mensen begonnen zich te verspreiden en gingen over tot de orde van de dag. Ze zouden het hun vrienden vertellen, precies zoals Harriet had gezegd. Een slager begon om te roepen wat hij die dag in de aanbieding had: kippenborst, $ 3,99 per pond. Een stoere arbeider sjokte voorbij met een halve koe op een schouder. Verderop in de straat klonk een vrachtwagenclaxon en mensen gingen uit de weg. De twee Zwartjassen bleven waar ze waren.

Rakkim waste zijn handen met de brandslang waar de visverkopers gebruik van maakten. Het water was zo koud dat zijn handen als verdoofd aanvoelden. 'Die man naar wie ik op zoek ben, die moordenaar... De mensen zullen hem vast niet kennen, maar zijn werk vergeten ze niet snel. Ik wil dat je her en der eens wat rondvraagt.'

'Dat klinkt als een bevel.'

'Zie het maar als zakelijke onkosten.' Rakkim veegde zijn handen aan zijn jeans af.

Harriet streek over haar hals. 'Je weet dat ik je altijd graag help.' Grozzet had het trottoir bereikt en zakte daar in elkaar. Ze keek naar het bloed dat over de keien sijpelde en zich een weg zocht langs een slablad. 'Ik weet niet of je dit een *interessante* dood moet noemen, maar afgelopen donderdag is er in een flatgebouw in Ballard een premiejager gevonden met een chopstick in zijn oog. Is dat de stijl die je bedoelt?'

'Nee...' Rakkim hield zijn hoofd schuin. 'Werkten ze voor jou?'

'Natuurlijk niet. Ik hou me niet met dat soort lui bezig.'

'Naar wie zochten ze?'

'Een of ander weggelopen bruidje.' Harriet haalde een rijpe perzik uit haar tas. 'Heel geheimzinnig allemaal, zoals gewoonlijk, maar ik hoorde dat er heel goed voor werd betaald, en het deed er niet toe als de goederen tijdens het transport een beetje beschadigd zouden raken.'

'En was er een transport?'

'Nee.' Harriet nam een grote hap van de perzik. Er droop sap uit een mondhoek, en ze ving het op met een kromme vinger. 'Maar je weet wat ze zeggen: morgen is er weer een nieuwe dag.'

Er zat bloed op Rakkims laarzen, maar dat zou er vanzelf wel weer afgaan. Hij keek Harriet aan. 'Waar in Ballard hebben ze die kerel gevonden?'

24

Na het middaggebed

Rakkim reed om het gebouw heen waar volgens Harriet de premiejager was gevonden. Ondertussen zocht hij naar voertuigen die eruitzagen alsof ze niet in de buurt thuishoorden. Informatie van Harriet was normaal gesproken betrouwbaar, maar dat betekende niet dat ze *zelf* betrouwbaar was. Rakkim had er geen idee van of er een prijs op zijn hoofd stond, maar Harriet zou dat ongetwijfeld weten. Het was heel goed mogelijk dat ze bloemen voor zijn begrafenis zou kopen en echte tranen zou huilen – maar zaken waren zaken. Rakkim parkeerde achter het flatgebouw. De vuilnisbakken waren overvol en er zoemden vliegen rond rottend voedsel en doorweekte pizzadozen. Een koel briesje blies de vliegen uiteen, maar ze kwamen meteen terug. Er was regen op komst.

Ballard was een van de oudere, verwaarloosde stadswijken; een arbeidersbuurt waar katholieken en afvallige moslims woonden. De moskeeën zagen er triest en verwaarloosd uit met hun stoffige buitenmuren vol barsten. De oproep tot het gebed die hij net had gehoord, was een opname – en dan nog niet eens een fatsoenlijke; de stem van de muezzin had zacht en vervormd geklonken. De meeste mensen die hij op straat zag, waren opgebrande modernisten en nihilisten. Ze hadden hun kraag opgezet tegen het kille weer.

Boven zijn hoofd zoefden de glanzende rijtuigen van de monorail in de richting van het centrum. Het systeem was de trots van de hoofdstad en had miljarden dollars gekost. De aanzet was door president Kingsley gegeven in de eerste jaren van zijn ambtstermijn. Hij had de wereld willen tonen dat de moslimnatie in staat was om grootse technologische projecten uit te voeren. Twintig jaar later was de monorail, die meestal tot de nok toe gevuld was, nog steeds schoon, stil, veilig, goedkoop en betrouwbaar. En er was geen graffiti. Niet nadat in het eerste jaar een stel taggers was geëxecuteerd. De monorail leed kolossale verliezen, maar de exacte bedragen waren staatsgeheim. De bussen waren smerig en traag en de autowegen werden slecht onderhouden, maar de monorail was nog steeds in overeenstemming met de trotse visie van de president. Rakkim was niet onder de indruk. Hij was in Zuid-Amerikaanse dictaturen geweest waar het rioolwater door de straten stroomde, maar bioscopen digitale paleizen waren, voor iedereen gratis, met leren stoelen en een fantastisch geluid.

Het lichaam van de premiejager was gevonden in appartement 302. Rakkim rende de trap op, maar bleef dicht bij de muur om het geluid dat hij maakte te minimaliseren. Hij liep door tot de vierde verdieping, wandelde via een lange gang naar het trappenhuis aan de andere kant en bleef daar staan om te luisteren. Uit de woningen klonken televisiegeluiden; commercials, ingeblikt gelach en nieuwsbulletins. Er gebeurde altijd wel ergens iets belangrijks.

In de gang rook het naar eten; een bedwelmende combinatie van uien en muntthee. In 409 grilde iemand kip en zong een kind afgrijselijk vals.

Rakkim stelde zich een man voor die thuiskwam uit zijn werk. *Zijn kleren plakken aan zijn lichaam, en terwijl hij de trap op loopt, vraagt hij zich af of ze zich ooit een eigen huis zullen kunnen veroorloven.*

Rakkim verbeeldde zich hoe de man door de gang zou lopen. *De geur van eten wordt sterker. Hij blijft voor de deur staan om naar het zingende kind te luisteren. De man recht zijn rug, strijkt zijn kleren glad en stapt naar binnen. Het kind rent op hem af en springt in zijn armen. Zijn vrouw vraagt hem hoe zijn dag was en de man liegt, zegt dat het goed is gegaan. Hij kust haar, ruikt haar zweet, vermengd met een vleugje parfum achter haar oor; het flesje dat hij voor haar verjaardag had gekocht. De geur van de avond ervoor is blijven hangen.*

Rakkim stond voor de deur en luisterde naar het kind, dat nu een ander lied zong. Plotseling besefte hij verbijsterd dat hij er geen idee van had hoe lang hij daar had gestaan. Hij controleerde of er mensen in het trappenhuis waren en liep behoedzaam naar de derde verdieping.

Op de derde verdieping rook het anders. Er kookte iemand kool. De geur was zo overheersend dat alle andere luchtjes het onderspit moesten delven. Nummer 302 bevond zich bijna aan het einde van de gang, net voorbij een bezemkast. Toen hij langs nummer 300 liep, hoorde hij gekraak achter de deur. Rakkim bleef staan en tuurde naar het kijkgat. Door een kier zag hij een schaduw bewegen van iemand die naar de woonkamer verdween. Rakkim liep verder naar 302. Hier rook het opnieuw anders. Erger dan kool. De deur was op slot, maar een van de scharnieren zat gedraaid, en Rakkim deed wat de vorige bezoeker had gedaan: hij duwde. De bout, die nauwelijks nog in het lijstwerk stak, kwam helemaal los. Hij stapte het vertrek binnen. De vensters stonden wagenwijd open. Dat hielp, maar niet veel.

Sarah was hier *inderdaad* geweest. Haar kleren lagen verspreid over de vloer; daar was de zonnebloemgele jurk die ze tijdens een van hun afspraakjes had gedragen. Een lentejurk. Maar de lente zou nog zeker een maand op zich laten wachten. Ze vertrouwde dus op een goede afloop. Hij inspecteerde met genoegen de ravage in de woning. De meubels waren omgegooid, kastjes waren ingetrapt en zelfs de koelkast lag op zijn kant. Ze hadden het appartement compleet overhoop gehaald. Dat betekende dat ze haar niet hadden gevonden. Het had weinig zin om de boel te doorzoeken, maar hij deed het toch. Sarah had niets van waarde achtergelaten; niets wat aangaf waar ze naartoe kon zijn gegaan. Lessen van Roodbaard.

Terug in de gang sloot hij de deur en begaf hij zich op weg naar de trap. In nummer 300 hoorde hij opnieuw kraken. Hij klopte aan. Geen antwoord. Hij klopte opnieuw. 'Doe open, anders trap ik de deur in.'

Een gedempte stem. 'Wie is daar? De grote boze wolf?'

Rakkim lachte. 'Doe gewoon even open.'

De deur ging op een kier open. Een oude man in een gestreepte kamerjas gluurde naar hem over een veiligheidsketting. Hij had een baard van drie dagen.

'De vrouw die hiernaast heeft gewoond, was een vriendin van me.'

'Da's fijn voor u.'

'Ze moest langs uw deur om bij de trap te komen. Volgens mij heeft u haar steeds als ze wegging gezien. En ook wanneer ze terugkwam. Volgens mij mist u niet veel.'

'Ik heb geen zin in problemen.'

'Ik heet Rakkim.'

'Hennesy.'

'Mag ik misschien even binnenkomen, meneer Hennesy? Ik heb geen kwaad in de zin.'

'Dat heb ik vaker gehoord.' Hennesy veegde zijn neus af aan de mouw van zijn kamerjas. 'Ach, ik kan u ook net zo goed binnenlaten. U doet toch waar u zin in heeft.' Hij opende de deur, en de veiligheidsketting viel op de grond. 'Die andere smeerlappen namen niet eens de moeite om zichzelf voor te stellen. Vergeleken met hen bent u beleefd.'

Rakkim sloot de deur achter zich. Het tapijt op de plek waar de man al jarenlang de gang in de gaten hield, was totaal versleten. Het beeldscherm tegenover de bank was van de muur gerukt en lag versplinterd op de grond.

Hennesy liep naar een tafeltje voor het venster en ging zitten. Hij vouwde zijn handen en wachtte totdat Rakkim tegenover hem had plaatsgenomen. Op de tafel stond een kop koude koffie. De melk die erin zat, was geschift. Er stonden ook een bord met wat restjes geroosterd brood en een geopende pot bramenjam. 'Ik heb u al gezegd dat ik niks weet.'

Rakkim zag dat langs de rand van Hennesy's rechter oorschelp inkepingen waren gemaakt. Er zaten korsten op. De persoon die dit had gedaan, was halverwege het linkeroor gestopt. Waarschijnlijk van verveling. 'U kunt daar beter wat antibiotische zalf opsmeren.'

Hennesy raakte voorzichtig zijn oor aan. 'Dat is m'n eigen schuld. Had ik die kartelschaar maar niet moeten laten slingeren. Hij was van m'n vrouw...'

'Dan hadden ze wel wat anders gevonden. Iets nog ergers. Dat soort lui pakt altijd het eerste wat ze zien liggen.'

Hennesy schroefde het deksel op de jampot en veegde de kruimels van tafel. 'Ze zeiden dat ze gezocht werd; dat ze een zware crimineel was. Ze zou zijn weggelopen en een man hebben vermoord die had geprobeerd haar naar huis te brengen. Maar ik wist niks. Ik kan u ook niks vertellen.'

'Ik geloof u niet, meneer Hennesy.'

Hennesy nipte van zijn koude koffie. 'Als ik goed naar u kijk, zie ik de dood, meneer. Komt u me soms vermoorden? Want dan zou ik het graag weten.'

'Ik *hou* van haar, meneer Hennesy. De mannen die u zo toegetakeld hebben... Wat denkt u dat zij met Sarah doen als ze haar vinden?'

'Dat is mijn zaak niet.'

Rakkim schudde zijn hoofd. 'Het is misschien uw zaak niet, maar u bent er wel bij betrokken geraakt. Zo bent u nu eenmaal. U bent niet de enige die dingen aan mensen kan zien.'

Hennesy speelde met een ongeopende zak pistachenoten die op tafel lag. 'Deze heb ik van haar gekregen. Ze zei dat ze Rachel heette, maar ik wist wel beter. Ze was weggelopen – zo zag ze er gewoon uit. Heel *fel*. Mijn kleindochter is een paar jaar geleden bij haar man weggegaan. Ze heeft haar twee kinderen meegenomen en is gevlucht.' Hij nipte van zijn koffie. 'Ik kan niet tegen noten... Mijn spijsvertering slaat ervan op hol. Maar ik waardeer het wel.'

Rakkim liet hem praten.

'Ik heb tegen die andere kerels gedaan alsof mijn neus bloedde. Ik heb gezegd dat ik slechthorend was, maar er is niks mis met mijn oren.' Hennesy raakte opnieuw het gehavende kraakbeen aan. 'Ik ken de voetstappen van iedereen in dit gebouw. Ik kan met mijn ogen dicht zeggen of ze hier thuishoren. Soms zou ik willen dat ik wat minder goed hoorde.' Zijn stem sloeg over. 'Een paar nachten geleden hoorde ik ze de trap op komen... Ze waren met z'n drieën. Twee van hen zijn een tijdje later weer vertrokken, maar de derde heeft zich in de gang verstopt. Later...' Hij schudde zijn hoofd. 'Later heb ik dingen gehoord die ik liever zou vergeten.' Hij keek Rakkim woest aan. 'Ze heeft hem vermoord, die premiejager, maar hij verdiende het. Ik heb mijn oor tegen de muur gedrukt en alles woord voor woord gehoord.' Er verscheen heel even een glinstering in zijn ogen. 'Het had mijn kleindochter kunnen zijn, en ik heb alleen maar staan luisteren.'

'Was ze gewond?'

'Ik heb haar horen terugvechten. Ik hoorde haar, maar ik heb niks gedaan.'

'Was ze *gewond,* meneer Hennesy?'

'Ik heb geen bloed gezien.' Hennesy keek naar zijn handen. 'Vroeger was ik niet zo'n lafaard. Ik ben gewond geraakt tijdens de Slag om Chicago. Dat zou het keerpunt in de oorlog zijn geweest, maar daar heb ik niks van meegekregen. Het enige wat ik weet is dat ik me op Illinois Avenue twee dagen dood heb gehouden met een kogel in mijn buik. Er liepen overal bleekscheten rond die bezig waren de gewonden af te schieten. Ik was nog jong; dapper zijn stelde weinig voor. Maar nu ben ik geen zak meer waard.'

Rakkim legde zijn hand op die van Hennesy. De huid van de man voelde aan als vetvrij papier. 'Hoe *wist* u dat ze niet gewond was?'

'Ik zag haar langs mijn deur lopen. Ze had haast. Geef haar eens ongelijk.'

'Inderdaad, maar hoe kon u zien dat ze niet bloedde? Ze liep langs het kijkgaatje... en ze had *haast?*'

Hennesy zweeg.

'Misschien is *dit* het moment om dapper te zijn. Misschien krijgt u een tweede kans.'

'Ik ben haar gevolgd,' zei Hennesy ten slotte. 'Ik ben haar gevolgd toen ze vertrok. Ik kan heel stil zijn als het moet. En als je oud bent, let er sowieso niemand op je.'

'Waar is ze naartoe gegaan?'

'Monorail,' zei Hennesy snel voordat hij zich kon bedenken. Roodbaard zei altijd dat het moeilijkste stukje informatie het eerste stukje was. 'Ze had niet veel bij zich en ze liep alsof ze precies wist waar ze naartoe ging. Ze heeft niet één keer achterom gekeken. Alsof het haar niet meer kon schelen, of misschien omdat ze bang was. Op het monorailstation ben ik haar in de drukte bijna kwijtgeraakt. Ik kon nog net in de laatste wagen stappen voordat de deuren dichtgingen. Wat dat betreft heb ik altijd geluk. Ik weet dat het raar klinkt, maar zo is het nu eenmaal. Ik was een keer…'

'Bij welke halte is ze uitgestapt?'

'O, alleen de feiten zeker?'

Rakkim keek hem aan. 'Ja.'

'Oké. U probeert me in elk geval niet te naaien.' Hennesy trok aan zijn neus. 'Ze is uitgestapt op Orion Street. Daar ben ik er ook uit gegaan. Aan de rand van de Zone. Vreemde plek om je te verschuilen.'

'Waar is ze naartoe gegaan?' Rakkim wist het antwoord al, maar hij moest het vragen.

'Een of andere nachtclub, met felle verlichting en harde muziek… Toen ik jong was kon ik aardig dansen. Ik probeer me de naam te herinneren. Blue Moon, dat was het. Er is een of ander liedje dat zo heette. Mijn vader zong het altijd voor mijn moeder toen ik nog een kind was. Vroeger… Wat is er?'

'Bent u ook naar binnen gegaan?'

'Ze is niet lang gebleven. Ik zag haar in een taxi stappen, en dat was dat.'

'Waar is ze ingestapt? Voor de club?'

'Een stuk verderop. Vlak voor die zaal waar ze die oude films vertonen. *Star Wars* draaide. Geweldige film. Heeft u die ooit gezien?'

'Hoe laat was dat?'

'Ongeveer kwart voor elf. U blijft maar doorvragen, hè? *Ratatatata.*'

'Weet u dat zeker, dat tijdstip?'

'De volgende voorstelling van *Star Wars* was om elf uur, dus ik had nog net tijd voor een hotdog. Zoals ik al zei: ik heb altijd geluk gehad met dat soort kleine dingetjes.' Hennesy boog zich naar voren over de tafel. 'Ze was *anders* toen ze uit die club kwam. Ondanks wat er gebeurd was, had ze zich heel goed gehouden. En ik kan het weten, want ik ben haar gevolgd. Ze zag eruit als een gewone moderne meid die zin in een gezellig avondje had… maar toen ze uit die club kwam, stonden de tranen haar in de ogen. Alsof alles haar plotseling te veel was geworden.' Hij keek naar Rakkim. 'Gaat het een beetje?'

'In wat voor taxi stapte ze? Yellow Cab? Saladin? Transit?'

'Nee, het was een van die niet-geregistreerde wagens… Vroeger noemden we ze zigeunertaxi's. Het was een kastanjebruine Ford, maar ik heb geen nummerbord of zo gezien, dus het heeft geen zin om daarnaar te vragen.'

Rakkim stond op. 'Bedankt.'

'De lui die bij me aanklopten nadat ze hun vriend dood hadden gevonden...' Hennesy keek recht voor zich uit. 'Die twee premiejagers hebben me op een stoel gezet, en die lelijke vent in zijn leren jas pakte de kartelschaar. Ik zat al te klappertanden voordat ze me zelfs maar hadden aangeraakt. Ze lachten. Als je die lach een keer hebt gehoord, vind je nooit meer iets grappig. Ik heb toen tegen mezelf gezegd – nee, ik heb *gezworen* die lui niks te vertellen.'

'U heeft Sarahs geheim bewaard, meneer Hennesy. U hoeft u nergens voor te schamen.'

'Ik heb gehoord hoe dat meisje werd aangerand en ik heb niks gedaan.' Hennesy bleef recht voor zich uit staren. 'Ik heb niet eens op de muur gebonkt of het brandalarm aangezet. Ik heb alleen maar *geluisterd*.'

'U heeft haar niet opgegeven. U bent gemarteld, maar u heeft geen woord gezegd.'

Hennesy's vingers vonden de zak pistachenoten. 'Als u haar vindt, zeg dan dat het me spijt.'

25

Na het namiddaggebed

'Dat lijkt me een beetje boven mijn budget, meneer Conklin,' zei de jonge politieman terwijl hij om zich heen keek in de woonkamer van het appartement. 'Ik ben ervan overtuigd dat u een prima makelaar bent en zo, maar u heeft waarschijnlijk geen idee van wat een agent verdient.'

'Onzin, meneer Hanson,' zei Darwin. 'Waar een wil is...'

'Waar een wil is... Hoe bedoelt u?'

'Een *weg*. Waar een wil is, is een weg.'

Hanson voelde aan zijn dunne blonde baardje. 'Die kende ik nog niet. Je bent nooit te oud om te leren.'

Darwin knikte. 'Ik had het zelf niet beter kunnen zeggen.'

Hanson beende op zijn glimmende zwarte laarzen door de lege woonkamer. Hij voelde aan zijn riem en trok zijn pistool recht. Zijn dienst zat er net op en er lag een vermoeide blik op zijn gezicht, maar het idee dat hij het souterrain onder zijn ouderlijk huis misschien zou kunnen verlaten, gaf hem nieuwe energie. Hij trok een vinger over de schoorsteenmantel boven de gaskachel en bekeek de zilveren muurkandelaar die de richting van Mekka aangaf.

'Er is een moskee op loopafstand en twee blokken verderop zit een supermarkt,' zei Darwin. 'U zit in een rustige buurt en de keuken is pas opgeknapt. Vijfentachtig vierkante meter. Het is geen herenhuis, maar het is groot genoeg voor u... en die katholieke meisjes waar u het over had.'

Hanson rechtte zijn schouders. Zijn ogen stonden gretig, als die van een jonge hond.

'Zoals gezegd, er staat vlakbij een moskee, maar u zit op een kwartiertje rijden van de Zone. Ik neem aan dat u bekend bent met de verleidingen van de Christelijke Wijk.'

'Tja... nou, niet in uniform.' Hanson grijnsde. Hij liet zich door de knieën zakken en voelde aan het blauwe hoogpolige tapijt. Vervolgens keek hij naar Darwin. 'Niet gek. Het tapijt in de kamer thuis zit vol met kruimels die ouder zijn dan ik.' Hij stond op en veegde zijn handen aan zijn broek af. 'Ik kan de prijs alleen moeilijk serieus nemen.'

'De eigenaar wil er graag vanaf. Hij wil naar Palm Springs verhuizen – zegt dat hij genoeg heeft van de regen.'

'Ik hou van regen.'

'Ik ook. Het houdt de boel lekker fris.'

'Zeg dat wel. Na gisteren… Na wat ik in dat huis heb gezien, kan ik wel een verfrissing van Allah gebruiken.' Hanson trok een vies gezicht. 'En hoe zit het met de badkamer? Bad of douche?'

'Allebei.'

Hanson schudde zijn hoofd. 'Dit is het paradijs.'

'U zult alleen wel voor uw eigen maagden moeten zorgen, maar dat lijkt me voor een leuke jonge man als u geen probleem.'

Hanson keek hem aan. 'Ik heb niks te klagen.'

'En het uniform… Het effect van een uniform op het vrouwelijk geslacht is onmogelijk te overschatten.' Darwin glimlachte. 'Wanneer zou u de woning willen betrekken?'

'Zo snel mogelijk.' Hanson trok opnieuw zijn pistool recht en liep naar het venster om het uitzicht te bewonderen. Via een open ruimte tussen de omringende gebouwen was een deel van de Grote Moskee te zien. De azuurblauwe muren werden verlicht door schijnwerpers. 'Mijn vader zou me misschien kunnen helpen met de aanbetaling. En ik kan gebruikmaken van de kredietvereniging van de politie.'

'Kijk eens aan.'

'Waar een wil is, nietwaar?'

Darwin knipoogde naar hem. 'U leert snel.'

Hanson keek op zijn horloge. 'Nog achttien minuten, dan is het tijd voor het avondgebed.' Hij knikte naar de muurkandelaar. 'Doet u met me mee, meneer Conklin?'

'Ik voel me vereerd. We kunnen ons wassen in de badkamer.'

Hanson ging op het tapijt zitten, knoopte zijn veters los en deed zijn schoenen uit. Nadat hij zijn sokken had uitgetrokken, stopte hij ze netjes in de schoenen, die hij vervolgens tegen de muur zette. Zijn jasje hing hij aan een deurknop. Het blauwe overhemd zat vol zweetplekken. Hanson leek het geen probleem te vinden dat Darwin nog steeds zijn colbert en zijn schoenen aanhad en met zijn handen in zijn zakken stond. Ze hadden de tijd.

'De badkamer is deze kant op.' Darwin liep de gang in en hoorde Hanson achter hem aankomen. Hij bleef voor de deur staan en gebaarde naar binnen. 'Ga uw gang. Ik ruim straks wel op.'

Hanson waste zijn voeten in de badkuip met het restje zeep dat de vorige bewoner had achtergelaten. Nadat hij ze opnieuw had gewassen en met water had afgespoeld, keek hij om zich heen, op zoek naar een handdoek. Niets.

Darwin haalde een zakdoek te voorschijn en vouwde die open.

'Dat kan ik uw mooie zakdoek echt niet aandoen, meneer Conklin.'

'Flauwekul.' Darwin overhandigde hem de zakdoek. 'Alstublieft. Er kan niet van ons worden verwacht dat we ons met vieze handen en voeten voor God ter aarde werpen, of wel soms?'

Hanson depte zijn voeten en hing de zakdoek over het lege handdoekenrek. De badkamer was klein. De wanden van de douchecabine waren met roze tegeltjes beplakt en de vloer was een zwart met wit dambord. Hij rolde de mouwen van zijn blauwe overhemd op tot voorbij de elleboog en begon in de bovenmaatse wasbak zijn onderarmen in te zepen. Het zou eenvoudiger zijn geweest om het overhemd uit te trekken, maar hij was discreet – of hij voelde zich niet op zijn gemak bij het idee dat Darwin in de deuropening stond te kijken.

'Wat heeft u gisteren eigenlijk in dat huis van die arme vrouw gezien?'

Hanson spoelde zijn gespierde onderarmen af. Het water stroomde weg via zijn polsen. 'Geloof me, dat wilt u niet weten.'

'Dat wil ik wel.'

Hanson wierp een blik over zijn schouder. 'Ik wil er niet over praten.' Hij pakte de zakdoek van het rek en veegde er zijn onderarmen mee af. Nadat hij hem weer had opgevouwen, wilde hij hem aan Darwin geven.

'Nee, bedankt.'

'Wast u zich niet?'

'Ik kan u verzekeren, meneer de politieman, dat het me weinig zou helpen.'

Hanson stond op, de onderkaak naar voren en plotseling op zijn hoede. 'Wat is hier eigenlijk gaande?'

Darwin applaudisseerde. 'De ultieme filosofische vraag, maar zoals gebruikelijk te laat gesteld om nog iets aan het antwoord te kunnen hebben.'

Hanson nam Darwin van top tot teen op en zag een uilachtige, lichtgebouwde makelaar in onroerend goed in een eenvoudig grijs pak. Je moest het de politieman nageven: hij lachte niet. Niet echt. Zijn rechterhand rustte op de kolf van het pistool, maar het was meer een reflex dan oprechte bezorgdheid. 'Ga opzij, meneer Conklin.'

Darwin verroerde zich niet. 'Niet zo vormelijk, dat is helemaal niet nodig.'

Hanson deed een stap naar voren. 'Ik vroeg of je opzij wilde gaan, vader.'

'Ik heet Darwin. Ik ben vanavond je moordenaar.'

Hanson had zijn hand nog niet rond de kolf van zijn wapen toen Darwin hem raakte. Hoewel hij bijna negentig kilo woog en één bonk spieren was, zoog de klap alle lucht uit zijn longen. Hij wankelde, en zijn vingertoppen zochten vergeefs steun aan de stang van het douchegordijn. Al zijn kwetsbare delen lagen bloot. Darwin zette een stap naar voren en raakte hem met volle kracht vlak boven de plexus solaris, waardoor de politieman in de badkuip viel. Zijn hoofd klapte tegen de binnenkant.

Darwin ging op de rand zitten, naast Hansons benen, die nu boven de zwartwitte vloer bungelden. Darwin trok aan een kleine teen. 'Dit kleine ding...' Er was een minimale autonome respons. Hij keek naar Hansons gezicht. 'Neem gerust de tijd. Oppervlakkig ademhalen. Doe alsof je lucht naar binnen zuigt door een rietje. De tweede klap heeft de twee onderste ribben aan je linkerkant gebroken. Of beter gezegd: versplinterd. Je vitale organen zitten vol met botscherven. Je loopt langzaam vol met bloed. Dus zoals ik zei... oppervlakkig ademhalen. Kijk me aan. Luister naar me. Heb je een vieze smaak in je mond? Een smaak van rottend vlees? Nou?'

Hanson gorgelde een antwoord.

'Zie je wel. Je lever is aan flarden. Verbazingwekkend hoe snel het hele systeem in het honderd loopt als er iets kapot gaat. Het menselijk lichaam... een fantastische speeltuin.'

'W-w-waarom?' fluisterde Hanson.

'Altijd maar weer dat waarom. We willen altijd weten *waarom*. Een os die in de rij staat om geslacht te worden ziet hoe bij de os voor hem de keel doorgesneden wordt. Denk je dat ook maar één van die stomme beesten zich afvraagt waarom?' Darwin glimlachte naar de charmante jonge politieman. 'Het is een zware last, het mens-zijn, nietwaar?'

Hanson probeerde iets te zeggen, maar uit zijn keel steeg alleen een zacht gekreun op. Zijn gezicht was vertrokken van pijn.

'Ik ken zevenentachtig manieren om een mens met één klap te vermoorden. Zevenentachtig dodelijke plekken op het menselijk lichaam, als je de klap tenminste goed plaatst en er voldoende kracht achter zit. Ik wil niet opscheppen; ik dacht alleen dat je wel geïnteresseerd zou zijn. Je bent over een paar uur dood, maar ik wil dat we nog even wat tijd samen doorbrengen. Ik krijg zelden de kans om over mijn werk te praten. Daarom vroeg ik naar het huis van Warriq.' Darwin speelde opnieuw met Hansons tenen. De agent moest nodig zijn nagels knippen. 'Ik wilde weten wat je ervan vond.'

Hansons ogen verwijdden zich.

'Ik wil niet lullig doen, maar er stond niks over de moorden in de krant en het is ook niet op tv geweest. Alsof er niks gebeurd is.' Darwin stak een wijsvinger in de geopende mond van de politieman, haakte hem achter de voortanden en legde het hoofd zo neer dat de man gemakkelijker kon ademhalen. Hij veegde zijn vinger af aan Hansons overhemd. 'IJdelheid is een teken van zwakte, maar een mens moet trots kunnen zijn op zijn werk. Familie en vrienden zijn uiteindelijk helemaal niks waard – we hebben alleen ons werk. Al mijn moorden staan in mijn geheugen *gegrift*. Stuk voor stuk. Ik zou tot in de details kunnen beschrijven hoe ik iedereen om zeep heb geholpen en hoe de blik op een gezicht was op het moment van hun dood. Ik zou je kunnen vertellen hoe ze worstelden en wat ze droegen en de geluiden die ze al dan niet maakten. Ik zou het je kunnen bewijzen. Ik zou de hele lijst met je door kunnen nemen' – Darwin glimlachte en haalde een vinger over Hansons voorhoofd om zijn wenkbrauwen glad te strijken – 'maar zoveel tijd heb je niet.'

26

Na het avondgebed

Jill Stanton drukte op een knop om het hek van haar ranch te openen en Rakkim reed een hobbelige zandweg op. Het begon zachtjes te regenen en hij zette de ruitenwissers aan. Het harde rubber liet een spoor van modder op de voorruit achter. De eigenaar van de wagen die hij had gepikt, mocht zijn spullen wel eens wat beter onderhouden. Waarschijnlijk ververste hij zijn olie ook zelden. In de verte bliksemde het. Het was nog vroeg in de avond, maar de sterren gingen schuil achter de wolken, waardoor het donkerder was. Hij drukte het gaspedaal stevig in.

Het had hem een dag gekost om de taxichauffeur te vinden die Sarah afgelopen woensdagavond had opgepikt in de Zone. Haar buurman Hennesy had gelijk gehad; het was een Ford geweest, maar hij was donkergroen, niet kastanjebruin.

De taxichauffeur had de foto van Sarah herkend – zijn ogen hadden hem verraden – maar hij had alleen gezegd: 'Wat is het je waard?' Aan zijn achteruitkijkscherm hadden verzilverde beschermingsmedaillons met afbeeldingen van Osama en Zarqawi gebungeld. De gezichten hadden wild op en neer gedanst toen de chauffeur plotseling had geremd. 'Hoeveel, broeder?'

Terwijl Rakkim over de zandweg reed, ging in de woning het licht aan. Hij was hier maar één keer eerder geweest; vijf jaar geleden toen hij met verlof thuis was geweest en moeite had gehad met slapen. *Niets* had vertrouwd geleken, behalve Sarah. Ze had hem meegenomen naar de ranch zonder te vertellen waar ze naartoe gingen. Ze had hem willen verrassen – en dat was gelukt. Jill Stanton was oprecht, vrolijk en gemakkelijk in de omgang. Vijftien jaar eerder had ze uit vrije wil de glamour van Hollywood achter zich gelaten zonder ooit spijt te hebben gehad. Ze hadden de hele ochtend met zijn drieën paardgereden en waren vervolgens bij een riviertje gestopt om uit te rusten. Ze hadden in de zon gepicknickt met verse perziken en koude cider.

Sarah had Jill geïnterviewd over *Hoe het Westen werkelijk veroverd werd: de conceptie van de Islamitische Staten van Amerika door het inlijven van de volkscultuur.* Rakkim had het altijd een titel van niks gevonden, maar hij had er niets over gezegd – hij zou Jill Stanton ontmoeten: 'Het Gezicht', de vrouw die de knapste en meest getalenteerde actrice van haar generatie werd genoemd.

Jill Stantons openlijke bekering tijdens de aanvaarding van haar tweede Academy Award zou al voldoende zijn geweest om tientallen miljoenen Amerikanen voor de waarheid van de Islam te interesseren, maar ze had het moment ook gekozen om haar verloving met Assan Rachman bekend te maken, aanvaller en belangrijkste speler van wereldkampioen Los Angeles Lakers. In de weken na de Oscaruitreiking rees het aantal bekeringen van beroemdheden de pan uit. Volgens Sarahs onderzoek stond het pasgetrouwde stel in de twee jaar die volgden op de cover van zevenenvijftig tijdschriften. Jill en Rachman waren inmiddels alweer achttien jaar gescheiden en het was nog veel langer geleden dat ze voor het laatst in een film had gespeeld, maar ze bleef een gerespecteerde, hoewel teruggetrokken persoonlijkheid. Haar interview met Sarah was een van de weinige die ze had gegeven sinds ze stil was gaan leven. Sarah had er dan ook alles aan gedaan om haar privacy te waarborgen.

Toen Rakkims auto naderde, verscheen Jill op de veranda. Ze zwaaide toen hij stopte en liep de trap af om hem te begroeten.

'Waar is ze?' zei Rakkim.

Jill zette haar handen in haar zij. Ze was bijna zestig, nog steeds slank en aantrekkelijk en ze blaakte van gezondheid. In haar lange vlechten zaten grijze banen. Ze droeg laarzen en jeans en een zeemleren shirt met de kleur van butterscotch. 'Je bent je manieren kwijt, Rakkim. Jammer hoor.'

Rakkim beende de veranda op en gooide de deur open. 'Sarah!'

Jill kwam naast hem staan. Ze rook naar paarden. 'Ze is er niet.'

Hij wist niet of het de filmsterrenstem of het gezicht was, maar Rakkim was ervan overtuigd dat ze de waarheid sprak. Niemand kon haar laten liegen. Jill had miljoenencontracten afgeslagen voor het schrijven van een boek waarin ze alles over haar huwelijk zou onthullen. Ze had nooit ergens reclame voor gemaakt of openlijk politici gesteund. Hij had haar alleen die ene keer ontmoet, maar als Jill Stanton zei dat er een grote witte walvis op haar oprit lag, dan kon je er zeker van zijn dat het zo was. 'Waar is ze?'

'Ik weet het niet. Kom binnen.' Jill greep zijn hand vast en nam hem mee naar de woonkamer. Een interieur van knoestig vurenhout met dikke antieke tapijten, pluchen sofa's en gemakkelijke stoelen. Netjes en comfortabel. 'Ze is een halfuur geleden weggegaan. Ik maak me ook zorgen om haar.'

'Bel haar dan op.'

'Ze heeft haar telefoon altijd uit. Volgens haar kan een mobiele telefoon gebruikt worden om je positie te peilen. Is dat waar?'

Rakkim knikte. 'Bel haar toch maar.'

Jill hield er niet van gecommandeerd te worden, maar deed toch wat hij had gevraagd. Een gast, ook een lompe, had bepaalde privileges. Maar ze had gelijk. Sarahs telefoon stond uit.

'Hoeveel heeft ze je verteld?' vroeg Rakkim.

'Ze schijnt aan iets gevaarlijks te werken. Ze zei dat het riskant is om haar te helpen.' Jills blik was koel en helder. 'Ik heb gezegd dat ik nooit meer bang ben geweest sinds ik mijn geloof heb gevonden. En jij, Rakkim? Ben *jij* bang?'

'Alleen wanneer ik adem.'

'En je bent toch gekomen.' Jill glimlachte. 'Je kunt hier op haar wachten.'

Rakkim wilde wat afstand tussen hen creëren. Het was lastig om de situatie te beoordelen met haar in de buurt. Roodbaard gebruikte zijn omvang en fysieke aanwezigheid om mensen te intimideren, maar Jill gebruikte haar vrouwelijkheid op dezelfde manier. Hij liep naar de plek aan de muur die aangaf in welke richting Mekka lag. En hing een foto van de Grote Moskee. De opname was gemaakt bij zonsopgang, tijdens de hadj. Rond de zwarte Kaäba spreidde zich een zee van knielende gelovigen uit, aangeraakt door een gouden schijnsel.

'Ik ben drie jaar geleden geweest,' zei Jill terwijl ze naast hem kwam staan. 'Ik voelde een vrede die ik niet kan beschrijven, Rakkim. Op een of andere manier maakt de straling de reis nog waardevoller. Een paar maanden geleden ontdekte mijn dokter een bultje in mijn borst... niet groter dan een zaadje van een klaproos. Ik heb het weg laten halen. Sommige pelgrims, meestal oudere, laten het zitten. Ze zien het als teken van hun toewijding, maar ik...'

'Wonen hier nog andere mensen?'

Jills ogen flikkerden met de oude kracht van een diva – het voelde aan als een klap in het gezicht. 'In de bijgebouwen wonen de rancharbeiders met hun gezinnen, maar die zijn hier al jaren. Ze hebben geen idee wie Sarah is en het interesseert ze te weinig om ernaar te vragen. Het zijn goede moslims. Als je wilt, kun je tijdens het middaggebed met ze praten.'

'Ik denk het niet.'

'Ik begrijp het.' Jill sloeg de ogen neer. Het was moeilijk om naar een knappe vrouw te kijken die medelijden met hem had. Ze legde haar hand op zijn arm. De haren gingen recht overeind staan. ‘Misschien is Sarah voor die tijd alweer terug.’

Rakkim controleerde de oprit. ‘Heb je er *enig* idee van waar ze naartoe is gegaan? Ze moet toch *iets* hebben gezegd toen ze wegging.’

‘Ze zei dat ze over een paar uur terug zou zijn, dat is alles. Ik ga thee zetten.’

Rakkim volgde haar in de keuken in. ‘Heeft ze een taxi genomen?’

‘Ze heeft een auto van een van de arbeiders geleend.’ Jill vulde een koperen theepot met water en zette die op het fornuis. ‘Carl is monteur. Hij bouwt Frankensteinauto’s van wrakken die hij op de sloop haalt. Meestal gebruikt hij ze om ermee over het terrein te rijden – ze hebben geen kenteken. Sarah wilde per se een van zijn creaties meenemen.’

‘Ze wilde je niet met problemen opzadelen… voor het geval haar iets zou overkomen.’

‘Ze is een vriendin. Haar problemen zijn mijn problemen.’

Dat was gemakkelijk gezegd, maar in de praktijk kon zoiets nog wel eens flink tegenvallen. Rakkim zei niets. Het had weinig zin om Jill van alle mogelijkheden op de hoogte te brengen. Boven de gootsteen stond een foto van twee tieners – jongens – allebei met een Acadamy Award op hun hoofd. Ze hadden haar glimlach.

‘Mijn zoons,’ zei Jill. ‘Ahmed en Nick. Ahmed zit in de directie van Puget Shipping. Nick is Fedayeen.’ Ze keek naar Rakkim. ‘Volgens Sarah ben jij geen Fedayeen meer.’

‘Ik ben met pensioen. Maar eens een Fedayeen, altijd een Fedayeen.’ Rakkim keek toe terwijl ze kokend water in twee stenen kommen schonk en vervolgens in elk ervan een theezakje dompelde.

‘Suiker?’

Rakkim schudde zijn hoofd en pakte de kom aan. De keuken was even comfortabel en bescheiden als de woonkamer. Hij was ruim, schoon en praktisch. De potten en pannen hingen aan haken en er was een groot, vrijstaand hakblok. In een hoek stond een ongeverfde vurenhouten ontbijttafel. Hij stelde zich voor hoe Jill en Sarah ’s ochtends vroeg roereieren met kaas zaten te eten, genietend van de zon die opkwam boven de bergen. Na het afruimen werden de dieren verzorgd, de stal leeggeschept en de eendenvijver uitgebaggerd. ‘Mis je het?’

‘Hollywood?’ Jill wist onmiddellijk waar hij het over had. Ze was waarschijnlijk doodmoe van die vraag. Nog een reden om op de ranch te blijven, paarden te fokken, voor de moskee in haar eigen stad te kiezen en de rest van de wereld aan zich voorbij te laten gaan. 'Soms.' Ze nipte van haar thee. 'En jij? Denk je nooit, was ik maar niet met pensioen gegaan?'

Rakkim glimlachte. 'Soms.'

'Er staat mij nog één voorstelling te wachten, hoewel ik moet toegeven dat ik niet echt blij ben met de rol.' Jill keek hem aan door de damp boven haar thee. 'Over een paar weken krijg ik tijdens de Oscaruitreiking een Lifetime Achievement Award. Ik sta straks dus officieel als levend fossiel te boek.'

'Jij hebt het niet nodig om naar complimentjes te vissen, dame.'

Jill lachte. 'Ik begrijp heel goed waarom Sarah zo gek op je is. Je bent als een heftige zoen.' Ze speelde met een van haar vlechten. 'Sarah heeft me zoveel over je verteld. Ik heb het gevoel dat ik je ken.'

'Dat zou een vergissing zijn.'

'Je geeft haar het gevoel veilig te zijn. Roodbaard ook, maar die had altijd strategische motieven. Misschien zijn Sarah en ik daarom bevriend geraakt – we weten allebei hoe het is om in de belangstelling te staan. Om geoordeeld te worden. *Gebruikt* te worden. Ik herinner me nog heel goed de foto's van haar bezoekjes aan alle heiligdommen en de op tv uitgezonden gesprekken met de president. Sarah Dougan, de dochter van de eerste grote Amerikaanse martelaar...'

'Daar heeft Roodbaard een einde aan gemaakt toen ze zes was. Geen foto's meer. Geen dagelijkse nieuwsitems. Hij maakte zich zorgen om haar veiligheid...'

Jill snoof. 'Hij heeft er alleen maar een einde aan gemaakt omdat het voor hem niet meer belangrijk was dat ze in het middelpunt van de belangstelling stond. Ze had haar doel gediend.' Jill liep naar de foto van haar zoons. 'Nick is de jongste. Zijn vader was zo trots toen hij Fedayeen werd, maar ik ben een moeder. Ik maakte me zorgen.'

'Doet hij het goed?'

Jill knikte en keek naar de foto. Twee wildebrassen met Oscars op hun hoofd en schele ogen voor de camera. 'Nick heeft zestien jaar geleden de eed afgelegd. Hij heeft een paar littekens, dat is alles. Hij is in Chicago gestationeerd. Drie vrouwen. Tien kinderen. Tegenwoordig is hij kolonel...' Ze zette de foto voorzichtig boven de gootsteen terug en liefkoosde de lijst met haar wijsvinger. 'Ik ben trots op mijn zoon. Hij dient Allah en de natie... maar als hij op bezoek komt, herken ik hem niet.' Ze keek Rakkim aan. 'Is het een zonde als een moeder de vrucht van haar schoot niet herkent?'

De bewaker die Sarahs pasje controleerde, bewoog zijn lippen tijdens het lezen. 'Zamelt u geld in?'

'Voor het Verenigd Islamitisch Liefdadigheidsgenootschap. Het staat erop.'

De man stond in de wind en de regen naast haar geopende raampje. Zijn groene uniform zag er gloednieuw uit, maar de kraag begon te rimpelen door het vocht. Hij inspecteerde de gehavende auto waarin ze reed. 'Heeft u toestemming om langs de deuren te gaan, zuster?'

'Het *vragen* om giften is voor goede moslims een even belangrijke verantwoordelijkheid als het geven van giften,' zei Sarah vroom. De chador die ze van Jill had geleend, had een dieppaarse kleur die haar ogen goed deed uitkomen. 'Ik ben ervan overtuigd dat u dat ook weet.'

De bewaker krabde met het pasje zijn opgeblazen gezicht; het klonk als schuurpapier. Hij was een grote, potige kerel met een slome blik en een half opgegeten sandwich die op het bureau in het hokje op hem lag te wachten. 'We hadden hier van de week een probleem. Er is een vrouw vermoord. Twee van haar bedienden zijn ook om zeep geholpen.'

'Ik weet zeker dat de buurt nu veilig is. Tenslotte staat *u* hier.'

De bewaker beet op zijn lip. 'Ik moet oppassen met wie ik erin laat. Ik heb geen zin in problemen.'

'Zie ik eruit alsof ik problemen veroorzaak?'

De bewaker, die haar vraag serieus nam, probeerde door het beslagen achterraampje in de auto te kijken.

'Dit is een vrome buurt,' zei Sarah. 'Het is na etenstijd. De broeders en zusters zullen blij zijn dat ze in de gelegenheid worden gesteld om comfortabel vanuit hun eigen huis aan hun verplichtingen te voldoen. Wat kan daar mis mee zijn?'

'Ik... ik zou het niet weten, zuster.'

Sarah neigde het hoofd en groette hem. 'Fantastisch. Doe de slagboom dan maar omhoog.'

De bewaker mompelde een groet en schuifelde zijn hokje in.

Sarah reed het terrein op.

'Toen Sarah hier aankwam... hoe was ze toen?'

'Ik kreeg om drie uur 's nachts een telefoontje van haar. We hadden elkaar zeker een jaar niet gesproken, maar ik herkende haar stem onmiddellijk. Nog afgezien van het feit dat het midden in de nacht was, kon ik duidelijk horen dat er iets was. Ze zei dat ze bij een benzinestation stond, een kilometer of tien verderop. Zodat de man die haar had afgezet niet zou weten waar ze naartoe ging. Om mij te beschermen.' Jill luisterde naar de regen op het dak. 'We hebben gepraat tot de zon opkwam. Ze was heel erg overstuur.'

'Was ze gewond?'

'Ze zei dat ze een paar uur eerder een man had vermoord. Telt dat ook?'

'Nee.'

Jill schudde haar hoofd. *Eens een Fedayeen, altijd een Fedayeen.* Ze hoefde het niet eens te zeggen.

'Sarah is na het ochtendgebed gaan slapen. Ze is pas laat opgestaan. De volgende ochtend zijn we gaan paardrijden. We hebben niet gepraat en alleen maar van de omgeving genoten. Ik had de indruk dat het weer wat beter ging. Daarna is ze een paar uur weggeweest, maar toen ze terugkwam, was ze er vreselijk aantoe. Ze heeft heel lang gehuild. Ze wilde weg. Ze zei dat iedereen die ze goed kende gevaar liep...'

'Waar is ze vrijdag geweest?' Rakkims stem was zo zacht dat ze hem alleen maar hoorde omdat hij zich naar haar toe had gebogen. Hij rook opnieuw paarden.

'Ik weet het niet. Ze zei dat er een oude vriendin... een goede vriendin van haar vermoord was en ze voelde zich verantwoordelijk...' Jill schrok op omdat Rakkim plotseling opsprong en zijn stoel omgooide. 'Rakkim! Waar ga je naartoe?'

27

Voor het nachtgebed

'Neem me niet kwalijk, agent Hanson...' Darwin bracht zijn hand voorzichtig onder de aantrekkelijke jongeman, haalde de portefeuille met de badge uit zijn broekzak en klapte hem open. 'William Hanson. Dat klinkt goed. William. Een echte, ouderwetse Amerikaanse naam. Aangenaam kennis te maken. Ik durf te wedden dat ze je Bill noemen. Wat dacht je van Willy? Dat vind ik beter. *Willy*. Klinkt vriendelijk. Onschuldig. Zie je jezelf als onschuldig, Willy? De meeste mensen wel.' Darwin lachte. Het geluid weerkaatste tussen de tegels van de badkamer. Hij stak het identiteitsbewijs en de badge in zijn eigen zak. 'Iemand als ik... Ik maak me geen illusies.'

Hansons rechterhand kroop naar zijn pistool, dat half uit de holster hing. Darwin reikte omlaag, haalde het wapen te voorschijn en inspecteerde het. Een standaard politiewapen, 9 mm, halfautomatisch met een ID-kolf. Het wapen kon alleen worden afgevuurd als de duim van de geregistreerde eigenaar zich op de juiste positie bevond. Het wapen was onbruikbaar voor iemand anders dan Hanson. Darwin haalde een patroon tevoorschijn, keek in de loop en liet een nieuwe kogel in de kamer. 'Je onderhoudt je wapen goed, agent. Ik zie dat je expansionmunitie gebruikt. Dat is zeker wel een veilig gevoel? Maar ik durf te wedden dat je je wapen nog nooit in diensttijd hebt gebruikt. Heb ik gelijk? Dat maakt alles anders, geloof me maar.'

Hanson kreunde.

'Wacht, ik zal je even helpen.' Darwin boog zich naar voren en legde het pistool in de hand van de man. 'Kijk eens aan.'

Hansons vingers kromden zich rond de kolf en maakten contact. Hij probeerde het wapen op te tillen, maar het was te zwaar voor hem.

'Neem rustig de tijd. Probeer wat kracht te verzamelen. En blijf gewoon ademhalen. Een vreselijk lastig rekensommetje – ik geef het toe. Bij elke ademteug ga je vanbinnen verder kapot. Maar ja, een mens moet wel blijven ademhalen.'

Op Hansons voorhoofd parelden zweetdruppels. Eén ervan rolde in zijn oog.

Darwin depte het gezicht van de agent met zijn zakdoek. Hanson volgde zijn bewegingen, die op een vreemde manier teder waren. 'Maak je geen zorgen, ik heb geen vervelende verrassingen voor je in petto. Homoseksuelen, heteroseksuelen… ik laat iedereen in zijn waarde.' Hij streelde Hansons wang. 'Ik… Ja, om eerlijk te zijn; mannen en vrouwen zijn voor mij één pot nat. Zakken met vlees. Van mij mag je ze allemaal hebben.' Hij lachte. 'Dat kun je noteren, Willy. Jij krijgt mijn deel.'

Hanson bewoog zich en schreeuwde het uit. Er stroomde bloed uit zijn mond.

'*Af*, jongen. Blijf liggen. Je hoeft je niet te haasten; je gaat snel genoeg dood. Laten we liever nog wat babbelen. Ik krijg zelden de kans om met iemand te praten die mij kent… de echte ik. Onechtheid is slecht voor de ziel, Willy, maar wat kan ik eraan doen?'

Hanson beet op zijn lip in een poging bij bewustzijn te blijven.

'Zo mag ik het zien.' Darwin zag het bloed van de politieagent in de richting van de afvoer lopen. 'Ik doe dit trouwens niet voor je badge, als je dat soms denkt. Het is alleen zo dat ik af en toe ontzettend gefrustreerd raak in mijn werk. Ik moet voortdurend goed opletten en mezelf in de hand houden. Daar krijg ik hoofdpijn van. Kijk, Willy, ik heb nu eenmaal bepaalde behoeften. *Overweldigende* behoeften. Helaas kan ik ze maar zelden bevredigen.' Darwin glimlachte. 'Ik zal het dus voorlopig met jou moeten doen. Dat vind je toch niet erg, hè?'

Hanson klemde zijn vingers om de kolf van zijn 9 mm. Zijn blauwe ogen stonden troebel, maar hij bleef het wapen vasthouden.

'Ik ben een Fedayeenmoordenaar. Je zou je vereerd moeten voelen nu je weet dat je door mijn hand gaat sterven. Je had ook door een bus overreden kunnen worden of een herseninfarct kunnen krijgen. Je had kunnen stikken in een taai stukje vlees of een allergische reactie kunnen krijgen door de pindakaas op je brood. Maar in plaats daarvan lig je hier.' Darwin tikte met zijn nagels op Hansons voortanden, alsof hij xylofoon speelde. 'Je zou toch even moeten proberen verder te kijken dan je eigen wereldje; zet je pijn nou 's opzij. Volgens mij zie je dan in dat iets van dankbaarheid wel op zijn plaats is.'

Hanson deed een vergeefse poging om scherp te zien.

'Maar misschien is dat wat te veel gevraagd.' Darwin zag de jonge politieman worstelen met zijn pistool. Het bloed stroomde nu sneller naar het putje. Er waren zelfs wervelingen en draaikolkjes te zien. 'Oké… toe maar.

Nog een klein stukje hoger. Zie je wel, je kunt het. Haal de trekker over, Willy. Schiet dan. *Toe maar.*'

Het pistool gleed uit Hansons vingers en kletterde op de bodem van de badkuip. De politieman haalde kort en stotend adem.

'Dat is nou ook een tegenvaller,' giechelde Darwin. 'Welkom in mijn wereld.' De Cyclops in zijn zak vibreerde. Hij stond niet op, maar haalde de zilveren koker uit zijn zak en klapte het apparaatje open. 'Kijk eens aan.' Hij grijnsde en draaide het plasmascherm zo dat Hanson het kon zien. 'Het huis van Warriq. Realtime. Een opname met nightvision, dus er ligt een groen kleurzweem over, maar je kunt haar heel duidelijk zien. Dat is Sarah Dougan in de voordeur. Ik moet zeggen: ze draagt een elegante chador. En de hijab kleedt haar af, vind je ook niet? *Hallo,* Sarah! Zeg Sarah eens gedag, Willy. Nee?'

Hansons ogen stonden glazig.

'Wat kom je doen, Sarah? Het is vast iets heel belangrijks.' Darwin wees naar het scherm. 'Kijk. Ze trekt haar neus op voor de stank. Ze hebben de lichamen weggehaald, maar de geur blijft nog wel even hangen.' Hij zag Sarah de trap op lopen. Ze verdween uit het bereik van de camera in de hal. Hij schakelde over naar de camera in de woonkamer. Op de bank zaten korsten opgedroogd bloed. Er zat niemand – jammer eigenlijk. Het straalde een sfeer uit van opgebrande kaarsen. Hij keek naar Hanson.

De charmante jonge politieagent begon weg te zakken.

'Niks op tv, niks in de kranten. Wat zou ik moeten als ik een plakboek bijhield?' klaagde Darwin. 'Knipsels verzamelen is natuurlijk pure ijdelheid, maar vind je het niet triest dat je nergens wat over deze zaak hoort? Volgens mij komt dat door die dikke rechercheur die Rakkim bij zich had. Ik zeg: ere wie ere toekomt – iemand zou dat die Colarusso eens moeten bijbrengen. Maar ik geef toe, Willy; ik voel me momenteel geweldig. Ik had gehoopt dat ze terug zou komen – en daar is ze. Er is niks lekkerder dan gelijk krijgen. Het beste gevoel van de wereld. Willy? Met jou is ook geen lol te beleven, zeg. In dat huis is iets wat ze wil hebben. Let op, Willy. Zorg ervoor dat je iemands diepste verlangens kent, dat is het grote geheim. Vergeet dat niet. Een gratis wijze les.'

Hansons vingers bewogen krampachtig, maar het pistool lag een paar centimeter verderop. Het had evengoed een kilometer kunnen zijn.

Darwin klapte de Cyclops dicht. 'Tijd om te vertrekken. Ik moet uitzoeken waar onze Sarah zo in geïnteresseerd is.' Hij stond op en keek naar Hanson. De hand van de politieman had zich een klein stukje in de richting van het pistool bewogen. Indrukwekkend. Darwin wilde dat hij nog wat meer tijd met de man kon doorbrengen, maar hij was al laat. Hij plaatste zijn voet zorgvuldig op de onderbuik van de man, precies op de derde knoop van zijn blauwe overhemd. ‘Zeg je nog gedag? Ja? Nee?’ Darwin trapte. Net hard genoeg en met de juiste druk. Hansons schreeuw galmde nog na toen Darwin de deur achter zich sloot.

28

Voor het nachtgebed

Sarah liet zich op de versleten leren stoel in Marians bibliotheek vallen en steunde haar hoofd in haar handen. Ze was te moe om te huilen, maar nog wel zo razend dat ze elk boek van de plank had kunnen halen en door de kamer had kunnen smijten. Maar ze deed het niet. Ze was gek op boeken... en ze hield van Marian. Ze *had* van haar gehouden. Van haar helderheid, haar intelligentie en haar verlegen lachje. Ze had gehouden van de manier waarop ze met een glimlach de thee had ingeschonken, alsof ze kinderen waren die speelden dat ze volwassen waren. Maar nu was Marian er niet meer, en de dagboeken van haar vader waren ook weg. Het vertrek was schemerig en werd alleen door de maan verlicht. Het verlies van Marian hing als een molensteen om haar hals, maar de diefstal van de dagboeken was een onvoorstelbare ramp.

Het had haar een jaar gekost om Richard Warriq te vinden; een jaar vol vruchteloze contacten met andere China-experts, ingenieurs, seismologen en architecten; mensen die aan het Drieklovendamproject hadden gewerkt. De meeste waren met pensioen of dood, net als Warriq. Ze had een lijst met namen gemaakt en informatie verzameld, maar na controle via andere bronnen was gebleken dat niets ervan bruikbaar was geweest.

Vlakbij klonk het geluid van een uil. Sarah liep naar het raam en keek naar buiten. Uilen waren een slecht voorteken, maar de veiligheidsverlichting van de buren onthulde niets. Ze begon rusteloos door de kamer te ijsberen. De lege plank in de boekenkast keek spottend op haar neer.

Het samenstellen van de lijst met namen was relatief eenvoudig geweest. Ze had met behulp van de computer de Amerikaanse moslims opgespoord die aan de dam hadden gewerkt, zogenaamd omdat ze een paper schreef waarin ze het wetenschappelijk talent onder gelovigen belichtte. De Chinezen hadden de meeste vacatures onder hun eigen burgers verdeeld, maar veel technisch werk was zo specialistisch dat ze er Amerikaanse bedrijven voor hadden moeten inschakelen. Marians vader, een devoot moslim, was fractalingenieur geweest. Hij was een aantal keren naar het project teruggekeerd en had bovendien veel gereisd. Sarah had al bijna besloten er een punt achter te zetten en naar de volgende naam op het lijstje te gaan... Totdat Marian had laten vallen dat haar vader na een opdracht in Azië een pelgrimstocht naar Mekka had ondernomen, nog geen maand voordat de heilige stad door een vuile bom zou worden getroffen. Marian had zijn timing een zegen genoemd, maar Sarah, die er inmiddels van overtuigd was dat Warriqs overdreven accurate dagboeken de sleutel bevatten tot de waarheid achter de zionistische aanslag, was om andere redenen in deze samenloop van omstandigheden geïnteresseerd.

Sarah staarde naar de lege boekenkast. Ze wist niet wat ze moest doen. De moordenaars van de Oude moesten ze hebben meegenomen nadat ze Marian, Terry en Terry's vrouw hadden vermoord. Er waren geen andere boeken verdwenen, alleen de dagboeken. Dat betekende dat de Oude het *wist*. En dat betekende dat Sarahs theorie klopte... toch? Dat kon niet anders. Maar Sarah schiep geen genoegen in het feit dat ze gelijk had. Ze wilde dat Rakkim afgelopen woensdag in de Blue Moon was geweest. Ze had gezworen het geheim te houden, maar Rakkim... Hun harten waren verbonden. Het was tijd om hem eindelijk de waarheid te vertellen.

In de hoek tikte de klok. Nog een paar uur voor het nachtgebed, maar dan zou ze allang weer weg zijn. Het was niet nodig om de bewaker achterdochtig te maken. Maar eerst... Ze liep de trap op naar Marians slaapkamer. De buren hadden tegen de taxichauffeur gezegd dat ze dood in de badkuip was gevonden. Sarah wilde de plek zien waar Marian was gestorven om voor haar te bidden. Dat was Sarah haar wel verschuldigd.

Op de overloop was het donker, en de regen zwiepte tegen de ramen. Het klonk alsof er iemand probeerde binnen te komen. Haar knieën knikten, en ondanks al haar goede bedoelingen – dappere bedoelingen – vertraagde ze haar pas toen ze Marians slaapkamer naderde. Haar hart bonkte in haar keel en plotseling voelde ze de overweldigende angst dat Marians lichaam niet was weggehaald; dat de politie Marian, in tegenstelling tot de bedienden, vanwege een of andere forensische toestand had laten liggen op de plaats waar ze was gevonden. Het was een belachelijke gedachte, maar toen ze voor de gesloten deur van Marians kamer stond, kon ze nauwelijks ademhalen.

Haar hand beefde toen ze de deur opende, maar ze stapte haastig naar binnen en liet hem op een kier staan. Roodbaard had altijd gezegd dat je op momenten van grote angst het beste doortastend kon handelen. Sarah bleef met bonkend hart in het midden van de slaapkamer staan en wist dat het een goed advies was. Als ze maar heel even had geaarzeld, zou ze zich hebben omgedraaid en met wapperende chador de trap af zijn gerend.

Ze schoof de gordijnen open. De wind blies een tak tegen het glas en ze deed geschrokken een stap achteruit. Het volgende moment glimlachte ze. *God heeft een hekel aan angsthazen* – dat hadden Rakkim en zij als kind altijd tegen elkaar gezegd als ze elkaar ophitsten om kattenkwaad uit te halen. Hij was vijf jaar ouder dan zij, op die leeftijd een eeuwigheid, maar ze had nooit het gevoel gehad dat er een kloof tussen hen bestond. En als dat wel zo was geweest, dan had ze ook geweten dat die er niet lang zou zijn.

Door de geopende badkamerdeur zag ze een hoek van de badkuip. Te veel schaduwen. Ze liep de badkamer binnen en keek in het bad. Niks. Alleen wat water in het afvoerputje; zwart in het schemerige licht. De handdoeken hingen schots en scheef over het rek. Details die Marian zouden hebben gestoord. Ze liep ernaartoe en hing ze recht. Ze had niet het lef om het licht aan te doen. Haar maag begon op te spelen, en ze haastte zich terug naar de slaapkamer. De laden in haar kastje waren half opengetrokken en de Chinese figuurtjes die erop stonden, waren omgevallen. De politie – of iemand anders – had haast gehad. Ze huiverde. Het was inderdaad een slecht idee geweest om hiernaartoe te gaan.

Ze hoorde een zachte klik toen beneden de voordeur werd gesloten. Het had evengoed een donderslag kunnen zijn. Ze verstijfde, bang dat elke voetstap beneden kon worden gehoord. Ze luisterde. Ze wist zeker dat ze iets had gehoord. De regen leek heel even in te houden. Precies op dat moment hoorde ze voetstappen op de hardhouten vloer van de hal; een fluisterend geluid. Ze had haar auto op straat geparkeerd, maar het was niet de bewaker die kwam kijken wat ze aan het doen was. Weinig kans dat *die* zich zo stil bewoog.

De regen was terug, meegevoerd door harde windvlagen. Ze trok haar chador uit en smeet haar hoofddoek op de grond. Onder de chador droeg ze een lange broek en een dunne sweater – de kleding van een modernist. Voor het geval dat. Nog een les van Roodbaard. Zorg ervoor dat een beschrijving van je nooit lang klopt. Trek een andere jas aan. Hoed of geen hoed. Zonnebril of geen bril. Een paraplu om je gezicht achter te verbergen. Ze was altijd als moderniste uit haar appartement in Ballard vertrokken, maar vervolgens had ze zich bij de eerste de beste gelegenheid omgekleed en een chador aangetrokken. Bij terugkeer had ze het ritueel omgedraaid. Het had altijd gewerkt – tot die avond waarop de premiejagers haar woning waren binnen gedrongen.

Ze bewoog in hetzelfde ritme als de voetstappen beneden en drukte zich plat tegen de muur naast de deur.

Er kwam iemand de trap op.

Sarah keek om zich heen naar iets wat ze als wapen kon gebruiken. *Daar.* Een zware granieten klok op het nachtkastje. Ze haalde onhoorbaar adem en gebruikte al haar energie om te luisteren en de geluiden van buiten weg te filteren zodat ze de voetstappen kon horen. Tijdens een opvoering van het filharmonisch orkest kon ze het geluid van een fluit isoleren en met gesloten ogen de individuele violisten er uitpikken. Dit was niet anders. Dat zei ze tegen zichzelf.

Er stond iemand voor de halfgeopende deur.

Ze drukte zich dichter tegen de muur en greep de klok nog steviger vast. Was het beter om hem aan te vallen zodra hij binnenkwam, of kon ze beter wachten tot hij in de kamer was, met zijn rug naar haar toe?

De door ging piepend open. 'Sarah, ik ben het.'

Rakkim!

Ze wierp zich in zijn armen, kuste hem, huilde en verdronk in zijn kracht en de geur van zijn huid. Ze bleef hem vasthouden, alsof ze zich ervan wilde overtuigen dat hij echt hier was; dat het geen droom was, een of ander wanhopig trucje van haar geest. Ze voelde hoe hij terugkneep, haar optilde en haar overlaadde met kussen. Het was Rikki. Ze genoot met gesloten ogen van het gelukzalige gevoel dat ze weer bij elkaar waren. Ze had er geen idee van hoe lang ze daar stonden, alleen in het grote, donkere huis. Waren het seconden geweest, minuten of uren? Ze wist het niet. Ze beet hem zachtjes in zijn nek, meer speels dan boos. 'Je hebt me laten *schrikken.*'

Rakkim lachte. 'Jij kunt heel goed voor jezelf zorgen.'

Sarah lachte niet. 'Heb je... heb je dat van die premiejager gehoord?'

Rakkim moest de blik op haar gezicht hebben gezien, want hij kneep in haar armen. 'Zo'n smeerlap naar de andere wereld helpen is in mijn boekje een goede daad. Hij drukte haar tegen zich aan. 'Niet achteraf spijt hebben. *Nooit* doen. Dat werkt een volgende keer tegen je.'

'Ik wil niet dat er een volgende keer komt.' Ze voelde hoe Rakkim haar haar streelde en ze wilde dat ze ergens anders waren; ergens waar het stil en veilig was en waar een open haard was. Het begon steeds harder te regenen.

'We moeten gaan.'

'Hoe heb je me gevonden?'

'Ik was bij Jill op de ranch. Ze zei dat jij wist dat Marian vermoord was. Ik ging ervan uit dat je terug zou gaan om de dagboeken op te halen.'

Sarah keek hem verdwaasd aan. 'Weet je dan van de dagboeken?'

'Ik heb ze. Ze staan in dozen naast mijn bed...'

Sarah kuste hem. 'Laten we maken dat we hier wegkomen.'

Rakkim glimlachte. 'Goed idee.'

Ze liepen samen de trap af, Rakkim voorop en met het hoofd schuin. Bij de voordeur bleef hij staan om naar buiten te kijken door een van de zijraampjes. Sarah wachtte. Hij wist wat hij deed, daar was ze van overtuigd. Terwijl hij de straat afspeurde, legde hij een hand op haar schouder. Het voelde heel natuurlijk en vertrouwd – niet bezitterig. De aantrekking kwam van twee kanten.

'Hoe is je auto?' vroeg Rakkim.

'Een oude bak, maar hij rijdt prima.'

'Oud is goed, dan valt hij niet op tussen de meeste andere auto's. Ik neem liever de jouwe dan de mijne. Als we de jouwe hier laten staan, komen ze altijd bij Jill uit.'

Ze liepen de veranda op. Sarah deed de deur dicht en op slot. Ze staarde naar Marians sleutel. Ze had hem tijdens haar laatste bezoek van Marian gekregen. De wind tilde haar haar op. De nachtlucht voelde fris aan op haar huid – een hele opluchting na de benauwende hoofddoek. Ze borg de huissleutel op en bleef plotseling staan. *Rakkim* had de dagboeken meegenomen, niet de moordenaars van de Oude. De Oude wist dus niet hoe waardevol ze waren... als ze überhaupt enige waarde hadden. Haar theorie over het Zionistisch Verraad was dus nog steeds alleen maar een theorie.

'Is er iets?' vroeg Rakkim.

'Nee... niks aan de hand.'

Ze liepen zonder zich te haasten door de regen naar de auto. Sarah overhandigde Rakkim de sleuteltjes en ze stapten in. Hij controleerde nog een laatste keer de omgeving. 'Dat is gek,' zei Sarah terwijl Rakkim instapte.

'Wat?'

Ze stelde haar polshorloge opnieuw in. Hetzelfde resultaat.

'Wat *is* er?'

'Ik weet het niet.' Ze controleerde opnieuw haar horloge. Hetzelfde. 'Ik heb dit horloge van Roodbaard gekregen toen mijn boek uitkwam. Het herkent bijna alle traceersystemen. Microgolf, ultrasoon... de hele mikmak. Hij was bang dat ik gevolgd zou worden...'

'Zit er een zendertje in de auto?'

'Ik zou niet weten hoe. Het was er nog niet toen ik hier kwam. Iemand die me wat had willen doen, had alleen Marians huis maar binnen hoeven gaan.'

'Misschien willen ze je niks doen. Misschien willen ze alleen maar weten waar je bent.'

Sarah opende haar deur. 'We kunnen beter jouw auto nemen.'
Rakkim deed de binnenverlichting uit. 'Doe de deur dicht.'
'Maar we moeten...'
Rakkim startte de auto.
Sarah sloot de deur. 'Moeten we niet eerst dat zendertje zien te vinden?'
'Nee.' Rakkim schakelde de ruitenwissers in en zag ze heen en weer gaan over de gebarsten ruit. 'Dit is perfect.'

De koplampen naderden het bewakershuisje. Darwin liet de zijkant van zijn gezicht op de palm van zijn hand rusten. *Biep-biep-biep* deed het scannertje op de balie. De regen striemde tegen het gebouwtje, en het water dat langs de ramen stroomde, vertroebelde het uitzicht. Naar binnen kijken was lastig, maar naar buiten kijken ook. Geen rozen zonder doornen.

Ongeveer een kwartier geleden had hij Rakkim met een handgebaar doorgelaten. Hij had zijn gezicht naar beneden gehad; alsof hij een krant had gelezen. Sarahs auto was zonder te stoppen doorgereden. Darwin had door de regen een glimp van de rode achterlichten opgevangen. Ze hadden allebei in de auto gezeten. Dat had Darwin in elk geval gezien. Hij had ze op de Cyclops bekeken en hij had ze zien flikvlooien in de hal. De tortelduifjes waren eindelijk herenigd. Darwin had zelfs geapplaudisseerd. Het had hol geklonken in het bewakershuisje. Sarah had haar chador uitgetrokken en ging nu door het leven als moderne vrouw met alle bijbehorende moderne verlangens. Ze zouden vanaf nu onafscheidelijk zijn – totdat Darwin zou besluiten ze uit elkaar te halen.

Darwin wist nog *steeds* niet of ze gevonden had waarvoor ze gekomen was; dat stoorde hem. Mateloos. Sarah was in Marians slaapkamer een minuut of tien buiten het bereik van de camera's geweest, maar bij het vertrek had ze niets bij zich gehad, en Rakkim ook niet.

Er waren natuurlijk de twee dozen die Rakkim en de dikke rechercheur een paar dagen geleden uit het huis hadden gehaald. Misschien was ze daarvoor teruggekomen. Dat viel moeilijk te zeggen. Darwin kon de Oude ernaar vragen, maar de oude man koesterde zijn geheimen. Heerlijk, zulke mysteriën. Darwin kon nauwelijks wachten op het moment waarop hij zou ontdekken wat de oude man werkelijk van plan was. Het zou interessant worden, dat was zeker. In het begin had hij een aantal klussen voor de Zwartjassen gedaan, maar hun bekrompen opvattingen en het vreugdeloze theologische gekibbel hadden hem al snel dodelijk verveeld. Het probleem met de fundamentalisten was dat ze niet nieuwsgierig waren. Het enige waarvoor ze zich interesseerden, was uitpluizen waar de lijn moest worden getrokken; aan welke kant was zwart en aan welke kant wit. Eerlijk en oneerlijk. Goed en kwaad. Darwin stond boven die categorieën. Ondanks al het gepraat van de Oude over God, waren ze uit hetzelfde hout gesneden. Ze waren allebei uniek.

Darwin floot een vrolijk deuntje terwijl hij het felgroene uniformjasje van de bewaker uittrok. Een lelijke kleur voor een lelijke vent. Hij gooide het jasje op de grond naast het lichaam, dat opgerold bij de prullenbak lag. Binnen een week twee bewakers uit hetzelfde huisje dood. De vereniging van huiseigenaren zou een extra heffing moeten opleggen om de gestegen kosten voor beveiliging te compenseren. Grappig idee. De dood zorgt altijd voor zoveel verrassingen. Zoveel onverwachte gevolgen. Er spat een vlinder uiteen op de voorruit van een auto, en vervlogen is alle hoop op die tyfoon in Japan waar de filosofen het altijd over hebben.

Sommigen zouden de moord van die avond onnodig noemen. Hij was van plan geweest om zich langs de bewaker te kletsen met een mooi verhaal over een verzekeringsclaim – maar toen had zijn instinct de overhand gekregen. Een roofdier dat geen prooien pakt is geen roofdier meer. God had Darwin geschapen om te genieten van het doden, en wie was Darwin om de wijsheid van God te ontkennen? Darwin glimlachte om de profaniteit.

Hij stak de scanner in zijn zak en wuifde als afscheid naar de doden. Het was maar een korte wandeling naar zijn auto. Ondertussen biepte de scanner vrolijk. De microgolfzender die hij op Sarahs auto had geplaatst, werkte uitstekend. En hij had het goed getimed – vlak voordat Rakkim was verschenen. Darwin stapte achter het stuur en startte de motor. Het zag er al met al perfect uit.

29

Na het nachtgebed

Sarah draaide zich om en tuurde achter zich in het donker.

'Ik weet zeker dat hij ergens achter ons zit. Het zendertje moet een bereik van minimaal een kilometer of zeven hebben om effectief te zijn.' Rakkim hield zijn blik op de weg gevestigd. Het licht van de koplampen boorde een tunnel door de nacht. Hij voelde dat ze zich zorgen maakte. 'Door die zender zijn *wij* in het voordeel. We weten dat hij in de buurt is. Hij volgt ons overal naartoe.'

'Die kerel die Marian heeft vermoord... Weet je zeker dat *hij* degene is die achter ons zit?'

Rakkim haalde zijn schouders op. 'De Zwartjassen houden zich niet met geavanceerde technologie bezig en premiejagers nemen niet de moeite om een zendertje te plaatsen – die zouden je meteen in het huis te pakken hebben genomen. Nee... dit mannetje is meer geïnteresseerd in wat je van plan bent dan dat hij je om zeep wil helpen. Voorlopig tenminste. Hij is er niet in geïnteresseerd je op te pakken. Hij wil weten waar je naartoe gaat en met wie je praat. Om je bang te maken. Om je iets doms te laten doen.'

'Nou, daar is hij dan in geslaagd. Teruggaan naar Marian was niet bepaald handig.'

Ze reden verder door de regen, de ruige badlands in die zich aan de voet van het Cascadegebergte bevonden. Er was een web van smalle weggetjes door het bos. Perfect voor smokkelaars en illegale houthakkers; levensgevaarlijk voor mensen die er niet bekend waren en per ongeluk een verkeerde afslag namen. Een week eerder, nadat hij bij Roodbaard was weggegaan, had hij dezelfde weg genomen, maar nu ging hij dieper de badlands in. Dit was het land van de vogelvrijverklaarden; de laatste schuilplaats voor mafkezen, losers en ontevredenen. De badlands, nog geen zestig kilometer buiten het centrum van Seattle, stonden op geen enkele kaart; ze bevonden zich buiten het bereik van God en mens.

'Worden we door één man gevolgd? Is het maar één man die dit allemaal gedaan heeft?'

'Hij is een Fedayeenmoordenaar. Die werken altijd alleen.'

'Net als jij.'

Rakkim wierp haar een blik toe en concentreerde zich vervolgens weer op de weg.

'Ik bedoel alleen maar: hij is alleen en wij zijn met z'n tweeën. Waarom gaan we er eigenlijk vandoor?'

'Ik was niet van plan een robbertje met hem te gaan vechten, als je dat soms dacht.'

'Oké.'

'Ik zorg er liever voor dat ik hem te slim af ben.'

'Ik zei oké.'

'Teleurgesteld? De bloem van de islam die weigert de strijd aan te gaan? Ik zou Roodbaard natuurlijk om versterking kunnen vragen.'

Sarah schoof dichter tegen hem aan. Haar gezicht was zo dichtbij dat hij haar warme adem kon voelen. 'Help hem maar gewoon om zeep.'

'De moordenaar vermoorden?' Rakkim glimlachte. 'Maar dan ben ik ook een moordenaar.' Hij kon het onderwerp niet laten rusten. 'Je had contact met me moeten opnemen. Je had moeten vertellen dat je ging verdwijnen.'

'Ik heb een belofte gedaan.' Het enige geluid in de auto kwam van de regen en de ruitenwissers. 'Heeft Roodbaard je wel eens over de Oude verteld? Wist je daarom waar ik mee bezig was?'

'Roodbaard geeft nog liever een nier weg dan dat hij informatie met iemand deelt. Ik had hem helemaal niet nodig.' Rakkim ontweek de wortels van een boom die uit de weg groeiden. 'Zodra je een geheim aan iemand vertelt, begint het aan alle kanten te lekken. Zoiets hou je niet tegen. Tenzij je iedereen uit de weg ruimt die er in de verste verte ook maar iets mee te maken heeft.'

'Geef je mij de schuld van Marians dood? Dat is niet nodig; dat heb ik zelf al gedaan.'

'Er is al genoeg schuld op aarde.'

Ze kwamen bij een haarspeldbocht. De koplampen gleden over het karkas van een uitgebrande vrachtwagen in een ravijn. Rakkim ontspande zijn greep en stuurde met zijn vingertoppen. De schokbrekers van de auto waren beroerd en de vering was slap – meer kon hij niet doen om de auto op de weg te houden.

Sarah zette de verwarming aan. Kapot. Hetzelfde gold voor de ontdooier.

Rakkim veegde zo goed en zo kwaad als dat ging met de rug van zijn hand het condensatiewater van de voorruit. Hij keek op het achteruitkijkscherm. 'Het verbaast me dat Roodbaard geen zendertje in het horloge heeft gestopt dat hij je gegeven heeft.'

'Dat heeft hij ook gedaan. Ik heb het weg laten halen door een mannetje in de Zone. Volgens hem was het Russisch. Ik heb er duizend dollar voor gekregen. Roodbaard moet het ontdekt hebben, maar hij heeft er nooit iets over gezegd.'

'Ik heb je computergeheugen naar een van mijn kennissen gebracht. Hij heeft er nog stukken van je boek af kunnen halen voordat het destructieprogramma alles vernietigde.'

Sarah keek uit het venster.

'Ik weet dat het Zionistisch Verraad volgens jou een van de grootste leugens uit de geschiedenis is, maar volgens mij heb je dat mis.'

'Waarom zit die moordenaar dan achter ons aan?'

'Om dezelfde reden dat de Zwartjassen je die premiejager op je dak hebben gestuurd. Roodbaard heeft een hoop vijanden en jij bent een onderhandelingstroef. De Oude is gewoon een van de spelers.'

'Misschien heb je gelijk.' Sarah staarde recht voor zich uit. 'Ik moet alleen de dagboeken doornemen. Ik ben pas halverwege de belangrijke delen. Met jouw hulp...'

'We kunnen naar Canada gaan.' Rakkims blik was op de weg gericht. We kunnen een andere auto nemen en onze achtervolger van ons afschudden. Een dag of vier, vijf, afhankelijk van het weer en de patrouilles...'

'Doe niet zo idioot.'

Rakkim keek haar aan en richtte zich vervolgens weer op de weg. 'Je bent geen spat veranderd sinds de dag waarop ik je ontmoette. Vijf jaar oud, en toen was je al een stoorzender.'

Sarah legde haar hand op zijn been. 'Ik stel voor dat we de dagboeken gaan halen. Je weet dat ik graag lees in bed.'

Haar schaamteloze aanraking deed Rakkims adem stokken. Hij keek nog een keer op het achteruitkijkscherm om te verhullen dat het hem opwond. 'Eerst de belangrijke dingen.' Sarah klonk heel dapper, maar bij het schijnsel van de dashboardverlichting zag hij de spanning op haar gezicht. Ze was nog nooit hier geweest. Dat gold trouwens voor de meeste stadsmensen. Zelfs de politie kwam niet in deze contreien.

Rakkim had haar zes maanden geleden nog gezien, maar ze zag er ouder uit. Het waren niet alleen de kringen van vermoeidheid rond haar ogen, maar ook het besef dat er buiten haar vertrouwde omgeving monsters op de loer lagen. Voor iemand als Sarah, die trots was op haar logica en haar intellect, moest het een schok zijn om te ontdekken hoe geïsoleerd en bevoorrecht haar leven was geweest. Dat kreeg je als je ontdekte dat een vriendin was vermoord. Zelf iemand doden en beseffen dat je het opnieuw zou doen en dat het de tweede keer gemakkelijker zou zijn – dat was het ultieme ontwaken. Sarah leerde. Als ze dit overleefden, zou ze er sterker van worden.

'Waarom stop je?' vroeg Sarah.

Rakkim deed de verlichting uit, maar liet de motor lopen. 'Als we niet naar Canada gaan, zullen we de moordenaar uit de weg moeten ruimen.'

Een klein hoopje beton was het enige wat overgebleven was van een poort die ooit toegang had verleend tot Green Briar Estates: een van de vele plaatsen nabij Seattle waar in het verleden arbeiderswoningen waren gebouwd. Betaalbare moslimwoning op een onbedorven moslimlocatie. Het had voor Green Briar niet gewerkt, evenmin als voor de andere projecten. De modernisten waren vertrokken, moe van het lange pendelen en bang voor de bossen en de toenemende wetteloosheid. De woningen waren verwaarloosd, de vensters met de weidse uitzichten kapotgegooid, de schoorstenen ingestort en op de muren groeide het mos tegenwoordig zo dik dat je er kussens mee kon vullen. Er waren krakers ingetrokken die het ontbreken van stroom geen gemis hadden gevonden. Sterker nog; als de voorzieningen wel hadden gewerkt, hadden ze waarschijnlijk de stroomkabels doorgesneden en de waterleidingen opgeblazen. De toegangsweg naar het terrein werd geblokkeerd door tientallen gevelde bomen. Green Briar bestond alleen nog maar op bouwtekeningen die lang geleden waren gearchiveerd.

'Het bevalt me hier niks,' zei Sarah.

Rakkim knipperde twee keer met zijn koplampen en wachtte. Hij knipperde opnieuw twee keer.

'We kunnen beter gaan.' Sarah keek om zich heen. 'De moordenaar... Nog even en hij haalt ons in.'

'Nee, hij is gestopt toen wij dat deden. Hij wil ons niet inhalen. Hij wil niet laten merken dat hij ons volgt. Hij wil blijven waar hij is – op de achtergrond. Hij kiest ervoor om afstand te houden en op die manier ons leven in zijn hand te houden. Het werkt voor hem als een soort drug. Beter dan seks. Hij krijgt geen argwaan door het feit dat we hier stoppen – hij denkt gewoon dat we voorzichtig zijn. Dat respecteert hij. Hij zou juist wantrouwig worden als we domme dingen gingen doen. Het maakt het voor hem nog lekkerder om ons te vermoorden.'

'Dat klinkt alsof je precies weet wat er in hem omgaat.'

Rakkim streelde haar schouder en voelde haar angst onder de dunne sweater. Hij kon het haar niet kwalijk nemen. Het hoofd van de moordenaar was gevuld met gebroken glas en gekwelde dieren. Rakkim inspecteerde het bos aan weerszijden van de weg. 'Hij zat in het bewakershuisje toen we weggereden. Ik had gehoopt zijn gezicht te kunnen zien, maar hij...'

'Maar ik heb met de bewaker *gepraat*. Hij leek helemaal niet...'

'De bewaker met wie jij gesproken hebt, is dood. Het was de moordenaar die gebaarde dat ik door kon rijden toen ik aankwam. Zijn gezicht zat achter een krant. Ik had haast... Ik dacht er verder niet over na, maar toen je zei dat er een zendertje in de auto zat, wist ik dat hij het was bij het hek. Ik had het huisje wel willen rammen, maar er stond een betonnen paal voor.'

'Waarom zou de moordenaar de bewaker om zeep helpen? Dat slaat toch nergens op?'

Rakkim glimlachte. Na alles wat er de afgelopen week met haar was gebeurd, begreep ze nog steeds niet wie ze tegenover zich hadden. 'Ik ben zo terug.' Hij opende zijn deur, maar het bleef donker. Hij had het lampje in het dak van de auto losgedraaid. 'Ze zijn er.'

'*Wie?*' Sarah zag ze nu ook. Uit de regen kwamen drie mannen te voorschijn. Ze zagen eruit als geesten; geesten met lang haar en lange baarden in doorweekte wollen kleren. Geesten gewapend met bijlen en machetes.

Rakkim liet de mannen zijn handen zien en stapte uit de auto.

30

Na het nachtgebed

'Ik kan beter met je meegaan,' zei Roodbaard.

'Ik heb je hier nodig, Thomas,' zei zijn broer. James stopte de laatste voortgangsrapporten in zijn sporttas en deed zijn best om zich niet te haasten. 'Jij moet op Katherine en Sarah letten.'

'De beste manier om ze te beschermen is ervoor zorgen dat jij veilig bent,' protesteerde Roodbaard, die hem wel door elkaar wilde schudden zodat hij het zou begrijpen. 'Chicago is gevaarlijk...'

'Het is overal gevaarlijk.' James stopte ook nog zijn mobieltje, allergiepillen en de versleten koran in de tas. De zon scheen fel door de kogelvrije glazen van Roodbaards werkkamer op de eerste verdieping. Het uitgestrekte golvende gazon rond de villa had een onmogelijk groene kleur. James ritste de sporttas dicht.

In zijn blauwe nylon trainingspak zag James er precies zo uit als op de Olympische Spelen van Peking, waar hij met de gouden medaille om zijn hals in het bijzijn van de camera's zijn nieuwe geloof had beleden. James, die een van de eerste beroemde bekeerlingen was geweest, had roodblond haar. Zijn sikje was nog steeds donzig – als van een tiener. Hij was zo charmant dat Roodbaard soms nauwelijks kon geloven dat ze broers waren. Roodbaard, die op de universiteit geworsteld had, was zwaarder en gespierder en had een volle, ruige baard. Hoewel hij het lelijke eendje was, had James hem nooit zo behandeld, en om die reden hield hij des te meer van hem.

Roodbaard had een hand in zijn zak en telde zijn gebedskralen. Het tikken van amber op amber klonk gedempt. Er was iets wat hij zich moest herinneren, iets wat aan hem knaagde. Hij liet de kralen sneller door zijn vingers glijden terwijl hij probeerde te bedenken wat het was.

'Kijk niet zo triest, broertje,' zei James. 'Je ziet eruit als zo'n zuinig type uit de Bijbelgordel.' James glimlachte. 'Je hebt toch geen last van die ouderwetse religie, Thomas?'

Roodbaard trok een gezicht. Hij miste het gevoel voor humor waarover zijn broer beschikte. Evenals de charme. Maar weinig mensen waren zoals hij. James Dougan was directeur van de Staatsveiligheidsdienst, maar hij was evengoed politicus als hoofd van de inlichtingendienst. Als gematigd moslim was hij oprecht en praktisch. In de chaos na de zionistische aanslagen had de nieuwe islamitische president James als hoofd van het bureau gekozen. De fundamentalisten waren ertegen geweest, maar James had ze ontwapend met zijn humor, zijn populariteit en de handige manier waarop hij met de media omging. En als het daarmee niet lukte, schoot Roodbaard, zijn onderbevelhebber, te hulp. Roodbaard had een oog voor detail en de felheid van een kodiakbeer. Bovendien was hij bereid om tegen God persoonlijk te liegen als dat nodig was.

Nu, twee jaar na het staakt-het-vuren dat een einde aan de burgeroorlog had gemaakt, hadden ze eigenlijk hun succes moeten vieren. De Staatsveiligheidsdienst had zware terroristische aanslagen weten te verhinderen en de overgebleven ondergrondse christenen waren naar de Bijbelgordel gevlucht. De burgerlijke vrijheden waren weliswaar ingeperkt, maar na de chaos die de overgang naar het nieuwe regime had gekenmerkt, waren er weinig klachten te horen. Behalve van de fundamentalisten. De rechtse geestelijken wilden dat James ontslagen zou worden omdat hij weigerde ongelovigen te laten stenigen. Ze hadden de twee broers bovendien beticht van het feit dat ze alleen in naam moslim waren en het in de praktijk niet al te nauw namen met de doctrine en de zonde.

Roodbaard wilde terugslaan, maar volgens James zou de regering een zo sterke interne verdeeldheid mogelijk niet overleven. Daarbij was het beter om munitie te sparen voor wanneer de situatie echt niet meer te houden was. *Timing, Thomas,* had hij gezegd, *alles draait om de juiste timing.* Vervolgens had hij Roodbaards verontwaardiging bij voorbaat de kop ingedrukt door zijn horloge – het horloge van hun vader – van zijn pols te halen en het aan hem te geven. Roodbaard had geprotesteerd, maar James had hem op beide wangen gekust en gezegd dat niemand zo gezegend was als hij met zo'n loyale broer.

'Niet zo naar je horloge staren, Thomas. We hebben nog een paar minuten, toch?'

Roodbaard knikte. Hij was niet in staat te spreken. De getallen op de wijzerplaat waren vertrouwd en de wijzers stonden op hun plaats, maar hoe hij zijn best ook deed, hij slaagde er niet in de juiste tijd af te lezen.

'Senator Simpson heeft me verzekerd dat hij genoeg stemmen heeft om het laatste amendement van de hardliners te kunnen verwerpen,' zei

James. 'Goed werk. Door jouw toedoen hebben de Zwartjassen het zo druk met hun interne ruzies dat ze geen tijd hebben om de benodigde steun te vergaren.'

'We hebben andere problemen. Een van mijn agenten in San Francisco heeft het contact verbroken. Een van mijn beste mannen.' Roodbaard aarzelde. 'Hij was in zijn sector... verontrustende activiteit op het spoor. De ramadan komt eraan. Ik maak me zorgen.'

James kwam naar hem toe, zo snel dat het leek alsof hij er geen tijd voor nodig had gehad om van de ene kant van de kamer naar de andere kant te lopen – een oud soefitrucje dat Roodbaard nooit onder de knie had gekregen. 'Mormonen? Of daklozen?'

Roodbaard schudde zijn hoofd. 'Dat is het probleem. De activiteit lijkt niet gerelateerd aan groepen waarmee we eerder te maken hebben gehad. Het is een compleet onbekende signatuur. Mijn agent zei dat hij zich moest ingraven, en sindsdien heb ik niks meer van hem gehoord. Het is ondertussen drie dagen geleden. De laatste keer dat we contact hadden, maakte hij zich zorgen. Hij was *bang* – en we hebben het hier niet over iemand die snel bang is.'

'Undercoveragenten maken zich altijd zorgen en de goede zijn altijd bang.' James glimlachte opnieuw, maar Roodbaard kende hem te goed om er in te trappen. James plukte aan zijn snor. Hij klonk nu ernstig. 'Heb je een naam? Een *doelwit?*'

Roodbaard schudde zijn hoofd. 'Mijn agent wist niet eens zeker of er wel een dreiging was. Hij had alleen de indruk dat er veel te veel toevalligheden waren. Sterfgevallen, verdwijningen, mensen die plotseling besluiten met pensioen te gaan of te verhuizen. En geen van de traditionele spelers lijkt bij de gebeurtenissen voordeel te behalen. Het is net zo ongrijpbaar als een lege stoel tijdens een etentje. Niet de dingen die je ziet, maar de dingen die je niet ziet, zetten je aan het denken. Ik wou dat ik je meer kon vertellen.'

James knikte verstrooid.

Roodbaard keek zijn broer aan. 'Wat is er aan de hand?'

De intercom op het bureau raakte. 'Meneer de directeur? Uw auto is bijna klaar.'

James liep naar het raam. Hij keek naar de gepantserde limousine die voor de deur geparkeerd stond. Een van zijn veiligheidsmensen lag op zijn rug onder de auto om het chassis te controleren. Zijn uniform zat vol met vieze vlekken. Een andere man liep langzaam met een Duitse herder rond het voertuig.

Roodbaard kwam naast zijn broer staan. 'Dus je *wist* dat er een nieuwe speler in het spel was.'

James plaatste zijn handen op de vensterbank. 'Hij is niet nieuw. Hij doet al heel lang mee.'

'Waarom heb je me dat niet verteld? Kijk me aan, James.'

James draaide zich om. 'Ik had alleen vermoedens, maar nu heb ik ook het bewijs, Thomas, *genoeg* bewijs. Maar ik kan niks doen. Nog niet. We moeten voorzichtig zijn. Als ik terug ben uit Chicago, kunnen we actie tegen hem ondernemen.'

'Meneer de directeur, uw auto is klaar,' kraakte de intercom.

'Controleer hem *nog* een keer,' blafte Roodbaard naar de intercom terwijl hij zijn broer bleef aankijken. Ze stonden zij aan zij voor het raam terwijl de hondenman opnieuw een rondje maakte. Roodbaard had het gevoel dat er iets zoemde in zijn hoofd, alsof zijn schedel met wespen gevuld was. Kon hij het zich maar herinneren... 'Wie is onze vijand, James?'

'We bespreken de zaak als ik terugkom. Ik zal je alles vertellen wat ik weet.'

Roodbaard beet op zijn lip. 'Afgesproken.'

'Ik heb er nog niet eens met mijn eigen mensen over gesproken. Het is alleen... Ik dacht dat we meer tijd hadden.' James kneep in Roodbaards enorme schouders. 'Je begrijpt mijn terughoudendheid wel als je de informatie ziet die ik verzameld heb. We zullen heel voorzichtig moeten zijn.'

'Waarom blijf je dan niet hier? Dan kunnen we meteen...'

James schudde zijn hoofd. 'Ik heb overleg met de president in Chicago. Ik moet hem persoonlijk spreken.' Hij keek alsof hij pijn had. 'Het spijt me, Thomas.'

'Ik rij met je mee naar het vliegveld.'

James pakte zijn sporttas op. 'Ik wil dat je naar het ziekenhuis gaat om Katherine te steunen.'

'Ik dacht dat Sarah vandaag ontslagen zou worden.'

'Die verrekte longontsteking is hardnekkig... Ze heeft een terugval gehad. De artsen willen haar nog een paar dagen houden. Het ziekenhuis is veilig, maar Katherine kan wel een vriendelijk gezicht gebruiken.'

Roodbaard glimlachte, maar hij voelde zich niet op zijn gemak. 'Sinds wanneer vindt Katherine mij aardig?'

'Zorg goed voor ze, Thomas.' James raakte de intercom aan. 'Ik moet ervandoor.' Hij toetste een nummer in op zijn mobiele telefoon. 'Oké.' Door het raam zag hij zijn dubbelganger via de voordeur de villa verlaten en in de limousine stappen. Zijn gezicht ging deels verborgen in een boernoes.

De broers stonden naast elkaar en zagen de auto het bochtige pad afrijden. Even later ging het hek omhoog. Ook nadat het voertuig in de verte was verdwenen, stond het tweetal nog voor het venster, half-en-half verwachtend een oranje lichtflits te zien en het gerommel van een explosie te horen.

'Het bestelbusje wacht bij de leveranciersingang,' zei Roodbaard ten slotte. 'Miller brengt je naar de luchthaven.'

James gooide de sporttas over zijn schouder. Hij zag eruit alsof hij graag weg wilde.

Er klonk een klop op de deur, gevolgd door nog twee klopjes.

Roodbaard keek door het spionnetje, zag dat het zijn lijfwacht was en deed de deur van het slot.

Miller bleef niet buiten wachten, maar beende lomp de kamer binnen. Op dat moment *wist* Roodbaard het. 'Ik help u wel even, meneer de directeur,' zei Miller, en zijn rechterarm reikte naar iets in zijn onberispelijk witte bezorgersjasje.

James zocht naar iets op de bank. 'Ik ben mijn leesbril kwijt.'

Roodbaard probeerde zich te bewegen, maar zijn lichaam voelde alsof het gevuld was met beton.

Er galmden pistoolschoten door het vertrek. Het geluid leek Roodbaard te bevrijden uit zijn verlamming. Hij greep de lijfwacht vast. Meer schoten, gedempt nu. Het pistool werd in zijn buik gedrukt. Miller, die al vanaf het begin bij hen was, keek hem aan met een vuile grijns. Roodbaard kon zien dat de ogen van de man eruit waren gehaald en waren vervangen door beelden van James' lichaam, opgebaard onder de koepel van het Capitool. Sarahs handen lagen op de kist, maar waar was Katherine?

'Jullie krijgen de groeten van mijn meester,' zei Miller. Er klonk opnieuw een schot, maar Roodbaard had de pols van de man vastgegrepen en de kogel verdween in het niets en raakte de muur. Miller probeerde zich los te worstelen en vuurde opnieuw. Roodbaard voelde de hitte en rook smeulende kleding. Hij brak Millers pols. Het pistool viel op het tapijt.

Roodbaard had zijn handen rond Millers keel. Hij had zwakke knieën – ze hadden hem een nationale titel gekost – maar zijn handen waren sterk. Miller trapte en worstelde, maar Roodbaard negeerde de pijn. Hij negeerde ook het bloed dat uit zijn verwondingen kwam en drukte langzaam de luchtpijp van de man kapot.

'Thomas,' riep James. 'Niet doen. Je hebt de informatie nodig.'

Roodbaard zag de foto's in de ogen van de lijfwacht langzaam verdwijnen. Afgezien van wat stuiptrekkingen hingen zijn armen nu slap, maar Roodbaard bleef de druk opvoeren.

'Thomas,' bracht James met moeite uit.
Roodbaard smeet Miller op de grond.
Er bonsde iemand op de deur van het kantoor.
Roodbaard wiegde James in zijn armen. Het trainingspak van zijn broer stonk naar rook en het blauwe nylon was verschroeid waar de kogels naar binnen waren gegaan. Maar er was geen bloed te zien. Geen druppel. 'Niet bewegen,' zei Roodbaard. 'Alles komt goed.'
James raakte Roodbaards wang aan. 'Ach, Thomas... wie had ooit gedacht dat jij zo'n optimist was?'

Roodbaard zat huilend over zijn bureau gebogen toen Angelina hem wakker schudde. Hij sloeg zijn armen om haar heen en drukte zijn gezicht in haar vlees terwijl ze zijn haar streelde. 'Ik kon hem niet redden. Ik kon mijn eigen broer niet redden.'
'Ik breng je naar bed,' zei Angelina. 'Je hebt koorts.'
'Ik ben bang om te slapen.'
'Sssst.' Angelina hielp hem overeind.
'Als ik mijn broer niet eens kon helpen, hoe kan ik dan mijn land helpen?'
Angelina drukte hem stevig tegen zich aan. Hij was de laatste tijd steeds vaker zo: in de war, nachtmerries en verscheurd door twijfel.
'Als James hier was geweest, zou hij geweten hebben wat er moest gebeuren. James had bondgenoten... en vrienden. Jij... jij bent de enige die ik kan vertrouwen.' Hij struikelde en Angelina viel bijna. 'Rakkim... Ik rekende op hem, en toen ging hij bij de Fedayeen.'
'Je hebt hem zelf weggejaagd,' zei Angelina.
'*Ik* had die dag moeten sterven, niet James.'
'Ben jij God? Trek dan niet in twijfel wat Hij bewerkstelligt.'
Roodbaard trok zich los. Was ze soms zijn *vrouw* dat ze zo tegen hem sprak? Hij schuifelde verder, het hoofd gebogen en vermoeid tot op het bot. Hij had de afgelopen weken nauwelijks geslapen, en de schaarse momenten waarop hij wel even was ingedommeld, hadden hem weinig rust gebracht. Het was te veel voor één man. Angelina had gelijk, hij had Rakkim van zich vervreemd. En Sarah ook. Het enige kind van zijn broer en de zoon die hij nooit had gehad. Weg. Angelina had gelijk. Ze had altijd gelijk.
Hij strompelde de gang door, zijn slaapkamer in. Hij liet het licht uit. De duisternis was koel op zijn brandende huid. Hij gooide met een schouderbeweging zijn gewaad van zich af en liet het in een hoopje op de grond liggen. De matras kreunde als een oud schip onder zijn gewicht. Even zijn

ogen sluiten, meer wilde hij niet. Niet slapen. Geen dromen. Alleen even zijn ogen sluiten.

Het was zo moeilijk om de indruk van kracht te blijven wekken. Om altijd vastberaden en vol vertrouwen over te komen. Roodbaard trapte het laken van zich af. Hij zweette. De wereld liep vast bij het eerste spoor van zwakheid. Zijn zogenaamde bondgenoten zouden zich in een oogwenk tegen hem keren. De Oude wachtte af. Hij wachtte altijd maar af. Waar kwam al dat geduld vandaan? Niet het geloof hield de Oude in de schaduwen; het was zijn duivelse slechtheid. En toch... door zijn slechtheid had hij wel succes. De president was ziek. Roodbaard had zijn medisch dossier gezien. Als de president stierf...

De deur van de slaapkamer ging open. Angelina kwam op het bed zitten en legde een nat washandje op zijn voorhoofd.

Roodbaard bedekte zijn naaktheid met het laken. 'Je hoeft me niet als een baby...'

Angelina mepte zijn hand weg toen hij probeerde het washandje van zijn voorhoofd te halen. 'Als de koorts na het middaggebed niet gezakt is, bel ik je dokter.'

Roodbaard gebaarde dat ze weg moest gaan. Hij wachtte totdat ze de deur achter zich had gesloten en bracht zijn hand naar zijn voorhoofd om het washandje weg te halen. Maar halverwege bedacht hij zich. De koelte voelde goed. Zo konden zijn ogen tot rust komen. Hij moest zichzelf tijd gunnen om op krachten te komen. Slaap was het antwoord. Slaap; de balsem voor de gedachten die zijn hersenen aan de kook brachten. Was James maar hier. Vijfentwintig jaar dood. Hij drukte zijn handen op zijn ogen om het duister dichterbij te halen. Als hij wakker was, hield hij zich meestal met de oude man bezig, maar op dit soort momenten, als zijn geest tussen slapen en waken verkeerde, dacht hij aan James... en Katherine. *Allebei* weg.

Katherine... De naam die hij nooit hardop zei. Het gezicht dat hij zag als hij zijn ogen sloot. Vergeef me, broer, voor de gedachten die ik had. Voor de verlangens die ik koesterde. Hij had zijn gedachten voor zijn broer verborgen gehouden, maar Katherine had ze gevoeld. Ze *moest* ze hebben gevoeld. Toen ze het nieuws van James' dood had gehoord, had ze haar dochter verlaten en was ze gevlucht zonder zelfs maar een woord. Een buitengewone vrouw die de eer van haar echtgenoot zo hoog hield. Vergeef me, James.

31

Voor het ochtendgebed

Rakkim stapte doorweekt weer in de auto. Er druppelde water uit zijn sikje. 'Je mag kiezen.'

Sarah keek naar buiten door het venster. De mannen stonden rond de auto, bijlen en knuppels op de schouders.

'Je kunt hier bij de krakers blijven...'

'Vergeet het maar.'

Rakkim hield een hand omhoog. 'Ik heb wat van ze te goed. Je bent hier veilig. Als mijn plan voor de moordenaar werkt, kom ik terug om je op te halen. Zo niet... dan brengen zij je terug naar de stad.'

'Waarom helpen ze je niet met hem?'

'Omdat het mijn verantwoordelijkheid is.'

Sarahs ogen glinsterden in het rode schijnsel van het dashboard. 'Ook die van mij.'

Rakkim startte de auto en schakelde de verlichting in. De mannen verdwenen in het duister.

'Wat ben je van plan?'

Rakkim hield zijn ogen op de weg. Het was harder gaan regenen en hij kon niet veel sneller rijden dan vijftig. Even later sloeg hij abrupt rechtsaf, een zijweg in. Aan de voet van de verderop gelegen bergen sloeg de bliksem in. De korte lichtflits gaf hen een vage indruk van de slechte weg. 'Heb je wel eens van de term *weerwolven* gehoord?'

'Horrorfilms van voor de Omwenteling. Volle maan, veel haar en slagtanden...'

'Niet dat soort. Die weerwolven zijn verzinsels. Degene die ik bedoel zijn echt.' De koplampen gaven weinig licht in het duister en de ruitenwissers hielpen nauwelijks. 'Weerwolven... Zo noemen de krakers de extreem gewelddadige rovers die hier wonen. Bendes drugsverslaafden, verkrachters en thrillkillers...'

'Waarom heb ik daar nooit van gehoord?'

'Er is zoveel waar mensen nooit iets van horen. Een week geleden dacht *ik* nog dat het Zionistisch Verraad een historisch feit was.'

'Waarom stuurt de regering het leger er niet op af om ze uit te roeien? De krakers vormen geen gevaar voor de mensen, maar die weerwolven lijken me...'

'De regering *gebruikt* de weerwolven. Kijk eens om je heen. Zie je hier ook maar één goede moslim? Of katholiek? Als je hier rondloopt, ben je vogelvrij. De enige mensen die hier komen zijn smokkelaars op weg naar de hoofdstad en joden en afvalligen die de andere kant op gaan. De weerwolven vallen ze aan en plunderen hun auto's. Ze vragen losgeld voor overlevenden of leveren ze aan de Zwartjassen uit.' Zijn vingers verstevigden hun greep om het stuur. 'Soms nemen ze de moeite niet eens.'

'En wat doen *wij* hier?'

'De weerwolven trekken rond zodat maar weinig mensen weten dat ze bestaan. Volgens de krakers is er een kilometer of vijftien verderop een nest.'

Boven hun hoofden speelde de wind met de boomtakken, die langs het dak en de zijkanten van de auto zwiepten. 'Denk je dat de weerwolven de moordenaar te pakken zullen nemen?'

'Zoiets.'

'En ons vermoorden ze niet? Valt er met ze te praten, dan?'

Rakkim lachte. 'Nee, er valt niet met ze praten. Maar ik weet wel hoe ik ze voor mijn karretje kan spannen.' Zijn haar druppelde nog steeds, en hij veegde zijn gezicht droog met zijn onderarm. 'Afgelopen jaar was ik hier ook in de buurt. Met een gezin dat naar Canada moest vluchten. Een moslimgezin, twee kinderen, een achtjarig meisje en een vijftienjarige jongen. De jongen was homo. Dat gaat geen mens wat aan, maar ze hadden een buurman. Misschien maaiden ze het gras niet kort genoeg of luisterde de dochter naar muziek. Hoe dan ook, de buurman lichtte de plaatselijke imam in. Het gezin heeft het bevelschrift niet afgewacht.' Rakkim stuurde naar links. Een van de wielen reed door een gat in de weg – zijn tanden klapten op elkaar. Hij nam gas terug. Als ze nu een lekke band zouden krijgen... Hij voelde dat Sarah naar hem keek. 'Ik reed in hun auto. Het was herfst en er lag nog geen sneeuw. Drie nachten had genoeg moeten zijn. Drie nachten om via Washington naar Canada te komen. Ik ken een grenspost waar de bewakers elke avond naar huis gaan om te eten. Toen we vertrokken was het weer ideaal. Een heldere nacht, de maan in het eerste kwartier. Ik hoefde het grootste deel van de tijd mijn koplampen niet eens te gebruiken. Er was een ongeluk gebeurd op een van de kleinere wegen die ik meestal neem. Politiewagens, ambulances met zwaailichten – ik begon me zorgen te maken. Soms zet de politie nep-ongelukken in scène om smokkelaars in de kraag te vatten. Ik heb dus een andere route genomen.' Hij veegde opnieuw zijn gezicht af. 'En toen zijn we in een weerwolvenval terechtgekomen.'

'Dat heb je nooit verteld.'

'Ze hadden een stuk van de weg uitgegraven en over het gat een dun laagje folie gelegd waar ze zand overheen hadden gestrooid. Ik reed te snel omdat ik probeerde de verloren tijd in te halen.' Rakkim keek op de kilometerteller. De krakers hadden hem verteld waar de weerwolven hun kamp hadden opgeslagen, maar hij wist niet hoe nauwkeurig hun schatting was. 'We reden met ruim zeventig kilometer per uur door het gat. We braken een as, sloegen over de kop en kwamen op ons dak in een greppel terecht. Iedereen in paniek. We waren allemaal gewond... Het acht jaar oude dochtertje was bewusteloos. Tegen de tijd dat ik het hele gezin uit de auto had, waren de weerwolven er.'

Sarah streelde zijn nek. 'En toen?'

Rakkim veegde met zijn hand de condens van de voorruit. 'Dat is geen fijn verhaal.'

'Ik wil het toch horen.'

'Ik had mijn hoofd gestoten toen de auto over de kop sloeg en mijn knie was opgezwollen, maar ik had mijn mes.' Rakkim kon nauwelijks zijn eigen stem horen. 'Ze hadden fakkels en knuppels met prikkeldraad en breekijzers. Een van die kerels, zo'n dikke harige klootzak, had een golfclub. Hoe noemen ze die dingen ook alweer...? Een *driver*. Hij had een titanium driver. Dure club. Waarschijnlijk van een rijke toerist gepikt die verdwaald was. Wedden dat hij hem ermee heeft doodgeslagen? Bij mij probeerde hij het ook, maar dat is hem niet gelukt. Ze waren minstens met z'n twintigen. Ze schreeuwden en zongen en ze klonken heel vrolijk – alsof ze op ons hadden gewacht en het feest eindelijk kon beginnen.' Hij veegde opnieuw de voorruit droog. Het was niet nodig, maar hij deed het toch. 'Ik heb er meteen een stel om zeep geholpen – de keel doorgesneden, dat geeft een hoop rotzooi. Ik hoopte dat de rest zich dan misschien zou terugtrekken.' Hij schudde zijn hoofd. 'Maar ze werden er alleen maar enthousiaster door. Ik probeerde de familie het bos in te krijgen, dat was veiliger, maar de vader struikelde voortdurend omdat hij het meisje moest dragen. Het was donker in het bos en hij had stadsogen. Als de weerwolven aanvielen, schakelde ik er steeds een paar uit, maar ze waren met *zoveel*. Ze waren niet getraind, maar ze kenden het terrein en ze gedroegen zich als maniakken met hun gehuil en hun beschilderde lichamen. Ze zagen eruit alsof ze op handen en voeten hoorden te lopen. Ik geef toe dat ik bang was. Ik had de situatie wel onder controle, maar het was op het randje.'

Sarah masseerde zijn nek om de spanning eruit te halen.

Rakkim glimlachte, maar hij was niet vrolijk. 'Je had de moeder moeten zien, zo'n lief moslimvrouwtje dat vijf keer per dag bidt en sinds jaar en dag geld opzij legt voor haar hadj. Het goede mens heeft een van de weerwolven om zeep geholpen; zo'n magere psychoot met zijn haar in vlechten. Ze heeft hem met een kei de schedel ingeslagen – en ze knipperde niet eens met haar ogen. Allah zij geprezen, toch?'

'Zonder de hulp van Allah kunnen we onszelf niet van het kwaad verlossen,' declameerde Sarah.

Rakkim schudde zijn hoofd. 'En toen vond ik een pad. Het was nauwelijks te zien, maar meer hadden we niet. Ik zei tegen de vader dat hij zijn gezin mee moest nemen en niet achterom moest kijken. Ik zei dat ik achter zou blijven om de groep zoveel mogelijk uit te dunnen. Ik zei dat hij moest rennen, maar hij kreeg nauwelijks lucht en er liep bloed uit zijn neus in het haar van zijn dochtertje. Het was zo zwart als olie in het maanlicht.' Sarahs aanraking voelde alsof ze in hem was. 'Ik probeerde hem uit te leggen dat ik hen de kans gaf om te ontsnappen, maar toen gaf hij me zijn dochtertje en verdween hij in het bos. Hij begon een hoop lawaai te maken en met takken te slaan en de weerwolven... gingen achter hem aan. Hij heeft ons gered. Een nerveus mannetje met een buik en een bril heeft de weerwolven weggelokt. Ik heb het meisje op mijn borst gedragen en ben met haar moeder en broertje ontsnapt via het pad. We renden als gekken terwijl we in de verte de vader hoorden schreeuwen... We *bleven* maar rennen.' Hij keek Sarah aan. 'En zo is het gegaan.'

Sarah kuste hem op de wang. 'Ik hou van je.'

'Ik had beloofd dat ik ze naar Canada zou brengen. Dat ik ze zou beschermen.'

'Waar zijn ze nu?'

'Het meisje... Ze is gestorven in mijn armen. Ik heb de moeder en de zoon naar Green Briar gebracht en hen achtergelaten bij de krakers. Toen ik een week later terugkwam, wilden ze niet meer weg. De krakers hadden hen geaccepteerd en ze het gevoel gegeven dat ze welkom waren. Allebei. En de dochter is er begraven...'

Het duurde zeker twee kilometer voordat Sarah opnieuw sprak. 'Je gaat de moordenaar in de val lokken; zo'n weerwolvenval. Dat heb je bij Marian bedacht. *Daarom* heb je het zendertje niet weggehaald.'

Rakkim knikte. Hij hield van slimme vrouwen.

'Hoe ga je ervoor zorgen dat *hij* in de val loopt en niet wijzelf?'

Rakkim remde af, liet de auto volledig tot stilstand komen en deed de verlichting uit. Boomtoppen zwiepten in de wind en dode bladeren wervelden door de lucht. De weg, die dwars door het bos ging, liep haast onmerkbaar omlaag. Een perfecte plek voor een val. De reiziger, die zo snel mogelijk het bos uit wilde, deed zijn voordeel met het terrein en verhoogde zijn snelheid.

'O.' Sarahs stem klonk vol afschuw.

Rakkim stapte uit. 'Ga achter het stuur zitten. Als er iets gebeurt... Als dit niet lukt...'

'Reken maar dat het lukt.'

De regen stroomde langs zijn gezicht. 'Als ik in een hinderlaag loop, maakt dan dat je wegkomt. Stop voor niks of niemand, ook niet voor mij. Ga terug naar Jill. Ik weet je wel te vinden.'

'Ik ben niet bang.' Het was een leugen, maar hij was blij dat ze het in elk geval probeerde. Ze schoof achter het stuur. 'De heilige stad bombarderen, de joden de schuld geven... De Oude is vervloekt. Daarom is zijn plan verijdeld. Wij zijn instrumenten van God, Rakkim. Allah heeft macht over alles. Hij zal niet toestaan dat we falen.'

Rakkim kuste haar op de lippen en genoot van haar warmte. 'Als jij het zegt.'

Sarah stak een hand naar hem uit, maar hij was al weg. De wind kwam in vlagen en deed zijn kleren wapperen, maar het voelde goed om buiten te zijn; om het koud te hebben en door de storm te lopen. Een paar minuten later hoorde hij achter zich steentjes opspatten. Sarah was hem langzaam in het donker gevolgd met de uitgeschakelde motor in zijn vrij. Hij had liever gezien dat ze op haar plek was gebleven, maar hij achtte de kans minimaal dat de weerwolven 's nachts patrouilleerden. De krakers moesten oppassen dat ze niet werden aangevallen, maar geen mens haalde het in zijn hoofd om achter weerwolven aan te gaan. Hij hield zijn ogen in elk geval open en bleef langs de kant van de weg lopen. Toen er in het donker een boomtak kraakte, liet hij zich voor de zekerheid door zijn hurken zakken.

Pas na een paar twee kilometer zag hij de spijkerstrip over de weg liggen. Het ding was zwart geschilderd en zo goed verborgen dat hij er bijna over struikelde. Hij sleepte het ding de struiken in en luisterde. Er was niemand. Hij sloot zijn ogen, wachtte en opende ze weer. Niemand anders dan een Fedayeen zou het hebben gezien, maar daar, tussen de bomen... knipperde een lichtje. Waarschijnlijk een kaarslantaarn. Rakkim rende een paar honderd meter voorbij de plek waar hij de spijkerstrip had gevonden. Er waren geen andere valstrikken. De weerwolven gingen er terecht van uit dat de spijkerstrip voldoende zou zijn om de banden van passerende auto's – in beide richtingen – te vernielen zodat ze in het ravijn zouden rijden of op een boom zouden klappen.

Hij rende terug naar Sarah, liet haar een stuk vooruitrijden en legde vervolgens de spijkerstrip weer op zijn plaats. Toen hij wilde instappen om achter het stuur te gaan zitten, gebaarde ze naar de andere kant en startte de motor. Rakkim bleef er rekening mee houden dat de weerwolven plotseling uit de struiken tevoorschijn konden komen om hen te bespringen.

'Ik wil dat je heel langzaam...'

Sarah drukte het gaspedaal helemaal in. De banden piepten, en er werden steentjes gelanceerd. De oude wagen reed met brullende motor weg. Ze deed het licht aan.

'Wat doe je *nou?*'

'Je zei toch dat de moordenaar stopt als wij stoppen en verderrijdt zodra wij dat doen?' zei Sarah, die nog steeds plankgas gaf. 'Ik heb liever dat hij flink hard gaat als hij over die spijkers rijdt.'

Rakkim keek achter zich. Het was een goed plan. 'Als je maar op de weg blijft.' Ver achter hen, bij de afslag, meende Rakkim door de regen een glimp van koplampen op te vangen, maar het kon ook de bliksem zijn. Hij bleef in elk geval opletten.

32

Voor het ochtendgebed

Darwin had de verlichting uitgeschakeld en luisterde naar het tikken van de regen op het dak. Hij dacht aan de charmante jonge politieagent die zijn voeten had gewassen in de badkuip. Hij herinnerde zich de lange tenen en de zorg waarmee de man zich op het gebed had voorbereid. Ze zeiden dat een goede moslim altijd klaar was om te sterven. In dit geval was Darwin dus een instrument van goddelijke instructie geweest…

De ontvanger begon plotseling te piepen en Darwin schrok op uit zijn metafysische overpeinzingen. In zijn nachtbril waren de knipperende diodes zo helder als vallende sterren. Het geluid van de ontvanger veranderde in een doordringend janken. Waarom zoveel haast, tortelduifjes? Darwin drukte het gaspedaal in. De wielen slipten en lieten natte sporen achter.

Slimme zet van Rakkim, op hoge snelheid wegrijden na nog een pauze van een kwartier; een vrijwel onfeilbare methode om achtervolgers van je af te schudden. Achtervolgers zonder zendertje, welteverstaan. Darwin betwijfelde of ze wisten dat ze gevolgd werden, maar het was een handige tactiek. Precies wat hij van iemand als Rakkim zou hebben verwacht. Dat was het unieke van deze opdracht… de uitdaging.

Niet dat zijn eerdere klussen zonder risico's of complicaties waren geweest. Dat waren dingen die je kon verwachten. Daarom had de Oude hem gekozen. Darwin had eens een machtige liberale ayatollah geliquideerd in zijn eigen moskee. Hij had het gedaan terwijl de man zich op het ochtendgebed had voorbereid. Zijn lijfwachten en volgelingen hadden zich even buiten de deur van zijn kantoortje bevonden toen Darwin had toegeslagen. Hij had de moord perfect getimed. Het kreunen van de geestelijke was verloren gegaan in de oproep tot gebed van de muezzin. Darwin glimlachte toen hij zich herinnerde hoe hij een davidster in de borst van de ayatollah had gekerfd terwijl de man in stilte had gevochten voor zijn leven. Zijn geschreeuw was onhoorbaar geweest omdat hij een varkensfoetus in zijn mond had gestopt. Het waren dat soort creatieve ideeën waar Darwin vooral trots op was. Oké, het plannen van de operaties was best interessant, en de moorden zelf vonden vaak onder hachelijke omstandigheden plaats... maar het waren die kleine dingetjes die hij zich achteraf altijd met het meeste plezier herinnerde.

Ja, als het tijd werd om Rakkim te doden, zou hij ervoor zorgen dat zijn werkwijze de man waardig was. En het meisje... Sarah; die moest op een of andere manier ook nog in het verhaal passen. Waren het tortelduiven die hun hele leven maar een partner hadden? Als er een stierf, stierf de andere dan ook? Of was dat maar een verzinsel? Darwin drukte het gaspedaal in en zijn banden slipten. Zijn handen lagen losjes op het stuurwiel. De meeste mensen leken te denken dat liefde in deze corrupte en materialistische wereld nog het dichtst bij onsterfelijkheid kwam, maar Darwin wist wel beter. Liefde was de eerste voorzichtige stap in het voorportaal van de dood; het teentjetesten van de kille, oneindige nacht. Darwin dacht terug aan hoe Rakkim en Sarah elkaar in de hal van Marian Warriqs huis hadden omhelsd; een laatste aanraking alvorens ze het duister zouden trotseren. Rakkim en Sarah, zittend in een boom... elkaar k-u-s-s-e-n-d. Ze konden hun liefde houden. Darwin zou eeuwig leven.

Hij verhoogde opnieuw zijn snelheid en trotseerde de storm zonder acht te slaan op de hobbels. Maar even verderop werd de weg nog slechter, en Darwin was gedwongen gas terug te nemen. Het signaal van zijn ontvanger begon sneller te pulseren. Rakkim had blijkbaar een recht stuk weg gevonden. Waarschijnlijk had hij het speciaal uitgekozen om zijn ontsnappingspoging te wagen. Dat lag voor de hand – hij had de weg vaker gereden. De voorruit werd bestookt met regen en bladeren, maar de ruitenwissers deden gehoorzaam hun werk. Zijn bril deed het duister goudkleurig oplichten. Hij kwam even in de verleiding om hem af te zetten en de koplampen aan te doen, maar Rakkim en Sarah zouden ongetwijfeld hun achteruitkijkscherm in de gaten houden om te controleren of ze gevolgd werden. Hij kon ze beter in het ongewisse laten. Het zendertje had bovendien een bereik van vijftien kilometer; ze konden onmogelijk ontkomen.

Darwin reed in een opgevoerde donkerblauwe Cadillac; een grote luxe sedan die paste bij zijn dekmantel. Het op hoge snelheid bedwingen van glibberige wegen was daarmee puur genieten. De fourwheeldrive zat uiteraard vol met geavanceerde technologie en voelde aan als een racewagen.

De auto reed door een gat in de weg, maar de zware schokbrekers zetten de klap in een lichte bons om. Even verderop werd de weg weer vlakker, en hij verhoogde opnieuw zijn snelheid. Het signaal van de ontvanger werd rustiger – hij liep op ze in. Er was geen gevaar dat ze buiten het bereik van zijn apparatuur kwamen. Hij was van plan ze zo dicht te naderen dat hij de rode achterlichten kon zien om zich vervolgens iets terug te laten vallen.

Terwijl hij door de nacht raasde, dacht hij opnieuw aan de charmante politieman en de manier waarop hij geprobeerd had het pistool te richten, nog vlak voor het einde. De volharding van de gewone mens die wist dat hij een ongelijke strijd streed, maar toch bleef vechten... Het was een bron van verwondering en verrukking, even inspirerend als de aurora borealis of een oude gospelsong van Al Green. Wanneer dit achter de rug was – wanneer de doden begraven waren en de Oude tevreden was – zou hij het graf van de charmante politieagent bezoeken. Hij zou de badge terugbrengen en hem achterlaten bij de steen, samen met een boeket rode rozen. Dat was het minste wat hij kon doen.

Darwin reed over de honderd op het rechte stuk toen hij op de weg een lichtschijnsel zag. Het was niet meer dan een zwakke schittering, maar hij wist wat het was. Te laat besefte hij wat Rakkim had gedaan. Hij probeerde niet eens te remmen. Niet bij die snelheid. Niet op dit natte wegdek.

De spijkerstrip maakte korte metten met alle vier de banden. In het zwaar geïsoleerde interieur van de Cadillac klonk het alsof ergens ver weg vuurwerk werd afgestoken. *Poef-poef-poef-poef.* Rakkim mocht zichzelf feliciteren. Darwin greep het stuurwiel stevig vast en probeerde de auto, die begon te slingeren, onder controle te houden. De banden hadden een massieve kern, een soort tweede band waarop verder gereden kon worden – maar niet onder dit soort omstandigheden. Niet bij deze snelheid. De Cadillac schoot naar rechts, kwam in de zachte berm terecht en sloeg over de kop. Darwin voelde pijnscheuten in zijn nek.

De airbags werden geactiveerd en de auto rolde verder, een complete rij bomen vernielend. Darwin zag ondertussen alle hoeken van het interieur. Takken knalden tegen de carrosserie, glas versplinterde en bij elke klap zakte hij verder weg. Zijn laatste gedachte voordat de wagen tot stilstand kwam, was of het benzinereservoir zou gaan lekken. Het ontwerp was gebaseerd op de brandstoftanks van geavanceerde vliegtuigen en het ding was ingebouwd in een vuurbestendige titaniumlegering... maar ja, een mens vroeg zich dat soort dingen toch af. Technologie was altijd gevoelig voor menselijke fouten en het optimisme van de ontwerper. De Fedayeen stelden daarom dat de meest betrouwbare technologie – het ultieme wapen – een getrainde soldaat was die naakt in de sneeuw was achtergelaten.

Darwin kwam bij bewustzijn omdat hij geschreeuw hoorde. Er stonden mannen met zaklampen en fakkels rond de auto. Veel mannen. Ze trapten tegen het koetswerk en trommelden op het ingedeukte metaal. Mannen met beschilderde gezichten. In het schijnsel van de fakkels zag hij dat ze hun tanden tot punten hadden gevijld. Zag hij dat *echt?* Hij zette zijn nachtbril af. De auto lag op zijn zij tegen een talud. De airbags waren leeggelopen en hingen als dode kwallen over de stoelen. Zijn rechteroog was gezwollen en zijn nek deed pijn. Zijn knie ook. De ontvanger liet een regelmatig signaal horen. Dus Rakkim en Sarah waren opnieuw gestopt. Waarschijnlijk keken ze naar hem vanaf een geschikte locatie. Een picknick in de regen. Geniet maar, Fedayeen. In de achteruitkijkspiegel zag hij hoe mannen met breekijzers de kofferbak open wipten. Ze schreeuwden en joelden, huilden. Darwin proefde bloed in zijn mond. Geweldig, hij was het middelpunt van het feest.

Een dikke man zonder bovenkleding zwaaide met een golfclub. Hij had harige tepels; als een zeug. De man ging er eens goed voor staan.

Darwin hield zijn arm voor zijn ogen toen de golfclub het venster versplinterde. Het volgende moment had hij het mes in zijn hand. Hij werd via het raam naar buiten getrokken. Daarbij trok een glasscherf een gemene snee in zijn borst. Een lint van vlees. Darwin drukte zijn mes in de navel van de dikke man met de golfclub en trok het in de juiste hoek weer naar buiten.

De mannen die om hen heen stonden, hoorden het geluid dat de dikke man maakte niet eens. Ze waren te druk bezig met trappen, schreeuwen, het verscheuren van Darwins kostuum en het zoeken naar geld. Een knul gaf Darwin met een zaklantaarn een mep achter het oor. Darwins hand schoot uit en raakte zijn gezicht. Een opgeblazen vent in een doorweekt legerjack gaf Darwin een knietje. Darwin bedankte hem met het snijvlak van zijn mes. Er arriveerden meer mannen met zwaaiende fakkels. Half rennend, half glijdend daalden ze het talud af. Ze merkten niet eens dat de een na de ander bloedend in elkaar zakte en hun fakkels op de grond vielen. Ze gingen ervan uit dat de mannen uitgegleden waren en namen maar al te graag hun positie in. Ondertussen maakten ze al ruzie over de hoeveelheid losgeld die Darwin zou opbrengen.

Sommige mensen stelden dat Fedayeenmoordenaars zich buiten de tijd bewogen; ze zouden ofwel te snel, of te langzaam zijn voor de wetten van het universum. Maar dat was natuurlijk flauwekul. Ervaren moordenaars wisten gewoon *wanneer* ze moesten toeslaan; op welk moment hun prooi het kwetsbaarst was: dat kortstondige ogenblik tussen oplettendheid en onoplettendheid.

Darwin liet zich als een speelbal door de mannen gebruiken en zijn hoofd gonsde van het pak slaag dat hij te verduren kreeg. Maar ondertussen danste zijn mes van de een naar de ander, alsof het op zoek was naar een partner. Toen ze eindelijk begonnen te beseffen wat er aan de hand was, gooide Darwin het hoofd in de nek en lachte hij luidkeels om de poets die Rakkim hem had gebakken. Het was lang geleden dat hij zo in de maling was genomen.

De mannen hielden even in en keken elkaar aan. Het waren smerige mannen. Ze bloedden. Hun haar was samengeklit. Hun baarden zaten vol aarde en bladeren. Het waren dode mannen. Ze brachten hun wapens omhoog en zwaaiden met hun knuppels en kettingen en messen. Ze schreeuwden en ze vloekten, en vervolgens vielen ze aan.

'Dat is hij toch?' Sarah schermde met haar hand haar ogen af tegen de regen. Ze wees op de flakkerende lichtjes in de verte. 'De weerwolven hebben hem te pakken.' Het klonk luchtig.

Rakkim bewoog zijn arm naar achteren en smeet het zendertje dat hij onder de auto vandaan had gehaald de nacht in. 'Misschien.'

Sarah keek hem aan. 'Je zei dat hij de klap waarschijnlijk niet eens zou overleven.'

'De wagen is niet geëxplodeerd. De tank had het moeten begeven. Zelfs in de regen. We hadden een vuurbal moeten zien... groot genoeg om de bomen in lichterlaaie te zetten.' Rakkim zag de fakkels op en neer dansen in het ravijn, maar ook op het talud. Als hij alleen was geweest, zou hij terugrijden om persoonlijk na te gaan of de moordenaar de crash had overleefd. En *als* hij het ongeluk had overleefd, zou hij willen weten of de man de weerwolven had overleefd. Maar Rakkim was niet alleen.

'Laten we teruggaan om het te controleren,' zei Sarah. 'Waarom lach je?'

'Ik hou van je...'

In de verte was een enorme lichtflits toen de benzinetank explodeerde.

Rakkim telde de seconden totdat het geluid hem bereikte. Een kilometer of zes. Rakkim dacht dat hij lichamen door de lucht had zien vliegen. Het vuur werd vrij snel geblust door de stortregen. Er waren nog fakkels, maar veel minder in aantal en meer verspreid. Een aantal dennenbomen had vlam gevat.

Sarah stond naast hem en hield zijn hand vast alsof ze naar vuurwerk keken tijdens een bruiloft. 'Het is je gelukt, Rikki. Hij is dood.'

Rakkim keek naar de brandende boom.

'Kunnen we nu gaan?' vroeg Sarah. 'Hij is toch dood?'

Rakkim kuste haar en voelde de warmte van haar lippen. 'Laten we gaan.'

33

Na het ochtendgebed

Kijken naar Sarah die lag te slapen in het ochtendlicht... Een genoegen waarvan hij had gevreesd dat het voor altijd verloren was gegaan. Haar gezicht werd deels bedekt door de donkere lokken die klam waren van het zweet. Zelfs met dichte gordijnen kon hij haar huid zien stralen van hun vurige liefdesspel. Na afloop, toen ze met gesloten ogen in elkaars armen lagen, hadden ze nog steeds de vuurbal van de exploderende auto op hun netvlies gezien. Met bloemen en lekkere hapjes was niks mis, maar het ultieme afrodisiacum was angst. Rakkim keek naar haar. Hij was gefascineerd door de manier waarop haar lippen uiteengingen, door de vorm van haar mond – de poort naar de hemel en de hel. Vol beloften.

Ondanks alle verhalen over het hellevuur was de christelijke visie op het schimmenrijk een slap aftreksel van de islamitische hel. Ook degenen die Allah verwierpen, werden levend verbrand, maar hun huid werd daarbij onafgebroken vernieuwd zodat ze tot in lengte van dagen door de meest gruwelijke pijnen zouden worden gekweld. En waar de christelijke hel halfbakken maatregelen nam, bood ook hun hemel maar ongeïnspireerde genoegens – een hiernamaals met vleugels, wolken en harpjes. Moslims konden in het paradijs op de ultieme extase rekenen in de vorm van maagdelijke geliefden en perfecte partners; vleselijke genoegens in een oneindig aantal variaties. Het was een passende beloning voor een vroom leven op aarde.

Rakkim likte met het puntje van zijn tong Sarahs onderlip. Hij zou na zijn dood misschien niet in het paradijs komen, maar hij was dankbaar voor de vluchtige blikken erop die Sarah hem bood. Haar warmte, de lijn van haar heupen... Hij was nooit dichter bij God dan wanneer hij in haar was. Op dit soort momenten was Rakkim bijna in staat zichzelf zijn zonden te vergeven. Hij dacht aan Colarusso in het souterrain van de kerk. De man had Rakkim gevraagd of hij tegenover pastoor Joe zijn zonden wilde belijden. Katholieken. Hun god vergaf *alles*. Wat een slapjanus.

Sarah keek hem aan. Haar ogen glansden als zijde.

'Ik dacht dat je sliep.'

Sarah reikte tussen zijn benen en begon hem zachtjes met haar vingers te masseren. 'Lief moordenaartje van me.'

'Noem me niet zo.'

Sarah kuste hem. 'Je bent te bescheiden.'

Later lag Sarah boven op hem te dommelen. Zijn hand rustte op het donzige plekje onder aan haar ruggengraat. Het was vochtig. Hij had gedurende de afgelopen uren elk plekje van haar lichaam gelikt. Ziltig en zoet... warm als de zomer... Sarah.

Ze kwam omhoog op haar elleboog en keek hem met slaperige ogen aan. Haar borsten raakten zijn borst. 'Ik heb je gemist, Rikki.'

Rakkim voelde hoe de huid van haar tepels samentrok. 'Ik zie het.'

Ze liet haar gezicht op zijn schouder rusten terwijl hij haar billen vastpakte en zichzelf dieper in haar drukte.

Ze lagen op de slaapbank in het halflege kantoorgebouw. Hun kleren lagen op de grond naast de kartonnen dozen met Warriqs dagboeken. Op de koffietafel lag de foto van Sarah als baby in haar vaders armen. Beneden hen klonken de gedempte geluiden van het verkeer. Claxons en motoren en zwakke stemmen van de straat. Een perfect moment. Perfect om eeuwig te kunnen duren.

'Wat denk je? Zou hij nog leven?'

'Moordenaars zijn moeilijk dood te krijgen.' Hij streelde haar zij en zag dat ze kippenvel kreeg. 'Ik weet alleen dat hij niet hier is. We zijn hier samen.'

Sarah liet zich van hem afrollen en bleef op haar zij liggen. Ze legde een been over zijn dijen en hij werd opnieuw stijf. 'Ik moet steeds aan Marian denken. Ik heb haar niet eens verteld wat ik in haar vaders dagboeken zocht.'

'Je hebt mij ook niks verteld.'

Sarah geeuwde. 'Let op je toon. We zijn nog niet getrouwd.'

'Ja hoor, alsof dat iets uit gaat maken. Dan word je ineens een gehoorzame vrouw die me nooit meer tegenspreekt en verveel ik me dood.' Ze glimlachte en legde een hand op zijn borst. 'Waar zoeken we eigenlijk naar?'

Sarahs hand trilde. 'Een vierde bom.'

Rakkim ging rechtop zitten.

'New York City, Washington D.C., Mekka...' Sarah huiverde. 'De vierde bom moest in China afgaan.'

'Weet je dat *zeker?*'

'Als de vierde bom was afgegaan, zou China niet neutraal zijn gebleven. Ze zouden nooit een moslimstaat zijn geworden, maar anderhalf miljard Chinezen zouden onze woede en ons verdriet hebben gedeeld. Rusland zou het nooit hebben aangedurfd de zionisten asiel te verlenen. De hele werelddynamiek zou veranderd zijn. Vanuit puur theoretisch perspectief was het plan van de Oude eigenlijk... briljant.'

'En die bom bevindt zich onder de Drieklovendam?'

Ze liet niet merken dat ze verrast was. 'Misschien.'

'*Misschien?* Wou je soms zeggen dat je op goed geluk een punaise in een landkaart hebt gestoken en vervolgens besloten hebt om daar maar te beginnen?'

Sarah staarde hem aan. 'Ben je in mijn slaapkamer geweest? Heb je dat *gezien?*' Ze schudde haar hoofd en leek zich af te vragen of het nog zin had om verder te praten. 'Mijn vader heeft vlak voor zijn dood informatie gekregen over het bestaan van een vierde bom. Die zou ergens in China moeten zijn, dat heeft hij mijn moeder verteld. Volgens haar is de bom in Sjanghai, maar ik ben ervan overtuigd dat de Drieklovendam...'

'Je moeder?' Rakkim staarde haar aan. 'Heb je haar dan ontmoet?'

Sarahs schudde haar hoofd. 'Katherine heeft een paar jaar geleden contact met me opgenomen, vlak na de publicatie van mijn boek...'

'Maar je hebt haar niet meer gezien sinds je...'

'Ze was het echt. Haar eerste e-mail... Ze noemde me *ciccia.* Dat is Italiaans. Het betekent zoiets als dikkerdje. Ik was als baby nogal mollig.' Sarah moest plotseling huilen en lachen tegelijk. 'Mijn moeder was de enige die me ooit zo had genoemd. Het was een van de weinige dingen die ik nog van haar wist.'

Rakkim hield haar in zijn armen en hij voelde haar snikken. Sarah had nooit over haar moeder gepraat, zelfs als kind niet. Roodbaard had dat verboden. Maar dat was niet de reden geweest; Sarah had altijd gedaan wat ze wilde. Het was haar manier geweest om te doen alsof de afwezigheid van haar moeder niet belangrijk was. Als Sarah geloofde dat ze contact had met haar moeder, dan vertrouwde hij op haar instinct. Het klonk in elk geval aannemelijk. Katherine Dougan was na de liquidatie van haar echtgenoot gevlucht. Als er iemand was geweest die de zionistische aanslag diepgaand zou hebben onderzocht, dan zou het de eerste directeur van de Staatsveiligheidsdienst zijn geweest. De Oude had James Dougan laten vermoorden, maar *nadat* hij er met zijn vrouw over had gesproken – in bed. De oudste communicatiemethode.

Sarah veegde een traan weg. 'Ik had beloofd dat ik het niemand zou vertellen. Roodbaard niet. Jou niet.'

'Roodbaard weet het waarschijnlijk al.' Al die mannen die Roodbaard had laten ondervragen na de moord op zijn broer. Zelfs als ze niet van de vierde bom op de hoogte waren geweest, moesten ze voor hun dood over de Oude hebben gepraat. Het viel niet te zeggen hoeveel Roodbaard wist. 'Waar is ze?'

'Geen idee. Als ik dat wist, zou ik er meteen naartoe gaan.'

'Waarom zou ze je na al die tijd in de zaak betrekken? Ze moet toch beseffen dat het je dood kan worden.'

'Ze had geen keus. Ze is al twintig jaar op zoek naar die bom in Peking en Sjanghai – de politieke en financiële centra, net als D.C. en New York. Ze had mensen die ze kon vertrouwen, maar die konden niks vinden omdat ze op de verkeerde plaats zochten. Ze wilde dat ik mijn onderzoeksvaardigheden zou gebruiken om haar te helpen de locatie in Sjanghai te vinden, maar ik vertelde haar dat ze een fout had gemaakt.'

'Dus je wist gewoon zomaar dat ze fout zat?'

'Niet gewoon *zomaar*.' Sarah geeuwde opnieuw. Het was alsof ze door het delen van haar geheimen haar laatste restje energie kwijt was geraakt. 'Mijn specialiteit... mijn onderzoeksspecialiteit is het verzamelen en interpreteren van afwijkende informatie. Weet je eigenlijk wat dat inhoudt?'

'Dat je stripverhalen en countrymuziek gebruikt om geschiedenis te schrijven.'

Sarah glimlachte. 'Het betekent dat je schatten vindt op plaatsen waar de meeste mensen niet graven.' Ze nestelde zich tegen zijn borst. 'Katherine is in eerste instantie van vermoedens uitgegaan. De Oude heeft kernwapens tegen New York en D.C. gebruikt omdat hij het land op de knieën wilde dwingen, maar van China had hij weinig te verwachten. Trouwens... stel dat hij Sjanghai had vernietigd. Dan zou meteen de complete financiële markt zijn ingestort en zou China minstens een generatie vleugellam zijn gemaakt. Het zou veel slimmer zijn geweest om de dam op te blazen en de joden de schuld te geven. De dam is een bron van nationale trots en bovendien een immense industriële motor. Door die te vernietigen zou China economisch gezien twintig jaar terug in de tijd zijn geworpen en zich bij de nieuwe wereldorde hebben aangesloten.'

'Dit is een interessante academische exercitie, maar...'

'In 2012 zijn er splijtstofstaven gestolen uit een nieuwe kerncentrale in Tadzjikistan. De technologie van de reactor was niet zonder gevaar,' zei Sarah tegen zijn borst. 'De staven waren gemaakt van een zeldzame isotoop die schijnbaar veel krachtiger was dan plutonium. Erg instabiel. De helft van de arbeiders in de fabriek is binnen een jaar overleden aan stralingsziekte. De diefstal van de staven is nooit openbaar gemaakt. Mijn vader ontdekte het pas een paar maanden voor zijn dood. Daarom vermoedde hij dat er nog een bom was.'

'Voor de andere bommen is standaard plutonium gebruikt,' zei Rakkim.

'De dam is zo ontworpen dat hij een aardbeving van 9,5 op de schaal van Richter kan doorstaan. Het Chinese leger zorgde voor de beveiliging, dus de mannen van de Oude konden er onmogelijk in de buurt komen. Voor het opblazen van de dam was een zware explosie nodig; minstens vijf megaton. Daar komen de staven uit Tadzjikistan om de hoek kijken.'

'Oké.'

'Ik heb heel veel mensen gecheckt voordat ik Marian vond. Een Chinese volksdansexpert in Los Angeles, een geoloog in Chicago, een gepensioneerd politicus van het oude regime die in 1995 bij de inwijding van de dam was. Ik herinner me nog dat hij watertandend het ingemaakte fruit beschreef dat ze later tijdens het feest kregen. Maar hij was degene die me vertelde over Marians vader. Hij noemde hem een "vreemde vogel die altijd alles opschreef". Marian werkte op de universiteit en ik moest naar een trailerpark bij Barstow om de informatie over haar te krijgen.'

'Ik heb wat van die oude dagboeken doorgebladerd. Richard Warriq was een ontzettende mafkees.'

'Via de dagboeken kreeg ik mijn eerste echte aanwijzing.' Sarah ademde zwaar. 'Drie jaar na de nucleaire aanslagen zat Warriq in een kroeg in de buurt van het grote stuwmeer. Hij beschreef een stel reizigers dat klaagde over de slechte visomstandigheden. Niet dat de vissen niet beten, maar de oevers waren bezaaid met dode karpers.'

Rakkim streelde haar haar. 'Hoe heette dat meer?'

'Warriq interesseerde zich meer voor het beschrijven van de stank.' Sarah geeuwde. 'Ik weet wat je denkt.'

'Dat weet je helemaal niet.'

'Ik spoor kleine dingetjes op... details die in combinatie iets betekenen. Een maand *voor* de aanslag ging op het vliegveld in noordelijk Laos de stralingsdetector af. De stad was een bekend smokkelcentrum. Het personeel noteerde wel alle informatie, maar volgde het alarm niet op.' Sarah viel een paar seconden in slaap, maar plotseling zei ze: 'De vierde bom lekte al voordat hij in China was.'

'Waarom ga je niet slapen? Ik...'

'Een artikel in een tien jaar oude *Journal of Aviary Science Online.* Er is een soort noordse stern die tijdens de jaarlijkse trek naar het zuiden in de moerasgronden langs de Yangtze neerstrijkt. Sinds de nucleaire aanslagen is het aantal nesten steeds verder gedaald en veel van de jongen zijn misvormd. Dat is interessant, vind je ook niet?'

'Waar liggen de moerasgronden waar die vogels neerstrijken? Stond er een specifieke locatie in het artikel?'

Sarah sloot opnieuw haar ogen. 'Die moerasgronden vind je over honderden kilometers langs de rivier. Niemand bestudeert de noordse stern trouwens nog. Bijna uitgestorven. Vervuiling en broeikaseffect.' Ze geeuwde. 'Ik ben zo moe, Rikki. Ik ben kapot, maar ik heb gelijk.'

Rakkim kuste haar. 'Je bent in elk geval *iets* op het spoor. Je hebt de Oude bang gemaakt, Sarah. Daarom heeft hij die moordenaar op je afgestuurd. Hij hoopt dat jij hem bij Katherine brengt.'

'Katherine zei dat ze me miste. Ik heb haar ook gemist. Jij mist je ouders toch ook?'

'Dat is al heel lang geleden.'

'Ik ken je, Rikki, mij hou je niet voor de gek.' Ze drukte zich tegen hem aan. 'Laten we gaan slapen en straks wakker worden in elkaars armen.'

'Ga jij maar slapen. Ik ben niet moe.'

'Als je maar niet weggaat.'

'Ik kijk wel uit. Dan werk je je meteen weer in de nesten.'

Sarah glimlachte. Ze dommelde weg. 'Ik heb niet fatsoenlijk meer geslapen sinds ik van huis ben weggegaan.'

'Je bent nu thuis.'

'We zijn hier veilig, hè?'

'Ja, we zijn veilig.'

Rakkim wachtte totdat haar ademhaling gelijkmatig was geworden. Toen stond hij op, liep zijn geïsoleerde kantoorruimte binnen en sloot de deur achter zich. Een decennium geleden was dit een hypermodern complex geweest. De aannemer had er hoge verwachtingen van gehad, maar de economie had niet meegewerkt. De kantoren stonden grotendeels leeg, maar de privé-units werkten nog. Zo bevatten de muren een systeem dat signalen verstrooide. Zelfs onder de beste omstandigheden was niemand in staat hun positie te peilen.

Roodbaard stuntelde met de telefoon alvorens te antwoorden. Zijn stem was schor en hij klonk alsof hij half sliep.

'Ik ben het.'

'Heb je haar gevonden?' blafte Roodbaard, nu met zijn gebruikelijke norsheid.

‘Ik wil dat u wat voor me nagaat. Het gaat over een weerwolfkamp. Ik neem aan dat u nog steeds contact…’

‘Hebben *zij* Sarah?’

‘Nee. Het ligt ongeveer dertien kilometer ten oosten van Green Briar Estates. Kent u dat?’

‘Weerwolven zijn slecht nieuws, Rakkim, zelfs voor jou. Als je ze om hulp wilt vragen om Sarah te zoeken, zou ik maar heel voorzichtig…’

‘Het kamp ligt aan een smalle weg; een afslag even voorbij Green Briar. Vanuit de lucht is een uitgebrande auto te zien. Onlangs uitgebrand. Ik wil weten wat er nog meer te zien is.’

‘Denk je dat Sarah in die auto zat?’

‘Ik ben gisteren in de badlands gevolgd door een Fedayeenmoordenaar die voor zichzelf is begonnen.’

‘Dus je hebt de weerwolven op hem afgestuurd?’ Roodbaard grinnikte. Het klonk warm, alsof het over een geintje ging dat met een wederzijdse kennis was uitgehaald.

‘Neem contact met de weerwolven op. Ik moet weten of de moordenaar dood is.’

‘Werkt hij voor Ibn Azziz?’

‘U weet voor wie hij werkt.’

Roodbaard zweeg.

‘Ik bel u morgen weer.’

‘Weet je waar Sarah is?’

‘Die ligt in de kamer hiernaast. Ik heb haar gevonden, zoals ik had beloofd.’ Rakkim verbrak de verbinding.

Sarah sliep met een arm onder haar hoofd. Hij zag het kloppen van haar halsslagader en hij vroeg zich af of ze over haar moeder droomde.

Soms, als hij door een menigte liep, hoorde Rakkim een vrouw lachen. Het was zijn moeders lach. Hij vroeg zich dan af of ze misschien toch *niet* in New York was geweest toen de bom afging. Of ze die dag misschien ergens buiten de stad was geweest. Hij stelde zich voor hoe ze na de aanslag was gaan zwerven en aan de andere kant van het land verdwaald was omdat alle communicatienetwerken waren uitgevallen. Beter verdwaald dan dood. Als ze verdwaald was, kon ze tenminste nog lachen.

Sarah bewoog. Eigenlijk had hij zin om naast haar in bed te kruipen, maar in plaats daarvan liep hij naar de doos met dagboeken en begon te lezen.

34

Voor het middaggebed

Angelina beantwoordde de telefoon direct nadat hij over was gegaan. Het was een wegwerptelefoon die ze een uur eerder had gekocht. Niet traceerbaar. Hopelijk. Haar hart fladderde in haar keel als een witte duif. 'J-ja?'

'Wat is er aan de hand? Is alles goed met Sarah?'

Angelina dwong zichzelf rustig te ademen. Katherine had snel op haar post gereageerd – waarschijnlijk had ze de berichtensite die ze gebruikten om contact op te nemen regelmatig gecontroleerd. Of misschien had ze een of andere automatische melding geactiveerd. Angelina vroeg er nooit naar. Hoe minder ze wist... Soms gingen er weken voorbij voordat Katherine reageerde. Maanden. Jaren.

'Angelina?' Daar was de vertrouwde echo in Katherines stem die aangaf dat het signaal werd doorgeschakeld om de bron te verhullen. 'Is er iets met Sarah?'

'Nee, ik heb nog niks gehoord.

'Laat me niet zo schrikken.'

Het zou eenvoudiger zijn geweest als Sarah zelf contact kon opnemen, maar Katherine had dat niet gewild. Informatiespreiding. Geen uitzonderingen. Er waren momenten – en ze voelde zich er achteraf altijd schuldig over – waarop Angelina dacht dat James Dougan, als hij even gedisciplineerd en behoedzaam was geweest als zijn vrouw, niet zou zijn vermoord.

'Er was vanmorgen een nieuwe imam bij het ochtendgebed... imam Masiq. Een volgeling van mollah Ibn Azziz. Hij wordt langs de grote moskeeën gestuurd om boetepreken te houden. Hij is net oud genoeg om een baard te laten staan, maar hij leest ons de les alsof we kinderen zijn.' Angelina knarsetandde. 'Je had het gezicht van imam Jenk moeten zien.' De wind zwol aan en ze trok haar chador om zich heen. 'De nieuwe imam zei dat we te tolerant zijn geweest tegenover de katholieken. Volgens hem zijn ze als adderengebroed in ons midden en moeten we op onze hoede zijn voor hun afvalligheid. Iedereen keek om zich heen. Ik in elk geval wel. De meeste gelovigen waren te verbijsterd. Of te bang.'

'De Zwartjassen intimideren de katholieken wanneer het ze uitkomt. Oxley deed het ook. Dat gaat wel weer over. We zitten met grotere problemen...'

'Twee dagen geleden is vlak bij Portland een klooster tot de grond toe afgebrand. In het gebouw zaten minstens tien monniken in de val en de brandweer stond erbij en keek ernaar.'

'Portland is altijd al een gat geweest...'

'Gisteren zijn hier drie kerken vernield. Gebrandschilderde vensters kapotgemaakt en altaren omgegooid. We hebben het hier over Seattle, niet een of ander fundamentalistisch gehucht.'

Angelina ging op een bankje tegenover een groot gebouwencomplex zitten. Een skelet van staal met zes verdiepingen – en het zou nog hoger worden. Het geluid van pneumatische boren verscheurde de ochtend. Er denderden vrachtwagens en betonmolens voorbij. Arbeiders schreeuwden tegen elkaar. Het lawaai verzekerde Angelina en Katherine ervan dat hun gesprek niet werd afgeluisterd. Een lange man op de tweede verdieping zette zijn helm af en veegde het zweet van zijn voorhoofd. Hij had schitterend rood haar. De man ging met hernieuwde energie weer aan het werk en begon met een zware hamer op een balk te slaan. Ze kon de spieren van zijn armen duidelijk zien. Er dwarrelden stofjes door de lucht. Grijze en witte vlekjes landden op haar zwarte chador, maar ze maakte geen aanstalten om ze eraf te vegen.

'Weet Roodbaard waarom Sarah vertrokken is?' vroeg Katherine.

'Ik weet het niet.'

'Maar wat *denk* je? Je woont al vijfentwintig jaar met hem in hetzelfde huis, mens.'

'Roodbaard laat aan niemand zien wat hij werkelijk denkt, ook niet aan mij,' zei Angelina. Ze ergerde zich aan Katherines toon. Na al die jaren zag Katherine zichzelf nog steeds als de vrouw des huizes.

'Sorry, Angelina. Ik... Het is zo frustrerend om zo ver weg te zijn. Ik weet dat het niet eerlijk is om je te vragen een oogje in het zeil te houden. Het spijt me.'

Angelina liet haar een paar seconden wachten alvorens te reageren. 'Ik weet alleen dat Roodbaard afwezig is. Gisteravond probeerde hij vijf keer met een lepel soep uit zijn kom te scheppen – en toen zag hij pas dat er geen soep meer in zat. Hij maakt zich natuurlijk zorgen om Sarah, maar er is nog iets. Het gaat niet goed met hem, Katherine. Ik heb er geen idee van wat die man heeft.'

'Hij heeft hetzelfde als wij. We worden oud.'

Angelina speelde met haar gebedskralen. 'Ik denk toch dat je met je verdenkingen naar Roodbaard had moeten gaan. Sarah is nog maar een meisje.'

'Jij hebt haar opgevoed, Angelina. Jij zult altijd een meisje in haar blijven zien. Ik heb dat voorrecht niet gehad.' Er klonk niets van verwijt in Katherines stem. 'Sarah is de dochter van James Dougan. Ze mag dan jong zijn; ze doet wat ze moet doen.'

'Roodbaard heeft zijn hulpbronnen. Als je naar hem was gegaan, zou hij al achter de waarheid zijn. Dat is wat ik bedoel.'

'Roodbaard zou de waarheid begraven hebben en zichzelf voorgehouden hebben dat hij alleen zijn plicht deed. Hij gelooft nog steeds in de droom van een pure moslimstaat.'

'Ik ook.'

Er volgde een lange pauze. 'Je had me niet hoeven helpen, Angelina.'

Angelina's gebedskralen klikten steeds sneller. *Klik-klik-klik-klik.* 'Ik had onmogelijk kunnen weigeren.'

Katherine zuchtte zo duidelijk hoorbaar dat Angelina om zich heen keek omdat ze dacht dat Katherine naast haar stond.

'Wees voorzichtig, Katherine. Ibn Azziz is geen man van God. Het klooster in Portland... Er zullen er meer volgen. Er staan ons gevaarlijke tijden te wachten.'

'De tijden zijn altijd gevaarlijk geweest.'

'Maar niet zoals nu.'

'Tja... dan zullen we voor elkaar moeten bidden,' zei Katherine op quasivrolijke toon. 'Als twee sterke, gepassioneerde vrouwen als wij dat doen, zal God wel *moeten* luisteren.'

Er dansten dorre bladeren over het voetpad. Ze maakten zelfs een pirouette. In gedachten zag Angelina de gracieuze Katherine dansen op de feesten voor de nieuwe directeur van de Staatsveiligheidsdienst en zijn knappe vrouw. De Republiek was nog nieuw geweest, vervuld van hoop, de belofte van vrede en tolerantie. Katherine had met de president gedanst en hem betoverd met haar vrouwelijke charmes, haar openheid en haar scherpzinnigheid. Veel politici hadden weliswaar schande gesproken van haar gebrek aan respect en hadden met achterdocht op haar bekering gereageerd, maar de president was onder de indruk geweest. Evenals van haar echtgenoot. James Dougan was aantrekkelijk en recht door zee geweest. Hij had alles voor zijn land overgehad. Als dat nodig was, kon hij meedogenloos zijn, maar ook buiten het oog van de camera's was hij een mens met een goed hart geweest. Ze waren het gouden echtpaar geweest. De hoop voor een moslimtoekomst.

Het was een heerlijke tijd geweest. Angelina was aangenomen om voor de nieuwe baby te zorgen. Sarah was een ziekelijk kind geweest, iets wat in die tijd vaker was voorgekomen, ook bij de welgestelden. Maar door Angelina's zorg was de baby opgebloeid en was het een heerlijk mollig kind geworden dat je de oren van het hoofd kon gillen. Roodbaard, de norse, maar liefhebbende oom, was vrijwel onafgebroken in de villa te gast geweest. Angelina had haar ogen niet van de vurige, gedreven man af kunnen houden. Soms had ze gevoeld hoe hij ook naar haar keek, maar nooit als Katherine erbij was. En wie had hem dat kwalijk kunnen nemen? De dagen hadden zich gevuld met beloften. Maar plotseling was aan alles een abrupt einde gekomen. James Dougan was vermoord. Roodbaard was gewond. Katherine was gevlucht na een haastig telefoontje naar Angelina. Ze had zich nauwelijks kunnen beheersen van verdriet en ze had Angelina gesmeekt om bij Sarah te blijven; om het kind te vertellen hoeveel ze van haar hield. Katherine was ongevoelig gebleven voor Angelina's smeekbeden. Ze had volgehouden dat ze moest verdwijnen. Ze had een verantwoordelijkheid jegens haar echtgenoot. *Groter dan je verantwoordelijkheid tegenover je kind?* had Angelina gevraagd. *Ja.* De pijn in Katherines stem... Angelina had nooit eerder zoiets gehoord. *Ja, zelfs groter dan dat.*

'Misschien als het allemaal voorbij is... als de waarheid boven tafel is; misschien kan ik dan naar huis komen,' zei Katherine.

'Je had *jaren geleden* al naar huis kunnen komen,' zei Angelina.

'Daar hebben we het al zo vaak over gehad. Het risico was te groot.'

Het *risico*. Angelina zou, in tegenstelling tot Katherine, alles geriskeerd hebben om met haar kind te kunnen worden herenigd. Maar Katherine had prioriteiten. Als goede moslima begreep Angelina de noodzaak van offers, maar Katherine was niet langer moslim, en een dergelijk offer was alleen gerechtvaardigd ter meerdere glorie van God.

'Als je nieuws over Sarah hebt, neem dan contact op.'

'Dan stuur ik meteen een be...'

De verbinding werd verbroken. Ze wist nooit wanneer hun korte gesprekjes afgelopen waren. Alleen dat het abrupt gebeurde. Katherine had haar eigen tijdschema dat iemand anders kende.

De roodharige arbeider op de eerste verdieping stak zijn hamer in zijn gereedschapsgordel en overzag met de handen in de zij het terrein. De ochtendzon, die achter hem stond, schilderde een aura rond zijn haar. Beneden hem op straat liepen drie jonge vrouwen langs en hij keek ernaar. Vroeger zou hij naar ze gefloten hebben. Vroeger zouden de mannen op de steigers wellustige opmerkingen aan hun adres hebben gemaakt. Tegenwoordig werd hun voorbijgaan weliswaar opgemerkt, maar niet becommentarieerd. De roodharige man zette zijn helm een stukje naar achteren en keek de meisjes na totdat ze om de hoek verdwenen. Zijn blik viel op Angelina. Hij zag dat ze naar hem keek en grijnsde. Ze kon hem bijna zien blozen.

Lang geleden, voor de Omwenteling, was Angelina een jong meisje geweest van een jaar of achttien, met slanke enkels en stevige borsten. Ze herinnerde zich hoe de mannen in de bouw 's zomers met ontbloot bovenlijf hadden gewerkt. Hun zwetende lichamen hadden geglansd in de hete zon, alsof ze met olie waren ingesmeerd. In die tijd had Angelina zich met neergeslagen ogen langs dit soort locaties gerept. De fluitconcerten hadden nog lang in haar oren nageklonken. En toch had ze zich er niet echt aan geërgerd.

De man met het rode haar ging weer aan het werk. Angelina schoof de gebedskraaltjes tussen haar vingers door en telde zwijgend de resterende namen van God.

35

Middaggebed

Rakkim las opnieuw de passage uit het dagboek van Richard Warriq. Hij keek naar Sarah, die zachtjes snurkte in het middaglicht dat door de jaloezieën naar binnen viel. Heel even overwoog hij haar te laten liggen en het dagboek op de stapel terug te leggen. *Slapende honden…* Hij liep naar de slaapbank en schudde haar zachtjes wakker.

Sarah opende haar ogen.

'Ik denk dat ik gevonden heb wat we zoeken.'

'Hoezo *we*, Kemo Sabe?'

'Wat?'

'Een oud grapje.' Sarah stopte halverwege een geeuw. 'Bedoel je de dagboeken?'

Rakkim overhandigde haar het dagboek. 'De dagboeken zijn op plaats gerangschikt. Het is logisch dat je in de delen over China zocht naar verwijzingen over de locatie van de vierde bom. Aangezien je niks had gevonden, dacht ik dat het misschien slim was om aan de andere delen te beginnen.' Hij tikte op de pagina. 'Dit is van een zakenreis naar Indonesië in de lente van 2015. De datum is elf dagen voor de zionistische aanslag.'

Indonesië, 8 mei, 2015

Vorige week ingevlogen om seismische activiteit op de Soekarnobrug te onderzoeken. Gebruikelijke onbeschoftheden van Indonesiërs. Dode kakkerlak gevonden tussen de lakens in mijn hotel (Jakarta Ramada, kamer 451 minisuite, inclusief ontbijt.) Heb per e-mail klacht over kakkerlak naar receptie gestuurd en hoofdkantoor kopie gezonden in de hoop dat toekomstige accommodatie beter is. Lunch met zogenaamd halalvlees gekocht bij straatverkoper. Pen met vlees na één hap weggegooid en mond gespoeld. Gehakt mijden, ongeacht honger. Christenen zijn niet te vertrouwen. Temperatuur

bij nachtgebed 27°C. Water in wasruimte van plaatselijke moskee lauwwarm en niet helemaal fris. Tevergeefs geklaagd bij imam. Man had slechte tanden, afgebroken snijtand rechts. Uitgebreide tests op hangbrug gedaan. Instrumenten drie keer gekalibreerd vanwege hoge vochtigheid. Plaatselijke assistenten stonden afwijzend tegenover mijn werk. Rolden met de ogen. Heb brug formeel goedgekeurd. Heb hoofdkantoor driejaarlijkse controle geadviseerd aangezien veranderingen in weerpatroon en daarmee samengaande zware regenval de bodemdichtheid kunnen veranderen. Heb er tevens op gewezen dat de brug verder stroomafwaarts gebouwd had moeten worden waar verankering in diepliggende rotsen beter haalbaar was. Typisch geval van goedkoop is duurkoop. Wilde zwart op wit hebben dat ik in het ergste geval een betere locatie weet.
Merkwaardige ontmoeting op luchthaven van Jakarta tijdens wachten op de vlucht naar Mekka (Air Indonesia, stoel 37D, economy class.) Zag oud-collega Safar Abdullah in de moslimlounge. Hij leek gespannen. Overvloedig zweten, nat gezicht, beven. Dacht eerst dat hij voedselvergiftiging had. Geen wonder gezien afgrijselijke hygiënische omstandigheden op de eilanden. Ticket in zijn hand gaf echter aan dat hij uit Hongkong kwam en hier overstapte naar San Francisco. Gezien het grote aantal rechtstreekse vluchten van Hongkong naar San Francisco kan ik alleen maar veronderstellen dat dit het zoveelste voorbeeld is van zakelijke krenterigheid. De onderzoeker in het veld is, ondanks zijn hoge opleiding en ervaring, overgeleverd aan cententellers op het hoofdkantoor, die ons ondermaatse hotelaccommodaties en lage salarissen geven. Ben naast Safar gaan zitten, heb mijn bezorgdheid over zijn gezondheid uitgesproken en mijn medeleven betuigd omdat hij geen rechtstreekse vlucht naar huis had kunnen krijgen. De arme man was zo verrast dat hij me niet herkende en om zich heen keek alsof hij weg wilde rennen. Aangezien het middaguur naderde, stelde ik voor samen te bidden, maar hij sloeg mijn aanbod af en zei dat hij door zijn recente reizen onrein was geworden. Hij zag er inderdaad vreselijk uit; gesprongen adertjes in zijn ogen, blaasjes op zijn huid, kale plekken in hoofd- en baardhaar. Hij miste zelfs twee tanden, hoewel hij altijd zijn best had gedaan om er fatsoenlijk uit te zien. Hij leek zich vreselijk te schamen dat ik hem in die toestand zag, dus ik heb een kop thee voor hem gekocht – waar hij heel dankbaar voor was. Toen ik zei dat ik op weg was naar de heilige stad, begon hij te huilen. Er rolden tranen van

bloed over zijn gezicht, en hij smeekte me voor hem te bidden. Ik heb het beloofd en ben weggegaan.
Een uur later ben ik aan boord gegaan (#349). Ik was dankbaar dat ik weg kon. Hoewel ik voor de vlucht naar Delhi specifiek had verzocht om naast moslims te mogen zitten, werd me verteld dat zoiets alleen in de businessclass gegarandeerd kan worden. Ik werd naast een dikke Indiër uit Bombay gezet die zich de hele vlucht zat vol te proppen met saté en rijstballetjes. Hij bood me zelfs wat van zijn gefrituurde garnalen aan. Ongetwijfeld een opzettelijke belediging. Dat hij mag branden in de hel.

Sarah keek hem aan. 'Het is je gelukt.'
Rakkim haalde zijn schouders op. 'Haaruitval, blaasjes... Ik dacht dat stralingsziekte wel een mogelijkheid was.'
'Meer dan een mogelijkheid.' Sarah glimlachte en schudde haar hoofd. 'Het was niet Marians vader die deel uitmaakte van het netwerk van de Oude, het was die... Safar Abdullah. De bom lekte inderdaad. Ik vraag me af of hij de enige was die er levend van af is gekomen.'
'Te oordelen naar Warriqs beschrijving heeft hij het niet lang meer gemaakt.'
'Misschien verwachtte hij niet dat hij het zou overleven,' zei Sarah. 'Het zou niet de eerste zelfmoordmissie op bevel van de Oude zijn.' Ze stond op. Het laken gleed van haar lichaam. Ze zag er slank en goudkleurig uit, haar dijen iets uit elkaar, glad en zacht als een perzik. 'Staat er ook ergens voor welke firma die Safar Abdullah werkte?'
'Daar heb ik niks over gevonden. Er zijn zoveel delen...'
'Het doet er ook niet toe. Als het stralingsziekte was, is hij allang dood. Maar misschien kunnen we zijn familie of zijn vrienden opsporen.' Sarah ijsbeerde door de kamer. 'Warriq schreef dat ze ooit collega's waren. We moeten Warriqs arbeidsverleden controleren, contact opnemen met elk bedrijf waarvoor hij heeft gewerkt en dan nagaan of Safar Abdullah er een pensioenregeling had. Zelfs als hij dood is, moeten we op zijn minst een laatste adres en een begunstigde kunnen vinden.'
Rakkim keek naar haar terwijl ze door de kamer liep en haar aanvalsplan opstelde. 'Weet je zeker dat je dit wilt doen?'
'Wil jij er dan vandoor gaan?'
'Daar is niks mis mee. Je moeder heeft het ook gedaan.' Rakkim dacht even dat Sarah hem een klap in zijn gezicht zou geven. 'Roodbaard en de Oude spelen al twintig jaar lang spelletjes met elkaar. Misschien kunnen we ons er beter niet mee bemoeien.'

'Zou *jij* er vandoor kunnen gaan?'
'Met jou? Natuurlijk.'
'Ik geloof er niks van.'
'Zelfs als je die vierde bom vindt, bewijst dat nog steeds niet dat de Oude verantwoordelijk is. Misschien werkte Safar Abdullah wel voor de Israëli's.'
'Zeg dat maar tegen Marian. Denk je soms dat de Israëli's haar vermoord hebben?'
'Wat er met Marian is gebeurd, is nog maar het begin,' zei Rakkim. 'Hou daar rekening mee. Je zult moeten afwegen of het je dat waard is.'
'Ik ben niet een of andere ivoren-torenintellectueel. Niet meer, in elk geval.' Sarah liep op hem af. 'Ik heb vorige week een man vermoord. Ik heb een chopstick in zijn oog gedrukt. Het maakte een soppend geluid dat ik me de rest van mijn leven zal blijven herinneren. Als ik in de spiegel kijk, herken ik mezelf haast niet meer.'
Rakkim keek naar haar terwijl ze een van zijn schone witte overhemden aantrok. Haar benen bleven naakt. 'Ik wil alleen dat je beseft dat de consequenties anders kunnen zijn dan je denkt. Geschiedenisboeken worden nu eenmaal *na* de oorlog geschreven, nadat de doden gevallen zijn. Ik sta langs de zijlijn, Sarah. Ik interesseer me niet voor de president of de Dag van de Martelaars of noem maar op.'
'Als ik zeker wist dat het allemaal niet erger zou worden, dan zou ik er misschien nog een nachtje over slapen,' zei Sarah zacht. 'Maar de geschiedenis is nooit statisch. Er zijn altijd golfbewegingen. De fundamentalisten worden brutaler en de gematigden willen dat het gewoon allemaal verdwijnt. Dit jaar zijn aan de universiteit vier professoren ontslagen. *Onvoldoende islamitisch.*' Ze beet op haar pink en dwong zichzelf vervolgens daarmee op te houden. 'Afgelopen week had ik een confrontatie met een Zwartjas...' Ze schudde haar hoofd. 'Jij mag ermee ophouden, maar ik ga door.'
'Ik vind Canada sowieso maar niks.' Rakkim pakte twee blikjes koffie uit de kast, schudde ze en schonk voor allebei een dampende kop in. Hij ging bij het raam zitten en zette haar koffie op de vensterbank. Sarah kwam naast hem zitten. 'Ik ken een hacker die het arbeidsverleden van Safar Abdullah wel boven water kan krijgen.' Hij glimlachte. 'Er is alleen een kansje dat ik met een van zijn dochters moet trouwen.'
'Ik deel niet, dat weet je. Ik ben de nicht van Roodbaard.' Sarah nipte van haar koffie met een been tegen haar borst, genietend van de late middagzon.

Rakkim keek naar buiten door een gat in de gordijnen. Hij had speciaal voor dit kantoor en deze plaats voor het raam gekozen. Een ideale uitkijkpost. Via de glazen gevel van het gebouw tegenover hem was hij in staat ook zijn eigen kant van de straat te zien. De markt liep op zijn einde. Vrouwen in zwarte chadors sjokten naar huis met uitpuilende boodschappennetjes. Twee arbeiders liepen ruziënd over straat, weidse armgebaren makend. Een kind op een blauw fietsje laveerde tussen het verkeer door. De truc van het actief waarnemen was niet dat je op zoek ging naar iemand die er gevaarlijk uitzag, maar dat je op dingen lette die niet klopten. Een geparkeerd staande auto met lopende motor. De verkeerde schoenen. Verkeerde handschoenen. Een oud vrouwtje dat haar schouders recht. Een man die een krant leest maar nooit de pagina omslaat. Als je wacht totdat je het mes ziet, ben je al dood, had zijn Fedayeeninstructeur hem geleerd. Je kunt beter de lege schede opmerken en blijven leven.

Vanochtend had Rakkim een langharige modernist zien rondhangen voor de ingang van het gebouw waar hij woonde. Hij had onder een overhangend gedeelte geschuild en voortdurend zijn gewicht verplaatst van het ene naar het andere been. Waarschijnlijk dacht hij dat hij onzichtbaar was. Rakkim had op het punt gestaan Sarah wakker te maken en te zeggen dat ze zich moest aankleden, toen er een jonge vrouw was verschenen. Ze had de modernist gekust in de schaduw, en vervolgens hadden ze zich haastig uit de voeten gemaakt.

'Heb je Roodbaard gebeld?' vroeg Sarah. 'Ik wil niet dat hij zich zorgen maakt.'

Rakkim keek naar de straat. 'Ik heb het tegen hem gezegd.' Bij de hoek stond een rij auto's te wachten totdat het licht op groen zou springen. Blauwe uitlaatgassen dreven weg op de wind. Nieuwe auto's, oude auto's, het leek niet uit te maken. Ze hadden allemaal roestplekken, bladderende lak en een gecorrodeerde uitlaat. 'Zullen we buiten de deur eten?'

'Heb je hier niks?'

'Tonijn in blik... flessen water... bier, artisjokharten, appels en sinaasappels.' Een man met een grijze baard stak over terwijl het licht op rood stond. Er klonk een claxon. 'Ik geloof dat ik ook nog wat crackers heb.'

Ze plaatste haar voet op zijn been en kneep hem met haar tenen. 'Laten we hier blijven. Ik ben moe. Ik wil alleen wat eten, lezen en vrijen.' Haar ogen stonden speels. 'Maar ik wil wel eerst even douchen. Als je lief bent, mag je mijn rug wassen.'

'Wat mag ik wassen als ik stout ben?'

Sarah begon langzaam de knopjes van het witte overhemd los te maken.

'Die toekomstige schoonvader van je... Zou hij het vervelend vinden als ik met je meekwam?'

'Hij niet. Maar jij misschien wel.'

'Hoe bedoel je?'

'Ben je bang in het donker?'

36

Na het middaggebed

'Niet gapen, Omar,' zei Ibn Azziz tegen zijn Jemenitische lijfwacht terwijl de twee Fedayeen hun voorgingen door de gang. 'Je ziet eruit als een ongelovige in de moskee.'

Omar sloot onmiddellijk zijn mond, rechtte zijn rug en trok zijn schouders naar achteren. Hij versnelde zijn pas om de Fedayeen bij te houden.

Ibn Azziz bleef in zijn eigen tempo lopen en Omar liet zich wat terugvallen totdat hij naast zijn mollah liep. Omars wispelturige tred was een teken van zwakte, evenals de manier waarop hij zijn hand op zijn dolk liet rusten. De dolk was al driehonderd jaar in Omars familie. Hij was vijfentwintig centimeter lang, had een tweesnijdend lemmet en was gemaakt van het beste Damascusstaal. Ibn Azziz had verwacht dat de ongewapende Fedayeenofficier die hen voor de academie had begroet, Omar zou hebben gevraagd het wapen af te geven. Maar hij had er alleen een meesmuilende blik opgeworpen en vervolgens een buiging gemaakt voor Ibn Azziz. Hond.

Zijn adviseurs hadden hem aangeraden generaal Kidd niet op de academie voor Fedayeen te bezoeken – de zetel van zijn macht. Maar Ibn Azziz had hun bezwaren weggewuifd. Hij wilde generaal Kidd duidelijk maken dat hij, ondanks zijn jeugdige leeftijd, een gelijke was; een spiritueel krijgsman en een meesterlijk tacticus. Sinds Ibn Azziz een week geleden de macht had gegrepen, had hij tientallen van Oxleys loyalisten laten verdwijnen. Daarbij had hij zijn contacten in de media gebruikt om de machtsovername van een sympathiek suikerlaagje te voorzien en was hij een campagne gestart tegen de katholieken. Het was zijn twaalfde vastendag, en zijn adem was niet te harden – maar zijn hart was zo puur als een lasbrander.

De twee Fedayeenbegeleiders vervolgden hun weg en negeerden Ibn Azziz min of meer. Ze liepen op de typische Fedayeenmanier; een bijna zwevende, panterachtige tred die in niets op de strakke cadans van de gemiddelde militair leek. Zelfs hun uniform – een effen lichtblauw tenue met dofkoperen knopen – was op een of andere manier... onmilitair. Geen epauletten, geen medailles en geen insignes.

Aan het einde van de gang bleven de Fedayeen staan. Ze klopten één keer, openden de deur en stelden zich aan weerszijden van de ingang op.

Omar wilde als eerste naar binnen gaan, wat volgens de regels was, maar een van de Fedayeen plaatste een hand tegen zijn borst.

'Alleen de mollah,' zei de Fedayeen.

Omar mepte de hand opzij en omklemde het gevest van zijn dolk. Het volgende moment lag hij op de grond. Hij sprong overeind, maar Ibn Azziz gebaarde met een hand.

'Wacht buiten, Omar. Houd onze Fedayeenbroeder maar gezelschap,' zei Ibn Azziz op quasiverveelde toon. 'Ik praat onder vier ogen met generaal Kidd.' Terwijl hij naar binnen liep, zag hij dat de Fedayeen hem een brutale blik schonk. Vroeg of laat zou generaal Kidd inzien dat het verstandiger was om de band met de Zwartjassen te verstevigen. Dan zou hij beseffen dat een bondgenoot als Ibn Azziz bijzonder waardevol kon zijn. Voor het bezegelen van de overeenkomst zou Ibn Azziz maar één ding vragen... de ogen van deze twee Fedayeen.

Generaal Maurice Kidd keek opzij toen Ibn Azziz het balkon betrad en wendde vervolgens de blik weer af. Kidd, die lang en slank was, stond nonchalant achter een balustrade. Hij was van middelbare leeftijd, maar zijn gezicht toonde nog geen rimpels en zijn huid glom als obsidiaan. De vrome moslim had vier vrouwen en zevenentwintig kinderen. Hij leefde heel eenvoudig. Zijn succesverhaal was begonnen toen hij als eenvoudig Fedayeenkapitein tijdens de Slag om Philadelphia het bevel over de sterk uitgedunde Islamitische strijdkrachten had overgenomen. Hij had een tegenaanval ingezet die de opmars van de rebellen een halt had toegeroepen. De afgelopen twaalf jaar had hij het bevel over de Fedayeen gevoerd. Hij had zijn troepen over de grenzen gestuurd om de islam te verspreiden en tegen de Bijbelgordelaars ten strijde te trekken. Hij droeg nog steeds hetzelfde sobere uniform als de andere Fedayeen. Alleen de gouden halvemaantjes op de schouders gaven zijn rang aan. 'Welkom, mollah Ibn Azziz.'

Ibn Azziz kwam naast de generaal staan. Hij trok zijn neus op vanwege het tafereel dat zich beneden hen afspeelde. Het zwakke briesje droeg een afschuwelijke stank met zich mee. Voor Ibn Azziz lag een afgeladen veld met de smerigste mannen die hij ooit had gezien. Hij had kluizenaars bezocht die zich beter verzorgden en grafdelvers die er hygiënischer uitzagen.

'Kwetsen mijn mannen uw verfijnde gevoelens, mollah?' vroeg generaal Kidd.

Ibn Azziz had de generaal niet naar hem zien kijken. 'Ik vraag me af hoe uw mannen in die toestand kunnen bidden,' zei hij op effen toon.

'Deze rekruten zijn drie maanden in het veld geweest. Ze hebben al die tijd buiten geslapen in de zon en de regen en de sneeuw – en nooit meer dan een uur of twee achter elkaar. Drie maanden zonder bad, een warme maaltijd of schone kleren. Drie maanden van man-tegen-mangevechten, kat-en-muisspelletjes en schuilen onder doornstruiken. Drie maanden van pijn en angst. We zijn begonnen met een selectie van vierhonderd rekruten. Honderdzevenentwintig daarvan hebben het gered.' Generaal Kidd keek Ibn Azziz recht in de ogen. 'Als mijn mannen tijd hebben om te bidden, doen ze dat met de zekerheid dat Allah door hun smerige uiterlijk heen kijkt en de innerlijke schittering ziet.'

'Ja... nou, ik geef ze met genoegen mijn zegen.'

Generaal Kidd staarde hem aan met donkere, vochtige ogen.

Ibn Azziz droeg een gebed op aan de mannen beneden hem, die hem negeerden. Hij zag hoe ze met hun smerige handen de rantsoenen openscheurden, lachend en vloekend. Een hese bende. 'De reden waarom ik hier ben...'

'Ik wil u condoleren met het verlies van mollah Oxley,' zei generaal Kidd. 'Hij is veel te vroeg gestorven. Hij was een goede vriend van de Fedayeen.'

'De Zwartjassen blijven de Fedayeen steunen. Jullie zijn fantastische strijders; de islamitische roos met doornen.'

'Een hartaanval... zo plotseling... Had Oxley geen waarschuwing gehad?'

'Het was alsof Allah hem regelrecht het paradijs in trok.'

'Oxley had een verbazingwekkende eetlust. Misschien is dat een les.' De generaal glimlachte naar Ibn Azziz; zijn tanden waren zuiver wit. 'U bent zo mager als een lat, Ibn Azziz. Het paradijs zal op u zo te zien nog even moeten wachten.'

'Mijn passie ligt niet bij voedsel, mijn beste generaal,' zei Ibn Azziz geërgerd. 'Mijn passie ligt bij Allah en bij de puurheid van onze natie. Daar wilde ik eens met u over spreken.' Hij kwam dichterbij. 'We worden van alle kanten bedreigd. Joden, zigeuners, atheïsten, Bijbelgordelaars... maar het gevaarlijkst zijn de modernisten en de katholieken die onder ons leven – moreel verval van binnenuit.'

Generaal Kidd keek naar zijn mannen. Hij leek zich nauwelijks bewust van Ibn Azziz.

'Ik heb stappen ondernomen tegen de katholieken...'

'Ik heb het gehoord. Afgebrande kloosters, vernielde gebedshuizen... er zijn mensen die vinden dat u overdrijft. Erg riskant voor iemand die pas zo recentelijk een hoge positie heeft gekregen.'

'Morele vergrijpen vallen onder de zeggenschap van de Zwartjassen,' zei Ibn Azziz, die er niet in slaagde de scherpe randjes van zijn toon te polijsten. 'Katholieken eten varkens. Ze verdrinken zichzelf in alcohol. Ze houden honden in hun huizen zodat wij de haren van die beesten op ons krijgen als ze zich tussen onze mensen begeven.' Het onderwerp ging hem zichtbaar aan het hart, want er vlogen kleine speekseldruppeltjes uit zijn mond. 'Katholieken scheren zich niet onder de armen of in de schaamstreek, zoals goede moslims, zodat hun zweet zich ophoopt en een weerzinwekkende stank verspreidt. De natie zou beter af zijn zonder hen.'

'De Zwartjassen zijn alleen bevoegd om over fundamentalistische moslims...'

'*Ware* moslims,' siste Ibn Azziz.

'De natie kan het zich niet veroorloven om haar volk nog verder te verdelen.' Generaal Kidd trok zijn onberispelijke uniform recht. 'Als u mij wilt volgen, dan kunt u misschien nog iets leren.' Hij begon de trap af te lopen die van het balkon naar het terrein eronder voerde. Ibn Azziz was gedwongen de generaal te vergezellen. De uitgeputte Fedayeen kwamen haastig overeind en klopten hun smerige kleding af. Ze waren zo mager als uitgehongerde wolven, zonverbrand en vol schrammen, bloed en korsten. Hun ogen waren gezwollen en hun baarden samengeklit. 'Kijk eens om u heen voordat u kerken begint plat te branden, mollah. Veel van deze mannen waren voor hun bekering katholiek.'

'Valse bekeringen, en dat weet u maar al te goed,' zei Ibn Azziz, die vlak naast de generaal tussen de Fedayeen door liep. Hij deed zijn best ze niet aan te raken. 'Ze hebben het alleen maar gedaan om bij de Fedayeen te kunnen.'

Generaal Kidd sloot een van de rekruten in zijn armen. De man had woeste ogen, gebarsten lippen en was onstuimig in zijn dankbaarheid. Het onberispelijke uniform van de generaal was een stuk minder schoon toen ze elkaar loslieten. Hij kuste een andere man op de wang en liet zijn hand kussen door Fedayeen die op schorre toon zijn naam prevelden en zich verdrongen voor een woord van erkenning. Hij begaf zich dieper in de mannenmassa, al knikkend en schouderklopjes uitdelend. Zijn uniform zat nu vol modder, zand en bloed.

'We moeten op onze hoede zijn voor dergelijke geloofsvervalsers,' drong Ibn Azziz aan.

'Ik beschik niet over het vermogen om in hun ziel te kijken. En dat *wil* ik ook niet.' Generaal Kidd trok zachtjes aan de gescheurde oorlel van een van zijn Fedayeen en richtte zich vervolgens tot Ibn Azziz. 'Trouwens, is het niet de taak van Roodbaard om de natie tegen zijn eigen burgers te beschermen? Dat is het werk van de Staatsveiligheidsdienst, niet van de Fedayeen.'

'Inderdaad.' Ibn Azziz boog zijn hoofd en trok zijn gewaad strak om zijn lichaam. Hij toonde niets van zijn vreugde. De generaal was in zijn val getrapt. 'De vraag die ik u zou willen stellen, generaal, is de volgende: *doet* Roodbaard zijn werk eigenlijk wel?'

De generaal nam een stuk van een voedselrantsoen uit de vuile hand van een van de rekruten en stak het in zijn mond. 'We hebben al drie jaar geen grote terroristische aanslag gehad.' Zijn lippen maakten een smakkend geluid en hij glimlachte naar zijn mannen. 'Er worden regelmatig terroristische cellen opgerold waarvan de leden geëxecuteerd worden. Het lijkt mij dat de Staatsveiligheidsdienst uitstekend werk verricht.'

'De nicht van Roodbaard is een afvallige hoer. Het is al erg genoeg dat ze een boek heeft geschreven waarin de rol van Allah bij de oprichting van onze staat gebagatelliseerd wordt; maar nu is ze van huis weggelopen. Ze leeft vrij van de bakenende invloed van geloof en traditie; een aanfluiting voor de idealen van het godvruchtig vrouw-zijn. Hoe kunnen we erop vertrouwen dat Roodbaard onze natie beschermt als hij niet eens zijn nicht kan beschermen tegen de zonde?'

Generaal Kidd salueerde naar zijn troepen. De rekruten beantwoordden het saluut en riepen met schorre stem zijn naam. Het klonk oorverdovend en afgrijselijk, maar aan de blik op generaal Kidds gezicht te zien, zou je denken dat het engelenzang was.

'Ik heb uw hulp nodig om die slet te vinden,' zei Ibn Azziz. 'Uw mannen zijn ervaren schaduwvechters. Het moet voor hen geen moeite zijn om...'

'Ik stuur mijn mannen niet achter vrouwen aan.' De generaal glunderde naar zijn rekruten. 'Zeg maar tegen uw Zwartjassen dat ze van hun slappe gat afkomen als het zo belangrijk voor u is om haar vinden.'

Ibn Azziz stond op het punt de man vast te grijpen en door elkaar te schudden toen hij besefte wat een geweldige kans hem werd gegeven. De generaal was trouwens te smerig om aan te raken. 'Generaal? Alstublieft, generaal? Kunnen we elkaar onder vier ogen spreken?'

Generaal Kidd loodste hem weg uit de rekrutenmassa en ging hem voor, de trap naar het balkon op. Ibn Azziz besefte dat hij straks uren in bad zou moeten om het vuil los te weken. Zijn gewaad kon hij verbranden; dat werd nooit meer schoon.

Generaal Kidd wuifde vanaf zijn balkon naar de rekruten, die de longen uit hun lijf schreeuwden. Zijn gezicht zat onder de viezigheid.

'U ziet misschien geen verband tussen Roodbaards officiële mislukkingen en die uit zijn privéleven, maar anderen doen dat wel,' beloofde Ibn Azziz. 'Ik heb vrienden bij de staatstelevisie die ons maar al te graag helpen. Laat u niet voor de gek houden door mijn leeftijd, generaal. U zag in Philadelphia een kans, en die heeft u met beide handen aangegrepen. Nu ligt hier een kans, zowel voor de Fedayeen als voor de Zwartjassen. Dat moet u toch *ook* zien?'

Generaal Kidd keek hem eindelijk recht in de ogen en Ibn Azziz huiverde.

De mollah vouwde vroom zijn handen, kwaad op zichzelf dat hij zwakheid toonde. Het lichaam was verraderlijk; het lichaam was een open deur naar de duivel. 'We hebben gemeenschappelijke belangen, dat is alles wat ik wilde zeggen. Er is me verteld dat er bepaalde... afspraken waren tussen de Zwartjassen en het opperbevel van de Fedayeen. Waaronder het besluit dat Roodbaard zijn tijd heeft gehad.'

Generaal Kidd richtte zich weer tot zijn juichende rekruten. 'Alle afspraken waren tussen Oxley en mij. Als u in staat bent om hem uit de dood te laten herrijzen, hebben we iets om over te praten.'

Ibn Azziz draaide zich op zijn hakken om. Hij was razend. Zijn lijfwacht Omar stond weer naast hem.

De Fedayeen waren bij de deur naar het balkon blijven staan, waardoor ze geen escorte hadden. *Nog* een belediging. Hun stemmen galmden door de gang, snaterend als die van joden.

Laat ze maar lachen. Ibn Azziz was vaker het onderwerp van spot geweest. Maar doden lachten niet. Zijn hoofd bonkte. Het was onduidelijk of dat door het vasten kwam, dan wel het gevolg was van zijn woede. Of de generaal nu meewerkte of niet; hij zou Roodbaards nicht vinden. Al moest de onderste steen boven komen. Koste wat het kost. Hij zou die valse hoer op televisie ontmaskeren. Misschien zou hij haar zelfs laten bekennen dat haar oom schuld had aan haar zondeval. Een *fantastisch* idee. De hulp van de Fedayeen zou een zegen zijn geweest, maar Ibn Azziz had geleerd op niemand te vertrouwen, behalve op zichzelf... en op Allah.

Ibn Azziz bespeurde hoe een nieuw gevoel van opwinding over hem kwam. Er werd gezegd dat de nicht enorm eigenzinnig was, maar hij had mannen in dienst die erg overtuigend konden zijn. Als ze genoeg tijd hadden, konden ze de nicht laten bekennen wat ze wilden.

Ibn Azziz had voor veel geld een foto van de nicht gekocht en elke

Zwartjas in het land een kopie gestuurd. De foto was een paar jaar oud, genomen op de campus terwijl ze zich naar haar college haastte, maar haar gezicht was duidelijk herkenbaar, evenals de hoerige vormen van haar lichaam. Het gerucht ging dat Roodbaard de hulp van zijn weesje, Rakkim Epps, had ingeroepen om zijn nicht te vinden. Nog zo'n afvallige Fedayeen. Ook de foto van hem was verouderd, maar op zijn gezicht was de serene onbeschaamdheid te lezen die de meeste Fedayeen kenmerkte. Wanneer Ibn Azziz met Roodbaard had afgerekend, zou hij misschien de transformatie van de elitestrijders ter hand nemen.

Hij drong zich langs Omar heen en smeet de deuren open. De wind klapte ze tegen de muur en deed zijn gewaad wapperen. Er was vanochtend goed nieuws geweest; er was een nest met zionistisch adderengebroed ontdekt. Eigenlijk was hij van plan geweest generaal Kidd voor de festiviteiten uit te nodigen. Pech voor hem. Ibn Azziz stak zijn kin in de wind. Hij was zich nauwelijks bewust van de kou. Vannacht had hij voor de derde keer van de nieuwe hoofdstad gedroomd. Met straten van bladkoper, rood bloed dat door de goten stroomde en witte duiven in de lucht; een immense vlucht duiven waarvan de vleugels klapwiekten met het geluid van de donder. Ibn Azziz was huilend van vreugde wakker geworden.

37

Na het middaggebed

'Wat was dat ook alweer voor stripverhaal waar je het altijd over had?' Rakkims hand deed pijn omdat Sarah er zo hard in kneep. Hij bleef praten zodat ze niet hoefde te denken aan waar ze waren. 'Die man die half vleermuis was. Hij zou het hier vast naar zijn zin hebben.'

'Hij was niet half vleermuis.'

Rakkim voelde hoe ze struikelde in het duister en ving haar op. Ze had bijna geweigerd toen hij haar had verteld dat ze zonder licht de tunnel binnen zouden gaan. Hij had in gedachten een kaart geconstrueerd van de route naar Spiders ondergrondse schuilplaats; een kaart die hij in het donker had gemaakt. Licht zou hem alleen maar verwarren. Sarah had een paar stappen naar binnen gedaan, maar toen hij de deur had gesloten, had ze hem vastgegrepen. Hij was met haar op de stenen vloer gaan zitten om haar te laten wennen aan het duister, de koele lucht van de tunnels en de *geluiden*. Maar het had niet geholpen. Ze was nog steeds doodsbang in het donker, net als toen ze nog een kind was. Maar ze liet zich er niet door tegenhouden. 'Die vleermuisman kon toch zien in het donker?'

'Hij heette Batman.' Sarahs stem beefde en haar nagels groeven zich in zijn vlees. 'En hij kon niet zien in het donker. Hij droeg alleen een of ander pak waarin hij er als een vleermuis uitzag.'

'Waarom deed hij dat?'

'Geen flauw idee.'

'Kon hij vliegen?'

'Nee, hij had alleen dat pak.' Sarah onderdrukte een gil toen ze in de verte iets hoorde wegrennen. 'Maar er was nog zo'n type. Superman. Die kon *wel* vliegen.'

Rakkim voelde de muur, vond de splitsing en nam de rechtertunnel. 'Ze hadden een hoop goden in het oude regime.'

'Het waren geen goden. Niet echt. *Filmsterren* leken meer op goden.'

'Wil je terug naar *die* tijd?'

'Nee,' beet Sarah. Haar stem galmde door de gang en Rakkim was blij dat ze zijn glimlach niet kon zien. 'Ik wil terug naar de vrijheid; de vrijheid om te reizen, te studeren, te verkennen, informatie te delen en te verbeteren wat we hebben. Ik wil de mogelijkheid hebben om fouten te maken en het opnieuw te proberen. De islam heeft niets te vrezen van nieuwe ideeën.'

'Dat zou ik niet in de Grote Ali Moskee zeggen; voor je het weet, snijden ze je tong eruit.'

'Ayatollah al-Hamrabi is een zak die de Koran niet goed leest.'

'Zeg maar dag tegen je tong.'

Sarah lachte, en ze maakten zwaaiende bewegingen met hun handen, alsof ze kinderen waren die een wandelingetje in het park maakten. Ze spetterden door een kuil waar water in was gelopen. 'Marian en ik...'

'Wat?'

'Marian en ik hadden het er vaak over dat ons land eigenlijk maar een beetje voortdobbert op het intellectuele kapitaal dat onder het vorige regime is opgebouwd en dat onze reserves langzaam maar zeker op beginnen te raken. De islam heeft het westerse denken driehonderd jaar gedomineerd. Dat was een periode waarin moslims openstonden voor de bijdragen van andere religies. *Dat* is het kalifaat dat in ere moet worden hersteld, niet een of andere militair-politieke autocratie zoals de Oude die graag ziet.'

De vloer van de tunnel begon langzaam af te lopen. Nog driehonderdtwaalf stappen en dan moesten ze naar links, een nog smallere tunnel in. Sarah kneep opnieuw in zijn hand.

'Als de macht van de fundamentalisten gebroken is en de Oude teruggekropen is in zijn hol, kunnen we misschien een natie opbouwen waar innovatie en gedegen onderzoek gerespecteerd worden; onderzoek dat door het *geloof* gedreven wordt, maar intellectueel relevant is.'

'Geef mij maar harde muziek, koud bier en een strand met studentes.'

Sarahs lach weerkaatste tussen de stenen muren van de tunnel. 'Ik zal ervoor zorgen dat het in de nieuwe grondwet komt.'

Rakkim sloeg linksaf en trok haar met zich mee. 'We zijn er bijna.'

'Weet je zeker dat Spider het niet erg vindt als ik daar onaangekondigd binnenval?'

'Niet erger dan dat ik daar onaangekondigd binnenval.' Rakkim had geprobeerd Spider te waarschuwen. Hij was naar het restaurant gegaan waar Spiders dochter Carla werkte, maar de manager had gezegd dat ze zich ziek had gemeld.

'Waarom staan we stil?'

'Ik zoek iets.' Rakkim voelde met zijn vingers langs de deurlijst, op zoek naar een klink. Er klonk een klik en de deur zwaaide open. Het bleef donker. Hij loodste Sarah het magazijn binnen dat als een soort hal fungeerde. 'Spider! Ik ben het, Rakkim!' Geen antwoord. Hij tastte met een hand over de muur en vond een lichtschakelaar. Ze knipperden met hun ogen in de plotselinge lichtgloed.

'Godzijdank,' zei Sarah, dolblij dat ze weer kon zien.

Rakkim omhelsde haar. 'Goed gedaan.'

'Ik heb de hele weg mijn best moeten doen om niet te schreeuwen.'

Rakkim waste zijn handen in de gootsteen en trok zijn schoenen uit. Hij wachtte totdat zij hetzelfde had gedaan en opende vervolgens de deur naar de hoofdruimte.

'Spi...'

Hij brak zijn begroeting halverwege af, liep naar binnen en keek om zich heen.

Het vertrek was leeg. Erger dan leeg. Het was een bende. Er waren tafels omgegooid, tapijten half opgerold en wandkleden van museumkwaliteit hingen schots en scheef aan de muur, alsof iemand ze mee had willen nemen, maar daar op het laatste moment van had afgezien. De computers waren gestript en vernield; de geheugens waren verdwenen. Er stonden kartonnen dozen boordevol kleren. Bedden waren omgedraaid, laden hingen uit de kasten en overal lag speelgoed – een stoffen neushoorn, een honkbal, een schaakstuk... een zwart paard. De twee koelkasten stonden wijd open en er lagen voedselresten in een plas gemorste melk. Maar er was geen bloed. Geen *bloed*. Spider en zijn gezin waren halsoverkop vertrokken, maar ze waren ongedeerd.

'Wat is hier gebeurd?' zei Sarah, die naast Rakkim was komen staan. Ze boog zich voorover om de neushoorn van de grond pakken. 'Hier zit een... schoenafdruk op. Wij hebben onze schoenen uitgedaan. Spider heeft dat waarschijnlijk ook altijd gedaan. Wie heeft er dan op dit ding getrapt?'

Rakkim pakte de neushoorn van haar aan. Zonder iets te zeggen trokken ze hun schoenen weer aan.

'Dit is vast niet het werk van de moordenaar, hè?'

'Nee. Dit is niet zijn stijl.' Rakkim keek om zich heen. Hij haastte zich niet. Hij probeerde iets te vinden wat de persoon die dit op zijn geweten had, over het hoofd had gezien.

'Al die bedden en ledikantjes... Hoeveel mensen woonden hier eigenlijk?' vroeg Sarah.

'Hij had een heleboel kinderen. Toen ik hier de vorige keer was, heb ik er een stuk of vijf, zes gezien en een paar gehoord. Hij had ook nog oudere kinderen. Spider ging niet graag de deur uit, maar hij hield wel van gezelschap.'

Sarah sloeg haar armen om haar bovenlichaam. Het was niet koud, maar ze voelde het gewicht van aarde en beton en ze stelde zich voor hoe het moest zijn om hier vast te zitten. 'Waar zoek je naar?'

'Ik weet het niet.' Rakkim voelde onder een stoel. Een van Spiders antieke sneeuwbollen was gesneuveld en de Twin Towers lagen verfrommeld tussen de glasscherven. Elke souvenirwinkel in New York had ze verkocht, maar dan met vlammende torens. Deze was van voor de Omwenteling.

'We kunnen beter gaan.'

'Zo meteen.'

'Moeten we Roodbaard nu om hulp gaan vragen om Safar Abdullah te vinden? Rakkim?'

Rakkim gooide de Twin Towers opzij. 'Nee, ik heb...' Hij hield zijn hoofd schuin om te luisteren en pakte Sarahs arm beet.

Sarah verzette zich niet en protesteerde ook niet. Ze hoorde niets, maar ze kende Rakkim.

Rakkim loodste haar naar de kinderkamer en hielp haar onder een matras dat half van het bed was getrokken. Ze kroop in elkaar zodat ze niet te zien was. Op de muur tegenover de bedden was een felgekleurde schildering van het periodiek systeem aangebracht. Buiten in de tunnel klonken stemmen. Ze waren nu duidelijk genoeg om ze te kunnen horen. Sarah kroop dieper weg in de schaduw. Rakkim boog zich voorover en kuste haar. 'Ik hou van je.'

'Nu weet ik *zeker* dat we in de problemen zitten.'

De stemmen werden steeds luider en Rakkim ging achter een groot opgerold tapijt staan dat tegen een muurtje was gezet. Het was geen perfecte schuilplaats, maar hij wilde weten wie er binnenkwam en hij moest Sarah kunnen beschermen. Hij moest bovendien snel kunnen reageren. Zijn mes was in zijn hand en stelde hem zoals altijd gerust.

'Wie heeft het licht aangelaten?' Een stem als schuurpapier.

'Ik niet.'

Rakkim keek door een spleet tussen het tapijt en de muur en zag twee gespierde mannen met de handen in de zij in de deuropening staan. Twee anderen waren al binnen en inspecteerden het vertrek. Zwarte nylonjacks, wijde broeken, dolken aan de riem en keurig bijgehouden baarden. Wetsdienaren van de Zwartjassen.

Het stel in de deuropening maakte een buiging toen een andere man het vertrek binnen kwam, blijkbaar een Zwartjas met een hoge rang. Hij werd gevolgd door twee andere lijfwachten. De Zwartjas, die een slordig baardje had, was jonger dan hij had verwacht. Het was de magerste man die Rakkim ooit buiten de gevangenis had gezien. Hij had een lijkbleke huid en roodomrande ogen. Hij leek een beetje op de hondsdolle hond die Rakkim in de Carolina's had afgemaakt. Een uitgemergeld vuilnisbakkenbeest dat twee mannen had gebeten, hun benen had opengescheurd, maar niet van ophouden had geweten, ondanks het feit dat Rakkim hem met een hooivork had gestoken.

'Mijn sterren,' zei de Zwartjas, 'het stinkt hier naar joden.' Zijn stem klonk schril. 'Een tegenvaller dat ze er niet meer zijn, Tarriq.'

De langste wetsdienaar liet het hoofd hangen.

'Hoe lang zijn we nu al naar die smous op zoek?' zei de Zwartjas. 'Hoe lang heeft die... Spider ons al niet dwarsgezeten?'

'Met alle respect, mollah, maar we weten niet zeker of Spider wel bestaat.'

'En daar zullen we op deze manier ook nooit achter komen, nietwaar?' De Zwartjas trapte een rottende krop sla opzij en het ding rolde weg over de vloer. 'Ik had gehoopt die jood op televisie te laten zien. Om de mensen te laten weten dat wij geslaagd zijn waar Roodbaard gefaald heeft. Om te bewijzen dat hij de vijanden van de islam de kans heeft gegeven zich diep onder onze steden in te graven. En nu hebben we niks.' Hij wierp de wetsdienaar een dreigende blik toe. 'Je informant heeft de plank misgeslagen, Tarriq. We hebben dat ongedierte alleen maar verjaagd zodat hij ergens anders weer een nieuw nest kan bouwen.'

'We... we waren er heel dicht bij, heer,' kraste de wetsdienaar.

'Ah, *dicht bij*,' zei de Zwartjas. 'Dat verandert de hele zaak.' Hij wierp zijn magere armen met een dramatisch gebaar in de lucht. 'Kijk, mijn toorn is verdwenen als dauw voor de ochtendzon.'

Rakkim keek naar het bed, maar Sarah was nergens te zien. Hij vroeg zich af of de mollah Ibn Azziz was. Roodbaard had gezegd dat de nieuwe leider van de Zwartjassen een fanaticus was, maar deze man leek te jong om zoveel macht te hebben.

'Onze informant heeft de serveerster wekenlang in de gaten gehouden om uit te zoeken waar ze na het werk naartoe ging,' zei de wetsdienaar. 'Hij wist niet of ze een jodin was of dat ze alleen maar in een van de verlaten pakhuizen woonde. Daar zijn er een hoop van. Uiteindelijk zag hij haar verdwijnen in de verborgen tunnel. Hij heeft ons meteen gewaarschuwd.

Hij heeft een gok genomen en hij had *gelijk,* mollah. Wij zijn er een uur na zijn telefoontje op afgegaan, maar het was onmogelijk om na te gaan waar ze gebleven was. Ze... ze heeft waarschijnlijk gevoeld dat ze in de gaten werd gehouden. Tegen de tijd dat we deze plek hadden gevonden, waren ze al verdwenen.'

'En hoeveel zijn we die informant schuldig?' zei de Zwartjas. 'Die man die zich door een vrouw in de luren heeft laten leggen?'

'Twintigduizend dollar. Standaard premie voor bruikbare informatie. Plus tienduizend per ingerekende jood, maar dat is hier natuurlijk niet van toepassing.'

'Fijn dat je dat nog even inwrijft.'

'We vinden hem wel, mollah. Ze zijn nu op de vlucht.'

Ze kwamen dichterbij. Rakkim hield het mes losjes in zijn hand. Zes gewapende mannen en de Zwartjas. Het hing af van hun formatie en... hun training. Hij had het voordeel van de verrassing, maar als hij de aanval uitstelde tot het moment waarop ze hem zagen, zou hij dat voordeel verliezen. Het grootste gevaar was dat Sarah erbij betrokken zou raken – hij kon zijn snelheid onmogelijk effectief gebruiken als hij haar ook nog moest beschermen.

'Kijk eens naar die vuiligheid,' zei de Zwartjas. Hij klonk alsof hij aan de andere kant van het opgerolde tapijt stond. 'Zie je wat voor duivelarij die stinkjoden gebruiken om hun kroost te onderwijzen?' Hij liep regelrecht langs Rakkims schuilplaats – als de mollah zijn hoofd had omgedraaid, zou hij Rakkim hebben gezien – en bleef voor een muurschildering van het periodiek systeem staan. Hij was zo dicht bij Sarah dat hij haar een trap had kunnen geven. De Zwartjas deed een stap achteruit en spuwde op de afbeelding. Een slijmerige kwak gleed omlaag langs de muur.

De wetsdienaars wachtten.

Rakkim bewoog zich niet. De Zwartjas zou als eerste sterven. Dan de anderen.

De Zwartjas draaide zich op zijn hielen om en liep langs Rakkim. 'Betaal je informant. Betaal hem in kleine biljetten en stop ze in zijn mond. Prop zijn strot vol en laat hem stikken in zijn geld. Dat zal hem leren.'

De voetstappen stierven weg. Het licht ging uit en de deur viel dicht. Rakkim vond Sarah in het donker.

38

Voor het avondgebed

'Ik ben het,' zei Rakkim.

'Ik wil Sarah spreken,' zei Roodbaard.

'Wat hebben de weerwolven over de moordenaar gezegd?'

'Geef me Sarah. Nu meteen.'

Roodbaard had vast geen problemen met het kat-en-muisspelletje. Hoe langer ze praatten, des te groter de kans dat hij erin slaagde hun positie te peilen. Rakkim hapte niet. Hij gaf de telefoon aan Sarah. 'Hij wil jou spreken.'

'Hallo, oom.' Sarah keek langs Rakkim naar de veerboot die traag de Barakabaai overstak. Het water was roestkleurig in de ondergaande zon. Ze droeg een nieuw roze sweatshirt met camouflageprint en een kap en een bijpassende trainingsbroek. De anonieme retro-look was erg populair bij modernisten. Ze zaten op een bankje met uitzicht op het water. Sarah voelde zich opgelucht dat ze weer buiten was na het verblijf in de donkere, claustrofobische tunnels. 'Het gaat prima... Ik *zei,* het gaat prima. Ik ben zesentwintig. Ik ben echt wel in staat om mijn eigen beslissingen te nemen.' Ze beet op haar onderlip en luisterde. 'Schaamte lijkt me op dit moment niet echt een zinvolle strategie, oom.' Ze wierp een blik op Rakkim. 'Dat gaat niet lukken... Nee, ik hou van u, maar daar ga ik niet aan beginnen. Zeg maar tegen Angelina dat alles goed gaat. En dat ik braaf mijn gebeden opzeg.' Ze stak haar tong uit naar Rakkim en gaf hem de telefoon terug.

Rakkim keek naar de tram die langs het water reed. Hij zat vol met toeristen. 'En?'

'Er waren geen weerwolven,' zei Roodbaard.

'Bent u op de goede plek geweest?'

'Ik heb het autowrak gezien, maar er waren geen weerwolven. Geen waaraan we iets konden vragen, in elk geval.'

Rakkim dacht even na. 'Hoeveel?'

'Mijn mannen hebben zeventien lichamen gevonden. Allemaal weerwolven. Als er al overlevenden waren, waren ze al vertrokken. Misschien het bos in gevlucht, want hun auto's en spullen waren nog in het kamp. Dozen vol horloges en brillen en sportuitrustingen. Ik ben er zelf naartoe gevlogen toen ik het eerste rapport binnenkreeg. Ik heb wel gezien dat een van hun auto's miste. Een fourwheeldrive. Er waren bandensporen in de modder. De plek rond de uitgebrande auto was een puinhoop. Zeventien weerwolven… zelfs voor een Fedayeen is dat een aardige prestatie.'

'Misschien geeft de Oude hem een medaille.' Roodbaard zweeg. Rakkim keek naar de tram, die inmiddels op de terugweg was. Hij hoorde het zwakke geluid van de bel.

'Breng Sarah naar huis. Laat de Oude maar aan mij over,' zei Roodbaard. 'Ik heb hem al zo lang op een afstand gehouden…'

'U kunt hem niet meer tegenhouden.'

Roodbaard grinnikte. 'Vertel mij niet wat ik kan doen, knul.'

'U heeft de mensen er niet voor, en de mensen die u heeft, kunt u niet vertrouwen. Als u de Oude kon tegenhouden, had u mij niet nodig gehad om Sarah te vinden.'

'Kom nou maar gewoon naar *huis*.'

'Ik heb Ibn Azziz gezien. Tenminste, dat denk ik. Hij is heel jong.' Rakkim zag hoe drie auto's naast de tram gingen rijden. Een vierde begaf zich op het spoor ervoor en dwong de tram tot een noodstop. De wielen krijsten. Er kwamen mannen uit de auto's die in de tram sprongen. Anderen bewaakten de achteruitgang. Een van hen zag eruit als het arrogant fatje dat hem op de avond van de Super Bowl had meegenomen, maar Rakkim was te ver weg om het goed te kunnen zien. Hij *hoopte* in elk geval dat het dezelfde man was. 'U kunt maar beter oppassen, oom. Ik denk dat Ibn Azziz u de oorlog verklaard heeft.'

'Liever hij dan Oxley.'

Rakkim had een uur eerder een signatuurzendertje gekocht. Hij had het van dezelfde elektronicawizard in de Zone die Roodbaards tracker van Sarah had gekocht. Voor alle betrokkenen een ernstig misdrijf. Het apparaatje zond een signatuur van een mobiele telefoon naar een kleine unit die hij in de tram had verstopt – dezelfde signatuur als de telefoon die hij gebruikte, maar dan krachtiger. 'Ik neem wel weer contact op als ik meer weet.'

'Je kunt de Oude onmogelijk te slim af zijn. Niet in je eentje.'

Rakkim zag hoe de toeristen de tram verlieten onder het toeziend oog van Roodbaards agenten.

'Daar zou ik maar niet zo zeker van zijn. *U* bent slimmer dan de Oude, en ik ben u nu ook te slim af.' Hij verbrak de verbinding.

De ondergaande zon schilderde een gouden aura rond Sarahs haar en uit de minaretten van de Grote Moskee galmde de oproep tot gebed aan de vrome moslims. Ze bleven rustig zitten en keken naar Roodbaards mannen die de tram doorzochten. Met onnodig veel geweld. Een teken van zwakte.

Rakkim belde Mardi's privénummer en staarde naar het nieuwe reclamebord voor Jihad Cola. Ook Sarah was onder de indruk.

Er waren zeker vijfduizend mensen naar Pioneer Square gekomen voor de grote onthulling. Het publiek stond zelfs tot in de straten. Ze stonden zo dicht op elkaar gepakt dat het voor Rakkim geen enkel probleem was geweest om de mobiele telefoon uit het binnenzakje van de jonge modernist te pikken; Zebraskin interactief, het nieuwste model.

'Met mij,' zei Rakkim toen Mardi opnam.

'Wat is er?'

Modernisten in de menigte juichten, applaudisseerden en riepen *Oooh* toen het bord oplichtte – een drie verdiepingen hoog hologram met een schijnbaar oneindige diepte. De fundamentalisten prevelden extatische gebeden. Zelfs Sarahs mond viel open van verwondering.

'Wat is dat voor herrie?' vroeg Mardi.

Het was niet het hologram waarvoor de mensen juichten – holografische reclame was al twintig jaar heel normaal. Het was de reclame zelf. De islam stond het gebruik van afbeeldingen waarop het menselijk gezicht of de menselijke vorm voorkwam, niet toe. Reclameborden in de Islamitische Republiek werden dan ook altijd voorzien van een eenvoudige afbeelding van het product. Daarbij werden felle kleuren en opvallende lettertypes gebruikt. Een slap substituut voor een goede foto en de zoveelste reden voor de economische malaise.

'Ik kan je nauwelijks horen,' zei Mardi.

'Je moet weg uit de Blue Moon.'

Het nieuwe reclamebord voor Jihad Cola toonde een jong moslimstel dat in een park een JC dronk. Hun chaperon stond discreet op de achtergrond. Het unieke van de reclame was het feit dat hij niet alleen holografisch was, maar ook mosaïsch. De afbeeldingen werden gevormd door een zorgvuldige opeenstapeling van Arabische teksten uit de Heilige Koran. Door het gebruik van schrift werden niet alleen de beperkingen met betrekking tot afgoderij omzeild; het Arabische schrift, met name teksten uit de Heilige Koran, zouden een unieke en mystieke kracht bezitten. Een extra toegevoegde waarde van het merk. Het had drie jaar gekost om het computerprogramma te schrijven dat gebruikt was om de afbeelding te maken, maar er werd nu al van uitgegaan dat het mozaïekproces voor een revolutie in de reclamewereld zou gaan zorgen. De lancering was in de hoofdstad, maar er waren ook onthullingen gepland in Los Angeles, Chicago, New Detroit, Denver en andere grote steden. Mollah Oxley had zijn goedkeuring voor de techniek gegeven, maar Rakkim vroeg zich af wat Ibn Azziz ervan zou denken.

'Waar ben je?' vroeg Mardi.

Rakkim draaide zich met zijn rug naar de menigte om de telefoon enigszins af te schermen tegen de herrie. 'Je moet weg uit de Blue Moon. Nu meteen. Die drankverkoper die je zo leuk vindt... Dat is een Fedayeen-moordenaar.'

'Hoe weet jij dat nou?'

'Haal het geld uit de kluis en maak dat je wegkomt. Bel Riggs vanaf het vliegveld en zeg tegen hem dat hij de club een maand moet runnen. Dat redt hij wel.'

'Die vent steelt als de raven.'

'Zie het maar als de prijs die je betaalt om te blijven leven.' Rakkim ging iets zachter praten in een poging tot haar door te dringen. 'Neem gewoon een tijdje vakantie. Je hebt toch al meer geld dan je op kunt maken. Beloof me dat je meteen vertrekt. Ga niet naar huis om te pakken. Ga meteen weg. Bel over een maand de club en vraag naar mij. Als ik dan niet terug ben, blijf dan nog een maand weg en bel me daarna.'

'Is het echt zo erg?'

'Erger.'

39

Voor het middaggebed

'Ik heb me in allerlei bochten moeten wringen om dit voor jou te regelen.' Colarusso trok de boord van Rakkims jasje recht en liet de datachip in zijn zak glijden. 'Ik heb er de wet voor moeten overtreden.'

'Het was vast de eerste keer dat je iets illegaals hebt gedaan,' zei Rakkim.

Colarusso onderdrukte een glimlachje en zocht steun tegen de leuning van de rolschaatsbaan. Hij keek naar Anthony jr. en Sarah, die hand in hand rondjes draaiden. Anthony jr. bewoog zich houterig en onzeker. 'Leuk stel, hè?'

'Lul niet.'

De rolschaatsbaan was gevuld met modernisten, katholieken en gematigden in chique hijabs. Dit was een van de weinige plaatsen waar fysiek contact met de andere sekse was toegestaan, uiteraard onder het toeziend oog van een chaperon. 'Ik vind gewoon dat een man die voor een vriend zijn carrière op het spel zet het recht heeft om te weten wat er aan de hand is, dat is alles.'

'Sarah werkt aan een boek dat haar flink in de problemen kan brengen. Safar Abdullah maakt deel uit van haar onderzoek. Ik help haar om ervoor te zorgen dat ze fatsoenlijk eet en voldoende nachtrust krijgt. Dat is alles.'

'Abdullah is al vijfentwintig jaar dood, dus die kan je niet veel meer vertellen.' Colarusso zoog op zijn tanden. 'Ingenieurs zijn de saaiste mensen ter wereld. Wie sterft er nu op zijn drieënveertigste een natuurlijke dood? Waarschijnlijk is hij doodgegaan van verveling.' Colarusso trok zijn broek op. 'Ik denk wel 's, als ik geen rechercheur was geworden, was ik nu waarschijnlijk een voyeur.'

'Ik denk niet dat Abdullah een natuurlijke dood is gestorven. Voel je je nu beter?'

'Een beetje.' Colarusso wipte op en neer op de hakken van zijn schoenen. 'Ik hoop dat je niet van plan bent om het lichaam op te graven, want dan ben je te laat. Wel een beetje vreemd. Hij was een vrome moslim, maar zijn familie heeft er een week na de begrafenis mee ingestemd dat hij weer uit de grond werd gehaald. Ze hebben hem gecremeerd. De vrouw heeft ervoor getekend, maar de begraafplaats heeft er een hoop ophef over gemaakt. Het Martyrs of Fallujah in Los Angeles. Beste moslimbegraafplaats in de stad, voor zover ik dat heb begrepen. Ik heb een kopie van een boze brief aan de vrouw op de chip gezet. Lees hem maar eens. En ook nog een van de imam van dat arme mens – een giller. Dreigde haar met het hellevuur. Zowel haar als haar dooie mannetje. Die geestelijken weten heel precies hoe je zout in iemands wonden moet strooien.'

Rakkim zag de schaatsers aan zich voorbijkomen. Vroeger draaiden ze in dit soort gelegenheden muziek, maar het rollen van de wielen klonk hem ook als muziek in de oren.

'De vraag is: waarom staat een goede moslimvrouw toe dat haar echtgenoot midden in de nacht wordt opgegraven?' zei Colarusso. 'Ik heb de opdracht van het mortuarium dat de klus geklaard heeft. Om twee uur 's nachts. Ze moesten de arbeiders dubbel tarief betalen.' Hij boog zich naar Rakkim. 'Je snapt wel waarom ik geïnteresseerd ben geraakt.'

Rakkim bekeek de toeschouwers op de tribunes, de chaperons en de schaatsers. Veel gezichten, maar er was niemand die hem opviel. Soms kwam er een stel Zwartjassen langs om herrie te trappen, maar de schaatsbaan doneerde geld aan de plaatselijke moskee. 'Heb je de vrouw nog gevonden?'

'Die is een paar jaar na haar man overleden. Is bijgezet op de Al-Aquabegraafplaats in Van Nuys. Niet te vergelijken met Martyrs of Fallujah.'

'Kinderen? Familie?'

'Een dochter. Fatima. Het staat allemaal op de chip. Laten we maar zeggen dat het goed is dat de ouders niet hoeven te weten wat er van haar is geworden.'

Rakkim zag op korte afstand drie vrouwen van middelbare leeftijd lopen. Drie chaperones in donkere chadors praatten snel tegen elkaar terwijl ze hun blikken op de drie jonge vrouwen gericht hielden voor wie ze verantwoordelijk waren. 'Bedankt, Anthony.'

'Ik ben niet in bedankjes geïnteresseerd,' gromde Colarusso. 'Ik hoor liever van je waarom je achter dode mensen aanzit.'

'Dit is voor jou waarschijnlijk een goed moment om een stapje terug te doen en je met een andere zaak bezig te gaan houden.'

'Vertel me niet hoe ik mijn werk moet doen. Straks vergeet ik nog dat we vrienden zijn.'

'Oké.' Rakkim keek langs Colarusso naar de rolschaatsbaan. Sarah draaide vrolijk haar rondjes. 'De moordenaar die Marian Warriq heeft verdronken... die de hoofden van de bedienden heeft omgewisseld, zit achter Sarah en mij aan.' Hij zag dat Colarusso zijn best deed om niet om zich heen te kijken. 'We zijn een paar dagen geleden aan hem ontkomen, maar hij is niet van plan het bijltje erbij neer te leggen. Als hij straks nerveus begint te worden, gaat hij bij iedereen langs die we kennen.'

'Denk je dat hij achter een rechercheur of zijn familie aan zal gaan?'

'Als hij daar opdracht toe krijgt, gaat hij zelfs achter de president aan.'

'Wie geeft hem zijn opdrachten?'

Rakkim was in de val gelopen. 'Wat dacht je hiervan? Als het zover is, vertel ik je alles. Ik zal niks achterhouden. Maar voorlopig wil ik jou zoveel mogelijk buiten schot houden. Dan leef je tenminste nog als ik je nodig heb en kun je me helpen.'

'Wat dacht je *hiervan?* Wij pakken die moordenaar samen in zijn kraag en maken hem af? Je zei dat je hem niet in je eentje kon verslaan. Laten we het samen doen. Ik regel het papierwerk wel. Je zei het al – het zou niet de eerste keer zijn.'

'We zouden elkaar alleen maar in de weg lopen.'

'Denk je soms dat je last van me hebt?' Colarusso verloor zijn goede humeur. 'Ik heb een volautomatische Wesson en ik heb topscores op de schietbaan. Ik heb tijdens mijn carrière vijf mannen gedood en daar heb ik geen seconde wakker van gelegen. Dacht je soms dat ik me zorgen maak over die moordenaar van je?'

Rakkim zag hoe een vader zijn dochter op de baan zette om haar te leren schaatsen. 'Drie dagen geleden is hij in de badlands in een hinderlaag van weerwolven gelopen. Hij heeft er zeventien afgeslacht en is vervolgens in een van hun wagens weggereden.'

'Dat... dat zal me een stevige schietpartij zijn geweest.'

'Hij werkt met een mes.'

'Zeventien weerwolven met een *mes?* Dat lijkt me niet erg waarschijnlijk.'

'Fedayeenmoordenaars hebben niet eens een mes nodig. Ze vinden het alleen wel lekker om het te gebruiken.' Rakkim keek naar de vader en de dochter. Het meisje kreeg de slag langzaam te pakken, maar de vader bleef in de buurt om haar op te vangen als dat nodig was. 'Ik had gehoopt dat hij de crash niet zou overleven. Of dat hij in elk geval zo zwaargewond zou raken dat de weerwolven hem aan stukken zouden scheuren.'

'Zeventien?'

Ze stonden zwijgend naast elkaar, kijkend naar de schaatsers die hun rondjes draaiden. Rakkim had graag het gezicht van de moordenaar gezien toen zijn banden klapten. Hij had weten te ontkomen, maar het feit dat hij in Rakkims val was getrapt, moest pijn hebben gedaan. Een vriendelijk tikje had op dergelijke types vaak een sterkere uitwerking dan een mep met een moker.

'Heb je hulp nodig om in Los Angeles te komen? De moordenaar houdt waarschijnlijk het vliegveld in de gaten. Ik kan wel wat voor je regelen.'

'Dat zou ik op prijs stellen.'

Colarusso glimlachte en knikte naar zijn zoon. 'Moet je Anthony jr. zien. Sinds hij bij de Fedayeen is aangenomen, is het alsof hij een paar centimeter gegroeid is. Van de ene op de andere dag. Hij maakt zijn kamer schoon zonder dat iemand wat hoeft te zeggen. Rent iedere morgen tien kilometer. Maar hij is vooral betrouwbaar geworden... alsof hij de dingen helderder ziet. Alsof hij eindelijk een doel in zijn leven heeft.' Colarusso schudde zijn hoofd. 'Ik was je al wat schuldig, maar ondertussen vraag ik me af of ik je ooit nog terug kan betalen.'

'Je bent me niks schuldig.'

Colarusso's blik volgde zijn zoon. 'Anthony jr. ziet je als een held. Het is de hele dag Rakkim vóór en Rakkim ná.'

'Dat is binnenkort wel afgelopen.' Rakkim keek naar Sarah, die rondjes draaide. Ze had zich losgemaakt van Anthony jr. en voerde midden op de baan pirouettes uit. Ze struikelde, viel bijna en bloosde. 'Toen je die Abdullah natrok – je hebt de informatie toch niet rechtstreeks opgevraagd?'

'Geen sporen, zoals je zei.'

'Weten de agenten op de plaats delict wie ik ben?'

'Ik heb gezegd dat je van de Staatsveiligheidsdienst was. Dat Roodbaard je gestuurd had om het huis te inspecteren. Ze waren verstandig genoeg om niet naar je naam te vragen. Maar maak je geen zorgen. Niemand weet dat we elkaar beter kennen. Stel je voor, zo'n verdorven type als jij. Als bekend wordt dat we vrienden zijn, kan ik mijn carrière wel vergeten.'

'En hoe zit het met de Super Bowl?'

Colarusso haalde zijn schouders op. 'De helft van de rechercheurs was bij de wedstrijd.'

'Oké.' Rakkim zwaaide terug naar Sarah. 'Hoe heb je de informatie over Abdullah gekregen?'

'Via een meisje op de afdeling Personeelszaken. Ze heeft toegang tot databases in het hele land om sollicitanten te kunnen natrekken.'

'Heeft ze niet gevraagd waarom je de informatie nodig had?'

'Ik heb gezegd dat het om een geheim project gaat. Volgens mij vond ze dat wel interessant.' Colarusso trok zijn slechtgeknoopte stropdas recht. Er was nauwelijks verbetering te zien. 'Het is een gematigd moslimdametje, een beetje te zwaar, voorbij de dertig en ongetrouwd, dus je weet welke kant dat op gaat.' Hij krabde zijn buik. 'Ze is een beetje gek op me. Lacht om al mijn grapjes. Ze denkt dat ik een keiharde ben. Ik denk dat ik de verboden vrucht ben.' Hij grijnsde. 'Je weet tenslotte wat ze over katholieken zeggen.'

'Wat dan?'

'Toe zeg, hou je niet van den domme. Je weet wat ze zeggen.'

'Waar heb je het over?'

'Katholieken zijn groter geschapen,' zei Colarusso, nu fluisterend. 'Ons gereedschap... is groter dan dat van moslims.'

'Dat is echt voor het eerst dat ik dat hoor,' zei Rakkim op onschuldige toon. 'Het enige verhaal dat ik ken, is dat van die koorknapen.'

'Dat probleem is al heel lang geleden opgelost.'

Rakkim keek naar Sarah en Anthony jr., die naar het theestalletje schaatsten. Anthony jr. kocht een beker warm appelsap voor haar. Hij keek even naar Rakkim en wendde vervolgens haastig zijn blik af.

'Je hebt een knap vrouwtje,' zei Colarusso.

'Klopt.'

'Geluksvogel.'

'Wat wou je daarmee zeggen?'

'Marie is zo trots als een pauw sinds Anthony jr. zijn papieren heeft. Alle mensen in de omtrek weten ondertussen dat haar zoon Fedayeen wordt. Ze wil volgende maand een groot feest geven, vlak voordat hij vertrekt.' Colarusso zweeg even en liet zijn knokkels knakken. 'Ik moet van haar zeggen... Ik moet je laten weten... Als je met een van onze dochters wilt trouwen, hoef je het maar te zeggen.'

Rakkim staarde hem aan. Eerst Spider en nu Colarusso.

'Ik weet het, ik weet het. Het zijn heel gewone meiden, maar Mary Ellen kookt geweldig en heeft de heupen om er een flink stel kinderen uit te persen. Ze hoeft niet je eerste vrouw te zijn. Ik stel me zo voor dat Sarah die plek al heeft ingenomen. Je zou Mary Ellen als derde of vierde kunnen nemen.'

'Eén vrouw is wel genoeg.'

'Vertel mij wat. Nou ja, ik heb het in elk geval gevraagd.'

Rakkim glimlachte. 'Je ziet er opgelucht uit.'

Colarusso wilde antwoord geven, maar Sarah en Anthony jr. kwamen aan schaatsen. Anthony jr. vermeed oogcontact.

40

Voor het avondgebed

'Is het echt waar dat de mensen hier vroeger in zee zwommen?'

'Ja.'

Parallel aan de kust lagen olieplatforms. Voor zover Rakkim dat kon zien, waren het er honderden. De branding kwakte een zwarte, schuimachtige drab op het strand. Huntington Beach was bezaaid met taaie bolletjes ruwe olie en het zand was vermengd met smurrie. 'Hadden ze dan speciale zeep om die viezigheid van zich af te wassen?'

'Vroeger lag hier niet zoveel olie.' Sarah pakte nog een sandwich met gekruid geitenvlees uit die ze op Bin Laden International Airport hadden gekocht. Ze haalde de scherpe pepers eraf, legde ze opzij en nam een grote hap. 'Ze hebben hier niet naar olie geboord.'

'Waarom niet?' Rakkim genoot ervan om naar haar te kijken als ze at. 'Hadden ze geen benzine nodig?'

'Dat interesseerde ze niet. De mensen vonden het veel belangrijker om in het water rond te spartelen. Ze hadden van die planken... surfplanken... waarmee ze over de golven roetsjten. Het was schijnbaar erg populair. Er kwamen hier mensen uit de hele wereld om te zwemmen, te vissen en geld uit te geven.'

Rakkim keek om zich heen. De promenade langs het strand was druk en lawaaierig: gepensioneerden die arm in arm liepen, moeders met kinderen. Sarah had erop gestaan een deken mee te nemen zodat ze tussen de picknickende jongelui op de grassige klif konden zitten om naar de ondergaande zon te kijken. Rakkim was pas dertig, maar hij voelde zich te oud voor de modernisten en de wild uit hun ogen kijkende katholieke stelletjes met hun lange benen en gebruinde huid die ineengestrengeld van elkaar lagen te genieten. Zelfs in de Zone was het niet zoals hier. Niet overdag. Niet in het openbaar.

Vanmorgen, toen ze uit Seattle waren vertrokken, was het vijf graden Celsius geweest en bewolkt. In Zuid-Californië was het dertig graden. Ze hadden de hele dag korte vluchtjes van vliegveld naar vliegveld gemaakt. Uiteindelijk waren ze een uur geleden op BLI geland. De biometrische scanners van het vliegveld waren waarschijnlijk offline, maar Rakkim had het zekere voor het onzekere genomen en Colarusso voor valse identiteitsbewijzen van de undercoverunit laten zorgen. De rechercheur had Rakkim bovendien een lijst met vliegvelden gegeven waar de veiligheidsapparatuur niet of niet goed functioneerde. De reis was probleemloos verlopen, maar ze waren uitgeput. Ze hadden met hun valse ID een auto gehuurd en in de GPS een zo kort mogelijke route naar het strand geprogrammeerd. Als Sarah haar sandwich ophad, gingen ze een motel zoeken. Morgen was vroeg genoeg om Fatima Abdullah op te zoeken.

Rakkim was zelden in dit deel van het land geweest, maar de rit vanaf de luchthaven had aangevoeld als een soort ontwaken. De snelwegen zaten bomvol, maar ze waren twaalf rijen breed en zo glad als glas. Er waren gecomputeriseerde opritten en ozondetectoren. Seattle had de politieke macht, maar het geld zat blijkbaar in Zuid-Californië. Dat kwam deels door de olie, maar volgens Sarah lag de belangrijkste oorzaak bij de demografische samenstelling van de bevolking. Terwijl de rest van het land grotendeels islamitisch was, was de hoofdzakelijk Latijns-Amerikaanse populatie van Zuid-Californië katholiek gebleven. Door de combinatie van natuurlijke hulpbronnen en een krachtig arbeidsethos floreerde dit deel van de natie. Je hoefde maar om je heen te kijken om te zien dat de dingen hier anders waren. Zo waren de gebouwen een stuk hoger en werden de auto's veel beter onderhouden. Ze waren vaak geïmporteerd uit Frankrijk en Japan en beschikten over brandstofceltechnologie en vectormotoren. Er waren nog steeds gewelddadige getto's en vervallen stadsdelen, maar hier heerste opwinding; hier pulseerde een levend hart. Hier overheerste het gevoel dat alles mogelijk was. Je hoefde alleen je handen maar uit de mouwen te steken.

Sarah reageerde op een diep emotioneel niveau op de verandering en leek op te bloeien in de warmte. Ze had haar broek opgerold tot boven de knie en haar jasje uitgetrokken. Ze drukte haar tenen in het gras. 'Ik ben alleen in L.A. geweest voor een paar conferenties. We hebben toen nauwelijks iets anders gezien dan het hotel en het congrescentrum. Correcte kleding verplicht, uiteraard.' Ze keek om zich heen. 'Ik zou hier de rest van mijn leven kunnen wonen.'

Rakkim glimlachte. 'Colarusso heeft een keer tegen me gezegd dat als ik één zaterdagavond katholiek zou zijn, ik nooit meer moslim zou willen worden.'

'Ik heb een paar films uit de oude doos gezien,' zei Sarah. 'In een ervan zat een meisje dat Gidget heette. Ze wóónde bijna op het strand, samen met haar vrienden. Ze waren het grootste gedeelte van de tijd halfnaakt, en dat scheen niemand op te vallen – wel vreemd, want ze was non.'

'Dat klinkt niet als de nonnen die ik heb gezien.'

'Gidget kon ook vliegen. Net als Superman. Of een engel, ik weet het niet.' Sarah trok haar shirt omhoog en ontblootte haar buik. 'Aah, zo moet het in het paradijs zijn.' Rakkim keek naar haar navel. 'Of in de hel.'

Sarah pakte de scherpe pepers die ze opzij had gelegd en stopte ze in haar mond. Je keek hem aan terwijl ze kauwde, boog zich vervolgens naar voren en kuste hem met haar tong diep in zijn mond. Haar kus brandde, maar hij duwde haar niet weg.

Anthony Colarusso had een mooi huis in een katholieke buurt in het district Madrona. De gazons werden netjes bijgehouden, de huizen waren recentelijk geschilderd en de straten werden niet ontsierd door afval en hondenpoep. Darwin trok de kraag van zijn kasjmieren jas op en stak zijn handen in zijn zakken. Hij was gladgeschoren als een baptist. Zijn auto stond een blok verderop geparkeerd. Kleine kinderen raceten hem voorbij op autopeds; schriele snotapen in korte broeken en T-shirts die zich niet druk maakten om de kille, vochtige lucht. Een man met een druipoog die in zijn voortuin bladeren bijeenharkte, groette hem en vroeg of hij een bepaald adres zocht; hij woonde al zevenenvijftig jaar in dit blok. Darwin bedankte hem en zei dat hij wist waar hij zijn moest.

Darwin trok met zijn been; bij elke stap schoot er een steek door zijn rug. Een gevolg van het ongeluk de week ervoor. Nou ja, ongeluk. Dat was niet de juiste benaming. Hij was een paar keer gestoken door de weerwolven, maar de wonden waren inmiddels bijna dicht. De echte schade was aan zijn trots, die een flinke deuk had opgelopen. Rakkim had zich die avond waarschijnlijk een ongeluk gelachen toen hij Darwins auto over de kop had zien slaan. Rakkim en Sarah waren ondergedoken, maar iemand moest weten waar ze waren. Darwin herinnerde zich hoe Rakkim en Colarusso rond het huis van Warriq waren gelopen. Je hoefde maar naar ze te kijken en je wist dat er meer tussen hen bestond dan alleen een professionele relatie. Ze waren bevriend.

Het had Darwin weinig moeite gekost om Colarusso's huisadres te vinden. Een hulpje van de Oude op het politiebureau was buiten zijn boekje gegaan en had de veiligheidsvoorschriften met betrekking tot het personeel aan zijn laars gelapt. Er wervelden bladeren rond zijn knieën toen

Darwin de straat overstak. Hij liep over het tegelpad naar Colarusso's voordeur en belde aan. Binnen klonken de eerste noten van Beethovens Vijfde Symfonie. De chic van het proletariaat.

Darwin kamde zijn vingers door zijn dunner wordende haar. De deur ging open en hij keek op. Anthony jr. staarde hem aan door het veiligheidshek. Zweeds staal, topkwaliteit, minstens een centimeter dik. De ramen waren natuurlijk ook beveiligd. Colarusso was blijkbaar vaak van huis. Braaf vadertje.

'Hoi.' Darwin glimlachte. 'Jou heb ik niet meer gezien sinds het kerstfeest van je ouders, een jaar of acht geleden. Wat ben jij gegroeid zeg.'

Anthony jr. reageerde niet. Hij was lang en gespierd en droeg een blauw trainingspak van de King Fahd High School. Zijn haar was gemillimeterd en over de rand van zijn kaak liep een dun baardje. 'Doe je de deur nog open, of moet ik hier in de kou blijven staan?' Anthony jr. verroerde geen vin. 'Ik kan natuurlijk moeilijk verwachten dat je me nog herkent.' Darwin rommelde wat in zijn jaszak. 'Heel verstandig dat je zo voorzichtig bent.' Hij liet de badge zien die hij van de charmante jonge politieagent had gestolen. 'Darwin Conklin. Ik ben contactpersoon voor de politie op het gemeentehuis.'

Anthony jr. gunde de badge nauwelijks een blik waardig. 'Da's fijn voor u.'

'Is je vader thuis? Ik wil even met hem praten.'

'Hij is nog niet hier geweest.'

Darwin keek op zijn horloge. 'Mag ik even binnenkomen om op hem te wachten?'

'Wie is dat, Anthony?'

Darwin zag een pafferige vrouw in de keukendeur verschijnen die haar handen afdroogde aan een theedoek.

Anthony jr. hield zijn blik op Darwin gericht. 'Ik regel het wel, mam.'

Darwin wees op de kleine zilveren halvemaan die boven de deur hing. 'Ben je bij de Fedayeen aangenomen?'

Een voorzichtig knikje van Anthony jr.

'Gefeliciteerd.' Geen reactie van de jongen. 'Mag ik alsjeblieft even binnenkomen?' Darwin grijnsde. 'Ik heb vorige week kougevat en ik begin er net een beetje overheen te komen.'

Anthony jr. reikte langzaam naar het slot. En stopte.

Darwin voelde aan de klink. 'Is er soms iets mis?'

'Ja. *U*.'

'Maar Anthony, je bent toch niet bang voor me?'

Anthony jr. staarde hem aan. Hij knikte langzaam.

Darwin opende zijn jas. 'Ik ben niet eens gewapend. Ik ben een verbindingsofficier. We praten. We voeren een dialoog. Dat is alles.'

'Ga maar een dialoog met iemand anders voeren.'

Darwin schudde zijn hoofd. 'Als jij het soort jongmens bent waar de Fedayeen tegenwoordig genoegen mee moet nemen, kan ik beter mijn oorlogsobligaties verkopen.'

'Ik weet wie jij bent.' Anthony begon te beven, ondanks het feit dat hij beschermd werd door stalen staven van een centimeter dik.

Darwin glimlachte, oprecht ditmaal. Hij kon zich niet herinneren wanneer iemand voor het laatst zijn ware aard had doorzien. Totdat het te laat was, uiteraard. Misschien had Anthony het instinct van een geboren Fedayeen, maar het was ook mogelijk dat Rakkim hem voor iemand als Darwin had gewaarschuwd. Hem en zijn vader, de dikke smeris. Een groot, gelukkig gezin waarvan de leden zich om elkaar bekommerden. Elkaar allerlei dingen vertelden. Darwins bezoekje aan het huis van Colarusso was niet voor niets geweest.

Anthony's moeder verscheen opnieuw in de keukendeur. 'Anthony?'

'Bel 911, mam. Zeg maar dat ze een paar wagens moeten sturen.'

Darwin zwaaide naar haar. 'Hallo, Marie. Je ziet er betoverend uit, zoals altijd.'

Anthony's moeder raakte haar haar aan. 'Doe niet zo kinderachtig, Anthony; laat die man binnen.'

'*Bel* ze, mam.'

'Goed zo, Anthony,' zei Darwin. 'Je laat je niet voor de gek houden.'

'Ik wil niet dat je mijn naam zegt.'

'Mag ik je een advies geven?' vroeg Darwin. 'Je traint waarschijnlijk hard sinds je bent aangenomen. En je neemt natuurlijk allerlei groeihormonen en injecties met cobragif.' Hij glimlachte opnieuw. 'Maar je kunt je beter voorbereiden met hazenslaapjes. Zet je wekker op intervallen van een uur zodat je 's nachts om het uur wakker wordt. Als je wakker kunt worden zonder je wekker te zetten en meteen alert bent – *volledig* alert – zet je de intervallen op een halfuur. *Dat* heb je nodig om door het trainingskamp te komen. Je krijgt het eerste jaar nooit meer dan een uur onderbroken slaap.'

'Het is gebeurd, Anthony,' riep zijn moeder. 'Doe de deur dicht. Laat de politie het maar afhandelen.'

'Ik durf te wedden dat ze heerlijk kookt,' zei Darwin.

'Ik slaap al op een harde houten vloer,' zei Anthony jr. 'En de verwarming op mijn kamer staat ook uit. Maar dat met die hazenslaapjes... dat is een slim idee.'

'Ik zit vol met slimme ideeën.' Darwin keek alsof hij een beslissing nam. 'En dan is er nog iets...' Hij keek om zich heen terwijl hij het mes van koolstofpolymeer via zijn mouw in zijn hand liet glijden. 'Als de instructeur Ontsnapping-en-ontwijken om vrijwilligers vraagt' – hij liet zijn stem dalen en Anthony jr. boog zich onbewust een stukje naar voren – 'moet je'- Darwin ramde zijn rechterhand tegen het hek en het mes drong door het plaatgaas. De kling had in Anthony jr.'s linkeroog moeten dringen, maar de jongen had zich net op tijd teruggetrokken.

Hij veegde bloed van zijn wang en ademde snel.

'*Heel* goed.' Darwin borg zijn mes op. 'Misschien overleef je het trainingskamp wel. We moeten een keer afspreken om elkaar oorlogsverhalen te vertellen.' Darwin salueerde opgewekt en draaide zich op zijn hakken om. Hij trok vrijwel niet meer met zijn been en zijn tred had nieuwe veerkracht.

Sarah trok de gordijnen open om het laatste licht van de zonsondergang in hun motelkamer aan het strand te laten. Haar naakte lichaam glom van het zweet en leek één en al rondingen en holtes. Alleen al door naar haar te kijken kreeg hij opnieuw een erectie. Ze boog zich naar voren met haar billen naar hem toe en plaatste haar handen op de vensterbank. Het raam was open en de gordijnen bolden op door de wind.

'Moet ik soms een hartaanval krijgen?'

Ze keek hem aan en lachte. 'Ik ben nog nooit zo gelukkig geweest.'

Hij keek naar haar en luisterde naar de geluiden die door het venster naar binnen kwamen. Rammelende fietsen. Krijsende zeemeeuwen. Het ruisen van de branding. Het zoemen van de bijna geruisloze straalhelikopters die overvlogen. Het luchtverkeer in de hoofdstad was aan banden gelegd, maar hier was alles anders. Hier leek niets verboden.

'Kom weer in bed.'

'Zeg...'

'Alsjeblieft?'

De gordijnen bolden op rond haar lichaam. 'Moet je ons zien, Rikki; we vrijen met de ramen open. Ze *moeten* ons beneden hebben gehoord.' Haar tepels waren donker en hard. 'Moet je ons nou zien; we lopen in het openbaar hand in hand en we tellen de minuten niet die we nog hebben voordat ik naar huis moet. We hoeven geen excuses te bedenken voor Roodbaard of antwoorden te oefenen voor alle vragen die me gesteld kunnen worden. Colarusso is de enige die weet dat we hier zijn. We zijn vrij.' Ze liep naar hem toe in het gouden schijnsel van de ondergaande zon. 'Ik heb helemaal geen zin om vanavond naar Fatima op zoek te gaan.'

'Oké.'

'En morgen ook niet. Ik wil vrijen en uitslapen. Ik wil ontbijten in dat cafeetje dat we hebben gezien. Ik wil in de zon lopen en Mexicaanse ijskoffie drinken en naar muziek luisteren. Ik wil met je dansen. En dan wil ik weer vrijen.'

Rakkim keek naar haar. Ze was nu bij de rand van het bed en ze rook naar seks. 'Dat lijkt mij ook wel wat. Behalve dat dansen.'

Ze kroop weer in bed en hij streelde het vochtige plekje tussen haar benen. 'Laten we hier blijven zolang het kan,' zei ze, 'want als we weggaan; als we haar vinden, dan begint het hele circus weer. Dan is er geen plaats meer voor ons...'

'Dat is niet waar.'

Ze liet hem in zich glijden. Het ging zo soepel en vanzelfsprekend dat het was alsof hij altijd een deel van haar was geweest. 'Maar het wordt niet meer zoals *dit*.' Ze bewoog zich zachtjes op en neer. Hij nam haar ritme over, en haar hitte drong in zijn lichaam door. 'Zodra we hier vertrekken, begint de klok te tikken. Dan kijken we de hele dag weer achterom.' Ze verstevigde spinnend haar greep op hem en verhoogde haar tempo totdat hij het uitschreeuwde.

Rakkim kromde zijn rug.

Zij gooide haar hoofd in haar nek en haar donkere krullen waaierden uit in de schemering.

41

Voor het middaggebed

'Daar doen ze echt nie open hoor,' zei het joch toen Rakkim een voor een de deurbellen begon af te werken. Hij was een jaar of tien, blond en hij had een woeste blik in zijn ogen. Hij was broodmager. Zijn kleren zagen eruit alsof hij erin had geslapen. 'De helft van die knoppe is trouwens naar ze mallemoer.'

Rakkim keek om zich heen terwijl Sarah in haar tasje rommelde. Ze bevonden zich in de hal van een flatgebouw. Volgens de informatie die Colarusso hen had gegeven, was dit het laatst bekende adres van Fatima Abdullah. De flat stond in een armzalige buurt in Long Beach waar voor het merendeel katholieken woonden. Overal waren omgegooide vuilnisbakken en gestripte auto's. Als Fatima nog steeds in de prostitutie zat, was de late ochtend de beste tijd om haar thuis te treffen. Ze hadden drie dagen rustig aan gedaan in het motel in Huntington Beach, waar ze zich hadden voorgedaan als een verliefd stel dat niet wilde dat de vakantie weer voorbij was. Een echte huwelijksreis zat er voorlopig misschien niet in.

Sarah gaf de knul een biljet van tien dollar. 'We zijn op zoek naar Fatima Abdullah. Ze noemt zichzelf ook wel eens Francine Archer of Felicity Anderson.'

Het was te vroeg om de jongen te betalen. Te vroeg en te weinig.

De jongen stopte het geld in zijn gymschoen, doofde zorgvuldig zijn sigaret en verpakte hem in een kauwgompapiertje. Klaar om ervandoor te gaan. 'Nooit van gehoord.'

'Hoe heet je?' vroeg Rakkim.

'Cameron.' De jongen stak zijn hand uit. 'Da's nog een keer tien dollar.'

Rakkim mepte de hand weg. 'Ik geef je honderd dollar als je bruikbare informatie voor me hebt.' Hij liet op zijn mobiele telefoon de meest recente foto van Safar Abdullahs dochter zien. Het was een vijf jaar oude politiefoto; een betere had Colarusso's contactpersoon bij Personeelszaken niet kunnen vinden.

Cameron staarde naar de foto, en uiteindelijk knikte hij. 'Geef maar hier, dat geld.' Hij aarzelde. 'Ik mot wel een printje hebben.'

Rakkim overhandigde hem vijf briefjes van twintig, liet zijn mobieltje een afdruk maken en gaf die ook aan de jongen.

Cameron hield de foto vast alsof het een sneeuwvlokje was. 'Wat was ze knap, man. Zo ziet ze d'r tegenwoordig niet meer uit.'

'Op welk nummer woont ze?' vroeg Rakkim.

'Ze woont hier niemeer. En ze heet ook geen Francine of Felicity of Fatima. Ze heet *Fancy*. Fancy Andrews.'

'Er zijn geen problemen,' zei Sarah. 'We willen alleen even met haar over haar vader praten.'

'Ze heb geen vader. Ze heb helemaal geen familie.'

'Ik heet trouwens Sarah.' Ze gaf hem een hand. 'Leuk je te ontmoeten, Cameron.'

De jongen keek naar Rakkim. 'En u, meneer? Vindt u het ook leuk?'

'Waar woont Fancy nu?' vroeg Sarah. 'Ze is vast niet vertrokken zonder het jou te vertellen.'

'Ik dee wel 's boodschappen voor d'r.' Camerons blik schoot heen en weer van Sarah naar Rakkim en vervolgens weer naar Sarah. 'Ze had vaak last van migraine... en ze werd getreiterd door een stel van die krachtpatsers. Ik probeerde d'r altijd te waarschuwen, maar...'

'En vallen die krachtpatsers jou niet lastig?' vroeg Rakkim.

'Ik ben veel te snel voor die gasten.' Camerons gezicht betrok. 'En ik heb niks wat zij willen.'

'Gelukkig had ze jou als vriend,' zei Rakkim.

'Als ik groter was, zou ik ze immekaar geramd hebbe,' zei Cameron met een felle blik in zijn ogen. 'Ze zei dat het nie erg was. Ze vond het alleen rot dat ze het gratis weg moes geve. Azzof ik me daar beter door moes voele.'

Sarah legde een hand op zijn schouder. 'We willen graag met haar praten.'

Maar de jongen rukte zich plotseling los. 'Maak dat je wegkomp, man,' zei Cameron. '*Nu meteen.*'

Rakkim liep naar buiten, het trottoir op. Hij had de krachtpatsers al gezien.

'Schiet op, man. Jij redt je wel, maar ik wil niet dat ze haar te pakke krijge.'

'Rakkim?' zei Sarah.

Drie van de krachtpatsers beenden met grote stappen op hem af. Een van hen bleef een paar meter achter hen lopen om de situatie te overzien.

Waarschijnlijk de leider. Hij zag er opgefokt uit en stond zo strak als de pees van een boog. De voorhoede bestond uit grote kerels van begin twintig, goed doorvoed en met een frisgeschoren gezicht. Ze droegen wijde zijden pantalons en tanktops waarin hun biceps goed uitkwamen. De legerlaarzen waren tot hoogglans gepoetst en aan de riemen hingen mariniersmessen. Boven op de geschoren hoofden droegen ze een knotje. Getto-esprit. De grootste van het stel had een nogal lompe tatoeage van de Maagd van Guadalupe op zijn hals. De krachtpatsers bleven te dicht bij elkaar; ze zouden elkaar wat meer de ruimte moeten geven.

De leider kwam nu dichterbij, liep op Sarah af en lichtte een niet-bestaande hoed. 'Kijk nou 's, twee brave moslimpjes. Hebben jullie op de snelweg soms de verkeerde afslag genomen?'

'Ze gaan al weg, Zeke,' zei Cameron.

Zeke drukte een wijsvinger tegen zijn lippen. 'Kinderen moeten hun mond houden. Wanneer word jij nou 's verstandig?' Zeke trok zijn klokkenspel recht en grijnsde naar Sarah. 'Jullie zijn vast vergeten tol te betalen toen jullie hiernaartoe kwamen, maar...' Hij keek naar Rakkim en wees op de Ford die langs het trottoir geparkeerd stond. 'Is dat karretje van jou, Mohammed?'

'Leuk ding, hè?' zei Rakkim opgewekt.

Zekes vingers maakten een trommelend gebaar in de lucht. 'Sleutel. Portemonnee. Jij kunt gaan. Die chick blijft hier.'

'Mag ik ook blijven?' zei Rakkim. 'Jullie lijken me toffe lui.'

Dat antwoord beviel Zeke niet. Het paste niet binnen zijn ervaringswereld. Maar voordat hij de andere drie krachtpatsers kon waarschuwen, hadden die hun messen al getrokken. De lemmeten fonkelden in het zonlicht. Zeke haalde een wapenstok tevoorschijn; een zwaar model dat alleen door speciale legereenheden werd gebruikt. Coma gegarandeerd. Het ding had ongetwijfeld een interessante levensloop.

'Oei,' zei Rakkim. 'Ik geloof dat ik het wel kan schudden.'

Zeke tikte zachtjes met de wapenstok in de palm van zijn hand. Hij stond op het punt de anderen te waarschuwen, maar het was al te laat.

De drie krachtpatsers wierpen zich op Rakkim. Als je in een groepje aanviel, was het verstandig om je wat te verspreiden zodat je elkaar niet in de weg liep. Maar dit stel was lui geworden door gebrek aan fatsoenlijke tegenstand.

Rakkim greep de hand met het mes van de knul links van hem en draaide hard. Vervolgens ramde hij de rug van zijn linkerhand met volle kracht in de luchtpijp van een andere. Toen de derde man naar hem uithaalde, trapte hij zijn knieschijf kapot. Zonder te kijken ontweek Rakkim de wapenstok die langs zijn hoofd zoefde. Zeke wilde een stap terug doen, maar omdat zijn aanval doel had gemist, stond hij niet helemaal vast op zijn benen. Rakkim ramde zijn rechterhand in zijn gezicht en de knul viel achterover. Binnen een tijdsbestek van drie seconden had hij het complete groepje gevloerd.

De knaap met de tatoeage van de Maagd kwam half overeind en voelde vloekend aan zijn gebroken pols. De tweede man huilde van de pijn. Zijn been was op een vreemde manier gedraaid. De derde lag languit op de grond en hapte naar lucht. Hij spartelde met zijn benen en zwaaide met zijn armen. Zijn luchtpijp was kapot en zijn gezicht was zo rood als een kreeft omdat zijn opzwellende strottenhoofd de boel begon af te sluiten. Zo meteen zou zijn gezicht paars worden en vervolgens zwart. Zeke stond al op zijn benen en keek behoedzaam naar Rakkim. Hij negeerde het bloed dat uit zijn gebroken neus op zijn shirt gutste en pakte de wapenstok van de grond.

'Rakkim?' Sarah klonk als verdoofd. 'Die jongen... die jongen krijgt geen lucht.'

Rakkim zag dat Cameron achter hem was komen staan.

Zeke spuwde bloed op het trottoir en keek naar zijn vriend op de grond. De stuiptrekkingen ebden langzaam weg. 'Hé, Mohammed, we dolden maar wat, man.'

Rakkim stak zijn hand uit. 'Even goede vrienden.'

Zeke omklemde de wapenstok en nam de hand niet aan.

De krachtpatser met de gebroken pols gebruikte zijn goede hand om de knul met de kapotte knie overeind te helpen. Ze stonden erbij alsof ze aan een driebeenswedloop gingen meedoen en kreunden bij elke beweging. Rakkim kreeg alle ruimte.

'Waarom blijf je niet even hangen?' zei Zeke. 'Ik ken een stel gasten die ik aan je wil voorstellen. We komen terug zodra we een fatsoenlijke begrafenis voor Benny hebben geregeld.'

Rakkim keek het groepje na. Benny was nu stil. Zijn vingernagels stonden in de bestrating.

'Wat *ben* jij voor vent?' vroeg Cameron.

'Je kunt hier niet blijven,' zei Rakkim.

'Ik heb wel honderd schuilplaatsen. Mij krijgen ze niet bang.'

'Heb je enig idee waar Fancy tegenwoordig woont?' vroeg Sarah.

Rakkim keek haar aan. Ze was hem voor geweest.

De jongen staarde naar de dode krachtpatser. 'Benny heb me een keer vastgehouwe toen ze Fancy tol lieten betalen. Hij hield me aan me hare vast en ik moes blijve kijke.' Hij keek naar Rakkim. 'Ik wou dat ik zulke klappe kon uitdele. Ken je mij dat leren?'

'Ik ben bang dat we daar geen tijd voor hebben.'

'Oké... snap ik.' Cameron richtte zich tot Sarah. 'Fancy kwam in juni langs om me d'r nieuwe huisje te late zien. Ze zei dat het voor me verjaardag was, maar mijn verjaardag is erges in mei.' Hij keek naar Rakkim. 'Ik weet niet precies waar ze woont. Het was nacht en ze reed van hot naar haar om allerlei spulle op te pikke. Ze zei dat de auto van d'r vriendin was. Aardig mens. Ze heb me een paar schoenen van een van d'r kinderen gegeven.'

'Waar is het ongeveer?' vroeg Rakkim.

'Ooit van Disneyland gehoord?'

'Dat oude amusementspark?' zei Rakkim.

'Waarschijnlijk het belangrijkste *thema*park uit de geschiedenis,' zei Sarah. 'Er was een compleet Disney-imperium. Films, televisie, cartoons, noem maar op.'

'Ik weet echt nie waar Fancy d'r appartement is,' zei Cameron, 'maar je ken Disneyland vanuit de flat zien legge. Teminste, wat er van over is. D'r is een of andere berg...'

'Space Mountain?' zei Sarah.

'Geen idee... D'r lag sneeuw op. Geen echte sneeuw, natuurlijk...'

'De Matterhorn,' zei Sarah. 'Space Mountain was binnen. Ik haal ze altijd door elkaar.'

'Da's alles wat ik weet,' zei Cameron. 'D'r flat was op de eerste verdieping en ik kon de sneeuw zien.'

Rakkim gaf hem nog een paar honderd dollar. 'Als wij zo meteen weg zijn, kom je waarschijnlijk op het idee om Benny's zakken leeg te halen. Zorg ervoor dat je die verleiding weerstaat. Je denkt natuurlijk dat als *jij* zijn geld of zijn mobieltje niet inpikt, iemand anders het wel doet. Maar doe het gewoon niet. Laat iemand *anders* maar van de doden pikken. Jij doet zoiets niet.'

De jongen staarde hem aan.

'Als we Fancy vinden, moeten we haar dan nog een boodschap van je geven?' vroeg Sarah.

'Ja.' Cameron knipperde met zijn ogen en wendde zijn blik af. 'Zeg dat ze me komp halen. Zeg maar dat ze om twaalf uur 's middags op de trappen van Saint Xavier moet gaan staan, dan zie ik d'r wel. Zeg maar dat ik daar elke dag op d'r wacht.'

42

Voor het middaggebed

Breaking news. Terrorisme in de baai.

De video flitste over de servettenautomaat en Rakkim legde zijn lamskebab neer. Beelden van verwrongen metaal en heen en weer zwiepende pylonen. Om dichter bij het scherm te zitten, schoof Rakkim een stukje opzij over de rode imitatieleer bank bij Pious Sam's Pious Eats. Een stuk van de Generaal Masood Brug over de baai van San Francisco was ingestort tijdens het drukste moment van de spits. Honderden doden. De camera zoomde in op lichamen die in het water dreven. Door de stroming dreven gekantelde auto's tegen de steunpilaren. De burgemeester van de stad verscheen voor de camera. De wind rukte aan zijn gewaad en zijn tulband. Hij eiste dat Roodbaard zich zou verantwoorden omdat de Staatsveiligheidsdienst er niet in was geslaagd deze aanslag te voorkomen. Achter hem, in de motregen, stonden vrouwen in zwarte boerka's, onherkenbaar achter hun smalle oogspleetjes. Ze sloegen platte stenen tegen elkaar en jammerden luidkeels om hun woede en verdriet te tonen.

Sarah leek nauwelijks geïnteresseerd.

Rakkim wees op de video. 'Zie je dat?'

Sarah knikte. 'Weer een brug ingestort. Weer terroristen die de schuld krijgen. Het bekende excuus voor jarenlange verwaarlozing.'

'Nee, deze keer zijn niet de ongelovigen schuldig, maar de Staatsveiligheidsdienst, die het niet heeft kunnen voorkomen.'

'Dat is burgemeester Miyoki. Een vijand van Roodbaard.'

'Heeft hij Roodbaard ooit met *naam en toenaam* genoemd?'

'Er zijn binnenkort verkiezingen, en Miyoki wil herkozen worden. We hebben het wel over San Francisco. *Sharia City*. Voor het Civic Center onthoofden ze elke week homo's. Roodbaard staat voor alles wat Miyoki haat.'

Rakkim was niet overtuigd. Miyoki's beschuldiging leek het zoveelste bewijs van Roodbaards tanende politieke macht. 'Is er wat? Je hebt nog niks gegeten.' Sarah duwde haar bord van zich af. 'Was het nou echt nodig om hem te vermoorden?'

'Natuurlijk niet. Ik had me ook door die krachtpatser kunnen laten uitbenen. Misschien had Zeke hem dan als beloning nog even op jou losgelaten.'

'Begrijp me niet verkeerd, ik ben je ontzettend dankbaar. Ik weet wat ze met ons hadden kunnen doen, maar je hebt de anderen laten leven. Je hebt alleen... hun botten gebroken zodat ze ons niks meer konden doen.'

Rakkim deed alsof hij naar de video keek. 'Het kostte minder moeite.'

'Wat bedoel je daarmee?'

'Dat het erg snel ging allemaal. Mijn training nam het van me over en dat heb ik toen maar zo gelaten.'

'Maar als je tijd had gehad... had je hem niet vermoord? Toch?'

Rakkim wist wat ze bedoelde. Ze had een uur geleden gezien hoe snel hij was; ze had de Fedayeen in hem gezien, en dat beangstigde haar. Soms beangstigde het hem ook. Maar er zat nog iets anders achter haar vraag. Anthony jr. had op de schaatsbaan met haar gepraat. Waarschijnlijk had hij haar verteld hoe Rakkim hem en zijn vriendjes in het steegje had toegetakeld; hoe Rakkim om hen heen had gedanst en hem wel honderd keer had gestoken, maar nooit diep genoeg om permanent letsel te veroorzaken. Anthony jr. had haar waarschijnlijk over zijn littekens verteld en haar aangeboden ze een keer te laten zien. Rakkim hoopte maar dat Sarah door alle bravoure heen had geprikt en dat ze begreep wat er werkelijk was gebeurd. Snelheid was simpel; zelfbeheersing, dat was het probleem.

Rakkim pakte haar hand. 'Ik ben niet zoals die moordenaar, als je je daar soms zorgen over maakt.'

'Ik dacht alleen... Het moet wel moeilijk zijn om niet te genieten van iets waar je zo goed in bent.'

Rakkim liet de hand los. 'Ik ga me niet verontschuldigen.'

'Dat bedoel ik niet.' Sarah legde nu haar hand op de zijne. 'Weet je zeker dat je Colarusso niet wilt vragen of hij ons kan helpen bij het opsporen van Fancy?'

'Hij loopt door mij toch al gevaar. Ik was niet van plan om het nog erger te maken.'

'Waarom bellen we hem dan niet vanuit een datafarm? Compleet anoniem...'

'Een telefoontje vanuit een datafarm betekent alleen maar dat er iemand contact opneemt die zijn identiteit verborgen wil houden. Wat zou degene die hem in de gaten houdt daarvan denken?' Rakkim leunde naar achteren en ging zachter praten. 'Anthony is de enige die weet dat we hier zijn. Elk contact met hem kan daar verandering in brengen. Bovendien ken ik hier ook iemand die ons kan helpen.'

Sarah trok haar hand terug.

Rakkim keek naar het verkeer in de verte dat traag over de snelweg kroop. Na hun vertrek uit Long Beach waren ze het binnenland in gereden. Ze hadden wat stadjes bekeken en hun volgende zet besproken. Het was Sarah opgevallen dat er zo veel katholieke kerken waren, vaak zelfs met kruisen op het dak – dat was in de hoofdstad streng verboden. De vervuiling was hier erger dan aan de kust. Afgelopen zomer waren er tijdens een drie weken durende thermische inversie meer dan achttienduizend mensen overleden aan acute ademhalingsproblemen. Het nieuws was nooit in de openbaarheid gekomen. Zowel lokale als nationale media hadden erover gezwegen. Colarusso had Rakkim op de rolschaatsbaan verteld dat alle agenten zuurstofmaskers in hun uitrusting hadden. Op de videozuil verscheen de rekening voor de lunch. Rakkim schoof het geld in de sleuf en drukte op de knop *Geen wisselgeld.*

'Een paar kilometer terug zijn we langs een moskee gereden,' zei Sarah. 'Ik wil de receptensite checken om te zien of er bericht van mijn moeder is. De internetkiosk heeft vast de juiste filters.'

'Heb je niet een of ander tijdschema met haar afgesproken?'

Sarah schudde haar hoofd. Er reed een vrachtwagen met watermeloenen voorbij, grote groene met zwarte strepen. 'Ze neemt altijd op willekeurige momenten contact op.'

'Ze is voorzichtig. Dat is goed.'

Sarah staarde naar buiten. 'Ik wil haar ontmoeten. Ik wil haar zien en met haar praten… Maar tegelijkertijd zou ik bijna willen dat ze nooit contact met me had opgenomen.' Ze keek Rakkim aan. 'Ik wou dat we weer in het motel waren.'

'Je hoeft het maar te zeggen.'

Sarah schudde haar hoofd. 'Breng me niet in de verleiding.'

43

Na het middaggebed

'Je hebt de lunch gemist, zuster,' zei zuster Elena, de novice, enigszins buiten adem.

'Ik wilde niet in de verleiding komen door zuster Gloria's aardbeirabarbertaart.' Katherine had wat tijd voor zichzelf willen hebben. De leugen was een zonde die gemakkelijk was af te kopen met boetedoening.

'Moeder-overste wil je spreken.'

Katherine bleef zitten. Zuster Elena geloofde de leugen misschien, maar Bernadette zou zich niet met een kluitje in het riet laten sturen. De wind striemde Elena's habijt, die opbolde rond haar lichaam, maar ze deed geen poging haar rokken te verbergen. Angelina had gelijk gehad over het nieuwe hoofd van de Zwartjassen. Ibn Azziz was meer dan gevaarlijk. Hij was puur *vergif*. 'Ik heb vannacht zo naar gedroomd,' zei Elena terwijl achter de heuvels in de verte zwarte rooksliertjes opstegen. 'En toen ik wakker werd, bleek alles waar.' Ze zag dat het meisje beefde. Elena was een vriendelijke, oprechte non van voor in de twintig, zachtaardig en meegaand. Katherine vroeg zich af wat het meisje zou doen wanneer het conflict haar zou bereiken. Ze vroeg zich ook af wat Sarah onder dergelijke omstandigheden zou doen. Ze waren ongeveer even oud. Elena was in het klooster achtergelaten door haar moeder, een moslimtiener die tijdens haar zwangerschap bij de nonnen was ondergedoken. Later was ze naar een andere stad vertrokken, waar niemand haar kende. Sarah... Sarah was net vijf geweest toen Katherine was gevlucht.

'Is dat een bosbrand?' Zuster Elena kneep haar ogen dicht om beter te kunnen kijken. 'Het is niet het seizoen.'

'Dat is Newcastle.'

Het klooster was een voormalig jachtverblijf aan de rand van een bos in Centraal-Californië. Het dichtstbijzijnde stadje was Newcastle; een houthakkersgemeenschap op ongeveer tachtig kilometer afstand. Door de slechte weg duurde het een hele dag om er te komen. Het stadje had het te druk voor politiek. Moslims en christenen leefden er door elkaar heen en de nonnen konden er zonder problemen hun boodschappen doen. Toch luisterde Katherine de politieradio af; ze wist dat eventuele problemen via Newcastle zouden komen. De afgelopen week had ze een verandering bespeurd; de landelijke religieuze televisiezenders waren vol woede en paranoia geweest.

'Zuster?' Zuster Elena legde haar hand op Katherines schouder. 'We kunnen moeder beter niet laten wachten.'

Op de terugweg bleef zuster Elena over haar schouder naar de rooksliertjes kijken. Hoewel ze haar best deed om voor zich te kijken, deden de conflicterende emoties haar struikelen. Ze zou het waarschijnlijk als zwakte opbiechten en dankbaar haar penitentie doen. De vrouw van Lot was tenslotte ook in een zoutpilaar veranderd omdat ze achterom had gekeken toen God het vuur en zwavel had laten regenen op Sodom en Gomorra.

Een afschuwelijk verhaal – dat had Katherine in elk geval gevonden toen ze het voor het eerst had gehoord: zo'n vreselijke straf voor een beetje nieuwsgierigheid. Ze was toen katholiek geweest, en toen ze haar afkeuring had laten blijken, had de non van basisschool Christ the King gezegd dat Lots vrouw niet was gestraft om haar nieuwsgierigheid, maar omdat ze God niet *gehoorzaamd* had – en dat terwijl de engel haar nog zo had gewaarschuwd. Katherine had geantwoord dat het dom was geweest van de engel om te denken dat iemand zoiets niet zou willen zien en dat Lots vrouw juist dapper was geweest en Lot een lafaard. Katherine had gezegd dat *zij* ook zou hebben gekeken, zelfs als God haar daarna in zo'n stomme zoutpilaar had veranderd. Het was het eerste van heel veel pakken slaag geweest die ze op de Christ the King had gekregen. Nu ze weer aan het incident terugdacht, herinnerde ze zich niet zozeer het pak slaag, maar vooral haar verbijstering over het feit dat een prachtige stad in een vloek en een zucht vernietigd was door een regen van vuur, en ze vroeg zich even af of de menselijke geschiedenis misschien een dans was waarin God en de duivel voortdurend van plaats wisselden.

Zuster Elena hijgde tijdens het beklimmen van de trap naar het kantoortje van moeder-overste op de tweede verdieping van het klooster. Te vaak achter de computer en te weinig in de buitenlucht. Katherine had nergens last van. Ze was nu vijftig en zo fit als een hoentje. Het klooster was grotendeels zelfvoorzienend en ze bracht zoveel mogelijk tijd op het veld en bij de dieren door. Terwijl de nonnen dagelijks urenlang in gebed waren, maakte Katherine lange wandelingen door de heuvels in de omgeving. Haar haar was nog donker en haar borsten waren nog stevig. Er waren nachten waarop ze woelde in haar harde bed, gevangen tussen slapen en waken; nachten waarop ze aan haar echtgenoot dacht; nachten waarop ze – God vergeve haar – aan James' broer Roodbaard dacht.

Elena's klop op de deur van moeder-overste was eerst aarzelend, maar vervolgens direct luider, alsof ze zichzelf een standje had gegeven voor haar onzekerheid. Katherine zag dat het meisje rode, rauwe knokkels had. Elena was de favoriet van moeder-overste. Ze kreeg daarom twee keer zoveel werk opgedragen als de anderen novices. Ze schrobde dagelijks de stenen trap en deed zonder klagen de meest vervelende en afmattende keukenklusjes.

'Binnen,' blafte moeder-overste.

'Dank je,' zei Katherine tegen zuster Elena, en ze stapte het kantoortje binnen. Ze sloot de deur achter zich. 'Je laat dat kind veel te hard werken, Bernadette.'

'Jij ook goeiemiddag, Kate.' Moeder-overste was een norse, gerimpelde non. Er kwamen grijze krullen onder haar kap uit en ze leek veel ouder dan ze was.

Katherine leefde sinds de moord op haar echtgenoot, twintig jaar geleden, in het klooster. Als de autoriteiten haar op enig moment gedurende die tijd hadden ontdekt, zouden alle nonnen geëxecuteerd zijn. Vervolgens zouden de lichamen verminkt zijn en het klooster tot de grond toe afgebrand. In al die jaren was ze niet één keer bang geweest dat ze verraden zou worden, zelfs niet toen Roodbaards agenten het klooster hadden doorzocht. De laatste keer – het was zeker tien jaar geleden – was ze uit haar schuilplaats in de muren van de pastorie tevoorschijn gekomen met een sjaal die ze in het donker had gebreid. Bernadette droeg hem nog steeds op koude winteravonden als ze met zijn tweeën televisie keken in het kantoortje. Bernadette, die vrijwel niets at, was gek op kookprogramma's, terwijl Katherine alleen in nieuws geïnteresseerd was. Ze keken daarom om beurten.

'Ik heb net bericht uit Peking gekregen,' zei Bernadette terwijl ze opstond van haar bureau en voorzichtig op een bankje ging zitten. Ondanks het feit dat het meubelstuk regelmatig werd hersteld, kwamen er dunne vulselfonteintjes uit de zijkant. Het was een klein kantoor en de muren waren vrijwel kaal. Er hingen alleen een grote crucifix en een foto van paus Johannes Paulus de Tweede; de man die het pauselijk ambt had vervuld toen Bernadette tot de orde was toegetreden. 'De zusters hebben hun werk in het forenzendistrict afgerond. De stralingsmeters hebben niets geregistreerd.'

'Nou, dat waren dan Peking en Sjanghai. Ik denk dat we na al die jaren toch op Sarah zullen moeten vertrouwen.' Katherine glimlachte. 'En op God natuurlijk.'

Bernadette trok haar wenkbrauwen op. Ze hield niet van frivoliteiten als het om religie ging. Ze waren nichten, en hoewel Bernadette twaalf jaar ouder was, hadden ze altijd een hechte band gehad. Maar toen Katherine zich tot de islam had bekeerd en met James Dougan was getrouwd, was het contact verbroken. Toch had Katherine, toen de tijd kwam om onder te duiken, geen moment getwijfeld over waar ze naartoe zou gaan. Ze had zeker geweten dat ze welkom was.

'Het is een zware last voor iemand die zo jong is,' zei Bernadette.

'Ik heb twintig jaar gewacht voordat ik contact met haar heb opgenomen,' beet Katherine. 'Denk je dat ik haar dat risico zou laten lopen als ik een andere keus had?'

Bernadettes blik verhardde zich. 'Daar had je aan moeten denken voordat je je tot dat barbaarse geloof bekeerde. Ik heb die echtgenoot van jou nooit gemogen. Veel te knap, als je het mij vraagt. Veel te ambitieus.'

'Het geloof is niet het probleem, Bernadette. Het probleem ligt bij de *gelovigen*.'

Bernadette wendde haar blik af. Het was een oud discussiepunt.

Twintig jaar. *Waarom ben je weggegaan?* Dat was het eerste wat Sarah had geschreven toen ze ervan overtuigd was dat het echt haar moeder was die contact met haar opnam.

Sarah had op de intensive care gelegen met een acute longontsteking toen haar vader vermoord was. Katherine was weggedommeld in een stoel naast de zuurstoftent waarin haar dochter lag toen Roodbaard had gebeld en haar met gebroken stem had verteld dat James dood was. Een stel van zijn beste mannen was op weg naar het ziekenhuis.

Waarom ben je weggegaan? Een vraag zonder een antwoord. Geen antwoord dat bevredigend was voor Sarah, in elk geval. En ook niet voor Katherine.

De nacht voor de moord had James haar dicht tegen zich aangedrukt. Hij had gefluisterd dat als er ook maar *iets* met hem zou gebeuren – hoe goedaardig het ook leek – ze Sarah mee moest nemen en onder moest duiken. Hij had haar een gebedsketting in de hand gedrukt en gezegd dat de ongeverfde houten kraaltjes gecodeerde informatie bevatten; de sleutel van een geheim dat belangrijker was dan zijn leven. De informatie moest koste wat het kost beschermd worden.

Die ochtend in het ziekenhuis was Katherine gedwongen te kiezen tussen een geheim dat ze niet kende en de dochter van wie ze hield. Kapot van het nieuws en zich maar al te zeer bewust van haar overspelige fantasieën had ze zich voorgesteld dat Roodbaard achter de moord op James had gezeten. Dat het Roodbaard was geweest die James niet had vertrouwd. Ze had maar een paar minuten tijd gehad om een beslissing te nemen en ze had ervoor gekozen Sarah achter te laten. De gehoorzame echtgenote. De slechte moeder.

'We hebben je gemist bij de lunch,' zei Bernadette. 'We hebben linzensoep gegeten.'

Katherine telde haar gebedskralen. Ondanks haar vermoedens zou ze Sarah nooit hebben kunnen achterlaten als Angelina niet had beloofd voor haar te zorgen totdat Katherine terug was. Twintig jaar, en ze was nog steeds niet terug. Nadat de gebedskralen uiteindelijk hun geheimen hadden prijsgegeven, had Katherine beseft dat Roodbaard onschuldig was geweest... even onschuldig als zij. Maar de wetenschap was te laat gekomen. Door te vluchten waren de autoriteiten ervan overtuigd geraakt dat *zij* haar echtgenoot had verraden. Ze was ten dode opgeschreven.

'Heb je het verhaal over de problemen in Newcastle gehoord?' zei Bernadette.

'Toen ik vanmorgen vroeg naar de top van de heuvel liep, wist ik gewoon dat er iets mis was. Alle sterren stonden aan de hemel, maar ze zagen er heel vreemd uit.' Katherine speelde met haar gebedskettinkje. Ze was niet langer moslim, maar er ging een geruststellende werking van de kralen uit. 'Ik heb vanmorgen een paar telefoontjes naar de politie van Newcastle afgeluisterd. De plaatselijke vrachtwagenchauffeur, een katholiek, wordt ervan beschuldigd dat zijn hoornvliestransplantaat van gezonde moslimkinderen afkomstig is. Voor het kantoor van de leverancier stond een schreeuwende meute die werd opgehitst door vrouwen van de meest conservatieve moskee.' Katherine keek naar haar nicht. 'Mijn instinct is altijd heel scherp geweest, dat weet je. Niet dat ik er veel aan heb gehad. Ik heb James die ochtend gewaarschuwd dat hij niet naar Chicago moest gaan. Ik heb hem gesmeekt om bij me in het ziekenhuis te blijven totdat Sarah beter was, maar hij gaf me een kus en vertrok – alsof hij zich erop verheugde te sterven.' Ze wendde haar blik af en klemde haar kaken op elkaar. Zelfs na al die jaren voelde ze de machteloze woede nog.

'De brand dooft vanzelf wel weer,' zei Bernadette. 'Al die waanzin waait wel weer over.'

Katherine nam de hand van haar nicht in de hare en voelde haar droge, koele huid, licht als de vleugel van een vogel. 'Ik vertrek. Met mijn bril en tandprothese herkennen ze me niet. Ik betwijfel of er nog mensen naar me zoeken. Het is al zo lang geleden.'

'Daar komt niks van in.' Bernadette kneep in Katherines hand. 'Je bent hier veilig.'

Katherine schudde haar hoofd. 'Niemand is nog ergens veilig.'

'De Heer is mijn herder,' declameerde Bernadette. 'Het zijn niet zomaar woorden, Kate. Het is het woord van God. Het is zijn belofte aan ons.'

Katherine kuste haar nicht een keer op elke wang. 'Ik hou van je, Bernadette.'

Bernadettes ogen glinsterden. 'De wereld is een duister bos vol wolven... Steeds als je het klooster verlaat, brand ik een kaars voor je veilige terugkeer.'

Katherine was de afgelopen jaren rusteloos geworden en had steeds meer uitstapjes gemaakt. Reisjes naar Sacramento en New Medina en Bakersfield. Ze was zelfs stiekem naar Nevada Vrijstaat gegaan, waar ze had gezwommen! Maar ze was nooit terug geweest in Seattle. Ze was vaak in de verleiding geweest om Sarah op te zoeken, haar van een afstand te observeren... maar ze had het nooit gedaan. Het risico was te groot. Of misschien was het wel haar angst die te groot was. Het beste uitstapje was een bezoek aan Los Angeles geweest, drie jaar geleden, met Bernadette. Overal hadden kerkklokken geklonken.

'Waar lach je om?' vroeg Bernadette.

'Ik dacht aan onze reis naar Hollywood en hoe je toen je handen in de afdrukken van die van filmsterren hebt gezet. Je zocht voortdurend de brutaalste sterretjes uit. Wulpse vrouwen die wulpse rollen speelden. Ik vroeg me steeds af welke zondige gedachten je daarbij had.'

Bernadette bloosde. 'Misschien bad ik wel voor hun onsterfelijke ziel.'

'Je had gewoon *lol,* Bernadette. Je was net een schoolmeisje.'

Bernadette wendde haar blik af. De huid onder haar ogen was bijna doorzichtig. 'Het was inderdaad heel leuk.'

Katherine klopte op Bernadettes hand. 'Ik vertrek morgen. Er is werk aan de winkel, en ik kan niet alles aan Sarah overlaten.'

Er werd één keer geklopt en vervolgens vloog de deur open. Het was zuster Elena. Ze had niet gewacht totdat ze werd binnengeroepen. 'Mannen! Er zijn twee mannen bij de poort.' Ze was volledig de kluts kwijt. 'Ze liepen zomaar naar binnen...'

Katherine en Bernadette waren al opgestaan.

'Verstop je,' zei Bernadette tegen Katherine.

'Daar is het al te laat voor.' Katherine liep naar de deur. 'Ik zeg wel dat jij er geen idee van had wie ik was. Ik zeg dat ik je met mijn duivelskunsten gemanipuleerd heb. Misschien… misschien kan ik ze overtuigen.' Ze omhelsde Bernadette.

Bernadette drukte haar stevig tegen zich aan en ze luisterden naar het aanzwellende geluid van voetstappen die de trap op kwamen.

'Wees niet bang, Bernadette. Sarah krijgt voor elkaar wat ons niet is gelukt.' Katherine kuste haar op de wang en draaide zich om naar de mannen die haar na al die jaren hadden gevonden.

Het waren niet twee mannen die in de deuropening verschenen, maar een man en een jongen. Een korte, harige man en een broodmagere, nors uit zijn ogen kijkende knul. Ze zaten onder het stof van de weg.

'Ik ben Spider en dit is mijn zoon Elroy,' zei de man. Zijn glimlach was zo breed dat hij zijn gezicht in tweeën leek te splijten. 'U bent Katherine Dougan en ik ben een genie.' Hij klapte in zijn handen van plezier. 'Aangenaam kennis te maken. Wij gaan de wereld veranderen.'

44

Voor het avondgebed

Rakkim knikte tijdens het voorbijrijden naar het bord met *Welcome to Yorba Linda.* 'Is dat niet waar een van die oude presidenten geboren is?'

'Ik ben onder de indruk,' zei Sarah. 'Richard Milhous Nixon, de zevenendertigste president van de Verenigde Staten. Geboren op 9 januari 1913 in Yorba Linda, Californië.'

'Is hij een van die mannen in die berg in Zuid-Dakota?'

'Nee. *Nee.*'

Hij kon aan haar gezicht zien dat ze er liever niet aan werd herinnerd. *Mount Rushmore,* dat was het. Een van de eerste daden van de nieuwe moslimrepubliek was het opblazen van de vier gezichten in de bergwand geweest. Roodbaard was ertegen geweest. Hij had gezegd dat het een verspilling van tijd en geld was, Maar de Zwartjassen hadden erop gestaan. Ze hadden het afgoderij genoemd en het verheerlijken van vergane glorie uit een natie die niet langer bestond. Uiteindelijk had Roodbaard zich gewonnen gegeven. De nederlaag had hij later ongetwijfeld gebruikt om concessies voor zijn eigen doelen los te weken. De vernietiging van de vier gezichten was overigens minder probleemloos verlopen dan voorzien was. De immense omvang van het monument was zelfs voor reusachtige hoeveelheden springstof te veel van het goede gebleken. Na zes maanden van sloopwerkzaamheden, waren de gezichten nog steeds deels intact en nu stonden ze als groteske monsters in de wildernis.

Er was geen bericht van Sarahs moeder op de receptensite voor deugdzame huisvrouwen. Alleen adviezen van vrome vrouwen over het bereiden van hun favoriete gerechten. Sarah was een uur in de moskee geweest en had het grootste gedeelte van de tijd met bidden doorgebracht terwijl Rakkim in de auto had gewacht. Ondanks haar teleurstelling leek ze... vredig toen ze naar buiten kwam. Paraat.

Sarah controleerde de GPS. 'Ben je wel eens bij sergeant Pernell thuis geweest?'

'Niet sinds hij hiernaartoe is verhuisd. Hij was op de academie een van mijn instructeurs man-tegen-mangevechten. Een jaar later hebben we een tijdje samengewerkt toen hij in mijn unit werd geplaatst. De academie houdt haar instructeurs liever niet te lang buiten de praktijk. Ze krijgen trouwens al snel genoeg van het lesgeven.' Rakkim keek even op toen er een straalhelikopter overvloog; opnieuw een rode bedrijfsmachine. Hij zou nooit kunnen wennen aan helikopters boven de stad. 'We zijn elkaar uit het oog verloren toen ik naar de schaduwstrijders ging. Pernell is een prima kerel. Verbitterd, maar dat kun je hem moeilijk kwalijk nemen.'

'Wat bedoel je?'

'Hij is gewond geraakt tijdens een missie in Nieuw-Guinea. Landmijn. Hij is zijn benen kwijtgeraakt...'

'Er zijn nooit Fedayeen naar Nieuw-Guinea gestuurd.'

'Zeg dat maar tegen Pernell. Dan leer je waarschijnlijk meteen een paar nieuwe woorden.' De GPS meldde: *Bij de volgende kruising rechtsaf.* 'Zijn benen zijn weg en een van zijn armen is boven de elleboog geamputeerd, maar hij heeft de beste prothesen die er zijn. Russisch plastic. Chinese biochips. Hij kan zichzelf aankleden, loopt de marathon en is een stuk handiger met zijn mes dan de meeste burgers. Hij heeft vier vrouwen en weet ze allemaal bezig te houden. Hij kan alleen geen veldwerk meer doen.'

'En daarom is hij verbitterd?'

Rakkim haalde zijn schouders op. 'Wie zou dat niet zijn?'

'Mis *jij* het?'

'Pernell heeft geprobeerd weer les te geven aan de academie,' zei Rakkim zonder de vraag te beantwoorden. 'Na een jaar was iedereen in de leiding doodziek van hem. Pernell was toch al nooit zo'n handige prater. Hij is eervol ontslagen en met een compleet pensioen vertrokken. De dag voordat hij naar Yorba Linda verhuisde, is hij nog even in de Blue Moon geweest. Daar heeft hij twee van mijn uitsmijters knock-out geslagen voordat ik hem mee kon nemen naar mijn kantoor. Ik heb hem nooit iets sterkers dan khat-thee zien drinken, maar die avond hebben we een hele fles Poolse wodka soldaat gemaakt terwijl we alle wereldproblemen hebben opgelost. Sindsdien heb ik hem nooit meer gezien.'

Ze reden langs een moskee; een grote in traditionele stijl. De koepel was bekleed met kleine stukjes lapis lazuli. Yorba Linda was een bastion van de vrome islam; een klein stadje met schone winkelgevels en grote woonkavels. Er woonden artsen, advocaten en succesvolle zakenlieden. De geboortecijfers waren de hoogste van Californië en de madrasses zaten overvol met serieuze leerlingen.

'Waarom denk je dat je vriend ons kan helpen Fatima Abdullah te vinden?' vroeg Sarah.

'Ik heb nooit gezegd dat hij mijn vriend was.' *Bij het stopbord rechtsaf.* 'Pernell heeft contact met de lokale politie. Hij traint de SWAT-teams in geavanceerde strategieën en houdt ze op de hoogte van nieuwe exotische wapens. Hij heeft toegang tot plaatsen waar wij niet kunnen komen.'

'Vertrouw je hem?'

'Hij is een Fedayeen.'

Een paar minuten later, nadat ze hem gebeld hadden, parkeerden ze hun auto op de oprit. Pernell stond hen al op te wachten tussen de dubbele deuren. Zijn vier vrouwen stonden achter hem. Een van hen had een baby op de arm. De vrouwen droegen lichtgele hijabs en chadors. Alleen de perfect ovale vorm van hun gezicht was te zien. Pernell was een lange, verweerde man van halverwege de veertig. Hij had kort, donker haar, een volle baard en een wang vol khat. Hij droeg een wijde witte broek en een shirt met lange mouwen. Hij omhelsde Rakkim, kuste hem op beide wangen en klopte hem op de rug met zijn goede arm. 'Wel alle pauselijke hangtieten, wat heb ik jou gemist, man.'

'De enige vent op aarde met twaalf kinderen die eenzaam is,' zei Rakkim.

'*Veertien* kinderen. Twee nieuwe zoons, geschapen als Arabieren.' Pernell keek naar Sarah. 'En wie is dit?'

'Sarah, mag ik je voorstellen aan Jack Pernell. Jack, dit is Sarah, de vrouw met wie ik ga trouwen.'

Pernell inspecteerde Sarah alsof hij overwoog een bod uit te brengen. 'Aangenaam.' Hij knikte, maar raakte haar niet aan. 'Ik zal tegen mijn vrouwen zeggen dat ze je het huis laten zien.' Hij legde een hand op Rakkims schouder. 'Laten we naar achteren gaan. Ik heb weinig zin in vrouwen die de hele tijd zitten te wauwelen over epi's, migraine en het beste kiprecept.'

Rakkim wierp een blik over zijn schouder naar Sarah terwijl Pernell hem voorging.

Ze liepen om het huis naar de achterkant. Het huis was veel groter dan het vanaf de weg had geleken. Er waren vier vleugels; één voor elk van de vrouwen en haar kinderen. In de centrale ruimte hield Pernell waarschijnlijk hof. Ze wandelden over een keurig bijgehouden gazon en bleven staan naast een zwembad van olympisch formaat. Er dreef een witte opblaasbare zwaan in. In het huis klonken geschreeuw, gelach en andere geluiden van kinderen, maar buiten was niets te zien wat op hun aanwezigheid wees. Geen speelgoed, geen fietsen, geen schommel. Alleen de zwaan. Pernell had de wind eronder. Kinderen waren de verantwoordelijkheid van de vrouwen. Of de madrasse. De oudere jongens zouden waarschijnlijk wel les van hem krijgen, maar dat zou ongetwijfeld een flink stuk van huis gebeuren.

'Je ziet er goed uit,' zei Rakkim.

'Klopt.' Pernell nam hem in looppas mee naar de periferie van het terrein. 'De knieservo's in mijn benen zijn bijna doorgebrand en de vervangende onderdelen zijn besteld. Ik heb een vervelende infectie gehad die me een week heeft geveld. Ik ben net terug uit het ziekenhuis. Maar voor de rest ben ik zo fit als een hoentje.' Hij keek naar Rakkim. Een van zijn ogen zag er melkachtig en ongezond uit. 'Wat kom je hier doen? Wou je je ouwe sergeant soms als getuige hebben?'

'Ik heb hulp nodig.'

'Dat had ik je jaren geleden al kunnen vertellen.' Pernell spuwde een klodder khatsap in het gras. 'Het feit dat je na je eerste periode tot majoor bent bevorderd, geeft wel aan hoe verknipt ze bij de Fedayeen zijn. Maar als je na je eerste periode met *pensioen* gaat, ben je *zelf* niet wijs.' Pernell schudde zijn hoofd. 'Echt zonde. Het talent dat Allah je heeft gegeven... en jij gooit het gewoon weg.' Hij haalde zijn schouders op. 'Insjallah.'

'Leuk optrekje heb je hier. Die consultingtoko van je loopt blijkbaar goed.'

Pernell plukte onder het lopen een sinaasappel van een van zijn bomen en gooide hem naar Rakkim. '*Smerissen.* Ze vinden zichzelf heel wat omdat ze een pistool dragen. Hun antwoord op elk probleem is een flitsgranaat. Ik doe natuurlijk wat ik kan. Die gasten van de SWAT-teams denken dat ze alles weten en dat ik maar een ouwe zeikerd ben. Maar het kost me hooguit tien minuten om ze op andere gedachten te brengen. Minder als ik iemands kaak moet breken – maar dat hebben de hoge omes liever niet. Het is geen echt werk, maar het brengt brood op de plank.'

Rakkim pelde de sinaasappel en stopte de schillen in zijn zak.

Pernell keek naar hem en bleef doorlopen. 'Je ziet er behoorlijk afgetrokken uit. Die meid weet van wanten.'

Rakkim stopte een sinaasappelpartje in zijn mond.

Vlak voor Pernell sprong een sprinkhaan op. Hij haalde het insect met een dikke khatfluim uit de lucht. 'Je bent niet goed wijs dat je zo lang met trouwen hebt gewacht. Je zou al minstens twee of drie vrouwen moeten hebben. En laat je niet neppen met die flauwekulverhalen over één vrouw. Als je zo denkt, heb je te lang tussen de katholieken gezeten.'

De sinaasappel was zoet en sappig. 'Eén per keer is genoeg.'

'Onzin. Als je één vrouw hebt, denkt ze dat je haar bezit bent. Als je er twee of drie of vier hebt, weten ze allemaal donders goed dat ze zomaar vervangen kunnen worden met een snel *Ik scheid van je.* Drie keer en je staat op straat. Een goede moslimvrouw weet dat. Die beseft dat haar enige hoop ligt in het tevreden houden van de heer des huizes. Allah staat ons niet voor niks toe vier vrouwen te hebben.'

'Bedankt voor het advies.'

'Niet dat je er wat mee gaat doen. Je was altijd al stronteigenwijs. Maar goed, je ontdekt het zelf wel. Dat wijfie van je ziet er lekker uit, maar ze is slim. Dat zie je aan de manier waarop ze kijkt. Een vrouw met hersenen is vragen om problemen.'

Rakkim stak het laatste sinaasappelpartje in zijn mond. Er liep sap over zijn kin. 'Ik hou wel van problemen.'

'Kom over een paar jaar nog maar eens langs om te vertellen of je er dan nog steeds zo dol op bent.' Pernell kamde met zijn vingers door zijn baard. Ze liepen zwijgend verder totdat ze weer bij het zwembad waren. Pernell liet zich in een ligstoel zakken. De littekentjes in zijn gezicht glinsterden in het zonlicht. 'Ik zou best een partner kunnen gebruiken voor mijn consultingbedrijfje. Ik verdien goed geld, maar met de juiste partner zou ik kunnen uitbreiden. De politiekorpsen staan te dringen voor ex-Fedayeen.'

Rakkim kwam naast hem zitten.

'Het wordt tijd dat je die verderfelijke tent van je verkoopt en een eerlijk zakenman wordt.'

Rakkim keek naar de opblaasbare zwaan die in het zwembad dreef. 'Wat is de lol daarvan?'

'Lol? Waar valt nou tegenwoordig nog lol aan te beleven?' zei Pernell zacht. Hij fleurde op toen twee van zijn vrouwen en Sarah via de achterdeur naar buiten kwamen met kopjes, thee en koekjes. Hij wachtte totdat de vrouwen de verversingen hadden neergezet, thee hadden ingeschonken en met een buiging vertrokken. Sarah bleef. Pernell liet vijf suikerklontjes in zijn theekopje vallen. 'Ik zei net tegen Rakkim dat hij vier vrouwen moest nemen. Hij schijnt te denken dat hij aan jou genoeg heeft.'

'Hij *heeft* ook genoeg aan mij.'

Pernell tikte tijdens het roeren met zijn lepel tegen het kopje. 'Bezig die modernistische kletspraat alsjeblieft niet in het bijzijn van mijn vrouwen.' Hij deed niet eens een poging om zijn glimlach overtuigend te laten zijn. 'Ik meen het.'

'Een echtgenoot als jij maakt het voor vrouwen ideaal om in een kwartet te zitten. Ze hoeven dan maar een kwart van hun tijd te doen alsof.' Sarah glimlachte naar Pernell. 'Ik *meen* het.'

Pernell keek naar Rakkim. 'Zoals ik al zei – je vraagt om problemen met deze dame.'

Rakkim keek naar Sarah, die terugliep naar het huis. 'Daar reken ik op.'

Pernell nipte luidruchtig van zijn thee. 'Wat voor hulp heb je nodig?'

'Ik zoek een huurvrouwtje...'

Pernell gniffelde.

'Niet voor *mij*. Ze heet Fatima Abdullah. Haar laatste valse naam was Fancy Andrews.' Rakkim liet haar de foto op zijn telefoon zien en printte een kopietje. 'Deze politiefoto is vijf jaar oud. Ze werd gearresteerd in Little Vatican omdat ze de portemonnee van een klant had gepikt. Een jaar eerder is ze opgepakt voor heroïnebezit.'

'In Little Vatican barst het van de mensen die de wet overtreden. Maar ja, wat wil je? Allemaal katholieken.'

'Ik had gehoopt dat een van je contactpersonen bij de zedenpolitie misschien een tip kon geven.'

Pernell uitte zijn lippen. 'Vijf *jaar* sinds de laatste keer dat ze opgepakt is. In die scene is vijf weken al een eeuwigheid. Dat mens kan overal zijn. Misschien is ze wel dood.'

'Ik weet het.' Rakkim boog zich naar voren. 'Alle beschuldigingen op het laatste punt zijn ingetrokken. Administratieve beslissing. Dat betekent dat ze de agent die haar gearresteerd heeft, op een of andere manier heeft omgekocht. Ik kan me zo voorstellen dat ze sinds die tijd een paar keer is opgepakt, maar dat daar verder niks over te vinden is.'

'Dat soort dingen gebeurt soms.' Pernell nipte van zijn thee. 'Wat wil je met haar?'

'Haar vader zoekt haar.' De leugen kwam probleemloos. 'Hij ligt op sterven en het kan hem niet meer schelen dat ze de familie te schande heeft gezet. Hij heeft wat van me te goed.'

'Dus er valt niet echt wat te verdienen?'

'Ik betaal je voor je tijd en je expertise.'

'Zoals je een prostituee zou betalen?'

'Ik heb geen zin in ruzie, Jack. Ik wil alleen dat meisje vinden.'

Pernell sloeg hem op de schouder. 'Ik ben al heel lang niet meer op de vuist geweest. Het is waarschijnlijk verstandiger om jou niet kwaad te maken.'

'Grapjas. Ik heb van jou geleerd hoe je smerig moet vechten.'

'Ik heb je geleerd dat smerig vechten niet bestaat. Vechten is vechten, niks meer en niks minder.'

Ze glimlachten naar elkaar.

'Jij was niet mijn beste rekruut,' zei Pernell terwijl hij naar het zwembad staarde. 'Er waren er die beter waren. Hector Cinque... de snelste handen die ik ooit gezien heb. Hij is inmiddels dood. Vijf jaar geleden in de keel geschoten tijdens een ontvoering bij Mombassa.'

'Ik heb gehoord dat die diplomaat niet eens bruikbare informatie had.'

Pernell schudde zijn hoofd 'Dat wist ik niet. Typisch zo'n operatie die op een kantoortje bedacht is. Emir Zingarelli... Heb je wel 's met hem gewerkt? Nee? Die was ook sneller dan jij. Niet zo snel als Cinque, maar wel *snel.*' Rond Pernells hoofd zoemde een mug die even later op zijn handprothese landde. 'Zingarelli is ook dood. Zijn helikopter is neergestort bij de kust van Texas. Misschien een raket van de bleekscheten... Maar het kan evengoed een of andere lul van een technicus zijn geweest die een bout niet goed heeft aangedraaid.' De mug zoemde weg en Rakkim plette hem tussen duim en wijsvinger. 'Cinque en Zarelli... allebei dood – en wij zitten hier als een stelletje helden te bakken in de zon. Grappig, eigenlijk.'

Rakkim keek naar hem.

'Er zijn de afgelopen jaren momenten geweest waarop ik jullie allemaal haatte – met je twee gezonde armen en twee gezonde benen. Al die kerels met nog een hoop missies te gaan. Soms... soms wilde ik dat ik geen beschermende kleding aan had gehad toen ik op die landmijn stapte. Dat titaniumweefsel heeft me gered.' Pernell veegde in zijn melkachtige oog. Het was geen traan. Pernell had waarschijnlijk nooit van zijn leven gehuild. Hij wachtte totdat Rakkim iets zou zeggen, en uiteindelijk knikte hij. 'Fijn dat je me niet vertelt hoeveel geluk ik heb gehad. En dat je niet zegt dat Allah grootse plannen met me heeft.'

'Als Allah al een plan heeft, dan deelt Hij dat in elk geval niet met ons.'

45

Na het avondgebed

'Ze noemden dit ooit de gelukkigste plek op aarde,' zei Sarah terwijl ze rond een omgevallen reuzenrad liepen. De helft van de steunbalken was verdwenen.

Rakkim wees op een man met zijn schildersoverall op zijn enkels. Hij rookte een sigaret terwijl zijn huurvrouw in snel tempo het hoofd op en neer bewoog. '*Hij* vindt dat waarschijnlijk nog steeds.'

Disneyland was twintig jaar geleden aan zijn lot overgelaten. De infrastructuur was grotendeels verdwenen, maar er was nog veel van het oorspronkelijke park over, ofwel omdat het te zwaar was om te stelen, of omdat het niks waard was. Ze liepen naar de restanten van de Matterhorn. Het grootste deel van de nepberg was vernield, maar de besneeuwde top stond er nog en lichtte op in het schijnsel van de maan.

Gisteravond had Pernell de plaatselijke eenheden van de zedenpolitie gecheckt totdat hij een rechercheur had gevonden die Fancy kende. De man had gezegd dat ze een paar toontjes lager was gaan zingen sinds ze in Little Vatican werkte. Het laatste wat hij had gehoord, was dat ze haar lichaam in Disneyland verkocht, samen met een stel andere huurvrouwen. Volgens de rechercheur deed ze het nog steeds geweldig zonder handen – het was alleen wel beter als je je ogen dichtdeed. Pernell had Rakkim en Sarah aangeboden van zijn huis gebruik te maken. Ze hadden gezamenlijk de avondmaaltijd gebruikt, maar besloten niet te overnachten. Het was al laat geweest toen ze bij Pernell waren vertrokken; te laat om nog naar Disneyland te gaan. De volgende dag hadden ze uitgeslapen en 's middags hadden ze een wandeling langs het strand gemaakt. Sarah had per se de meeuwen willen voeren. Terug in het hotel waren ze weer in bed gedoken, maar ze waren er niet echt met hun hoofd bij geweest.

Ze begonnen op Main Street in Disneyland en vroegen een huurvrouw die in een gekantelde tram werkte of ze Fancy kende. Het kostte vijf dollar om een ontkennend antwoord te krijgen – een antwoord dat ze steeds opnieuw kregen. Door de verlaten straten wandelden kleine groepjes zakenmannen. Ze zwaaiden met hun aktetassen en werden aangesproken door de vrouwen. Er liepen moslims en katholieken, zakenlieden en arbeiders en alles wat daartussen zat. Her en der leunden stoere kerels tegen een muur. Ondanks de geïsoleerde ligging en het ontbreken van politie was er relatief weinig misdaad in het park. De huurvrouwen betaalden de stoere binken om een oogje in het zeil te houden en de stoere binken wilden de klanten niet afschrikken.

Een huurvrouw die onder een versplinterde Mickey Mouse werkte, zei dat Fancy regelmatig bij het kasteel van Assepoester te vinden was. Het was er afgeladen met mannen die op hun beurt wachtten en de tijd verdreven met naar basketbal kijken op hun mobiele telefoon. Maar Fancy was nergens te zien.

'Ik zag Pernell al niet zitten toen ik nog het idee had dat hij ons kon helpen,' zei Sarah. 'En nu hebben we waarschijnlijk niet eens wat aan zijn informatie.'

Rakkim liep naar drie stoere kerels die in een gestrande gondel zaten. 'Avond.'

De grootste van het stel had een bleek, vierkant hoofd en droeg alleen een overall zodat zijn tatoeages goed te zien waren. Hij keek naar Sarah. 'Die ziet er veel te lekker uit voor dit rattennest. Zo iemand verziekt de markt. Ik zal je een nummer in Newport geven. Heel gedistingeerd. Zeg maar dat Jimmy Boy je heeft gestuurd.'

'Bedankt,' zei Rakkim, 'maar we zijn op zoek naar een huurvrouw die Fancy heet.'

Jimmy Boy maakte een hinnikend geluid. 'Fancy is niet bepaald *fancy*. Lijkt in niks op de dame die je aan je arm hebt.'

Vijftig dollar later waren Rakkim en Sarah op weg naar wat er over was van het onderwateravontuur Finding Nemo. Hij had het geld uit een aparte zak gehaald zodat hij niet had hoeven laten zien hoeveel ze bij zich hadden, maar hij lette toch op eventuele achtervolgers.

Sarah zag Finding Nemo als eerste; een reusachtige zeester van epoxyhars die gedeeltelijk zwartgeblakerd was. De eigenlijke attractie bevond zich in een enorme blauwwitte betonnen haai. Bezoekers van Disneyland waren blijkbaar via een aantal draaihekjes de wijdopen bek van de haai binnen gelopen. Hoewel de meeste tanden afgebroken waren, leek de haai zelf grotendeels intact. Binnen, achter de rode plastic ogen, flakkerde licht. Sarah liep in de richting van de mond, maar Rakkim legde een hand op haar schouder.

'Laten we eerst eens kijken of er een achteringang is.'

Sarah glimlachte. Ze liepen om de haai heen en stuitten op een oprit in de staart van het betonnen monster. Achter platen rottend multiplex die iemand tegen de muur had gezet, was een ingang. Sarah glipte naar binnen voordat hij de kans had haar tegen te houden. Rakkim bevond zich direct achter haar. Hij bewoog zich langzaam om zijn ogen de kans te geven aan het donker te wennen. Even verderop klonken stemmen; een galmende vrouwenlach. Sarah bleef staan en hij volgde haar voorbeeld.

Op een enorme rode aardewerken kreeft lag een vrouw wier handen waren vastgebonden op de uitgestrekte scharen. Ze droeg een witte bloes vol tierelantijntjes en een kort rokje dat was opgetrokken tot op haar heupen. Vlak achter haar stond een goed verzorgde zakenman in een groen kostuum zich uit te leven. Hij had zijn broek nog aan en zijn riem zat nog vast. Het flakkerende schijnsel van kaarsen die in nissen in de muur waren geplaatst, zorgde voor een macabere schaduwdans. De zakenman bereikte vloekend zijn hoogtepunt en liet vervolgens uitgeput de schouders hangen. Hij smeet hijgend het condoom op de grond, veegde zijn lid af aan het rokje en stopte het terug in zijn broek. De vrouw draaide zich om en gooide haar lange donkere haar naar achteren. Ze glimlachte in het grillige kaarslicht. Het was Fancy. 'Wauw, dat was geweldig. Je hebt me bloedgeil gemaakt, mannie.'

'Uh-huh.' De zakenman haalde een kam door zijn haar.

'Blijf nog even.' Fancy streelde zijn gezicht, maar hij duwde haar weg. 'Nog één kwartiertje. Ik ken een heleboel manieren om een man weer tot leven te wekken.'

De zakenman stak zijn kam in zijn zak terug. 'Ik scheid van je. Ik scheid van je. Ik scheid van je.' Hij trapte iets weg wat voor zijn voeten lag en beende de bek van de haai uit.

Fancy veegde zichzelf schoon met een doekje, trok haar rokje recht en pakte het geld dat de zakenman had neergelegd. Plotseling zag ze hen, en ze schrok zichtbaar. 'Ik heb geen geld.'

'Maak je geen zorgen.' Sarah stapte het licht in. 'We zijn niet in geld geïnteresseerd.'

Fancy deinsde achteruit toen ze Rakkim zag, maar keek vervolgens weer naar Sarah. 'Twee knappe jonge moslims die een pleziertje willen; dat moet lukken.'

'Nee, daarvoor zijn we niet hier,' zei Sarah.

'Je hoeft je niet te schamen hoor,' zei Fancy, en ze likte met haar tong langs haar lippen. Ze had kattenogen, hooggeplaatste jukbeenderen en een gracieuze manier van bewegen. Ze moest vroeger knap zijn geweest, vóór alle zakenmannen. 'Tenzij je dat lekker vindt, natuurlijk.'

'We willen over je vader praten,' zei Rakkim. 'We willen ook betalen voor het gesprek.' Hij haastte zich het eraan toe te voegen, bang dat ze de benen zou nemen.

Sarah pakte haar hand beet. 'Het is belangrijk, Fatima.'

Fancy wendde haar blik af. De kaarsvlammen kronkelden. Geurkaarsen. Kokos. 'Alsjeblieft... noem me niet zo.'

Sarah liet haar hand niet los. 'Ik ben Sarah. Dat is Rakkim. We willen het over je vader hebben.'

Fancy keek van de een naar de ander. 'Hoezo?'

'We hebben met Cameron gepraat,' zei Rakkim. 'We moesten je de groeten doen.'

'Is alles goed met hem?' vroeg Fancy.

'Hij wil graag weer een keer op bezoek komen bij jou en je vriendin,' zei Rakkim. 'Hij zei dat het de beste verjaardag van zijn leven was geweest.'

'Jeri Lynn mocht hem ook.' Fancy ging op de krab zitten en liet haar schouders hangen. 'Ik had terug moeten gaan om hem op te halen. Cameron heeft niemand die voor hem zorgt.'

'Dat geldt voor ons allemaal.' Sarah ging naast haar zitten. 'Ik heb op mijn vijfde mijn ouders verloren. Rakkim is op zijn negende wees geworden.'

Fancy keek haar aan. 'Ik... ik was zeven.' Op deze afstand was zelfs bij kaarslicht het gezicht onder haar make-up te zien. Het was ingevallen en ziek. 'Je raakt er nooit overheen, hè?'

'Nee.' Rakkim en Sarah zeiden het gelijktijdig.

'Ik kan wel wat geld gebruiken,' zei Fancy zacht. 'Je zei dat je me wilde betalen. Ik geloof niet dat het fout is om geld te vragen als ik jullie ermee help. Zo is het toch?'

Rakkim drukte haar een stapel bankbiljetten in de hand. Ze zette grote ogen op, en hij dacht even dat ze zou zeggen dat het te veel was, maar ze stopte het geld weg in haar beha. Rakkim zag een perfect rond litteken onder haar hals. Sarah zag het ook. Tracheotomie. Het symbool van de verslaafde met stalen zenuwen. Waarschijnlijk had ze een keer te vaak een overdosis genomen, waarna ze weer tot leven was gewekt. Vermoedelijk tegen haar wil. Hij had veel mannen zien sterven; mannen die tegen hem hadden gevochten en die hij nog had proberen te redden; mannen die bereid waren geweest van deze wereld weg te glijden om het opnieuw te proberen in de volgende.

'Je vader is vlak na zijn thuiskomst uit China gestorven,' zei Sarah.
Fancy haalde haar schouders op. 'Mijn moeder en ik... we gingen hem ophalen op het vliegveld. Hij was kwaad op ons. We hadden niet mogen weten dat hij thuis zou komen. We zagen meteen dat hij ziek was. Hij zei dat hij in het vliegtuig iets verkeerds had gegeten – eten van ongelovigen – maar ik zag meteen dat hij loog. Dat kon ik altijd zien.' Ze keek Sarah aan. 'Waarom willen jullie dat eigenlijk weten?'
'Ik doe historisch onderzoek naar die periode. De jaren voor de Omwenteling. Voor de zionistische aanslag.'
'Wat heeft mijn vader daarmee te maken? Hij was toen al dood.'
'Ik controleer alleen wat feiten. Je vader...'
'Het moet geweldig zijn om geschiedenisles te geven.' Fancy speelde met haar haar. 'Ik heb altijd lerares willen worden, op de basisschool. Ik ben altijd gek op kinderen geweest.' Ze rolde haar haar tussen duim en wijsvingers. 'Ik kan ze niet krijgen.'
'Dat spijt me,' zei Sarah.
'Dat geeft niet. Ik zou waarschijnlijk toch niet zo'n goede moeder zijn geweest.' Fancy keek naar Rakkim. '*Jij* bent geen historicus.'
Rakkim glimlachte.
Fancy beantwoordde de glimlach niet. 'Ik ken mannen. Ik kan je van alles over ze vertellen voordat ze ook maar een woord hebben gezegd. Gewoon door naar hun schoenen te kijken. Of hun handen. Of hun ogen. Vooral de ogen.' Ze schudde haar hoofd. 'Maar aan jou zie ik niks. 'Ze keek naar Sarah. 'En jij?'
'We zijn samen opgegroeid,' zei Sarah. 'Ik ken hem.'
Fancy keek weer naar Rakkim. 'Ik hoop het.'
'Heeft je vader over zijn reis gesproken nadat hij terug was uit China?' vroeg Sarah. 'Plaatsen waar hij geweest was, mensen die hij had ontmoet?'
'Ik kan me alleen herinneren dat hij veel moest overgeven. En mijn moeder huilde de hele tijd.'
'Hij werkte aan die grote dam in China,' zei Sarah. 'Dat moet een fantastische ervaring zijn geweest.'
'Ik heb al heel lang niet meer aan die tijd gedacht. Ik was toen gelukkig. Mijn vader was streng, maar hij hield veel van me.' Fancy hield haar blik op Sarah gericht. 'Hij noemde me altijd zijn juweeltje. Dan nam hij me in zijn armen en zei hij dat ik zijn juweeltje was.'
Rakkim liet Sarah praten. Fancy had duidelijk genoeg van mannen. De wanden van de haai stonden vol met obscene graffiti en de vloer was bezaaid met fastfoodverpakkingen en erger. Het rook naar urine, nat karton

en vies ondergoed. Fancy's geurkaarsen waren er niet tegen opgewassen, maar het idee was vertederend. Misschien dacht ze wel dat het goed voor de zaken was.

'Het huis waar jullie gewoond hebben, is jaren geleden gesloopt,' zei Sarah. 'Dat heb ik gecontroleerd.'

'Daar had toch niemand meer willen wonen. Het was een onheilsplek. Toen mijn vader stierf wist iedereen dat. De *manier* waarop hij stierf. Zo *ziek*.'

'Zijn jullie dan niet met hem naar een arts gegaan? We hebben geen medisch dossier kunnen vinden.'

'Er is een dokter bij ons thuis geweest. Ik had hem nog nooit gezien. Hij gaf mijn vader pillen tegen de pijn en zei tegen mijn moeder dat ze binnen moest blijven om hem te verzorgen. Wat een rothuis. Een ongelukshuis. En toen mijn moeder vlak daarna verongelukte...' Fancy schudde haar hoofd.

Sarah wierp een blik op Rakkim. 'Maar je moeder is toch drie jaar na je vader gestorven? Dat moet vast veel te vroeg hebben geleken, maar...'

'Het was nog geen drie maanden later. Ik was erbij. We reden op de snelweg en we kregen een lekke band. We zijn over de kop geslagen. We gingen naar de woestijn om te bidden. Ze reed heel snel. Ze zeiden dat het een wonder was dat ik het had overleefd. Mijn moeder is door de voorruit gegaan, maar ik had alleen een sneetje in mijn been. Ze zeiden dat het Gods wil was. Dat Hij andere plannen met mij had.' Haar lach galmde door de haai.

'Wat is er met jou gebeurd?' zei Sarah. 'Wie heeft er voor jou gezorgd?'

'Een politieagent heeft me mee naar huis genomen. Ik wilde mij mijn moeder blijven, maar hij zei dat ik mijn spullen moest pakken. Het was heel vreemd allemaal. Zelfs nu denk ik nog wel eens dat ik het allemaal heb gedroomd.' Fancy trok aan haar bloes. In het licht van de kaarsen leek het alsof het litteken in haar hals met bloed gevuld was. 'Toen we thuiskwamen, waren er mannen in het huis. Ze waren bezig alle spullen in een verhuiswagen te laden. De dokter die bij mijn vader was geweest, was er ook. Ik heb geen idee waarom, maar hij was er. Ik moest van de politieman wat kleren in een tas doen. De dokter was kwaad op hem, maar de politieman zei dat het hem niks kon schelen. Toen heeft hij me naar het huis van mijn oom gebracht. Mijn oom was een goede moslim. Hij was verplicht me in huis te nemen, maar ik geloof niet dat hij het echt wilde.' Fancy keek naar Rakkim. 'Ik word verdrietig als ik hierover praat. Ik wil graag nog wat meer geld.'

Rakkim betaalde haar en ze stopte het geld weg.

'Zag Cameron eruit alsof hij genoeg te eten kreeg?' vroeg Fancy.

'Heb je helemaal *niks* meer uit die tijd?' vroeg Sarah. 'Niet direct van je vader. Maar misschien hield je moeder een dagboek bij... of een kalender waarop staat aangegeven wanneer hij thuiskwam. Zijn aantekeningen, zijn koffers... wat dan ook?'

Fancy schudde haar hoofd. 'Die dokter heeft alles meegenomen. Hij heeft het hele huis leeggehaald.' Fancy's blik verstrakte. 'Waarom stellen jullie die vragen over mijn vader eigenlijk *echt?* En kom niet weer aanzetten met dat verhaal over een of ander historisch onderzoek. Daar geloof ik niks van.'

'We denken dat je vader is vermoord,' zei Rakkim. 'Zeker na het verhaal over dat auto-ongeluk. En ik denk dat je moeder ook is vermoord.'

'Ben je soms een smeris?' zei Fancy. 'Ik heb weinig geluk met politiemannen.'

'Als mijn vader op reis ging, nam hij altijd iets voor me mee,' zei Sarah. 'Ik heb die dingetjes altijd bewaard...'

'Fijn voor je.' De kaarsen dansten en Fancy werd omringd door schaduwen. 'Hij heeft nooit wat voor me meegenomen.'

'Zelfs geen ansichtkaart?' zei Sarah.

'Wat was je eigenlijk allemaal van plan met die vragen, juffie?' vroeg Fancy. 'Wou je de doden soms weer tot leven wekken? Het maakt niet uit hoe ze aan hun einde zijn gekomen. Het enige wat ertoe doet is het feit dat ze dood zijn, en daar kan verder geen mens iets aan veranderen.'

'De arts die je vader behandeld heeft, de man die jullie huis leeggehaald heeft... heb je die later nog wel eens teruggezien?' vroeg Rakkim.

'Hoor 's, dit interesseert me allemaal geen...' Fancy zweeg toen Rakkim een hand opstak.

'Er is iemand buiten.' Rakkim was al bezig de kaarsen uit te blazen.

46

Voor het nachtgebed

Boer-zes. Acht-vijf. Tien-vrouw. Omdat de bank een zes had liggen, paste de Oude voor alle drie de handen, waarop hij duizend dollar had ingezet.

De Texaanse sojabonenmagnaat, die na hem aan de beurt was, staarde naar zijn kaarten alsof hij Egyptische hiërogliefen probeerde te lezen. Zijn vrouw, een gezette blonde dame, overzag het spel en schudde haar drankje. De ijsblokjes tinkelden. Na zorgvuldige overweging besloot de sojabonenmagnaat, die op dertien stond, de gok te wagen, maar hij kreeg een plaatje. De blonde vrouw, die vijftien had – *vijftien* terwijl de bank een zes had liggen – vroeg ook een kaart, maar kreeg een negen en was ook kapot.

Anna, de dealer, opende haar hole-card. Een tien. Bij elkaar zestien. Ze moest nu nog een kaart kopen. Een vijf – samen eenentwintig. Ze trok vriendelijk een wenkbrauw op naar de Oude en veegde de fiches van tafel.

'Wat een pech,' zei de blonde vrouw. Ze legde een hand op de arm van de Oude. 'Maar we krijgen haar wel, hè, pappie.'

De Oude schonk haar een koele blik. Aangeraakt worden door een Texaanse en dan ook nog *pappie* genoemd worden. Een Texaanse die een met diamanten ingelegde crucifix om haar hals droeg. Een Texaanse die niet wist hoe je blackjack speelde en de kaart pakte die de geefster kapot zou hebben gemaakt. Wat een gruwel. Het kon alleen nog maar erger worden als zou blijken dat de vrouw menstrueerde.

Boer-negen. Boer-acht. Tien-tien. De geefster had een vier. De Oude splitste zijn tienen en kreeg bij de eerste een vrouw en bij de tweede een heer. Perfect. Hij had nu twee keer twintig, een negentien en een achttien.

De blonde vrouw waagde de gok met haar vijf-acht, maar trok een boer en kon inpakken.

De sojabonenmagnaat probeerde het met zes-zeven. Hij kocht een twee, kwam op vijftien en vroeg nog een kaart. De geefster liet hem zijn vraag zelfs herhalen. 'Hier met die kaart, verdomme. Ben je soms doof?' zei de man.

Anna gaf hem een vrouw. Kapot. Ze draaide haar kaart om. Een heer. Dat was samen veertien. De volgende kaart was een zeven. Samen eenentwintig. De tafel werd weer schoongeveegd en de Oude kreeg opnieuw een glimlachje.

'Laten we gaan, schat,' zei de sojabonenmagnaat. 'Aan deze tafel valt niks te halen.'

Anna keek het stel na. 'U vindt het vast jammer dat *die* vertrokken zijn.'

De Oude glimlachte en legde een fiche van duizend dollar op alle zes de plaatsen zodat er niemand meer kon aanschuiven. Meestal genoot hij van het gezelschap van andere spelers; de keur aan karakters die het casino zijn bekoring gaf. De gezichten. Alle verhalen. Katholieken en gematigde moslims uit Los Angeles en Chicago en Seattle; blanken uit Chattanooga en Atlanta en New Orleans. Zakenlui uit Tokio en Peking en Parijs en Londen en Brazilië. Een opwindend geroezemoes van talen en verlangens. De Oude sprak de meeste talen vloeiend en er waren nauwelijks verlangens die voor hem nog geheimen hadden. Maar vandaag gaf hij er de voorkeur aan om alleen te spelen.

Anna gaf hem zes maal twee kaarten en trok zelf een ten upcard.

De Oude vroeg een kaart voor zijn zeven-vijf. En voor zijn vijf-acht. En zijn zes-vijf. Hij hield zijn negen-boer. En zijn tien-acht. En hij vroeg een kaart voor zijn negen-drie.

Anna legde een zeven op. Ze won twee handen en betaalde hem uit voor de vier die hij gewonnen had. Haar charmante handen dansten over het groene vilt. Ze waren lang, slank en perfect gemanicuurd. 'Zal ik de Texanen terughalen?' vroeg ze plagerig.

'Laten we het maar liever onder ons houden,' zei de Oude.

Er kwam een serveerster langs die hem zijn gebruikelijke single malt met een ijsklontje bracht.

De Oude gooide een fiche van vijfentwintig dollar op het dienblad, bracht een toast uit op Anna en nam een slokje. Hoewel hij genoot van de smaak, beperkte hij zich uit respect voor zijn nieren en zijn lever tot één borrel per dag. Met het verstrijken der jaren vergden de transplantaties steeds meer van zijn krachten. Daarbij gaven de wekelijkse bloedtransfusies hem merkbaar minder energie dan vroeger. Hij liet een paar druppels single malt op zijn tong rusten. Alle wetenschap van de wereld kon niet verhoeden dat de duur van het menselijk bestaan een bovengrens had. Allah, de Alwetende en Genadige, had beschikt dat alle mensen moesten sterven. Hoe zouden ze anders het paradijs kunnen betreden?

Anna deelde een nieuw rondje kaarten.

De Oude maakte zijn keuzes bijna instinctief. Hij krabde geluidloos met een vinger op het vilt als hij nog een kaart wilde en plaatste zijn fiche op de kaarten wanneer hij paste. Na al die jaren kende hij de statistisch gezien beste combinaties. Kaarten tellen was zinloos – de gevers gebruikten tien decks. Maar het antwoord op de vraag of blackjack gokken was of hogere wiskunde, bleef discutabel. Niet dat het de Oude iets kon schelen. De Heilige Koran verbood gokken, maar hij had vrede met het spel. Net zoals hij vrede had met zijn dagelijkse alcoholische drankje. Zelfs met een lekker stukje varkensvlees met knoflook, als hij daar zin in had. Allah zou hem zijn incidentele dwalingen wel vergeven. Hij glimlachte toen hij bedacht wat zijn eerste leraar van dergelijke drogredenen zou hebben gezegd.

Anna glimlachte terug; ze dacht dat zijn binnenpretje met haar te maken had. Ze betaalde hem zijn gewonnen handen uit en veegde de rest van zijn fiches van tafel.

De volgelingen van de Oude hielden zich tot op de letter aan de Koran, maar de Oude voelde die verplichting niet. Had de alwetende Allah hem geen hersenen, begeerten en een vrije wil gegeven? De Oude volgde netjes de richtlijnen van het Boek. Hij had zijn geloofsbelijdenis gedaan, zijn sjahada. Hij bad vijf keer per dag. Gedurende de maand ramadan at en dronk hij overdag niet. Hij gaf jaarlijks tien procent van zijn bezit weg. En hij had de hadj naar Mekka *en* Jeruzalem gemaakt.

Anna deelde opnieuw. De kaarten gleden over het groene vilt als reigers over een meer.

De Oude nipte van zijn whisky. De zaken die de koran *verbood,* nam hij met een korrel zout. Zijn dieet was niet geheel volgens de regels. In zijn jeugd had hij zich vaak gladgeschoren. Hij onderhield intellectuele en zakelijke relaties met ongelovigen, was in hun huizen te gast geweest en had met hen gedineerd. Hij gokte. Hij verdiende zijn geld in de financiële wereld en het bankwezen terwijl het berekenen van rente strikt verboden was. Het ontbrak hem aan ernst in de diepste zin van het woord; hij zag altijd de humor van de wereld en van zichzelf in.

Anna ging kapot en betaalde uit.

De Oude liet zijn kaarten hun werk doen.

De kaarten zweefden over de tafel, voortgestuwd door Anna's ranke vingers.

Het grootste verschil tussen de Oude en de traditionele moslims was misschien wel het feit dat hij zich op wetenschap en technologie verliet. Islam betekende onderwerping, maar het was de onderwerping aan *Allah,* de genadige, die van de gelovigen werd verlangd. Niet het menselijk intellect moest onderworpen worden. Niet de menselijke nieuwsgierigheid. Allah, de Alwetende, had de Profeet Mohammed – Zijn naam zij geheiligd – de verboden van de Koran in de zesde eeuw ter hand gesteld. De Koran bevatte eeuwige waarheid, maar de mannen die het boek bestudeerden, gingen niet met hun tijd mee. De verboden waren opgesteld om de vroege moslims bij hun dagelijks leven te helpen, maar de Oude steeg boven de geschiedenis uit. Dergelijke ideeën zouden door Ibn Azziz en de fundamentalisten als heiligschennis worden gezien, maar *zij* hielpen het land de vernieling in. Satellieten die uit de hemel vielen. De stroomvoorziening die aftakelde. In de vijfentwintig jaar na de burgeroorlog en de scheuring waren de voormalige Verenigde Staten afgegleden tot een derdewereldlandje met als belangrijkste exportproducten levensmiddelen en delfstoffen. De Oude was van plan daar verandering in te brengen. Het islamitisch kalifaat van duizend jaar geleden had niet alleen een belangrijk deel van de bekende wereld omvat; het was tevens een lusthof van kennis en wetenschap geweest waar elk vakgebied een bloeiperiode had doorgemaakt. Die tijd zou terugkeren.

Anna ging opnieuw kapot en keerde uit. Haar gezicht was roze onder de tl-verlichting. Vorig jaar had ze op aandringen van haar vriend een abortus gehad. Het was een jongetje geweest. Ze had er geen idee van dat hij het wist. De Oude had de volgende ochtend bloemen bij haar thuis laten bezorgen. Tientallen witte rozen. Geen kaartje. Alleen de bloemen. Haar vriend was razend geweest. Hij had haar geslagen en de bloemen vertrapt. Nadat Anna naar haar werk was gegaan, had de Oude twee mannen naar de woning gestuurd. De een had de kleren van de knul ingepakt en de ander had het vriendje in de kofferbak van zijn eigen auto gesmeten. Ze hadden de wagen diep de woestijn ingesleept en de jongen levend begraven. Vervolgens waren ze een stuk teruggereden, waarna ze de auto aan de kant van de weg hadden achtergelaten met een gat in de radiateur. Ze waren in hun eigen auto naar Las Vegas teruggereden.

Anna glimlachte opnieuw naar hem.

Hij had het vriendje niet uit de weg geruimd omdat hij persoonlijk in Anna geïnteresseerd was. De knul had haar ongelukkig gemaakt, en de Oude zag zijn dealers graag met een vrolijk gezicht hun werk doen.

Ellis, de pitboss, keek hem aan met een uitdrukkingsloos gezicht. Hij was effectenmakelaar geweest bij het Britse ministerie van Handel, succesvol bovendien. Maar zijn vrouw had een hersentumor gekregen en was, ondanks al zijn inspanningen, een afschuwelijke dood gestorven. Ellis was naar Las Vegas gekomen om zijn verdriet te vergeten. Hij was nooit meer teruggegaan.

De serveerster kwam voorbij en nam zijn lege glas mee. Ze droeg een kort rokje dat haar mooie benen accentueerde. Kousen met naad. Een lichtzinnige dame.

Ze heette Teresa. Ze was tweeëntwintig en geboren in Biloxi, Mississippi. Ze was twee jaar geleden hier naartoe verhuisd en studeerde Hotelmanagement aan de plaatselijke universiteit. Haar gemiddelde was 3,4. De Oude ging er prat op dat hij de mensen kende met wie hij in contact kwam, en hij kwam dagelijks met tientallen mensen in contact. Honderden per maand. Het was een van de vele dingen die hem bevielen aan het leven in Las Vegas. Er was altijd wel weer iemand *nieuw*.

De casino's en hotels zaten vol met katholieken, moslims en Bijbelgordelaars die het nooit over religie of politiek hadden. Als je om je heen keek, was het net alsof er nooit een burgeroorlog was geweest. De mensen kwamen hier om zich te ontspannen, te zondigen en vrij te zijn. Ze kwamen ook voor zaken. Zakenlieden en industriëlen uit China, Rusland en Brazilië sloten miljoenendeals terwijl ze in het zwembad dobberden en zich dik insmeerden met zonnebrandcrème. Bezoekers van technologieconventies verzamelden zich in de digitale amfitheaters om informatie uit te wisselen en knabbelden ondertussen van tijgergarnalen die nog diezelfde ochtend in de Filipijnen waren gevangen. De straten krioelden van toeristen uit bloeiende economieën als Brazilië, Frankrijk en Nigeria. Iedereen kwam naar Las Vegas. De *Open City*, zo meldde het bord op het vliegveld.

Anna had twee vrouwen en veegde zijn inzet van de tafel.

De Oude wierp een blik op zijn nieuwe kaarten. Nog steeds geen nieuws van Darwin. De moordenaar liet berichten achter en vroeg de Oude om gunsten, maar hij was niet beschikbaar om hem over zijn voortgang te informeren – of het ontbreken daarvan. Maar Darwin wist wat hij waard was, evenals de Oude.

Hij had Roodbaard en zijn broer James door Darwin moeten laten doden in plaats van Roodbaards privélijfwacht erbij te betrekken. Dan zou alles anders zijn geweest. Als Roodbaard samen met zijn broer uit de weg was geruimd, zou de Staatsveiligheidsdienst door de stroman van de Oude zijn overgenomen. Zonder Roodbaard had de Oude diens invloed kunnen gebruiken om de president te manipuleren; zijn angst aan te wakkeren. Nog een paar terroristische aanslagen, en het land zou op voet van oorlog hebben gestaan. De diplomatieke betrekkingen zouden verbroken zijn en er zou een aanval op de Bijbelgordel zijn uitgevoerd. Het leger en de Fedayeen zouden tot het uiterste zijn gegaan. Een natie, onder Allah.

Anna haalde opnieuw de fiches weg. Ellis draaide zich om en inspecteerde de andere tafels.

Darwin zou niet hebben gefaald – hij zou *beide* broers hebben gedood. Maar in die tijd was Darwin nog een onbekende geweest. De Oude had toen nog niet eerder van zijn diensten gebruikgemaakt, en de verhalen die hij over de moordenaar had gehoord, had hij niet geloofd. *Nu* wist hij wel beter.

De Oude controleerde zijn kaarten. Het gerucht deed de ronde dat Roodbaard de aanslag had overleefd omdat hij een exemplaar van de koran op zak had gehad. Het heilige boek zou twee schoten in de hartstreek hebben opgevangen. Het klonk als het soort desinformatie dat Roodbaard achteraf zelf in de wereld zou hebben gebracht om zijn overleven als goddelijke voorzienigheid te doen voorkomen.

Maar de Oude wist dat het zinloos was om in het verleden te leven. Het was een van de kenmerken van ouderdomszwakte. Hij herinnerde zich hoe hij had gelachen om oude mannen die zichzelf maar bleven kwellen met fouten die ze ooit hadden begaan; koningen en koninginnen, verdwaald in hun eigen herinneringen. Er was een tijd geweest waarin hij vijftig, zestig jaar vooruit had kunnen zien... en dienovereenkomstig had kunnen handelen. Toen hij nog maar net veertig was geweest, en al onmetelijk rijk, had hij het failliet van de Europese verzorgingsstaat voorzien, eerder nog dan de demografen. Een systeem dat zijn burgers van de wieg tot het graf onderhoudt, moet door *kinderen* draaiende worden gehouden, maar de Europeanen waren goddeloze losbandigen geweest; ontuchtigen zonder vaderschap. Vanaf het begin van de jaren zeventig had hij grote schenkingen gedaan aan politici en journalisten; mensen die het debat over immigratie aanvoerden. En ze hadden een oplossing gevonden: hardwerkende moslims. De sluisdeuren waren wijd opengezet. Jonge moslims uit Turkije en Noord-Afrika, vruchtbaar en gelovig. De gestage verovering van Europa – de transformatie in een islamitisch continent, nagenoeg zonder bloedvergieten – was waarschijnlijk zijn grootste victorie geweest. De vijftig jaar die daarvoor nodig waren geweest, waren verstreken in een oogwenk.

Er werden nieuwe kaarten gedeeld. Hij opende een downcard. Een boer – de rode verrader. De Oude dacht aan de nieuwe paus. *Zijn* nieuwe paus. Twee jaar geleden geïnstalleerd. Nog een gewas waarvan nu de vruchten werden geplukt. Veertig jaar geleden had hij zijn mannen uitgezet tussen de priesters. Twaalf. Goed opgeleid, met uitstekende connecties. Vaardige diplomaten. Ze waren gestaag opgeklommen binnen de kerkelijke hiërarchie. Een van hen was nu paus Pius XIII. Zodra de Oude het teken zou geven, zou de paus in het openbaar zijn geloofsbelijdenis afleggen. Zijn bekering tot de islam zou een enorme impact hebben op de katholieke bastions in Zuid-Amerika en de dwarsliggers in Oost-Europa.

Hij stond op twaalf, vroeg een kaart en kreeg de andere *one-eyed jack*. Kapotgemaakt door de schoppenboer. De verrader verraden. Een slecht teken. Conform het slechte nieuws van de afgelopen weken. Mollah Oxley, die hij jarenlang had gevormd, was vermoord door Ibn Azziz, een fanatieke asceet die maar net oud genoeg was om een dun baardje te kunnen kweken. En Ibn Azziz begon nu al ruzie te zoeken met de katholieken. Als hij genoeg tijd kreeg, zou hij het land verscheuren.

Nieuwe kaarten. Anna neuriede zachtjes in zichzelf. Een slaapliedje voor de zoon die ze nooit zou hebben.

En ondertussen zorgde de nicht van Roodbaard ook voor problemen. Aan de andere kant... Er was nog steeds een kans dat de Oude haar in zijn voordeel kon gebruiken. Rakkim en zij konden mogelijk zelfs hoofdrolspelers worden. Rakkim was een schaduwstrijder, een van de onzichtbare mannen. Darwin wilde hem uit de weg ruimen – hen allebei. Maar dat was opnieuw een teken van Darwins strategische beperkingen. De grote uitdaging bestond nu in het herenigen van het land; het herstellen van de oude grenzen van de Verenigde Staten. Ondanks de huidige malaise was de natie nog steeds de beste plek om een werkelijk krachtige islam wortel te laten schieten; een transformationele islam. Rakkims kennis van de Bijbelgordel was daarbij van onschatbare waarde.

Anna veegde met een kletterend geluid zijn fiches op.

De Oude besefte dat hij het spel uit het oog was verloren. Hij was zo verdiept geweest in zijn successen en mislukkingen, dat hij vergeten was op te letten. Hij stond op, drukte Anna een fiche van duizend dollar in de hand en groette haar.

Er klonk een zacht *biep* in zijn oor toen hij door het casino wandelde. Wat wilde Darwin *nu* weer?

47

Voor het nachtgebed

Rakkim drukte zich plat tegen de muur van de reusachtige haai en luisterde. Ze waren met minstens vier of vijf man. De kaarsen waren uit en de ruimte was in duisternis gehuld. Door de geopende bek met de karteltanden viel maanlicht naar binnen. In het schijnsel was heel even een gestalte te zien. Rakkim ontspande de hand waarmee hij zijn mes vasthield. De man die hij had gezien, droeg een schokhelm, een wapenrusting en een grote ouderwetse nachtkijker. SWAT. Weinig kans dat die voor Fancy kwamen. *Wat zijn dat voor geintjes, Pernell?* Langs het doorzichtige venster bewogen schaduwen in de richting van de achteruitgang. Pech dat ze de uitgang kenden, maar gelukkig struikelden ze in hun haast.

Sarah en Fancy zaten op hun hurken waar hij ze had achtergelaten. 'Wie zijn dat?' fluisterde Sarah.

'Politie. Is er nog een andere uitgang, Fancy?'

'Voor en achter, verder niet.' Ze vervolgde op verbaasde toon: 'Waarom doet de politie zo geheimzinnig? Ze kunnen toch gewoon vragen.'

'SWAT-team. Die vragen niet.' Ondanks het duister kon Rakkim zien dat Sarah het had begrepen.

'Ze vallen van twee kanten aan. Kunnen we ons hier ergens verbergen?'

Fancy keek om zich heen en wees. 'Onder de zeeschildpad. Daar is plaats voor drie.'

'Oké, schiet op dan,' zei Rakkim zacht. 'Ga op de grond liggen, doe je ogen dicht en stop je vingers in je oren. Dit wordt geen pretje. Hou je hoofd laag en haal oppervlakkig adem. *Vlug.*'

Sarah kneep in zijn hand en verdween met Fancy in het duister.

Rakkim vond een plekje naast een octopus met nog maar twee intacte tentakels. Het gevaarte bevond zich in een nis even buiten de hoofdruimte en bood een goede bescherming bij een aanval van twee kanten.

'Dit is Anaheim SWAT. Kom naar buiten met je handen op je hoofd.'

Rakkim hoorde hoe het multiplex voor de hoofdingang werd weggehaald. Hij stopte zijn vingers in zijn oren, maar hield zijn ogen open. Er was genoeg tijd om ze te sluiten.

'JULLIE HEBBEN VIJF SECONDEN OM NAAR BUITEN TE KOMEN.'

Rakkim drukte zijn vingers dieper in zijn oren. Door de bek van de haai werd een flitsgranaat naar binnen gegooid. Via de achteringang volgde een tweede. Hij sloot zijn ogen en opende zijn mond om de druk...

BWAM. BWAM.

Twee korte explosies en twee lichtflitsen die zo fel waren dat hij zelfs door zijn stijf dichtgeknepen oogleden sterretjes zag. Het openen van zijn ogen maakte de situatie er weinig beter op. De ruimte was met ondoordringbare witte rook gevuld. Precies wat hij had gehoopt. Pernell had gezegd dat de SWAT-jongens gek waren op hun flitsgranaten. Ze waren eraan gewend ze in huizen en appartementen te gebruiken waar de glazen vensters uit de sponningen werden geblazen en de rook snel vervloog. De haai was van stortbeton. Hij had een gewelfd dak en dikke plastic ramen. De rook bleef hangen. De nachtkijkers waren daardoor volledig onbruikbaar.

De leden van het SWAT-team kwamen snel naar binnen en namen hun posities in aan weerszijden van de deur, precies zoals hun geleerd was. Tijdens het lopen klonk gekletter – de wapenrusting was niet goed vastgemaakt. Heel slordig. Rakkim kroop over de grond, onder de rook door, met zijn buik tegen de smerige vloer gedrukt. Ze droegen standaard SWAT-machinepistolen met korte loop en opklapbare geweerlade. Veertigschotsmagazijn. Er naderde een man via de voordeur en een tweede via de achteringang. Ze probeerden de rook weg te wuiven en schreeuwden naar elkaar. De stemmen klonken vreemd gedempt, wat een desoriënterend effect had. De man die door de achteringang was gekomen, haalde zijn nachtkijker van zijn hoofd en liep half gebukt verder de ruimte in. De slimste van de twee.

Rakkim bewoog zich langzaam in zijn richting en deed zijn best om zo min mogelijk rook te verplaatsen.

'Zie jij wat?' riep de andere man, die op de tong van de haai stond.

'Hou je kop!' zei de slimme man. 'En doe je...'

Rakkim drukte zijn mes van achteren in de hals van de man, precies in de opening tussen helm en wapenrusting. Hij drukte de punt tussen de eerste nekwervel en de hersenstam. Een Fedayeenmes kon met één stoot een wapenrusting doorboren, maar dat garandeerde niet dat het slachtoffer meteen dood was. Daarbij bleef het mes soms vastzitten. Een steek in de hals veroorzaakte een onmiddellijke dood – nagenoeg zonder bloed. Hij trok de SWAT-man zo snel als hij kon op de grond. Er wervelde witte rook om hen heen.

'Wat moet ik doen?' riep een van de teamleden.

'Kop dicht, zei hij.'

De rook begon op kniehoogte. Rakkim ging op zijn hurken zitten en zag het team de ruimte binnenkomen. Hij telde zes... zeven paar laarzen. De dode man op de grond niet meegeteld. Ze hadden blijkbaar nooit van strategisch terugtrekken gehoord; wachten totdat het voordeel weer aan hun kant lag.

Een teamlid liep vlak langs Rakkim, maar hij besloot te wachten. De volgende man begon te hoesten. Rakkim stond op, sneed zijn keel door en hoestte zelf verder om het te verhullen. Hij liet de man voorzichtig op de grond zakken. Er stroomde warm bloed over zijn handen.

'Weet je zeker dat ze hier zitten, Cleese?'

Stilte. Gevolgd door het geluid van hoesten, her en der verspreid door de ruimte. Ook vanachter de schildpad, waarschijnlijk. Sarah en Fancy hadden in elk geval een excuus. Het SWAT-team had aangevallen met flitsgranaten – en zonder maskers. Een dodelijke stommiteit. Of problemen bij Bevoorrading.

'Cleese?'

'Shit. Oké, iedereen blijft op zijn plaats.' Meer gehoest. 'Kijkers af. Zet je kijkers af! We wachten totdat de rook opgetrokken is.'

Rakkim vond een platgedrukt frisdrankblikje en gooide het in de richting van de laatste stem. De rook lichtte kort op door vuur van een machinepistool. Er gilde een man. Hij viel op de grond en greep naar zijn been, beneden de rook. Rakkim zette zich in beweging, beschut door een betonnen kogelvis.

'Niet schieten, tenzij je je doelwit ziet, *eikels.* We moeten dat wijf *levend* hebben. Daar zit het geld. Die kerel maak je af. Niet denken – en laat hem niet praten. Meteen schieten. Het is een Fedayeen.'

'Hé, dat had je er niet bij gezegd, Emerson.'

'Ja, wat is dat voor gezeik?'

'Degenen die geen beloning willen, kunnen nu vertrekken,' zei Emerson.

Er vertrok niemand.

Rakkim had Emerson graag te grazen genomen, maar er bevonden zich te veel laarzen tussen hen in. Daarbij begon de rook op te lossen.

'Harris, sta jij nog in positie?' zei Emerson.

'Yep.'

'Op mijn teken schieten we de ramen eruit. Een, twee, *drie.*'

Rakkim gebruikte het lawaai om zich te verplaatsen en een ander teamlid uit te schakelen. En nog een. Door de uiteengespatte vensters stroomde rook naar buiten.

'Ze zit hier!' riep Fancy. Ze rende met opgeheven armen door de dunner wordende rook. 'Niet schieten!' Ze struikelde over een zeester en belandde precies voor Rakkims voeten. 'Niet...' Ze besefte wie hij was en knipoogde naar hem door de nevel. *Sorry,* zeiden haar lippen geluidloos. Ze stond op en rende verder.

In de muur naast hem sloegen kogels in. Scherven epoxy schoten alle kanten op. Rakkim begaf zich naar de plek waar Sarah zich verborgen had. Hij zag hoe ze tevoorschijn kwam vanachter de zeeschildpad en zich op een van de SWAT-mannen wierp.

De SWAT-man zwaaide met zijn wapen. Het raakte haar kaak en ze wankelde achteruit. Toen hij zich omdraaide, had hij nog juist voldoende tijd om Rakkims ogen te zien voordat zijn nek gebroken werd.

Iets draaide Rakkim om. Hij dacht dat iemand hem had vastgegrepen... totdat hij het galmende geluid van schoten hoorde. Het klonk traag, als de voetstappen van de lijkdragers bij een begrafenis. Hij lag plotseling op de grond. Plat op zijn rug. Hij draaide zijn hoofd en zag Sarah. Hij probeerde bij haar te komen, maar hij was zo moe en zijn adem klonk gorgelend. Er was geen lucht in de haai. Hij ging dood in een pretpark. Een verlaten pretpark. In een film kon je van zoiets de humor inzien. Hij wachtte totdat de rest van het SWAT-team het werk af zou komen maken, maar er kwam niemand. Ze moesten beseft hebben dat hij nergens meer naartoe zou gaan. Hij reikte naar zijn mes, maar gaf het op.

Verderop... ergens aan de andere kant van de ruimte, zag hij de SWAT-man die in zijn been was geraakt. De man wees op zichzelf. Vervolgens op Rakkim. Toen weer op zichzelf. Aha... *dat* was de man die hem had neergeschoten. Goed dat er nog mensen bestonden die trots waren op hun werk.

Iemand boog zich over de gewonde SWAT-man. Waar was zijn wapenrusting? En waar waren zijn laarzen? Hij hoorde niet bij het team. De man greep de SWAT bij de haren, boog zijn hoofd naar voren en drukte zijn knie in zijn nek. Dezelfde plek die Rakkim voor de eerste man had gebruikt. De man keek naar Rakkim en knipoogde.

De moordenaar.

Rakkim rolde zich op zijn zij en vond zijn mes. Het was zwaar. Bijna zo zwaar als zijn oogleden. Hij zag nu overal dode SWAT-mannen, verspreid over de grond. Nergens waren laarzen te zien. Geen rechtopstaande, in elk geval.

Sarah boog zich over hem heen. Haar lippen bewogen, maar er waren zulke lange pauzes tussen de momenten waarop ze sprak en de momenten waarop hij de woorden hoorde, dat het leek alsof ze zich aan de andere kant van de wereld bevond en er een satellietvertraging op haar stem zat. Hij voelde haar tranen op zijn gezicht vallen. Hij zou graag een lange wandeling met haar maken in de warme regen, maar eerst moest hij haar over de moordenaar vertellen. Hij moest alleen even op adem komen. Sarah had een reep stof van haar bloes gescheurd en drukte die tegen zijn borst. Hij kreunde, en ze verminderde de druk. Geen goed idee. Hij wilde haar zeggen... maar zijn mond vulde zich met bloed.

Rakkim zag Fancy naar de moordenaar rennen. Ze kuste zijn hand... beide handen... terwijl het mes omgedraaid in zijn mouw zat.

De moordenaar keek naar Rakkim. Hij trok Fancy overeind en stelde haar gerust. Ondertussen bleef hij Rakkim aankijken.

Rakkim slaagde er niet in het mes stevig vast te houden. Het was niet te ver om te gooien. Hij moest de moordenaar verrassen. Een Fedayeen wierp zijn mes nooit. Die les was er vanaf de eerste dag ingehamerd. Met een mes dat je werpt, dood je één tegenstander. Met een mes dat je in de hand houdt... kun je er honderden doden... Maar nu was alles anders. Rakkim omklemde het wapen en worstelde om bij bewustzijn te blijven.

Een bleekscheet in de Carolina's had hem geleerd hoe hij een mes moest werpen. William Lee Barrows, sergeant, First Carolina Volunteers. Prima kerel – een van de weinige overgeblevenen van de oude garde. Hij had er lol in gehad om Rakkim na het werk in de fabriek de kneepjes bij te brengen. Ze waren laat opgebleven, hadden samen bier gedronken en Barrows' slagersmessen in een eik gegooid. Barrows had versteld gestaan van Rakkims talent. *Je verspilt je tijd hier, knul. Je kunt je beter aanmelden voor de Knights of Jesus en een stel van die handdoekhoofden afmaken.* Rakkim verplaatste het mes in zijn hand. *Allemachtig, Willy Lee, ik zou nog geen vlieg kwaad kunnen doen, zelfs als mijn leven ervan afhing.* Rakkim opende zijn ogen.

De moordenaar keek hem aan. Hij hield Fancy nog steeds bij de hand. Hij wachtte ergens op... op Rakkim. De moordenaar knikte en stak zijn mes tot aan het gevest in Fancy's oor. Zo vloeide er nauwelijks bloed. Waarschijnlijk wilde hij zijn nette pak schoonhouden. Hij liet Fancy teder op de grond zakken, alsof hij de bruidegom was en zij zijn bruid. Vervolgens liep hij naar Rakkim en Sarah.

Rakkim worstelde met zijn mes en stikte bijna in zijn eigen bloed.

De moordenaar draaide Rakkims hoofd om het bloed uit zijn mond te laten lopen. Vervolgens pakte hij Sarahs handen vast, legde ze weer op Rakkims borst en drukte. 'Goed zo. En nu blijven drukken, anders stikt hij straks in zijn eigen bloed.' Het was een geruststellende stem; een vriendelijke stem. De moordenaar keek Rakkim aan. 'Geen zorgen. We hebben je.'

'Wie... wie bent u?' vroeg Sarah terwijl ze met beide handen bleef drukken.

'Blijven drukken,' zei de moordenaar. 'Gebruik je hele gewicht.' Hij klapte zijn mobiele telefoon open en drukte op een knop. 'Roodbaard, met mij.'

Leugenaar, schreeuwde Rakkim. Nee... hij had het alleen gedacht.

'Godzijdank.' Sarah glimlachte. 'Alles komt goed, Rikki.'

'Er waren wat problemen, zoals ik al dacht.' De moordenaar zag er gezond uit. Hij was van middelbare leeftijd en had dunnend bruin haar en een gladgeschoren gezicht. Een gezicht dat je kon vertrouwen. Hij zou bij een bank kunnen werken, op de afdeling Persoonlijk Krediet. Of vastgoedmakelaar kunnen zijn. 'Heb je het vliegtuig klaarstaan...? En ook een medisch team...? Goed. Rakkim heeft een borstwond. Zijn linkerlong loopt vol met bloed... Ik weet het niet, ik ben geen arts.' Hij keek naar Rakkim. 'Roodbaard wil weten of je het overleeft.'

Rakkim probeerde overeind te komen, maar hij slaagde er niet eens in zijn hoofd op te tillen.

'Hij redt het wel, Roodbaard,' zei de moordenaar. 'Een Fedayeen krijg je niet dood, dat weet je. Zorg er in elk geval voor dat het vliegtuig klaarstaat wanneer we aankomen... Nee, er is geen tijd voor een heli... Weet ik niet, een minuut of tien.'

Rakkim probeerde oogcontact met Sarah te maken om haar te waarschuwen, maar ze ging volledig op in haar werk om de druk op zijn borst op peil te houden. Toen ze eindelijk naar hem keek, was ze te druk met dapper zijn om zijn gedachten te kunnen lezen.

Al pratend in zijn telefoon wandelde de moordenaar naar een van de dode SWAT-mannen en doorzocht zijn zakken. 'Ja, ik weet hoever het vliegveld is, maar we nemen geen taxi.' Hij hield een sleutelbos omhoog en rinkelde ermee zodat Rakkim het kon horen. 'Zeg maar tegen het medisch team dat we er over tien minuten zijn. Ik zet de sirene aan, dan horen ze het als we er aankomen.'

48

Voor het nachtgebed

'Hoe is het met hem?'

Darwin luisterde met een vinger tegen zijn oorlel. 'Hoe voelt u zich?'

'Mijn oren tuiten nog na van het geweervuur, maar verder gaat het wel.' Sarah liep naar de tussenwand van de privéjet en bleef voor de deur van de provisorisch ingerichte operatiekamer staan. Ze hoorde niets, afgezien van het zwakke janken van de motoren. Terwijl het medisch team Rakkim opereerde in de hoofdcabine, zaten Darwin en zij in de kleine cabine aan de voorkant. 'Denken ze dat hij het overleeft?'

'Hij redt het wel.'

'Maar wat denken de *artsen?*'

Darwin haalde zijn schouders op. 'U weet hoe artsen zijn... Ze willen zich nooit ergens op vastpinnen.'

Sarah zakte onderuit in de stoel tegenover hem en nam haar hoofd in haar handen. Plotseling schrok ze op en keek naar haar handen. Ze zaten onder het bloed. Haar kleren... haar haar... overal was bloed. Rakkims bloed. Het bloed van politiemannen. Al die dode smeerlappen. Volgens Darwin stond er een enorme premie op hun hoofd. De Zwartjassen wilden haar koste wat het kost in handen krijgen. Darwin had gezegd dat Roodbaard pas in de afgelopen dagen op de hoogte was geraakt van de draagwijdte van Ibn Azziz' persoonlijke jihad. Hij was gestuurd om hen te helpen en hen zo nodig met zijn leven te beschermen. Sarah keek naar hem. De cabine was zo klein dat hun knieën elkaar raakten. 'Heb ik u eigenlijk al bedankt?'

Darwin glimlachte. 'Al meerdere malen. Het is echt niet nodig.' Zijn kostuum zag eruit alsof het net van de stomerij kwam. Er zaten alleen een paar kleine bloedspatjes op. Ze vroeg zich af hoe hij het voor elkaar had gekregen.

'U heeft uw leven voor ons op het spel gezet... en het waren er zoveel.'

'Dat is nu eenmaal mijn werk. Ik doe het graag.'

'Roodbaard moet wel heel veel vertrouwen in u hebben, dat hij u heeft gestuurd.' Sarah veegde haar handen aan haar jurk af, maar dat maakte het alleen maar erger.

'Het spijt me dat we geen douche aan boord hebben, maar u kunt u wassen in het voorste toilet. Ik heb nog wel een schoon verpleegstersschort voor u. Wat dacht u daarvan?'

'O, ja, dat is fantastisch. Ik zie er vreselijk uit.'

Darwin stond op en maakte een buiging. 'U ziet er heel charmant uit, juffrouw Dougan.'

Sarah lachte. 'U heeft een merkwaardige kijk op schoonheid.' Ze glipte het toilet in en sloot de deur achter zich. Ze trok haar jurk uit en stopte hem in de afvalbak. Vervolgens waste ze haar handen, haar armen en haar gezicht. De zeep rook naar citroen. Ze waste zich opnieuw en spoelde het schuim met water weg. Rakkim zou het overleven. Roodbaard had het vliegtuig met de artsen gestuurd. Roodbaard had Darwin gestuurd, en iedereen wist dat Fedayeen niet eenvoudig te doden waren. Iedereen. Ze maakte een handdoek nat met warm water en veegde haar haar schoon. Er viel een stukje bot uit. Het kwam met een tikkend geluid in het fonteintje terecht en Sarah moest bijna overgeven. Ze begon te snikken terwijl ze zich zo goed en zo kwaad als dat ging verder opfriste. Ze schrok op toen er op de deur geklopt werd.

'Juffrouw Dougan? Ik heb hier het verpleegstersschort voor u.'

Sarah opende de deur op een kiertje. Darwin stond met zijn rug naar haar toe en overhandigde haar met uitgestrekte arm het schort. Ze pakte het aan en sloot de deur. 'Bedankt.' Toen ze vijf minuten later naar buiten kwam, voelde ze zich een stuk beter. Zo lang ze tenminste niet door haar neus ademde. 'Mag ik uw mobieltje misschien even gebruiken? Ik heb al geprobeerd mijn oom te bellen, maar de boordtelefoon schijnt niet te werken.'

'Het vliegtuig een heeft een speciaal beveiligingssysteem.'

'Er moet toch een manier zijn om even met hem te praten? Ik neem aan dat u ook met hem heeft gesproken.'

'Natuurlijk. Maar hij heeft me verzocht geen contact meer op te nemen. Ibn Azziz heeft ongetwijfeld gehoord wat er is gebeurd en beraadt zich op nieuwe stappen.'

'Ja... logisch. Is er nog verandering gekomen in Rakkims toestand?'

'Volgens de artsen is hij stabiel.'

'Dat is goed nieuws. Toch? Dat is een vooruitgang.'

'Dat zeggen ze altijd.' Darwin klopte met een hand op haar arm. 'Maar maakt u zich geen zorgen. Waarom ontspant u zich niet even?' Hij wees op de stoel. 'Ik ben zo vrij geweest wat mineraalwater voor u in te schenken. Waarom praten we niet wat, dan is de reis een stuk sneller voorbij.'

Sarah ging tegenover hem zitten. 'Hoe lang duurt het nog voordat we in Seattle zijn?'

'Wist u dat ik uw boek twee keer gelezen heb?'

Sarah ontspande zich enigszins. 'Probeerde u soms indruk op Roodbaard te maken? Dan moet ik u waarschuwen; hij is niet bepaald enthousiast over het boek.'

'Ik heb er enorm van genoten.' Darwin kamde met zijn vingers door zijn piekerige haar. 'Uw hypothese dat de werkelijke goden van het oude regime de filmsterren en de muzikanten waren... en dat hun bekering tot de islam een cruciale overwinning was – eenvoudig briljant.'

Sarah knikte beleefd. 'Volgens de artsen heeft u Rakkims leven gered.'

'Zonder u had ik het niet kunnen doen.' Darwin had... stille ogen. Lichtgrijs en doorschijnend. Op een of andere manier vertrouwd. 'U heeft zich ook dapper geweerd in het pretpark en op weg naar het vliegveld. Ik hoop dat u er geen bezwaar tegen heeft dat ik dat zeg.'

'Nee... absoluut niet.' Sarah keek naar hem en Darwin keek haar recht in de ogen. Er waren zoveel mannen die problemen hadden met oogcontact – ze wendden de blik af, bang dat ze misschien ongemanierd overkwamen; of ze sloegen de ogen neer uit angst dat ze niet aantrekkelijk genoeg waren. Darwins blik was neutraal, bijna kil, maar tegelijkertijd zelfverzekerd en kalm. Alsof de wereld maar een optocht was die aan hem voorbijtrok. Nu herinnerde ze zich waar ze dat soort ogen eerder had gezien. In de dierentuin. *Canis lupus*. Als meisje had ze vele uren doorgebracht met het kijken naar de grijze wolven. Hun gereserveerde kalmte had haar gefascineerd. Geen wonder dat Roodbaard hem had uitgekozen om hen tegen Ibn Azziz te beschermen. Een goede keuze.

'Wat is er, juffrouw Dougan?'

'Noem me alsjeblieft Sarah. Ik denk dat we het formaliteitenstadium inmiddels wel gepasseerd zijn.'

Darwin glimlachte. 'Dat stel ik erg op prijs.'

'Landen we achter Roodbaards villa of bij het ziekenhuis?'

'Daar is nog geen beslissing over genomen.'

Sarah keek naar de deur van de operatiekamer. 'Ik heb een hekel aan wachten.'

'Je raakt eraan gewend. Wachten kan zelfs plezierig zijn. Alsof je je ergens op verheugt.'

'Het zal wel.' Sarah sloeg haar benen over elkaar en haar voet raakte zijn broek. 'Sorry,' zei ze. 'Hoe heb je ons eigenlijk gevonden? Rakkim dacht dat we onze sporen hadden uitgewist.'

'Dat was ook zo.' Darwin vouwde zijn handen in zijn schoot. 'Als ik niet in het bezit was gekomen van de informatie die rechercheur Colarusso jullie had gegeven, had ik niet geweten waar ik had moeten beginnen. Maar *met* die gegevens was het relatief eenvoudig...'

'Heb je het van Anthony?'

Darwin hield zijn hand omhoog. 'O, nee. Ik heb alleen van dezelfde bron gebruikgemaakt. Een heel behulpzame dame van de afdeling Personeelszaken.'

Het vliegtuig begon over te hellen en Sarah hield haar hoofd schuin. 'Wat is dat?'

'Standaard koerscorrectie. Niks aan de hand.' Darwin boog zich een stukje naar voren. 'Ik verzamel trouwens nostalgische voorwerpen: cd's, filmposters, stripverhalen. Helden en monsters. Misschien was ik daarom zo in je werk geïnteresseerd.'

Sarahs gedachten dwaalden af en dreven weg op het monotone janken van de motoren. Ze hield er niet van dat de populaire cultuur uit het oude regime met nostalgie verward werd – een veel voorkomend misverstand. Ze sloot haar ogen. Ze hoorde de schoten weer en ze zag opnieuw de trieste uitdrukking op Fancy's gezicht. *Fatima Abdullah.* Ze lag op de grond terwijl ze Rakkim naar buiten droegen. Darwin zei dat ze dood was, dat ze haast moesten maken – en dat deden ze. Maar toen Sarah langs het lichaam liep, vervloekte ze de politieman die haar vermoord had. Ze hoopte dat er iemand was die haar een fatsoenlijke begrafenis zou geven. Fancy had een naam genoemd... Jeri Lynn. Sarah hoopte dat iemand Jeri Lynn zou bellen; dat Jeri Lynn Fancy met passend respect en met de passende gebeden zou begraven.

'Heb je ooit onderzoek gedaan naar de pornografie van eind twintigste eeuw?'

Sarah knipperde met haar ogen, plotseling op haar hoede. 'Nee... nooit aan gedacht.'

'O, je zou het echt eens moeten overwegen. Erg interessant materiaal. Je vindt er de hele cultuur in terug.'

'Ik heb er nooit iets over gezien in de professionele literatuur. Het is vast niet toegankelijk. Zijn er archieven of iets dergelijks?'

'Nee, het meeste materiaal maakt deel uit van privéverzamelingen.'

'Maar hoe weet jij dan...?' Sarah wierp opnieuw een blik op de deur in de tussenwand. Ze voelde zich niet helemaal op haar gemak met het gesprek. 'Wacht even. Je zei dat je verzamelaar was.'

'Je ziet een belangrijke verschuiving in de jaren negentig. Overal tatoeages. Zowel mannen als vrouwen. Piercings op plaatsen waarvan je je afvraagt wie daar nu een sieraad wil. Zelfs de filmsterren deden het. Zelfs de goden offerden zichzelf op.' Darwin plaatste zijn vingertoppen tegen elkaar. 'Fascinerend, nietwaar? Terugkeer naar de primitiviteit, zo noemde de sociale wetenschap het in die tijd. Ik zie het meer als honger naar slavernij. Ze waren zo vrij, zo ongehinderd door enige moraal, dat ze hunkerden naar ketenen. En de seksuele praktijken...'

'Heb je...' Sarahs glimlach was geforceerd. 'Heb je ons gevolgd vanaf Seattle? Ik vraag me... ik vraag me af of we fouten hebben gemaakt.'

'Heel prijzenswaardig,' zei Darwin. 'Nee, jullie fouten waren menselijk. Ik heb jullie opgewacht in Long Beach. Het laatst bekende adres van Fatima Abdullah. Ik dacht dat ik jullie misgelopen was, maar toen ben ik gebeld door een van onze contactpersonen. Hij had jullie gezien in een cafeetje in Huntington Beach. Jullie hadden blijkbaar niet zoveel haast om haar te vinden als we dachten.'

Sarah voelde haar wangen kleuren.

'Er hangt iets ongetemds in de lucht in Zuid-Californië, vind je ook niet?' Darwin strekte zijn vingers. 'Jullie hadden het raam van je hotelkamer niet eens dicht. Ik heb de hele nacht buiten gestaan. Ik kon jullie bijna aanraken. En ik heb *alles* gehoord. Alle geluiden. Het grommen en het kreunen. Ik vraag me af wat jullie oom ervan zou hebben gedacht als hij het had gehoord.' Darwins ogen waren op geen enkele manier veranderd. Ze bleven koel en grijs en afstandelijk. 'Er is trouwens wel iets wat me al een tijdje dwarszit. Misschien kun jij me helpen. Die derde keer... waar heeft Rakkim hem toen eigenlijk in gestoken? Ik kan het niet met zekerheid zeggen, en dat stoort me best wel.'

Sarah staarde hem aan. En eindelijk zag ze het – besefte ze wie hij was.

'Goed. Laten we dat dan maar op het lijstje van eeuwige mysteriën zetten.' Darwin leek opgewekter. Tevreden, nu ze het wist. 'Lastig hè? Bepalen hoe je over me denkt?'

'Nee hoor.'

'Ik bedoel, ondanks al die andere dingen heb ik *wel* jullie leven gered. Dat van jou en van Rakkim.'

'Dat verandert niets aan de zaak.' Sarah verbaasde zich over haar eigen kalmte. Het voelde alsof ze een deel van Darwin had gepakt en dat gebruikte om zichzelf te verankeren. Om zich te beschermen tegen haar eigen afgrijzen. 'Ik denk hetzelfde over jou als over elke huurmoordenaar.'

'Waarom noem je me niet gewoon Darwin.'

'Darwin? Is dat je echte naam?'

'Oké, ik weet het. Ik ben vernoemd naar een godslasteraar. Denk maar niet dat het makkelijk was om op te groeien met zo'n naam. Nou ja, we dragen allemaal de last van de geschiedenis met ons mee, nietwaar?'

Het geluid van de motoren veranderde en de machine begon aan een scherpe draai.

'We landen trouwens niet in Seattle. Ik vrees dat ik daar ook over heb gelogen.' Darwin glimlachte. 'Hou je van ironie?'

Sarah keek hem aan.

'Rakkim heeft AB-negatief. Een zeldzaam bloedtype. Er was op zo korte termijn maar één liter beschikbaar.' Darwin boog zich naar voren, en Sarah zag hoe in zijn ogen minuscule dingetjes krioelden. Ze vroeg zich af hoe ze die over het hoofd kon hebben gezien. '*Ik* ben ook AB-negatief. Als de artsen tijdens de vlucht meer nodig hadden gehad, hadden ze mijn bloed moeten gebruiken. Dat zou me een bak zijn geweest.'

Sarah deed haar best om niet te beven, maar slaagde daar niet in.

'*Mijn* bloed.' Darwin schudde van het lachen. 'Ik durf te wedden dat het elke keer door je hoofd zou spoken als hij je in je reet zou naaien.' Hij huilde van het lachen, gooide zijn hoofd in zijn nek en ontblootte zijn tanden.

49

Voor het middaggebed

'Nogmaals bedankt dat u tijd heeft willen maken, meneer de directeur,' zei Colarusso.

'Geen punt. Ik wilde u sowieso even spreken.' Roodbaard hield zijn blik op de metalen romp gericht die uit de Puget Sound omhoogstak. De staartsectie van de gecrashte superjumbo 977 bevond zich bijna twintig meter boven het wateroppervlak. De motoren van de veerboot stampten en zonden een siddering door het dek. De rest van de toeristen bevond zich binnenboord en bewonderde het monument vanachter de dubbele beglazing, maar Roodbaard en Colarusso stonden buiten en trotseerden de regen terwijl een koude wind aan hun broekspijpen rukte.

Colarusso voelde de zilte lucht zijn neusvleugels prikkelen. 'Mijn chef schijnt te denken dat u en ik nogal close zijn omdat u erop stond dat ik de zaak Warriq zou behandelen.' Hij voelde zich enigszins ongemakkelijk met Roodbaards klaarblijkelijke interesse in hem. 'Zodoende ben ik ook op deze klus gezet.'

'Is er soms iets wat de commissaris van politie me liever niet *zelf* vertelt?'

'We komen sinds een paar dagen overal dode premiejagers tegen,' zei Colarusso. 'Allemaal geaffilieerd met de Zwartjassen.'

'En commissaris Edson denkt dat de Staatsveiligheidsdienst verantwoordelijk is?'

'Precies.'

'De Staatsveiligheidsdienst is inderdaad verantwoordelijk.'

'Ik begrijp het. Tja... de commissaris maakt zich zorgen over een mogelijke escalatie van de problemen tussen u en Ibn Azziz. Het is straks natuurlijk de politie die erop aangekeken wordt. Ik bedoel, wij horen de orde te handhaven.'

'Jerry Edson is niet geïnteresseerd in het handhaven van de orde. Hij wil alleen zijn baan houden, en die houdt hij zolang zijn vader voorzitter van de benoemingscommissie blijft.'

Colarusso wreef over zijn voorhoofd. 'Daar kan ik niks tegen inbrengen, meneer, maar ik moet wel met die eikel samenwerken. Zou ik hem misschien kunnen vertellen dat u het geweld betreurt en dat u zult doen wat in uw macht ligt om de verantwoordelijken op te sporen?'

'Heeft u hoofdpijn?'

'Ach, het komt en gaat.'

'Ik heb continu hoofdpijn. Soms wordt ik midden in de nacht wakker. Dan denk ik dat het regent omdat ik het hoor onweren, maar het zit in mijn hoofd. Mijn huishoudster zegt dat ik naar de dokter moet, maar als je daar eenmaal aan begint, is het einde zoek.'

'Waarom gaan we niet naar binnen,' zei Colarusso. 'Ik sterf van de kou.' Hij huiverde. Hij leek niet te merken dat hij zijn jas scheef dichtgeknoopt had.

'Ik blijf liever hier,' zei Roodbaard, die een eenvoudig wollen gewaad droeg en blijkbaar nergens last van had. Hij wees op de jumbojet. 'Woonde u in Seattle toen het vliegtuig neerstortte?'

'Ik was met mijn vrouw in Hawaï voor ons vijfjarig huwelijksfeestje. Het lijkt een eeuwigheid geleden.'

'Afgelopen maart drieëntwintig jaar. Elfhonderd passagiers. De meeste liggen er nog.' Roodbaards gezicht toonde geen emotie. 'We hebben een verhaal naar buiten gebracht over een kaping door een Braziliaanse eindetijdscultus, maar dat was natuurlijk flauwekul.'

'Wat? Dat de kapers probeerden het Capitool te rammen, of dat het een eindetijdscultus was?'

'Ik kwam hier vroeger altijd met Rakkim en Sarah,' zei Roodbaard met zijn blik op het wrak gericht. Het metaal blonk nog steeds; van een afstand, tenminste.

Colarusso stelde geen nieuwe vragen over de kaping. Roodbaard gebruikte een strategie waarbij hij van onderwerp veranderde zodra hij in het aas hapte. Hij bood hem geheime informatie aan en haalde die op het laatste moment voor zijn neus weg om hem uit zijn evenwicht te halen.

'De eerste keer dat Sarah het vliegtuig zag, vroeg ze me waarom alle nationale monumenten de dood leken te verheerlijken. Waar de monumenten voor wetenschappelijke ontdekkingen of medische doorbraken waren. Dat wilde ze weten. Ze was toen zeven. Rakkim was twaalf. Weet u wat hij zei? Hij keek naar het staartstuk dat in een hoek van bijna negentig graden uit het water stak en zei dat de piloot een veel te steile dalingshoek had ingesteld. Volgens hem was het onmogelijk om op die manier het roer onder controle te houden. De piloot had op geringe hoogte en bijna horizontaal moeten aanvliegen – dan had hij in het Capitool kunnen crashen.' Roodbaard schudde zijn hoofd. 'Twaalf jaar oud.'

Colarusso vroeg zich af of hij het aan zou durven naar binnen te gaan en Roodbaard te laten staan.

'Ik heb gehoord dat uw zoon is aangenomen bij de Fedayeen?' zei Roodbaard.

Colarusso knikte. Verrast.

'Het doet toch een beetje pijn, nietwaar?' zei Roodbaard. 'Ik voelde hetzelfde toen Rakkim werd aangenomen. Het is natuurlijk een grote eer, maar ik weet zeker dat u andere plannen met hem had. In uw voetsporen treden bij de politie, bijvoorbeeld.'

'Katholieken hebben geen toekomst bij de politie. Als katholiek mag je van geluk spreken als je rechercheur wordt.'

'En toch denk ik dat u zo uw eigen ideeën over de toekomst van Anthony jr. had.' Roodbaard keek naar het staartstuk. 'Ik had ook ideeën over de toekomst van Rakkim. En voor Sarah. En voor *mezelf*. Naarmate je ouder wordt... ga je je vooral bezighouden met het aanvaarden van het onaanvaardbare.'

'En is dat niet precies zoals God het gewild hee...' Colarusso zweeg plotseling. 'Sorry, het was niet de bedoeling om zo amicaal te zijn.'

'Dat zit wel goed, Colarusso. We zijn gewoon een stel ouwe kerels die een praatje maken over hoe het leven eruit had kunnen zien.'

De rechercheur zweeg. Hij was te lang politieagent geweest om geen nattigheid te voelen als een machtig man plotseling heel sentimenteel ging doen.

'Rakkim mag van geluk spreken dat hij een vriend als u heeft,' zei Roodbaard. 'Het is lang geleden dat hij mij in vertrouwen heeft genomen.'

Colarusso onderdrukte een glimlach. Als je het slechtste van mensen denkt, word je zelden teleurgesteld.

'Ik heb Rakkim op pad gestuurd om mijn nicht te zoeken. Het is hem gelukt. Ondanks alle mensen die ik ter beschikking heb, en ondanks al mijn ervaring en mijn connecties, heeft *hij* haar gevonden en niet ik.'

'U heeft hem een uitstekende opleiding gegeven. Dat moet een hele geruststelling zijn.'

'Niks geruststelling. Ik wil mijn nicht. Waar zijn ze?'

Colarusso leunde tegen de reling en keek naar de golven die uiteenspatten tegen de romp van de jumbojet. 'Ik weet het niet.'

'Ik zou u natuurlijk de duimschroeven aan kunnen draaien. Ik zou u kunnen vertellen dat ik maar met mijn vingers hoef te knippen, en er worden drugs in uw huis gevonden. Of bewijzen voor het feit dat u met de joden samenspant. Er zijn oneindig veel manieren om iemands leven te verzieken, en ik ken ze allemaal.' Roodbaard plaatste zijn voeten uit elkaar. 'Maar dat doe ik niet. Ik heb te veel respect voor u. Als Rakkim u als vriend ziet, dan is dat omdat hij weet dat u niet gevoelig bent voor bedreiging. Ik hoef u alleen maar aan te kijken om dat te kunnen zien.'

'Moet ik daar nu uit opmaken dat u eerst mijn reet gaat likken alvorens u me naait?'

Roodbaard lachte. Het was een hartelijke, bulderende lach die eindigde in hoesten. Roodbaard boog zich naar voren totdat het ophield. Toen hij weer overeind kwam, had zijn gezicht een rode kleur. 'Ik wou dat ik een vriend als u had. Maar een man in mijn positie kan zich dat soort luxe niet veroorloven. Ik mag wel familie hebben. Ik ben weliswaar nooit getrouwd, maar ik dacht dat ik familie had.'

'Die heeft u ook. Ik heb Rakkim vaak genoeg horen praten om te weten dat hij u als familie ziet. U bent voor hem een vader voor zover hij dat kan verdragen.'

'Ja, dank u.' De veerboot beëindigde het rondje om het gecrashte vliegtuig en begaf zich weer in de richting van de haven. Roodbaard draaide zich om. 'Nadat Rakkim u gevraagd had de zaak Warriq op u te nemen, heb ik u laten schaduwen. De enige keer dat u heeft geprobeerd een achtervolger af te schudden, was vorige week. U bent de herenafdeling van Kingdom of Heaven binnen gegaan en weggeglipt terwijl mijn agent dacht dat u in de kleedkamer was.'

'Met mijn salaris kan ik me hun kleding niet echt veroorloven.'

'Dat heb ik hem ook duidelijk gemaakt. Ik ben ervan overtuigd dat hij zijn lesje geleerd heeft.' Roodbaard glimlachte. 'Ik vond het niet echt een punt dat u verdwenen was. Ik ging ervan uit dat u een ontmoeting had met Rakkim. Het was voor mij een bevestiging van het feit dat Sarah en hij in de buurt waren, waar ik toch al van uit was gegaan. De hoofdstad met al haar netwerken en onderduikadressen is voor hen vertrouwd terrein. Maar ik heb mijn mensen voor de zekerheid ook opmerkelijke ontwikkelingen in de rest van het land laten volgen. Vreemde gebeurtenissen. Geruchten. Verdwijningen. Ik heb hun veiligheidsprofiel bewust niet in het systeem ingevoerd om te voorkomen dat ik daarmee slapende honden wakker zou maken. U begrijpt wel wat ik bedoel.'

'Uiteraard.' Colarusso trok aan zijn klompneus, die jeukte. 'Als ze eenmaal in het systeem zitten, is het jachtseizoen geopend.'

Roodbaard veegde met een vingertop langs zijn lippen. 'Vannacht is me iets merkwaardigs opgevallen. Gisteravond zijn in Orange County, Californië, acht politieagenten vermoord. Leden van een SWAT-team. Volledig uitgerust. Allemaal dood. Geen arrestaties. Het bureau heeft geprobeerd de zaak in de doofpot te stoppen. Vanmorgen hoorde ik de officiële lezing: een mislukte undercoveractie in een drugspand.'

'Tja, die dingen gebeuren nu eenmaal.'

'Zes leden van een volledig uitgerust SWAT-team dood? Hoe vaak gebeurt zoiets? Gisteravond waren er op de plaats delict alleen dode politiemannen en nu ligt het lijkenhuis ineens vol met gewone delinquenten.' Roodbaard kamde met zijn vingers door zijn baard. 'Ik heb nog geen autopsierapporten gezien, maar ik durf te wedden dat ze stuk voor stuk met een mes zijn vermoord – en wel van een uitzonderlijk goed getrainde eigenaar.' Roodbaard keek naar Colarusso. 'Ik heb er geen idee van waar Rakkim en Sarah zijn, maar er is *iemand* die dat wel weet. Iemand die ze iets wil aandoen.'

Colarusso keek hem recht in de ogen.

Roodbaard draaide zich opnieuw om. 'Als we weer aan wal zijn, mag u wat mij betreft alles controleren wat ik u heb verteld. Ik wil niet dat u denkt dat ik u maar wat op de mouw speld.'

Colarusso keek naar Roodbaards gewaad, dat fladderde in de wind. Goede verhoorders sloegen toe vanuit een richting die je niet verwachtte; vanuit een blinde hoek. Of ze waren plotseling beleefd als je met intimidatie rekening hield. De besten stelden de hamvraag niet eens. Ze legden je eenvoudig een situatie voor en lieten aan jou over wat je met de informatie deed. Roodbaard was de beste die Colarusso ooit tegenover zich had gehad. 'Ze zijn in Zuid-Californië. Ik zou niet weten waar, maar ik heb een route voor ze gemaakt met als eindbestemming Bin Laden. Ik heb geen idee wat ze van plan zijn. Rakkim wilde er niks over loslaten.'

Roodbaard bleef met zijn rug naar hem toe staan. 'Dat stel ik op prijs, Colarusso.'

'Ik weet niet hoe het met dat SWAT-team zit... maar er zit een Fedayeen-moordenaar achter hem aan.' Colarusso verplaatste zijn gewicht naar zijn andere been. 'Ik denk dat... dat die moordenaar vorige week bij mij thuis is geweest. Ik denk hooguit een dag nadat ze vertrokken waren. Hij heeft met mijn zoon gepraat.'

Roodbaard draaide zich om, liep naar hem toe en bleef vlak voor hem staan. Hij zag er bezorgd uit.

'Er is niks gebeurd. Iedereen is oké.'

'Dan was het de moordenaar niet,' zei Roodbaard.

'Hij kwam aan de deur met een of ander verhaal over dat hij van de burgemeester kwam. Anthony jr. wilde hem niet binnenlaten. Hij had geen goed gevoel over hem. Hij zei dat hij het bijna in z'n broek had gedaan. U kent mijn zoon niet, maar dat is niet iets wat hij onder normale omstandigheden zou toegeven. Ik heb het gemeentehuis gebeld, maar ze hadden niemand gestuurd...'

'Bel uw gezin en zeg dat ze hun spullen pakken. Ik stuur een stel mannen...'

'Ze zijn al weg. Ik heb Anthony jr. met de vrouw en de meisjes meegestuurd. Ik heb gezegd dat hij ze moest beschermen. Hij had er niet veel zin in, maar hij is toch gegaan.'

'En hoe zit het met u?'

'Laat hem maar aanbellen,' gromde Colarusso. 'Ik blaas zijn hersenen uit zijn kop. Ik schiet het hele magazijn leeg.' Hij huiverde in de koude wind. 'Maakt u zich geen zorgen. Anthony jr. heeft hem niets verteld. Hij wist trouwens niks wat hij kon vertellen.'

Roodbaard schudde zijn hoofd. 'Hij weet dat uw zoon niet gerust was op bezoekers. Een Fedayeenmoordenaar kan bijna gedachtelezen.'

Colarusso voelde zich misselijk worden. 'Rakkim had informatie nodig en een vrouw van personeelszaken heeft me geholpen. Ze is al een paar dagen niet op haar werk verschenen en ik begin me zorgen te maken. Volgens de meisjes op kantoor heeft ze voldoende ziektedagen opgebouwd, maar heeft ze zich niet ziek gemeld.' Hij keek om zich heen. 'Ik ben in haar flat geweest. Niks bijzonders te zien. Niks opvallends, tenminste.' De motoren van de veerboot begonnen te stampen en hij moest zijn best doen om zijn evenwicht te bewaren. 'Ik heb geprobeerd Rakkim te bellen... maar die heeft zijn mobiele telefoon uitgezet. Hij denkt dat hij gepeild kan worden als hij de telefoon aanneemt.'

'Dat klopt.'

Colarusso bevochtigde zijn lippen. 'Dat wist ik niet.'

'Uw hoofdpijn is weer terug.'

Colarusso wreef over zijn voorhoofd. 'Het voelt alsof er kerels met sloophamers aan het werk zijn.'

Roodbaard glimlachte triest. 'Ik weet precies wat u bedoelt. Als u mij de informatie geeft die u Rakkim heeft gegeven, voelen we ons allebei misschien weer wat beter.'

50

Na het ochtendgebed

Vier mannen ontvoerden Angelina toen ze uit de moskee kwam. Het waren grote mannen. Ze grepen haar bij de ellebogen en droegen haar in een drafje naar een gereedstaande zwarte auto. Angelina schreeuwde het uit en haar tenen schuurden over het parkeerterrein. Anderen zagen haar. Hoorden haar. Vrouwen die twintig jaar samen met haar gebeden hadden. Maar ze deden alsof hun neus bloedde. Behalve Delia Mubarak, die haar naam riep. Delia keek om zich heen, op zoek naar iemand die haar kon helpen, maar ze kreeg een klap in het gezicht van haar echtgenoot en werd aan de hand weggevoerd als een ondeugend kind. De mannen duwden Angelina op de achterbank van de auto en twee van hen namen aan weerszijden plaats. De andere twee stapten voorin. Deuren knalden dicht. Het klonk zwaar, als de poorten van de hel.

'Als Roodbaard hier achter komt, sta ik niet graag in jullie schoenen – niet voor al het goud in Zwitserland,' zei Angelina.

De mannen zwegen en staarden recht voor zich uit.

'Dus Ibn Azziz heeft vier grote kerels nodig om een oud vrouwtje te ontvoeren. Jullie zijn vast heel trots op jezelf dat je slaafje mag spelen voor zo'n machtige meester.'

De man rechts van haar vervloekte haar, maar de chauffeur beval hem zijn mond te houden.

Angelina liet haar gebedskralen tussen haar vingers doorglijden. Ze konden wat haar betrof hun mond verder houden. Ze wist wat ze wilde weten. Het was *inderdaad* Ibn Azziz die haar had laten oppakken. Ze luisterde naar het klikken van de kralen en liet zich geruststellen door de namen van God.

Rakkim opende langzaam zijn ogen. Het kostte moeite. Door de gordijnen kwam te veel licht naar binnen. Hij sloot opnieuw zijn ogen. Nee. *Nee.*

'Goed werk.' Er kwam een oude man naast het bed zitten die zijn benen over elkaar sloeg. Een parmantig heertje in een lichtgroen driedelig kostuum. Wit haar. Witte baard, een vleugje parfum. Een lichtbruine huid... de kleur van Rakkims eigen gezicht. 'Niet weer wegdoezelen. Blijf bij de les.'

Rakkim moest moeite doen om wakker te blijven. Het hoofdeinde van het bed kwam langzaam een stukje omhoog.

'Zo beter?' zei de oude man. 'Naar een slapende man kijken, verveelt snel.' Hij glimlachte. *Wat een kleine tanden.* 'Je zag eruit alsof je droomde.'

Rakkim bevochtigde zijn droge lippen. Misschien was *dit* de droom. Hij nipte koel water uit het glas dat de oude man naar zijn lippen bracht. 'Waar... ben ik?' Zijn stem klonk even gebarsten als zijn lippen voelden.

'Las Vegas.'

'Sarah?'

'Die vermaakt zich uitstekend.'

Rakkim ging verliggen en kromp ineen. Sarah en hij waren in Californië geweest voor zover hij zich dat kon herinneren. Het was avond geweest en...

'De chirurgen zijn onder de indruk van de snelheid waarmee je herstelt.' De oude man glimlachte opnieuw. 'Ze hebben natuurlijk geen ervaring met Fedayeen.'

'Hoe... hoe lang ben ik hier al?'

'Ze wilden je pijnstillers geven, maar ik heb gezegd dat je een extreem hoge pijndrempel hebt. Daarbij ging ik ervan uit dat je liever helder wilde blijven.'

'Hoe *lang?*'

'Twee dagen. Je lichaam heeft de meeste hechtingen al opgenomen. Verbazingwekkend.'

Rakkim haalde diep adem. Het deed pijn, maar deze keer toonde hij het niet. 'Bent u mijn arts?'

'Zo zou je het kunnen bekijken.' De oude man maakte een vaag gebaar met zijn handen. 'Je wordt behandeld door mijn privé-artsen. Je krijgt nergens op de planeet betere medische zorg, maar momenteel gaat het er alleen nog om dat je lichaam tijd krijgt om te herstellen.'

Rakkims hoofd bonkte zo hard dat hij nauwelijks kon horen. Het laatste wat hij zich herinnerde was dat hij bang was. Niet om zichzelf... maar om Sarah.

'Ik zou maar wat graag willen dat ik jouw gestel had,' zei de oude man.

'Sarah? Hoe is het met haar?'

'Geen schrammetje. Jij hebt twee schotwonden. Herinner je je dat er op je geschoten is?'

Rakkim schudde zijn hoofd. 'Ik zat in een vis. Hoe zit dat?'

'Misschien ben je Jonas. Of Pinokkio.'

'Nee... Ik zat in een haai.'

De oude man klopte op zijn hand. 'Ik zou geen misbruik mogen maken van je toestand. Neem me niet kwalijk. Er is op je geschoten. Een kogel heeft je zij geschampt, maar de andere heeft een gat in je long gescheurd. Je hebt flink wat bloed verloren. Herinner je je dan helemaal *niks?*'

Rakkim likte langs zijn droge lippen. De oude man had een vaag Brits accent. 'Ben ik in *Las Vegas?* Hoe ben ik hier verzeild geraakt?'

De oude man gaf hem opnieuw iets te drinken. 'We hadden je moeilijk naar een plaatselijk ziekenhuis kunnen brengen. Al die dode politiemannen...' De oude man schudde zijn hoofd. 'Lastig uit te leggen, denk je ook niet?'

Dode politiemannen? Plotseling herinnerde Rakkim het zich. Het SWAT-team in Disneyland. Wapenrusting. Het was donker in de haai... en dan alle rook... en geweervuur en bloed op zijn handen. 'Waar is Sarah?'

'Ze heeft een kamer in de bezoekersvleugel, maar ze heeft de afgelopen twee dagen het grootste deel van de tijd in deze stoel gezeten. Ik neem aan dat ze even slaapt.' De oude man plukte aan de vouw in zijn broek. Op zijn sokken zaten motiefjes; zwarte zijden sokken met oranje motiefjes. 'Of misschien is ze gaan shoppen. Ach, het vrouwelijk geslacht. Wat zouden we zónder moeten?'

Rakkim staarde hem aan. 'Wie *bent* u?'

De deur van de kamer ging open en er kwam een verpleegster binnen; een nors type met donker haar dat was weggestopt onder een witte kap. Ze maakte een buiging naar de oude man en keek vervolgens verbaasd toen ze zag dat Rakkim rechtop zat. 'Bent u wakker?' Ze liep naar hem toe en pakte zijn pols. 'Sst.' Ze keek op haar horloge, wachtte even en keek vervolgens opnieuw. 'Dat ziet er goed uit.' Ze controleerde zijn ogen en schudde haar hoofd. 'Ik begrijp er niks van... maar Allah zij geprezen.'

Hij herinnerde zich iets ander over de haai. *Fancy*. Sarah en hij hadden Fancy gevonden in de haai... en toen had de moordenaar... haar gedood.

'Waar wilt u naartoe?' zei de verpleegster terwijl ze hem terugduwde, verbaasd over zijn kracht.

'Ik zou maar naar haar luisteren, meneer Epps. We zullen op de beroepskrachten moeten vertrouwen.' De oude man stond op. 'Ik kom wel weer terug als het wat beter gaat. We hebben veel te bespreken.'

Rakkim voelde zich in de war. Hij klampte zich vast aan de verpleegster. Was zijn herinnering aan de moordenaar dan een droom? *Nog* een droom?

Nee... het was de waarheid. Hij had gezien hoe de moordenaar Fancy had gedood. Hoe hij zijn mes in haar oor had laten glijden alsof hij haar een diep, duister geheim had toegefluisterd.

De verpleegster klopte op zijn schouder.

Het laatste wat Rakkim zich herinnerde was dat hij in Sarahs armen lag... in een zee van bloed... en de moordenaar kwam dichterbij. Rakkim schreeuwde het uit en de verpleegster drukte hem zachtjes terug in de koele witte lakens.

'Welkom in het huis van Allah,' zei Ibn Azziz.

Angelina keek om zich heen in het raamloze vertrek. Er stonden zes Zwartjassen in de houding. 'Ik zie Allah hier niet.'

Ibn Azziz keek haar dreigend aan vanuit een stoel met een hoge rug. 'Waag het niet de spot te drijven met mij of met God, vrouw. Ik geef je een kans om te boeten voor je zonden. Je hebt een hoer grootgebracht. Misschien was dat niet jouw schuld. Misschien volgde je gewoon de instructies van Roodbaard op. Maar het feit blijft dat Sarah Dougan een hoer en een godslasteraarster is, en Allah verlangt dat iemand daar rekenschap voor aflegt.'

Angelina trok haar sluier recht, dankbaar voor het feit dat ze die ochtend in de gelegenheid was geweest om te bidden. 'U bent zo mager als een dorre tak, mollah Ibn Azziz. U heeft een vrouw nodig die u wat laat aansterken zodat er wat vlees op die botten van u komt.'

Ibn Azziz keek naar zijn mannen om zich ervan te vergewissen dat er niemand lachte. 'Het werken voor Roodbaard heeft je verstand aangetast. Ik heb *nergens* een vrouw voor nodig.'

'In de naam van Allah, Heer van de waarheid, waarom ben ik dan hier, mollah? Welke andere reden kunt u hebben om mij hiernaartoe te halen? U kunt hooguit een huishoudster nodig hebben. Ik mag aannemen dat u mij niet nodig heeft om u op theologisch gebied te adviseren.'

Ibn Azziz knikte. 'Het is goed dat je je zo gedraagt. Ik ben een genadig mens, maar genade moet wel verdiend zijn. Je schaamteloosheid maakt de zaak een stuk eenvoudiger.'

Angelina maakte een buiging. 'Graag gedaan.'

Ibn Azziz stond op en stak een knokige hand naar haar uit. 'Je vertelt me nu waar ik die hoer kan vinden. Jij was de enige moeder die ze ooit had. Ze zal niet zijn weggelopen zonder jou te vertellen waar ze naartoe ging.'

'Ik hou van haar als mijn eigen dochter, maar ik weet niet waar ze is.'

'Jij houdt van haar, maar ze houdt kennelijk niet van jou. Ze zwelgt in zonde en laat jou haar daden uitleggen. Ze moet wel denken dat je niet goed wijs bent.'

Angelina keek naar hem terwijl hij met zijn donzige baardje speelde. Een meelijwekkend baardje. En een nog meelijwekkender imam.

'Een paar dagen geleden had ik haar bijna te pakken in Californië,' zei Ibn Azziz. 'Het scheelde niks, maar ze is ontsnapt. Allah zal er zijn redenen voor hebben gehad...'

'Wat denkt u dat Roodbaard doet als hij ontdekt dat u mij ontvoerd heeft? Wat denkt u dat de mensen zullen doen als ze te weten komen dat u een moskee ontheiligd heeft?'

'Ik ben niet bang voor Roodbaard of voor de mensen. Ik vrees alleen God.'

'En *terecht.*'

'Zwijg, vrouw!' Ibn Azziz beende door het vertrek. Hij dacht na. Hij was zo nerveus als statische elektriciteit.

In alle jaren dat ze voor Roodbaard had gewerkt, had ze hem nooit zo gespannen gezien als Ibn Azziz nu was. Wat verwachtte hij eigenlijk? Een of ander angstig huisvrouwtje dat om genade smeekte? Een bange gematigde moslima die met bevende knietjes voor de leider van de Zwartjassen stond? Angelina had wel vaker slaag gekregen. Ze vreesde alleen God, en van Hem had ze niets te vrezen.

'Je gaat me nu vertellen waar ik die hoer kan vinden,' zei Ibn Azziz. Hij was voor haar blijven staan en keek haar recht in de ogen. Zijn nervositeit was verdwenen. 'Als je dat niet wilt of kunt, zul je voor een religieuze rechtbank worden gebracht. Daar zullen we Sarah Dougan in absentia hoererij en godslastering ten laste leggen. Jij bent onze belangrijkste getuige.'

Angelina wilde wat zeggen – maar bedacht zich.

Ibn Azziz leek bijna teleurgesteld. 'Vergis je niet – je *zult* tegen haar getuigen. Het is alleen een kwestie van hoeveel pijn je kunt verdragen.'

Angelina's ogen flikkerden. De man had gelijk. Ze wisten het allebei – en hij genoot ervan. Weerzinwekkend. Ze liet het hoofd hangen en bad tot God om moed. Ze keek Ibn Azziz aan. Haar lippen trilden. 'Goed. Ik zal u vertellen waar ze is.'

Ibn Azziz nam plaats op zijn stoel en leunde naar achteren. *Wat zag hij er jong uit.* 'Laat maar horen.'

'Ik... ik kan het geluid van mijn eigen woorden niet verdragen.' Angelina keek naar de mannen die om haar heen stonden. 'Ik kan niet praten waar *zij* bij zijn.'

'Mijn lijfwachten blijven hier.'

Angelina haalde diep adem. 'Sarah... ze is...' Ze ging nog zachter praten en de woorden waren onverstaanbaar.

'Zeg op!'

'Ik *hou* van haar, mollah. De woorden van mijn verraad zullen eeuwig in mijn oren branden.'

Ibn Azziz keek naar zijn lijfwachten. Die gebaarden dat de vrouw gefouilleerd was. Hij wenkte haar.

Angelina nam aarzelend een stap. Ze sprak opnieuw. Haar stem was nog zachter dan eerst.

'Dichterbij!'

Angelina bevond zich iets meer dan een halve meter van hem vandaan. Ze kon bijna zijn wimpers tellen.

'Blijf daar maar staan. Ik kan de stank van vrouwen niet verdragen.'

Angelina boog het hoofd en begon te fluisteren. Ze deed nog een stap naar voren. Ze was nu zo dichtbij dat Ibn Azziz de woorden kon horen. Ze bad. Ze vroeg God om kracht. Om Zijn zegen voor wat ze ging doen.

Ibn Azziz begon te gillen, maar het was te laat.

Angelina wierp zich op hem. Ze priemde haar wijsvinger in een van zijn oogkassen, drukte diep in de dril en wipte het oog naar buiten. Hij schreeuwde het uit en probeerde te ontsnappen, maar omdat hij op de stoel zat, kon hij nergens heen. Vijftig jaar huishoudelijk werk had haar handen sterk gemaakt. Het oog dat ze uit de kas had gewipt, bungelde tegen haar pols, en ondertussen klauwde ze naar zijn gezicht, op zoek naar het andere. Het oog was als een druif. Een muskaatdruif, gepeld voor een pasja. Vroeger werden zulke dingen nog gedaan. Haar adem stokte toen de messen in haar lichaam drongen, maar de gedachte aan Sarah gaf haar kracht. Ze kerfde haar nagels in zijn gezicht. Ibn Azziz krijste als een varken. Steeds opnieuw stootten de lijfwachten hun messen in haar vlees, en ze voelde haar lichaam sidderen. Ze wilde... ze wilde dat ze bij de bruiloft van Sarah en Rakkim had kunnen zijn. Dat ze de kus had kunnen zien. Ze had hun baby in haar armen willen houden. De messen... de messen deden pijn, maar niet zo erg als ze had gevreesd. De pijn was draaglijk. Allah was genadig.

51

Na het ochtendgebed

'Sorry, meneer, ik zie nog steeds niks.

Rakkim stond met uitgestrekte armen voor het MRI-scherm. 'Nog een keer. Maximale gevoeligheid.'

De specialist keek naar Sarah. 'Die had ik al ingesteld.'

'Doe het toch nog maar een keer.' Terwijl de scan vorderde, keek Sarah mee over de schouder van de specialist. Uiteindelijk draaide ze zich om naar Rakkim. Ze schudde haar hoofd.

Rakkim liet zijn armen zakken. Hij was tevreden. Hij was ervan overtuigd geweest dat de Oude tijdens de operatie een of ander zendertje had laten implanteren, maar op de MRI-scan was niks te zien. Geen metaalachtige voorwerpen. Niets van lichaamsvreemde of niet-biologische aard. Ook Sarahs horloge had niets elektronisch gevonden. Ze hadden er een complete spectrumanalyse mee uitgevoerd alvorens ze naar het MRI-lab van het ziekenhuis waren gegaan. Hij keek toe terwijl Sarah de specialist betaalde. Het zou voor de Oude absoluut geen moeite zijn geweest. Peilzenders voor Fedayeen waren zo klein als papaverzaadjes en het implantaat zou eenvoudig via een van zijn wonden kunnen zijn aangebracht. Daarbij had hij genoeg oude littekens die een insertie zouden hebben gecamoufleerd. Waarom had de Oude het dan niet gedaan?

Sarah en Rakkim vertrokken door de zijdeur het trappenhuis in. Het was drie dagen geleden dat hij in het ziekenhuis was bijgekomen en zijn 'gesprekje' met de Oude had gevoerd. Rakkim droeg de nieuwe kleren die Sarah in het centrum van Las Vegas voor hem had gekocht. Hij zag er verschrikkelijk in uit en zou in Seattle nooit zoiets hebben aangetrokken. De stijl was Spaans: een zwarte broek met bolletjes in de zijnaden en een westers shirt met rode papegaaien op de borst geborduurd. In een stad vol toeristen moest je je als toerist kleden. Toch keek hij liever niet in de spiegel. Sarahs kleren waren modern – blauw leer, een rokje op de knie en een sweater met korte mouw waarvan het weefsel automatisch aan de omgevingstemperatuur werd aangepast.

'Waarom zie ik eruit als een matador?' zei Rakkim.
'Ik dacht dat het je wel zou opvrolijken.'
'Volgens mij dacht je dat het *jou* wel zou opvrolijken.'
'Dat ook.' Ze kneep in zijn hand. 'Hoe voel je je eigenlijk?'

Rakkim begon met twee treden tegelijk de trap op te rennen. Sarah volgde. Op de zeventiende verdieping – de bovenste – bleven ze staan. Ze hijgden allebei. Rakkim telde tot vijf en begon vervolgens aan de terugweg. Toen ze beneden waren, deden ze het opnieuw.

'Zo is het mooi geweest,' bracht Sarah hijgend uit toen ze weer op de zeventiende verdieping stonden. 'Na de lunch. Kunnen we de Mount Everest op. Of zwemmen. De Atlantische oceaan over.'

Rakkim boog zich naar voren en liet zijn handen op zijn knieën rusten. Hij spuwde in de stoffige hoek. Er zat een beetje bloed in.

Ze liepen de trap af en wandelden op de begane grond naar buiten, de ochtendzon in. Dertig graden Celsius bij een te verwaarlozen luchtvochtigheid. In de verte dreven heteluchtballonnen. Niet de saaie veiligheidsdingen die rond Seattle hingen, maar felgekleurde ballonnen waarin toeristen van de omgeving konden genieten.

'Ik snap nog steeds niet waarom we nog leven,' zei Sarah terwijl ze over het groene gazon naar het trottoir liepen. 'Waarom heeft de moordenaar ons niet gewoon om zeep geholpen? Als Fancy al enig bewijs had van haar vaders rol bij het plaatsen van de vierde bom, dan is dat nu wel verdwenen.'

Rakkim keek tijdens het lopen om zich heen. Hij was niet meer buiten geweest sinds hij was neergeschoten en het rook hier heerlijk fris. Vegas was fantastisch. De lucht was helder en de Spring Mountains in het westen staken schitterend af tegen de kobaltblauwe hemel. Rakkim had nooit eerder zo'n heldere hemel gezien; thuis niet, en ook niet in de Bijbelgordel. De vervuiling in de Bijbelgordel was door de afhankelijkheid van steenkool nog dramatischer dan in de Islamitische Republiek. Hij keek achterom naar het ziekenhuis en schermde zijn ogen af tegen de zon. Als je binnen was, had je er geen idee van dat het zo groot was. Het was bovendien heel open, met veel glas en een lobby aan de straatkant. Hij had nog nooit een ziekenhuis gezien zonder veiligheidsbarrières tegen vrachtwagenbommen.

'Maar wat denkt de Oude ermee te winnen als hij ons in leven laat?' drong Sarah aan.

'Hij houdt ons in leven om dezelfde reden waarom hij ons niet eerder heeft vermoord – hij gebruikt ons om zijn zwakke punten te vinden. Dingen die hij over het hoofd heeft gezien. Dingen die hem ergens bij kunnen betrekken.' Rakkims blik gleed over de passerende auto's en bussen die op waterstof reden en nagenoeg geruisloos waren. Ze beschikten over stembesturing; het stuurwiel was een anachronisme. 'Als Fatima Abdullah een bedreiging voor hem was, dan is dat nu in elk geval niet meer zo. De Oude denkt vast dat er nog andere losse eindjes zijn. Iemand anders die te veel weet.'

'Zoals mijn moeder. Zij is degene die hij eigenlijk zoekt.'

'Ik snap nog steeds niet waarom de Oude geen tracker heeft geïmplanteerd.'

'Darwin had ook geen tracker nodig om ons in Disneyland te vinden. Hij heeft het gewoon op de ouderwetse manier gedaan.'

Rakkim zweeg. Het was waar, maar dat betekende niet dat hij het prettig moest vinden.

Ze liepen verder, blij dat ze het ziekenhuis achter zich konden laten. Aan de rand van de Strip doemden casino's voor hen op; een waterval van neonlaserlicht en excentrieke bouwstijlen. Arabian Nights. Renaissance Italy. Star Wars. Mandarin China. Dinosaurs and Musketeers. Ze waren nog steeds bijna de enigen op het trottoir. Toeristen van de nabijgelegen hotels namen liever de verhoogde rolpaden die hen van casino naar casino brachten. Ze kwamen uit de Bijbelgordel en de Islamitische Republiek, maar er zaten ook Aziaten en Europeanen bij. Er waren zelfs groepjes Nederlandse fundamentalisten – nog strenger in de leer dan de Zwartjassen – die andere moslims donderpreken gaven vanwege hun zonden.

'We moeten eigenlijk contact met Roodbaard opnemen om hem te laten weten dat we hier zijn,' zei Sarah. 'En we moeten Colarusso ook waarschuwen.'

'Het laatste wat we willen is dat Roodbaard hiernaartoe komt om ons te redden, en zelfs als Darwin de waarheid heeft verteld over Colarusso's informant, is het te laat om nog iets te doen.'

'Dus we doen *niks?*'

'Voorlopig niet. De Oude geeft ons vrij spel. Geen bewakers. Geen begeleiders. We kunnen er dus van uitgaan dat alles wat we probleemloos kunnen doen, datgene is waarvan de Oude *wil* dat we het doen. We gaan er dus niet vandoor bij de eerste kans die we krijgen. We bellen Roodbaard niet. We wachten af. We doen wat *ons* uitkomt; niet wat hij wil dat we doen.'

'Je zei voorlopig,' zei Sarah. Ze bleef staan bij een souvenirkraampje en inspecteerde de uitgestalde waren. Kleine plastic scifi-robots voerden een voorgeprogrammeerd ballet op en verontschuldigden zich in vijf talen als ze tegen elkaar op botsten. 'Je zei we doen *voorlopig* niks.'

‘We hadden in de Blue Moon ooit een hulpkelner die ik het land uit geholpen heb. Peter. Hij had ambitie, maar er waren… problemen vanwege zijn afkomst.’

‘Was hij joods?’

‘Zijn grootmoeder. Dat was genoeg. Een goede klant van ons vloog een paar keer per jaar naar de hoofdstad om familie te bezoeken. Manager van het China Doll Hotel en Casino. Ik heb ze aan elkaar voorgesteld. Peter werkt er nu een paar jaar. Hij is inmiddels pitboss. Peter Bowen.’ Rakkim pakte een in plastic gegoten miniatuurskyline van Las Vegas op. Het was een uiterst gedetailleerd stukje werk; er waren zelfs knipperende diodes geplaatst die de lasershow representeerden. $2,99. De plastic skylines waren een moderne versie van de antieke sneeuwbollen die Spider had verzameld. Rakkim zag in gedachten het uiteengespatte World Trade Center op de vloer van de ondergrondse schuilplaats en hij vroeg zich af of Spider veilig was. Of hij en zijn gezin aan de Zwartjassen waren ontsnapt.

‘Wat is er?’ vroeg Sarah.

Rakkim zette de skyline terug. ‘Weet je wat? Ga maar eens lekker shoppen. Loop alle bekende winkels af. Doe wat elke toerist doet. Ergens halverwege vind je het China Doll. Ga naar binnen en vraag naar Peter. Hij heeft ooit tegen me gezegd dat de grens van de Nevada Vrijstaat een semipermeabel membraan is. Geen kunst om binnen te komen, maar erg lastig om weer te verdwijnen. Ongezien, tenminste, maar ik weet zeker dat Peter dat eerder een uitdaging vindt dan een obstakel. Zeg tegen hem dat we de grens over willen. Vertel erbij dat we in de gaten worden gehouden door een hoge pief uit de regio zodat hij dat kan incalculeren. Zeg maar dat we betalen wat hij vraagt. Peter kennende doet hij het gratis, maar bied het toch maar aan.’

‘En als ik dan toch bezig ben, vraag ik meteen of hij zin heeft in een fijne blowjob,’ zei Sarah vrolijk terwijl ze tussen de souvenirs snuffelde. ‘Het is trouwens heerlijk weer, dus ik slik het ook wel in.’

Rakkim staarde haar aan. ‘Was dat soms te bazig?’

‘Doe wat elke toerist doet. Peter doet het gratis, maar bied het toch maar aan?’ Alleen maar een pietepeuterig klein beetje bazig.’

‘Oké, doe maar wat je het beste lijkt als je met Peter praat. Maar geef in elk geval aan dat we zo snel mogelijk naar Seattle willen.’

‘Waarom gaan we niet terug naar Zuid-Californië? We moeten Safar Abdullahs oud-collega’s zien te vinden en nagaan of die wat weten.’

‘In Californië zijn we buitenstaanders. Mijn enige contactpersoon daar heeft ons verraden. Nee, we gaan naar huis. We praten met Roodbaard.

Misschien wil hij ons helpen. Het gaat hem de laatste tijd ook niet bepaald voor de wind. Misschien is hij bereid een gokje te wagen.'

'Waarom ben jij eigenlijk degene die de beslissingen neemt?'

'Best. Beslis *jij* maar. Bedenk wat we in Californië kunnen doen. Waar we onze informatie vandaan moeten halen. Bedenk hoe goed we de stad kennen. En of we via een achterdeur toegang hebben tot de plaatselijke autoriteiten. Bedenk wat de kans is dat we mensen vinden die vijfentwintig jaar geleden met Abdullah hebben gewerkt. Mensen die waarschijnlijk niks te maken hadden met zijn reis naar China. En hou er rekening mee dat de Zwartjassen nu op hun hoede zijn. Ga je gang, bel maar.'

Sarah deed alsof ze een T-shirt bekeek. 'Oké. We gaan naar Seattle. Ik heb alleen de pest aan opgeven.'

'Zoiets noem je strategisch terugtrekken. Dat doe je als je op je donder krijgt. Je gaat je hergroeperen zodat je het later nog een keer kunt proberen.'

Sarah bracht met haar handen haar haar in model. 'Ik denk dat ik inderdaad maar eens stevig ga shoppen. Zal ik met je meelopen naar het ziekenhuis?'

'Ik kreeg vandaag een kaartje van Darwin.' Rakkim staarde naar de reusachtige zwarte piramide in de verte. Het Luxor. Het oudste casino van de Strip. 'Het stond op mijn nachtkastje toen ik vanmorgen wakker werd.'

'O. Wat schreef hij?'

'"Zou je zo vriendelijk willen zijn om juffrouw Dougan mijn verontschuldigingen aan te bieden. Ik ben misschien wat oververhit geraakt tijdens de vlucht uit Disneyland. Ik ga ervan uit dat je het begrijpt."' Rakkim hield zijn blik op het Luxor gevestigd. Zijn arts had gezegd dat het op korte termijn gesloopt zou worden. 'Waarom zou Darwin zich moeten verontschuldigen? Toen ik je vroeg wat er was gebeurd nadat ik bewusteloos was geraakt, zei je dat jullie nauwelijks een woord gewisseld hadden.'

'Hij probeert je op te fokken.'

'Dat lukt hem dan aardig.'

'Wat bedoelt hij eigenlijk met "Ik ga ervan uit dat je het begrijpt"?' Haar ogen vonkten. 'Je ziet het. Ik zou jou dezelfde soort vragen kunnen stellen – en dat is precies waar hij op uit is.' Ze keek hem recht in de ogen. 'Darwin heeft geprobeerd me te intimideren, en dat is hem gelukt, in elk geval even. Ik vind hem een walgelijke vent. Maar gek genoeg... als ik nu terugdenk aan het gesprek, heb ik het gevoel dat Darwin een fout heeft gemaakt door met mij te praten.' Ze wuifde naar de fleurig geklede toeristen op het rolpad boven hen. 'Darwin bleef maar vragen stellen en doen alsof hij meer wist dan hij in feite weet. Hij heeft geen flauw benul van waar we naar zoeken. De Oude vertrouwt hem niet met het complete plaatje en dat ergert Darwin. Hij voelt zich beledigd.'

Rakkim glimlachte en ze glimlachte terug. Met een brede grijns. Ze genoot duidelijk van haar inzicht. Blijkbaar had Darwin ongewild meer teweeggebracht dan haar alleen maar intimideren.

Sarah keek weer serieus. 'Als je Darwin voor het eerst ontmoet, is hij zo vriendelijk en inschikkelijk dat het net is alsof er niemand is. Hij is zo... *kalm*. Maar als je wat langer naar hem kijkt, zie je dat hij een enorm ego heeft. Het is zo groot dat het nooit tevreden kan worden gesteld. De meeste mensen worden gekenmerkt door emotionele interactie. Je kunt te weten komen wie iemand is door te kijken naar de mensen voor wie hij verantwoordelijk is. Om wie geven we. Van wie *houden* we. Maar Darwin... Darwin is zijn eigen universum. Het enige universum. Daarom lijkt hij zo kalm. Voor zover hij dat kan beoordelen is er buiten hem helemaal niets.' Ze drukte haar lippen zachtjes op die van Rakkim. 'Zal ik je een geheimpje verklappen?' Ze beet in zijn oorlelletje. 'Als ik de Oude was... zou ik bang zijn voor Darwin.'

'Laten we naar je hotel gaan,' zei Rakkim. 'Ik kan ook wel wat later naar dat ziekenhuis terug.'

'Denk je dat je sterk genoeg bent?'

'Zolang ik horizontaal lig, red ik wel. Gewoon geen wilde fratsen.'

Sarah liet het puntje van haar tong zien. 'Wat is daar nou leuk aan?'

52

Na het avondgebed

'Hier.' Darwin schoof Rakkim een stapeltje zwarte fiches van honderd dollar toe. 'Ga je gang. Het betekent niet meteen dat we verkering hebben, hoor.'

'Waar is mijn mes?' zei Rakkim. 'Ik weet dat jij het hebt.'

Darwin schudde de dobbelstenen in zijn hand. 'Ik was eigenlijk van plan het te houden als souvenir.'

'Ik heb nog wel wat anders voor je als herinnering.'

'Meneer?' De stickman van de crapstafel trok zijn zwarte vlinderdas recht. 'Uw inzet, alstublieft.'

Darwin pakte een fiche van Rakkims stapeltje en wierp die op de passline naast zijn eigen roze fiche van duizend dollar. 'Nu staan we aan dezelfde kant.' Afgezien van Disneyland had Rakkim vanavond voor het eerst een blik op Darwin kunnen werpen. Hij was gladgeschoren en zo lenig als een slang. Hij gooide. Zeven.

Bijval van de andere aanwezigen. De stickman betaalde uit. De tafel stond vol met luid tegen elkaar pratende mensen die zich langs de rand verdrongen om in te zetten.

'Daar gaan we nog een keer,' zei Darwin, die nu gooide voor een verdubbelde inzet plus het honderdje van Rakkim. Weer zeven.

Applaus. Spelers van andere tafels kwamen op de drukte af, wurmden zich tussen de aanwezigen en zetten in. Darwin glunderde. Hij zag er piekfijn uit in zijn kanariegele kasjmieren sportjasje en de zwart met geel geblokte broek – de perfecte kosmopoliet, een vermogend wereldburger die naar Las Vegas kwam voor zaken, contacten en gedistingeerd zondigen. Rakkim vroeg zich af of Darwin niet wilde opvallen tussen de andere mensen, of dat dit zijn ware aard was.

Rakkims inzet was gegroeid tot vierhonderd dollar. Die van Darwin tot vierduizend dollar. Opnieuw zeven. De mensen juichten.

'Jij bent mijn mascotte.' Darwin sloeg een arm om Rakkim. 'Ik ben *blij* dat ik je heb laten leven.'

Rakkim duwde hem weg. 'Waar wilde je over praten?'

'Het leek me dat we na al die kat-en-muisspelletjes maar eens wat leuks moesten doen.' Darwin schudde de dobbelstenen. De mensen die rond de tafel stonden, bogen naar voren en prevelden gebeden. Twee Chinese dames gehuld in sieraden demonstreerden krijsend hun steun. 'Het valt me tegen dat je je vrouwtje niet meegenomen hebt. We hebben ons uitstekend vermaakt terwijl jij onder het mes was. Ze praatte me de oren van het hoofd.'

'Tegen mij zei ze dat jij degene was met de meeste praatjes. Ik kreeg de indruk dat ze zich stierlijk verveeld heeft.'

Darwin bleef de stenen schudden. 'Hou je van dobbelen?'

'Nooit gedaan.'

'Beste spel van de wereld. Pure actie. Als je langs een blackjacktafel loopt, hoor je alleen maar van dat beleefde gekeuvel met de dealer. Mensen die blackjack spelen, zitten. Ze werken samen en oefenen met computersimulaties voor een voordeel van een half procent. Craps is pure agressie; een strijd van man tegen man. De mensen schreeuwen, duwen elkaar opzij en smeken de dobbelstenen. Dat helpt natuurlijk allemaal niks. Je kunt het gedrag van dobbelstenen op geen enkele manier voorspellen of beïnvloeden. Er bestaat geen systeem. Geen magische formule. Het is allemaal geluk – en je weet nooit wanneer dat ophoudt. En het *houdt* een keer op. Als je blackjack speelt, weet je dat je kansen steeds beter worden. Dat kun je uitrekenen. Maar met craps is het precies andersom. Hoe langer je speelt, des te zekerder je ervan kunt zijn dat je gaat verliezen. Dat is wat het interessant maakt. Als je de dobbelstenen in je hand hebt, ben je het middelpunt van de wereld. Het enige wat je kunt doen is hopen dat je geluk hebt. Totdat het geluk je in de steek laat. En dat gebeurt altijd met een grote klap. Bij craps geen zachte landing.'

Rakkim geeuwde.

'Meneer?' De stickman tikte op het groene vilt.

Darwin wierp de stenen met kracht tegen de opstaande rand. Elf. 'Betaal de tafel uit,' zei hij tegen de stickman terwijl de aanwezigen applaudisseerden. Er stond nu zestienduizend dollar op het spel.

Twee dure roodharige dames aan de andere kant van de tafel zwaaiden naar hem.

Darwin zwaaide terug. Hij was van gemiddelde lengte en gewicht, en je zou hem gemakkelijk over het hoofd zien als hij niet zoveel energie uitstraalde. Energie die hij kon afschermen als dat nodig was – als hij weer een gewone man moest zijn, onschuldig als een pasgeboren lam. Nu was hij een panter, vrij en ongedwongen, uiterst waakzaam. Een man die niet graag verrast werd. Rakkim dacht aan de avond waarop Darwins auto van de weg was gereden, in de badlands. Hij moest razend zijn geweest. Zeventien weervolven aan stukken gehakt in de regen, en dat was in de verste verte niet genoeg geweest. Voor een man als Darwin was het nooit genoeg. Achteraf had hij waarschijnlijk langs de weg gestaan om zich door de regen schoon te laten spoelen... Hij had ongetwijfeld geweten dat Rakkim naar hem had staan kijken.

'Waar lach je om?' vroeg Darwin.

'Om jou.'

Darwins lip trilde haast onmerkbaar, maar hij hield zich goed. Hij hield de dobbelstenen voor Rakkims mond. 'Blaas erop.'

'Val dood.'

Darwin wierp. Snake eyes.

Het publiek kreunde en de stickman haalde de inzet weg.

'Je hebt mijn hart gebroken, Rikki,' zei Darwin.

'Noem me niet zo.'

Darwin stak de rest van de fiches in zijn zak en drukte Rakkim opnieuw tegen zich aan. 'Laten we een borrel drinken.'

'U bent nog steeds aan de beurt, meneer!' riep de stickman.

Darwin liep van de speeltafel weg zonder te kijken of Rakkim hem volgde. Hij ging aan een tafeltje in de lounge zitten. 'Dat lichte trekken met je rechterbeen is net echt,' zei hij toen Rakkim tegenover hem plaats had genomen. 'Alsof je probeert de pijn te verbergen. Leuk accent. De oude man trapt er waarschijnlijk wel in, maar ik weet wel beter. Je bent nog niet volledig hersteld, maar het scheelt weinig.' Darwin glimlachte naar de serveerster, een klein ding in een kort jurkje vol tierelantijntjes. Haar buik was bloot en in haar navel droeg ze een gouden ring. 'Een dubbele bourbon. Het beste kleine label dat je hebt. Hetzelfde voor mijn vriend hier.'

Rakkim wilde het aanbod weigeren, maar bedacht zich. 'Heb je ook Mayberry Hollow? Twaalf jaar oud?'

De serveerster trok een wenkbrauw op. 'Ja*zeker*, meneer.'

Darwin keek haar na terwijl ze wegwiebelde. 'Je hebt indruk op haar gemaakt.' Hij zat ontspannen aan het tafeltje met een voet op de leren zitting en zijn rug naar de muur. Hij kon de complete ruimte overzien. 'Ik had eigenlijk verwacht dat je me wel zou bedanken voor het feit dat ik je leven heb gered.'

'Hoezo?' Rakkim boog zich een stukje naar voren. 'Je volgde gewoon bevelen op. Dat is toch wat je doet?' Hij zag de haast onmerkbare verkleuring van Darwins oorlelletjes en wist dat hij een zwakke plek had geraakt. 'Misschien moet ik de Oude bedanken. Die houdt je tenslotte aan het lijntje.'

'Ik moet toegeven – er zijn de afgelopen weken inderdaad momenten geweest waarop ik graag wat in je had gesneden.' Darwin had lichtgrijze ogen die ver uit elkaar stonden en aan de uiteinden iets naar boven gericht waren. Wolvenogen. 'Ik ben aan je gehecht geraakt. Je bent een charmante jonge moordenaar. Je doet me denken aan iemand die ik lang geleden heb gekend. Trouwens, dat gedoe met die weerwolven... dat was een smerig geintje. En zelfs als de oude man me niet gevraagd had je hier te brengen, zou ik je levend uit Disneyland hebben gehaald. Ik verander de regels wanneer ik dat wil.' Darwin liet zijn tanden zien. 'En ik verander ze ook zo weer terug. Wanneer ik dat wil.'

'Je bent geweldig. Zal ik een ijsje voor je kopen?'

'Heb je je niet afgevraagd hoe dat SWAT-team wist dat jullie daar waren?'

Rakkim keek hem aan. 'Ik neem aan dat jij dat gedaan hebt zodat je achteraf de held kon uithangen.'

Darwin schudde zijn hoofd. 'Het was dat Fedayeenvriendje van je, Pernell. Hij hoorde van de beloning die de Zwartjassen hadden uitgeloofd en besloot die zelf in te pikken.' Hij glimlachte. 'Een miljoen voor Sarah. Jij bent voor Ibn Azziz niks waard.'

Rakkim haalde zijn schouders op en bleef normaal ademen. Darwin sprak de waarheid.

De serveerster kwam terug, zette hun drankjes op tafel en vertrok weer.

Darwin pakte zijn glas en bestudeerde de kleur. Hij nam een slokje. 'Jij weet wat goede bourbon is. Ik neem aan dat je dat in de Bijbelgordel opgepikt hebt. Ik ben er zelf nooit geweest, maar ik heb gehoord dat sommige delen erg mooi zijn.' Hij nipte opnieuw van zijn drankje. 'Ik heb al afgerekend met Pernell. *Daar* zou je me in elk geval voor kunnen bedanken. Dat was een pure vriendendienst.'

Rakkim nam zijn glas met beide handen vast. 'Voor mij had het niet gehoeven.'

'Daar heb je vrienden voor.'

Rakkim liet de bourbon naar binnen glijden. De drank verwarmde zijn keel. 'Het zal een hele uitdaging zijn geweest – een kreupele afmaken.'

'Een kreupele Fedayeen bestaat niet.' Darwin keek Rakkim aan over de rand van zijn glas.

'Pernell moet gehoord hebben dat je er levend uitgekomen was. Waarschijnlijk heeft hij ook het verhaal over al die dode SWAT-lui gehoord. Hij had zijn toevlucht genomen in een politiebureau. Omringd door agenten.

Dus als je je afvraagt wat de uitdaging was, dan is dat je antwoord.' Darwin stak de top van zijn wijsvinger in het bodempje bourbon en zoog erop. 'Ik heb hem nog de groeten van je gedaan voordat ik het karwei afmaakte. Ik ging ervan uit dat je dat wel zou hebben gewild.' Hij boog zich naar voren en wees op het muurscherm achter de bar. 'Kijk eens wat er met je favoriete mollah is gebeurd.'

Ibn Azziz werd geïnterviewd door een verslaggever van het staatsnieuws. Het gezicht van de mollah zat voor een groot deel in het verband. Een oog was volledig bedekt. Hij voer uit over terroristen en hoe alleen de hand van Allah hem gered had van de zionistische duivels.

'Een hele verbetering,' zei Darwin.

Rakkim zag een bekende langs de rij met fruitmachines lopen; een man die Lucas heette. Er was zeker een congres van tabaksexporteurs in de stad. Hij vervloekte in stilte zijn pech. 'Heb jij dat geintje met Ibn Azziz uitgehaald?' vroeg hij.

'Nou moet je me niet gaan beledigen.' Darwin zette zijn glas met een klap op tafel om aan te geven dat hij een refill wilde. 'Als ik het had moeten doen, had hij niet met zijn verwondingen lopen pronken.' Hij boog zich naar voren en zijn huid spande zich strak over zijn gezicht alsof wat zich eronder bevond nauwelijks binnengehouden kon worden. 'Ik zou hem in zijn moskee pakken, tijdens het vrijdaggebed, vlak voor de neuzen van de gelovigen. Om het af te maken zou ik een karbonaadje in zijn strot schuiven. Ik heb tegen de oude man gezegd dat hij maar met zijn vingers hoeft te knippen...'

'Dave!' Het was Lucas, die breed grijnzend op hem af kwam.

Rakkim bleef zitten. De kans dat Lucas hem over het hoofd had gezien, was natuurlijk nihil geweest – zeker met *zijn* ogen. Lucas was tegenwoordig tabaksplanter, maar in de burgeroorlog was hij scherpschutter geweest. Tijdens de Slag om Nashville had hij zevenentwintig islamitische soldaten doodgeschoten en hij was nog steeds de beste schutter van Gage County, Georgia. In zijn vrije tijd maakte hij poppen van maïsbladeren.

'Dave, niet te geloven.' Lucas sloeg hem op de schouder en kwam op de stoel naast hem zitten; een stevige kerel in een blauw kostuum van slechte snit. 'Ik ben in de stad voor de China Expo. Wat doe jij hier?'

'Och, gewoon... een beetje rondkijken.'

Lucas wierp een blik op Darwin, keek vervolgens Rakkim weer aan en trok aan zijn sikje. 'Wat is dat voor donzig plukje? Je ziet eruit als een geit – of een van die handdoekhoofden hier.' Zijn lach stierf weg. 'Nee toch. Zeg dat het *niet* waar is!'

'Lucas...'

'Christus, je bent een van hen!' Lucas stond op en gooide de stoel om. 'Ze zeggen het altijd, kijk uit voor spionnen, vertrouw niet op vreemdelingen...'

'Ja, en nou sta je mooi te kijken, hè, bleekscheet,' zei Darwin.

'Sorry,' zei Rakkim voordat Lucas zich tot Darwin kon richten.

'Ze zeggen altijd dat we uit moeten kijken voor vreemdelingen, maar jij was geen vreemde,' zei Lucas, die nog steeds probeerde te begrijpen hoe de vork in de steel zat. 'De eerste keer dat ik je ontmoette, was het alsof je familie was.' De wallen onder zijn ogen waren opgezwollener sinds Rakkim hem vier jaar geleden voor het laatst had gezien. 'Je zat op mijn bank en je hebt mijn whiskey gedronken. We hebben samen gejaagd en gevist... Mijn nicht... Jezus, mijn nicht vraagt *nog* aan me wanneer je terugkomt.'

'Ik wou dat ik een viool had, dan kon ik dit treurige verhaal op passende wijze begeleiden,' zei Darwin.

Lucas keek op Darwin neer. 'Zo, strontkop, ben jij soms ook een spion?'

Rakkim zag kleine lichtvlekjes in Darwins ogen. 'Nee, Lucas, dat is de man die me ooit gaat vermoorden.'

'O ja?' zei Lucas. 'Echt waar?'

'Dat is niet onmogelijk.' Darwins rechterhand spande zich haast onmerkbaar.

'Nou, hoe eerder hoe liever.' Lucas richtte zich tot Rakkim. Hij wist niet goed wat hij moest doen. Hij wilde iets zeggen. Om het gesprek gaande te houden. Om te laten zien hoe gekwetst en verraden hij zich voelde. Darwin zou Lucas er graag bij helpen. En hem erger in de problemen brengen dan hij zich ooit had kunnen voorstellen.

'De groeten, Lucas,' zei Rakkim.

'Nog niet weggaan, bleekscheet,' zei Darwin met een lijzig zuidelijk accent.

'De groeten, Lucas,' zei Rakkim.

Lucas beende weg.

'Hier.' Darwin overhandigde Rakkim zijn mes. Hij moest gewacht hebben op een gelegenheid om Lucas te pakken te nemen met Rakkims mes. 'Je verpest het ook altijd voor me.'

Rakkim borg het mes op. 'Dat was nog niks.'

De serveerster bracht nieuwe drankjes.

Rakkim nam een slok. De laatste keer dat hij Mayberry Hollow had gedronken, was hij bij Lucas thuis geweest en had hij oude footballwedstrijden gekeken. Lucas bezat complete seizoenen van de Georgia Bulldogs, nog van ver voor de oorlog. Het was een mooie tijd geweest. Lucas kon fantastisch moppen vertellen. Hij lachte bovendien het hardst als hij zelf het onderwerp van spot was. Behalve vandaag.

Darwin nipte van zijn whiskey. 'Wat wil de oude man eigenlijk van je?' Hij tikte met een vingernagel tegen zijn glas. 'Het moet wel iets bijzonders zijn, want hij heeft het flink te pakken van jou en je vriendinnetje.'

'Heeft hij dat niet verteld, dan?' Rakkim leunde achteruit in zijn stoel. Darwin had een uitstekende zelfbeheersing, maar vanaf de plaats waar hij zat, kon Rakkim minuscule veranderingen in de ademhaling van de moordenaar ontwaren door naar de haartjes in zijn neus te kijken. 'Gek. Ik vraag me af wat daar achter zit.'

Darwin liet zijn wijsvinger over de rand van zijn glas glijden. 'Ik hoef niet alles te weten wat er in zijn hoofd omgaat.'

'Oké, maar een man van jouw kaliber...' Rakkim schudde zijn glas zodat het ijs tinkelde. 'Dat moet pijn doen.'

Darwins lippen glimlachten. 'Soms.' Hij neigde zijn hoofd, luisterde en wierp Rakkim een dreigende blik toe. 'We zullen het voorspel een andere keer moeten vervolgen, Rikki. De oude man wil met je praten. Hup-hup.'

53

Na het avondgebed

'Ik hou van dit moment van de avond,' zei de Oude terwijl hij zijn handen op de reling plaatste. 'De wind gaat liggen, het is een tijdje bladstil en even later stroomt de koele berglucht naar binnen.'

Rakkim overzag de stad die zich voor hem uitstrekte; een immense zee van neon, schitterend in de avondschemering. Ze bevonden zich alleen op het dak van het penthouse op de achttiende verdieping van het gebouw van International Trust Services. Over de woestijn, langs de bergen, dreven tientallen felgekleurde heteluchtballonnen die met het laatste daglicht speelden. De Oude was minder oud dan hij had verwacht; ergens in de zeventig. Een gedistingeerde Arabier met een verzorgde witte baard en het gezicht van een havik. In zijn stem klonk iets Brits door. Hij droeg een donkerblauw kostuum en een kraagloos linnen overhemd. Een man die gezag uitstraalde.

'Het doet me deugd je eindelijk helemaal wakker te zien. Ik weet nog goed dat ik ooit een rapport kreeg waarin stond dat Roodbaard een thuisloos knulletje had geadopteerd. Ik vroeg me toen af wat hij in zijn schild voerde.' De Oude keek Rakkim recht in de ogen. 'Maar ik zag al snel dat het een slimme zet was. Roodbaard en ik verschillen niet zoveel van elkaar. We zijn allebei voortdurend op zoek naar bondgenoten; instrumenten om onze plannen uit te voeren. Mensen die we kunnen kneden en vormen. Maar we hebben boven alles een opvolger nodig die ons werk kan voortzetten. Ik heb ervoor gekozen om daarvoor zonen te krijgen. Roodbaard heeft jou gekozen.'

'Ik hoop dat uw zonen het beter voor u doen dan ik het voor Roodbaard doe.'

'Je bent veel te bescheiden.'

Rakkim hoorde de lichte verandering in toon. Het zwakke vleugje spijt. 'Uw zonen moeten een flinke teleurstelling zijn geweest.'

De Oude trok zijn manchetten recht. 'Gelukkig heb ik er een heleboel.'

'U zult ze allemaal nodig hebben.'

De Oude deed alsof hij het dreigement niet had gehoord. 'Geloof jij in God, Rakkim? Een entiteit die zich actief met de wereld bezighoudt? Een entiteit die onderwerping en gehoorzaamheid beloont?'

'Volgens mij heeft God wel wat beters te doen.'

'Dat zei ik ook altijd toen ik jong was. Ik *hoopte* in elk geval dat Hij betere dingen te doen had. Dan zou Hij tenminste niet zien waar ik mee bezig was.' De Oude vouwde zijn handen. 'Je bent je geloof niet kwijtgeraakt, Rakkim, je legt alleen het accent op de verkeerde plaats. God heeft plannen met je. Daarom ben je nu hier. Daarom heb je het overleefd toen de politie op je schoot. Daarom heeft Darwin je hiernaartoe gebracht en heb ik je hier opgevangen. We zijn allebei door God uitverkoren om grootse dingen te doen. Dat is tegelijkertijd een last en een zegen.' Hij keek Rakkim aan met zijn diepliggende ogen. 'Sommigen zien me als een duivel en anderen denken dat ik de Mahdi ben, maar ik ben gewoon een *moslim*. Net als jij. We zijn broeders. We moeten niet onderling strijd voeren.'

Rakkim boog zich naar hem toe. 'Daar is het inmiddels wel wat te laat voor.'

De Oude leunde tegen de reling. Blootgesteld aan de nacht met alleen de sterren boven hem en het beton in de diepte. 'Ja... het zou weinig moeite kosten om me over de rand te duwen.'

'Geen enkele moeite. Misschien had u Darwin ook moeten uitnodigen.'

'Darwin is hier nog nooit geweest.' De wind nam langzaam in kracht toe en de Oude ging er met zijn neus in staan. 'Je bent bovendien slim genoeg om te beseffen wat er met Sarah zou gebeuren als er ook maar één haar op mijn hoofd gekrenkt zou worden.'

'Ja, maar toch... Het is *wel* een uitdaging.'

De Oude reageerde niet. 'Darwin zei dat hij je mes had teruggegeven. Indrukwekkend stukje vakwerk. Je weet toch wat ze zeggen? *Het enige dat gevaarlijker is dan een naakte Fedayeen, is een naakte Fedayeen met een mes.* Aan de andere kant heb ik altijd het gevoel gehad dat de Fedayeen overschat worden. Dat beeld van de onoverwinnelijke heilige strijder was misschien nodig in de begindagen, maar ondanks alle training en de genetische cocktails blijf je maar een mens. Ik heb het natuurlijk over de Fedayeen die aan de gevechtstroepen worden toegewezen. Een coup in Ghana? Moslims afgeslacht in Rio? Russische spetsnaz gedropt in Quebec? Stuur de Fedayeen er maar op af!' Hij zwaaide met een wijsvinger naar Rakkim. 'Maar jullie – jullie zijn van een heel ander kaliber. Jij en Darwin.'

'Vergelijk me niet met Darwin. Dat is een misrekening. Ik had de indruk dat u niet veel misrekeningen maakte, maar één is voldoende.' Helikopters scheerden over de stad als libellen. 'De niet-geëxplodeerde kernbom die u in China achterliet, dat was een grove misrekening.'

'Hij is niet in China,' zei de Oude.

Rakkim staarde hem aan.

De ogen van de Oude stonden kalm. 'De vierde kernbom bevindt zich in de Zuid-Chinese Zee, ergens voor de kust van Hainan. Door een inschattingsfout mijnerzijds. Je kijkt verbaasd, Rakkim.'

'Ik... ik had een ontkennend antwoord verwacht.'

'Er zouden geen geheimen tussen ons moeten zijn. Je kunt niet voor niets gaan en staan waar je wilt, zonder beperkingen en zonder gevolgd te worden. Ik heb genoeg slaven. Ik heb een vrij man nodig.'

'Natuurlijk.'

'Ik begrijp je aarzeling. Maar die verdwijnt vanzelf, zoals alle dingen.' De Oude kneep zijn ogen halfdicht, alsof hij pijn had. 'Ik had de vierde bom onder het Vaticaan moeten leggen, zoals mijn zoon Essam had voorgesteld. De explosie zou de katholieken onherroepelijk tegen de joden hebben opgezet... en dan zou ik Essam nu aan mijn zijde hebben gehad, in plaats van jou.' Hij schudde zijn hoofd. 'Essam was de oudste zoon van de laatste vrouw die ik oprecht liefhad. Hij had aan het MIT gestudeerd en was de beste van zijn jaar. Briljante knul. Essam wilde de bom onder de Sint Pieter leggen, maar ik maakte me zorgen om de groeiende economische macht van China. Ik koos Sjanghai en hij ging ernaartoe. Nu is hij dood.' De wind speelde met zijn dunne witte haar. 'Er stond niet meer wind dan nu, toen hun vissersboot zonk. Uitgerekend Safar Abdullah, die de splijtstofstaven onder zijn hoede had gehad en toch al ten dode opgeschreven was, overleefde het.' Hij greep de reling vast. 'Allah heeft me die dag geleerd wat nederigheid is.'

'U heeft die dag minstens twintig miljoen mensen de dood ingejaagd. Wat is dat *godverdomme* voor onzin over nederigheid?' Rakkim zag dat de mondhoeken van de Oude verstrakten – hij ergerde zich aan de vloek.

'Ik heb gedaan wat nodig was om het geloof te verdedigen. Om het te *verspreiden*. Zoals de Heilige Koran van ons verlangt...'

'Twintig miljoen...'

'Die mensen zijn gestorven om het kalifaat in ere te kunnen herstellen, zoals dat ooit voorspeld is. De gelovigen die in Mekka omgekomen zijn, bevinden zich al in het paradijs. De rest... brandt in de hel.'

Rakkim dwong zich kalm te blijven. *Wie schreeuwt, wint de slag; wie zwijgt, wint de oorlog.* Dat had Roodbaard hem geleerd. 'Als de bom op de zeebodem ligt, heeft u niets te vrezen. Waarom heeft Darwin Marrian Warriq eigenlijk vermoord? En Fatima Abdullah? Waar bent u bang voor?'

'Ik ben bang dat ik tijd te kort kom,' zei de Oude. 'Roodbaard heeft me al vijfentwintig jaar gekost. Zoveel tijd heeft het me gekost om mijn stukken weer op het schaakbord te krijgen. Allah houdt van geduldige mensen, maar ik heb misschien niet *nog* een keer vijfentwintig jaar.'

'Als er geen bewijs is...'

'Roodbaard heeft geen bewijs nodig om mij het leven zuur te maken – ik mag aannemen dat je dat toch inmiddels wel begrepen hebt.' De Oude sloeg zijn handen ineen. Op de rug waren blauwe aders en ouderdomsvlekken te zien en de nagels waren geel. De handen van een mummie. 'De president ligt op sterven. Door mijn inspanningen staat zijn opvolger aan mijn kant. Dit zijn... broze tijden. Als Roodbaard openlijk vraagtekens bij het Zionistisch Verraad gaat plaatsen, zaait dat twijfel en verwarring onder de bevolking, ook als hij geen bewijzen heeft. Ik wil niet dat mijn plannen voor de opvolging in gevaar komen.'

'Ik zal de boel met plezier in het honderd laten lopen.'

'Word wakker, Rakkim, en kijk naar wat ik je aanbied.' De Oude maakte een weids gebaar in de richting van de Strip, waar zich een miniatuurversie van de wereld bevond: Parijs, Rome, Pirate World, de Grote Piramide, Rio en het Suikerbrood, de Kilimanjaro, Peking, het Kremlin. 'Alles wat je ziet – en nog veel meer – kan van jou zijn.'

Rakkim keek naar de wereld. Hij geloofde de Oude.

De Oude greep Rakkim bij de schouders en er trok een statische ontlading door de twee mannen. 'Er is een zware storm op komst. Je kunt kiezen: ofwel je *wordt* de storm, of je wordt erdoor weggevaagd. Ik bied je een plaats aan mijn zijde aan. Als je mijn aanbod accepteert, is er niets wat je ooit nog ontzegd zal worden. *Niets*.'

Rakkim trok zich los. 'Stel dat ik een doos Twinkies wil. Die moeten fantastisch zijn, en ik heb gehoord dat ergens een pakhuis vol van die dingen staat. Ik bedoel, u zei dat *niets* me onthouden zou worden, toch?' Rakkim klappertandde. 'Oké, dus een doos Twinkies en... een exemplaar van de eerste *Batman*, voor Sarah.'

De Oude lachte reutelend. 'Ik heb al in geen dertig jaar aan Twinkies gedacht.' Er lag een brede grijns op zijn gezicht. 'Ibrahim, mijn oudste nog levende zoon, zal je niet mogen. Hij zal zich bedreigd voelen door je, en hoe vaak ik hem ook gerust zal stellen, hij zal beseffen dat ik jouw gezelschap prefereer. Omdat je niet van de Profeet afstamt – vrede zij met Hem – zul je mijn plaats nooit in kunnen nemen. Dat zou zijn jaloezie moeten verzachten, hoewel het niet waarschijnlijk is. Ibrahim is bang van Darwin, maar jou zal hij *verfoeien.*'

'Zo te horen heeft die zoon van u geen kloten, maar marshmallows in zijn zak. Als ik u was, zou ik me wel twee keer bedenken wat betreft dat in ere herstellen van het kalifaat. U heeft gewoon niet genoeg steun.'

De Oude observeerde hem. 'En daarom zijn jullie hier, Rakkim. Jij en Darwin.'

'*Heel* complimenteus. U probeert me toch niet te verleiden, want dan kan ik u nu al vertellen dat ik uw hart ga breken.'

'Dat risico moet ik dan maar nemen.' De Oude keek langs hem heen. 'Ik zou willen dat je Essam had gekend. Hij had je vast gemogen. Hij was voor niemand bang.' Zijn onderlip trilde. 'Zo'n fijne knul, en nu ligt hij ergens op de bodem van de zee. Vroeger zwom ik elke dag, maar tegenwoordig kan ik geen golven meer zien. Soms denk ik wel eens dat ik daarom in de woestijn ben gaan wonen.'

Rakkim keek naar hem. De tranen in zijn ogen leken oprecht.

De Oude schraapte zijn keel. 'Ik wacht al heel lang op je. Net als op Darwin. Ik heb jarenlang naar een gepensioneerde moordenaar gezocht; iemand die nergens geregistreerd stond; iemand die niet meer aan de Fedayeen gelieerd was. Maar pas later, toen ik Darwin eindelijk had gevonden, besefte ik waarom het zo lang had geduurd.' Hij boog zich naar voren. 'Moordenaars en schaduwstrijders hebben diverse zaken gemeen. Ze zijn elitetroepen van de Fedayeen, ze werken volkomen onafhankelijk... en uiteindelijk worden ze altijd verraden door hun leiders.' De Oude streek zijn revers glad. 'Moordenaars gaan gemiddeld negentien missies mee voordat ze getermineerd worden. Als ze zo lang in leven blijven, worden ze te gevaarlijk, te bloeddorstig en zijn ze niet meer te handhaven. Dat is het grote geheim van de Fedayeen. Alleen een stuk of tien hooggeplaatste officieren zijn ervan op de hoogte. De moordenaars zelf weten er natuurlijk niks van; ze geloven in de leugen van de gepensioneerde moordenaar met een nieuwe identiteit die leeft als een pasja. Allemaal verzinsels. Er zijn geen gepensioneerde moordenaars. Behalve Darwin. Hij had er vijfenveertig missies opzitten toen ze besloten dat het welletjes was geweest.' Zijn blik was ijskoud. 'Maar ze hadden te lang gewacht.'

'Hoe vermoord je een moordenaar?'

'Heb je pen en papier bij de hand?'

Rakkim gaf geen antwoord.

De Oude knikte. 'De Fedayeen stuurden *drie* moordenaars om Darwin uit de weg te ruimen; ervaren mannen die van hun meerderen te horen hadden gekregen dat hij ontspoord was.' De rode lichten van de stad werden weerspiegeld in zijn ogen. 'Darwin heeft ze alle drie uitgeschakeld. Vervolgens heeft hij generaal Cheverton geliquideerd, het hoofd van de moordenaarsunit; de man die het bevel had gegeven. Dus je ziet het; Darwin en jij hebben nog iets *anders* gemeen.'

De Oude probeerde Rakkim te imponeren met zijn kennis. Een teken van kwetsbaarheid – of van een opgeblazen ego.

'Schaduwstrijders zijn uiterst waardevol en vanuit strategisch oogpunt nog belangrijker dan moordenaars. Maar voor het Opperbevel zijn ze even gevaarlijk. Schaduwstrijders worden *altijd* geassimileerd door de lokale bevolking. Dat is natuurlijk ook wat ze tot schaduwstrijders maakt: het vermogen om op te gaan in de omgeving; het aannemen van de schutkleur van de vijand. Dan ligt het natuurlijk voor de hand.' De Oude schudde zijn hoofd. 'Er zijn zat gepensioneerde Fedayeen, maar er bestaat niet zoiets als een gepensioneerde moordenaar. En er zijn ook geen gepensioneerde schaduwstrijders. Darwin en jij zijn uniek.'

Ver voorbij de lichten van de stad, boven de bergen, zag Rakkim de sterren. Het voelde als een troost dat ze zo onbereikbaar waren. Ze waren voldoende dichtbij om ze te kunnen zien, maar te ver weg om ze ooit aan te kunnen raken. Hij stelde zich voor dat God daar tussen de melkwegstelsels woonde. Daar zou *hij* in elk geval wonen als hij God was.

De Oude leunde tegen de reling. 'Die laatste missie van je... Wat is er eigenlijk precies gebeurd? Ik heb geprobeerd het te achterhalen, maar alle dossiers zijn verdwenen. Het moet iets bijzonders zijn geweest. Het enige wat ik weet is dat je maandenlang weg was. Veel langer dan gepland. Ze namen aan dat je dood was. En toen was je ineens terug. Geen schrammetje, zoals altijd. Je zult ongetwijfeld gedebrieft zijn, maar daar is niets over terug te vinden. En vervolgens, twee dagen later, verdwijnen de twee officieren die boven je staan in de bevelsstructuur. Twee hooggeplaatste Fedayeen – *weg*. Aan de verwondingen was wel te zien dat Darwin weinig ophad met generaal Cheverton, maar deze mannen zijn nooit teruggevonden. De boodschap was in elk geval duidelijk. Misschien hebben ze je daarom laten gaan. Hoewel het natuurlijk ook mogelijk is dat Roodbaard zich met de zaak bemoeid heeft. Hij beschikte toen over aanzienlijk meer macht.'

'Goed. Bedankt voor het gesprek en uw interessante gezichtspunten, maar ik ben een beetje moe. Nog steeds last van mijn verwondingen. Ik denk dat ik maar eens een lekker warm bubbelbad ga nemen.'

'Wees voorzichtig. Je kunt maar beter niet in slaap vallen in bad. Ik hoop dat je over mijn aanbod nadenkt.'

'Natuurlijk, ik zal het van alle kanten bekijken. U wint tenslotte sowieso, toch? Als ik meedoe, heeft u er een schaduwstrijder bij. Als ik pas, krijg ik Darwin op sleeptouw en ruimt hij iedereen op die u eventueel tot last kan zijn. En als ik het bewijs vind, zorgt hij er wel voor dat het verdwijnt.'

'Er is geen bewijs.'

Rakkim haalde zijn schouders op. 'Twintig miljoen doden... en u had *nog* niet wat u wilde. En na al die jaren bent u nog steeds bang dat het misschien niet gaat lukken. In- en intriest.'

'Ik ben me bewust van mijn fouten. Ik heb de spirituele veerkracht van de Christenen verkeerd ingeschat omdat ik te lang in de stad had geleefd. Ik ging ervan uit dat ze een wankel geloof hadden dat ze probleemloos aan de kant zouden zetten. Ik had absoluut niet voorzien dat er miljoenen katholieken, baptisten en leden van de pinksterbeweging naar de Bijbelgordel zouden emigreren toen Kingsley gekozen werd. Van moslims zou je zoiets verwachten. De Profeet zelf – vrede zij met Hem – is tenslotte van Mekka naar Medina gevlucht toen Hij in de problemen zat. Maar *christenen?* Het zou niets uitgemaakt hebben als Roodbaard die dag samen met zijn broer was omgekomen. Mijn mensen bij de Staatsveiligheidsdienst zouden het overgenomen hebben en Kingsleys dagen als president zouden geteld zijn geweest. Dan zouden we de Bijbelgordel verpletterd hebben. Het was toen van cruciaal belang dat de natie verenigd werd – en dat is het nu nog. Nee, het verlies van het vierde nucleaire wapen was een ongeluk, maar ik neem de verantwoordelijkheid op me voor het onderschatten van de christenen.'

'Heel edelmoedig. Maar u zult moeten toegeven dat het een grove misrekening was. Vraagt u zich nooit af of er nog meer dingen zijn die u misschien verkeerd ziet?'

'Moet ik dan soms hard weglopen en onder een steen kruipen?' beet de Oude met vertrokken mond. 'Toen het Westen zwolg in hebzucht en zedeloosheid en hoogmoed... bad ik. En betaalde ik de politici. Toen het Westen zijn religies de rug toekeerde... bad ik. En ik betaalde de ex-diplomaten en journalisten; mensen voor wie *alles* zijn prijs heeft. Er waren momenten waarop ik dacht dat ik nooit meer met mezelf in het reine zou komen. De kernaanval was niet meer dan het omhakken van een rotte boom. Kijk gewoon eens om je heen. China domineert momenteel de wereldhandel, maar ik heb ook zaadjes in Rusland geplant. Denk je niet dat daar al veel mensen waren die het een ramp vonden dat de sluizen opengingen voor de zionisten? Nee, Rusland is rijp... en Zuid-Amerika ook. China blijft nog weerstand bieden, maar als je op de kaart kijkt, dan zie je dat Iran, Irak, Indonesië, Pakistan, Oost-Afrika en Nigeria alleen nog maar op een kalief wachten die de hele lappendeken van gelovige landen aan elkaar naait. Een kalief die de moslims tot grootse daden zal aanzetten. Het lange wachten is voorbij, Rakkim. We beginnen *hier.*'

Rakkim applaudisseerde. Het klonk hol in het penthouse. 'Wauw. Geweldige speech. Ik neem aan dat u zelden onderbroken wordt. U bouwt stootkracht op en walst vervolgens alles plat. Dat soort macht is prima als de zaken voor de wind gaan, maar het kan ook tegen u werken. U bent er zo aan gewend geraakt dat alles gaat zoals u het wilt, dat u niet weet wat u moet doen als de zaak in elkaar dondert – en dat gebeurt een keer. En dan raakt u in de war. Niet zo erg dat iedereen het ziet, want daar bent u te goed voor, maar u beseft het zelf maar al te goed, en dat beangstigt u. Dus roept u de hulp in van iemand als Darwin. Maar zo'n man is nauwelijks te handhaven. U kunt hem bijvoorbeeld niet hier op het dak uitnodigen omdat hij iets zou kunnen doen wat u niet voorzien heeft. Ik durf te wedden dat u hem niet eens verteld heeft wat u mij vanavond verteld heeft. Waar of niet?' Rakkim gebaarde met een wijsvinger. 'Kijk, dat zou wel eens een nieuwe misrekening kunnen zijn. Het is gevaarlijk om iemand als Darwin te vertellen wat je werkelijk van plan bent, maar het is nog veel gevaarlijker om geheimen voor hem achter te houden. Moordenaars en schaduwstrijders vatten de dingen heel persoonlijk op. Als ik u was, zou ik maar uitkijken voor hem.'

'Bedankt voor je advies.' De Oude toonde geen boosheid of enige andere emotie. Niet nu.

Rakkim glimlachte. 'Oké. Ik heb een *heel* interessant kijkje vanaf het dak van de wereld gehad, maar ik ga nu toch echt dat bubbelbad nemen.'

54

Voor het middaggebed

'Zenuwachtig?'

'Opgewonden,' zei Sarah.

Rakkim controleerde de spiegels bij het verlaten van de Joy Luck Boutique. Het was druk. De mall krioelde van kwistige shoppers uit alle werelddelen. Gesoigneerde oliebaronnen uit West-Afrika, techno's uit Japan en Rusland en Arabieren met gevolg. Toeristen in de heerlijke nieuwe wereld. Niets wees erop dat ze geschaduwd werden; sterker nog, hij had al dagen geen achtervolgers gezien. De Oude had gezegd dat ze konden gaan en staan waar ze wilden, maar Rakkim ging er altijd per definitie van uit dat de crème de la crème van boevenland achter hem aan zat.

Sarah had een van de vele modieuze winkeltjes in het Mangrove Hotel bezocht om zich een nieuw kapsel aan te meten. Ze had het haar nu in laagjes met krulletjes en veel versteviging. Rakkim vond de opzichtige look maar niks. Aan de andere kant was het model er gemakkelijk uit te wassen zodat ze snel haar uiterlijk kon veranderen. Ze droeg een broek en een jasje van mylar en opvallende halfhoge paarse laarsjes van slangenleer. Rakkim had een tas in zijn hand met daarin andere kleren en schoenen.

'Ik zag Ibn Azziz weer op tv, tierend over zionisten,' zei Sarah. 'Zijn gezicht lijkt wel geïnfecteerd.'

'Dat past bij zijn ziel.'

'Ik weet dat Roodbaard het volgens jou niet gedaan heeft,' zei Sarah, 'maar wie zou Ibn Azziz anders zo hebben toegetakeld? Roodbaard heeft vast gehoord dat hij geprobeerd heeft ons in Disneyland te ontvoeren en wilde hem een waarschuwing geven.'

'Ibn Azziz is ongevoelig voor waarschuwingen. Roodbaard weet dat je iemand als Ibn Azziz ofwel aan je eigen kant probeert te krijgen, of permanent uitschakelt. Misschien heeft een Zwartjas geprobeerd hem te vermoorden. Mollah Oxley had een hoop vrienden.'

Sarah zwierde door de mall op de muziek die uit de luidsprekers kwam.

De klanken – ze noemden het *calibrated cash* – waren bedoeld om het winkelend publiek frisse energie te geven en gevoelens van genot en sensualiteit aan te wakkeren. Sinds de installatie van de muziekdienst waren de verkoopcijfers met zeventien procent gestegen, maar het was het subsonische programma dat werkelijk verschil maakte. Het bracht trillingen voort die de aanmaak van endorfines in de hersenen stimuleerde. De muziekselectie werd om de vijf dagen veranderd, maar de subsonische trillingen bleven gelijk. De menselijke constante. 'Kijk eens wat vrolijker, Rakkim.' Ze wiegde met haar heupen, en haar mylar outfit glom in de zon.

Rakkim glimlachte. Het was niet gemaakt en het kwam ook niet door de subsonische trillingen – ze was oprecht blij. In Las Vegas werden geen webfilters toegepast. Gisteren was ze een speelgoedwinkel binnen gelopen om een draadloze teddybeer te kopen. Toen ze had ingelogd op de Deugdzame Huisvrouwensite, was er een gecodeerd bericht van haar moeder geweest. Katherine was in Seattle! Sarah had geantwoord dat ze het recept voor victory radish op korte termijn zou uitproberen. Het erop volgende uur hadden ze zich in de speelgoedzaak vermaakt met nanobots. Ondertussen had Sarah een verhaal verteld over de geschiedenis van speelgoedsoldaatjes en poppen met lichaamsfuncties en hoe dat allemaal een functie had.

Sarah danste voor Rakkim naast de lichtfontein in de mall en een stel Chinese studentes behangen met sieraden kopieerde haar bewegingen. Het drietal danste voor elkaar en Rakkim keek als aan de grond genageld toe. Uiteindelijk maakten de Chinese meisjes een buiging naar Sarah, die het gebaar beantwoordde met een diepe reverence.

Ze liepen verder, en Sarah pakte Rakkims hand vast. Ze was zo gelukkig dat ze het gevoel had te zweven.

'Vreemd om studentes met ouderwetse sieraden te zien,' zei Rakkim. 'Ik dacht dat de Chinezen al hun energie in de toekomst staken.'

'In Sjanghai en Milaan is alles retro-chic wat de klok slaat. Nigeriaanse diva's in safari-uitrusting, Franse softwareontwikkelaars gekleed als boeren – inclusief nepmodder. Het is een poging van de mensen om hun erfgoed te herwinnen nu het individualisme onder vuur ligt.' Sarah kneep in zijn hand. 'Ik heb ooit een paper over dat onderwerp geschreven...' Ze draaide zich om en keek naar de twee Chinese studentes die verdwenen in de menigte.

'Is er wat?'

'Ik weet het niet. Nee. Er was iets... maar ik weet niet wát.' Sarah schudde haar hoofd. 'Ik probeer gewoon de stukjes van de puzzel op hun plaats te krijgen.'

Overal rondom hen begonnen polshorloges te zoemen om de gelovigen erop te attenderen dat ze nog een kwartier hadden voor het middaggebed. Maar er was niemand die zich naar de uitgang haastte; niemand die ook maar in het minst aanstalten maakte om datgene wat hij of zij aan het doen was, te onderbreken. In de Islamitische Republiek zouden moslims massaal gereageerd hebben – of het alarm hebben uitgezet om niet met hun gebrek aan devotie te koop te lopen.

Sarah was plotseling gespannen. 'Daar heb je Desolation Row.'

'Maak je geen zorgen. Peter heeft dit eerder gedaan.'

Sarah aarzelde. 'Geloof jij de Oude? Ik weet dat je er doodmoe van wordt, maar waarom zou hij toegeven dat hij achter de zionistische aanslagen zit, dat er nog een vierde bom is – en vervolgens liegen over wat ermee is gebeurd? Waarom zou hij niet gewoon over *alles* liegen?'

'De meest effectieve leugen bestaat voor negenennegentig procent uit de waarheid. Als wij geloven dat de vierde bom *echt* op de bodem van de Zuid-Chinese Zee ligt, waarom zouden we er dan nog naar blijven zoeken? Waarom dan niet gewoon het kalifaat onze zegen geven en doen wat de Oude van ons vraagt? Nee, we moeten ervan uitgaan dat hij liegt en vasthouden aan ons plan.'

'En als hij de waarheid vertelt?'

Rakkim kuste haar. 'Dan staan we mooi voor aap.'

Sarah liep Desolation Row binnen. Superchic en doelbewust grensoverschrijdend. De muren waren van kaal steen en de verlichting was schreeuwerig. De mannequins, die vel over been waren, hadden diepliggende ogen. Ze toonden delicate, kleurloze kleding die uitsluitend geschikt was voor jeugdige personen met een perfect figuur. Prijzen waren nergens vermeld. De ruimte was tot de nok toe gevuld – grotendeels met Aziaten en katholieken uit L.A. Er waren ook blonde Europeanen. Ze liep door de gangen en bekeek de koopwaar met de achteloze blik van iemand voor wie het prijskaartje niet interessant is. Rakkim liep weer naar buiten en bestudeerde de reflecties in de ramen.

Binnen enkele minuten zou Sarah kleedkamer 9 binnengaan. Daar zou ze niet iets van Desolation Row aantrekken, maar de vrijetijdskleding die ze hadden gekocht. Rakkim zou even later verschijnen, luidkeels klagend. Vervolgens zou ze hem binnenroepen om haar te helpen, waarna ze via een paneel in de kleedkamer in een dienstgang terecht zouden komen. Daar zou Peter staan. Een kwartier later zouden ze vertrekken in een van de heteluchtballonnen voor toeristen. Maar deze zou van koers raken en de Islamitische Republiek binnen drijven. Volgens Peter gebeurde dat regelmatig. De windstromingen waren onvoorspelbaar; een van de charmes van het ballonvaren. Op de landingsplaats zou een auto staan, volgetankt en met een geldig kenteken. In het GPS-systeem waren zelfs de kleinste landweggetjes opgenomen.

'Rakkim?' zei Sarah met grote ogen. 'Ik moet je iets laten zien.' Ze liet hem de winkel weer binnen. 'Zie je die vrouw bij de schoenen? Een oudere Chinese vrouw met haar kleindochter.'

Rakkim deed alsof hij een bloes bestudeerde. 'Ze heeft goede cosmetische chirurgie gehad. Ze hebben de epicanthus gelift, maar haar etnische integriteit is bewaard gebleven. Ze kijkt heel afkerig naar de schoenen, maar aan de diamanten in haar oor te zien, zou ze die gemakkelijk kunnen...'

'Moet je haar hanger zien.'

'Leuk. Eenvoudig, maar leuk.'

'Is dat alles?'

Rakkim schoof wat lelijke truitjes opzij. 'Een eenvoudige koperen hanger met een Chinese tekst erop. Ziet er oud uit. Mis ik iets?'

'Ik weet het niet.' Sarah kuste hem. 'Ga maar weer naar buiten en wacht op me.'

'En hoe zit het met Peter?'

Sarah gaf hem een speels duwtje. 'Schiet *op*, man. Laat me nou 's even rustig winkelen.'

Rakkim hoorde andere vrouwen lachen terwijl hij naar buiten beende. Even verderop was een koffiebar. Er hingen mannen op kleine metalen stoelen. Ze hadden pakketjes op hun schoot en ze zagen er versuft en uitgeput uit. Hij bestelde een dubbele espresso. Tien minuten later...

'Rakkim!' Sarah wenkte naar hem vanuit Desolation Row. 'Kom eens even. Je moet me helpen kiezen.'

Rakkim gehoorzaamde en wandelde de winkel weer binnen. De Chinese vrouw en haar kleindochter stonden bij de toonbank. Overal lagen kleren. Hij volgde Sarah kleedkamer 9 in en smeet de tassen in een hoek.

Sarah sloot de deur achter hem. Ze verkleedden zich haastig en schoven het paneel opzij.

Daar stond Peter met gekruiste armen. Naast hem een andere man en vrouw. De dubbelgangers. 'Goed dat jullie het gered hebben.'

Sarah en Rakkim stapten de dienstgang in. De man en vrouw trokken snel hun andere kleren aan en verdwenen in de kleedkamer.

Peter schoof het paneel terug en vergrendelde het. Hij zei iets in zijn mobiele telefoon en het volgende moment gingen overal rondom hen biosirenes af. In het gedrang zou iedereen die de bewakingscamera's in de gaten hield, geloven dat het Rakkim en Sarah waren die zich naar buiten wurmden.

Peter ging hun voor de gang in.

'Dat ging veel te gemakkelijk,' zei Rakkim.

'Was je liever gepakt, dan?' zei Sarah.

Rakkim keek omlaag en zag ver beneden zich andere ballonnen met toeristen drijven; reusachtige bollen waarop regenboogkleurige advertenties gedrukt waren. Peter had hun ballon verder laten stijgen zodat de oostelijke luchtstroming hen mee zou voeren in de richting van de Californische grens. Rakkim huiverde en trok de kap van zijn dikke jas strakker aan. Misschien voelde hij zich gewoon ongemakkelijk en kwetsbaar in de ballon, voortgeblazen als een stofje door de lucht. Iemand met een raketwerper...

'Jij zou toch ondertussen wel gewend moeten zijn aan dit soort ontsnappingen,' zei Sarah, die met gekruiste benen op een verwarmd kussen zat. 'Verdwijnen... is dat niet een specialiteit van je?'

Rakkim volgde de dichtstbijzijnde ballon die werd gegrepen door de thermiek en langzaam hoogte won. 'Ja, en dingen in de gaten houden, elk detail plannen... dat is de specialiteit van de Oude.'

Sarah zat driftig te tikken op de mobiele telefoon die ze van Peter had geleend. Het was het laatste model uit China. Volledige toegang tot alle databanken. Onmogelijk te peilen.

Als Rakkim zijn ogen dichtkneep, kon hij de wolkenkrabber zien waar de Oude hem een week eerder de wereld had aangeboden.

Peter maakte zich los van de gasten die hij als dekmantel had meegenomen. Hij kwam bij hen staan en knikte naar de skyline van Las Vegas in de verte. 'Leuk uitzicht, hè?'

'Nog nieuws van onze dubbelgangers?' vroeg Rakkim.

Die rijden in zuidelijke richting naar Arizona,' zei Peter met zijn blik op de stad gericht. 'Volgens Sarahs dubbelgangster hebben ze al verschillende auto's achter zich aan gehad. Ze komen nooit echt dichtbij, slaan na een kilometer of tien af en worden afgelost door de volgende. Duidelijk iemand die weet waar hij mee bezig is.'

'Mooi,' zei Rakkim. 'Heel mooi.'

'Bedankt, Peter,' zei Sarah zonder van het schermpje op te kijken.

'Bij casinomanagement draait alles om het maken van schulden die vervolgens weer worden ingelost.' Peter wierp een blik op Rakkim. 'Rakkim had nog wat van me te goed.'

'Let op het gebruik van de verleden tijd,' zei Rakkim.

Peter glimlachte. 'De volgende keer dat jullie me een bezoekje brengen, is de tent van mij.' De wind speelde met zijn glanzende haar. 'Ik heb een auto over de grens die ons volgt. Hij staat op jullie te wachten als we landen. Zodra jullie weg zijn, geef ik onze positie aan de autoriteiten door. Zelfs als je je aan de maximumsnelheid houdt, ben je over twee dagen in Seattle.' Hij maakte een buiging naar Sarah en vervolgde zijn gesprek met het stel aan de andere kant van de ballon.

Sarah wachtte totdat Peter buiten gehoorsafstand was. 'We gaan niet naar Seattle. We gaan terug naar L.A.'

'Wat nu weer?'

'Je had gelijk. De Oude heeft tegen ons gelogen. De vierde kernbom is niet verdwenen voor de kust van China. Hij bevindt zich op het vasteland.' Sarah staarde hem met grote ogen aan; haar hersenen werkten op topsnelheid.

Rakkim kwam naast haar zitten. 'Alles goed?'

'Roodbaard zei het altijd al, hou je ogen open. Let goed op. Het leven is een puzzel. Je krijgt steeds nieuwe stukjes die het totaalbeeld veranderen. Wees niet bang om de zaak eens van een andere kant te bekijken. 'En *dat* is precies wat ik gedaan heb, Rikki.' Sarah staarde langs hem heen. 'Fancy's litteken was niet van een tracheotomie. Het was te rond. Te perfect. Ik vroeg me toen al af of ze het misschien met opzet had laten doen. In sommige subculturen is scarificatie heel populair...'

'Tracheotomieën komen ook veel voor bij junks die een overdosis hebben genomen.'

'Dat is de oude puzzel. Ik heb in de mall een nieuw stukje gevonden dat *alles* veranderd heeft.'

Rakkim keek om zich heen. Peter en de rest stonden aan de andere kant van de ballongondel.

Sarah nam hem bij de arm. 'Die Chinese vrouw in Desolation Row droeg een medaillon dat exact dezelfde vorm had als Fancy's litteken. Ze zei dat het een geluksamulet uit haar geboortedorp was. Het hing precies in het kuiltje van haar hals. Daar kruisen volgens de Chinese geneeskunde vijf energiemeridianen.' Sarah kneep in zijn arm. 'Fancy's litteken was een *stralings*litteken. Haar vader heeft het medaillon waarschijnlijk op zijn laatste reis voor haar gekocht. Daarbij heeft het sporen opgepikt van het radioactieve materiaal dat hij vervoerde. Waarschijnlijk besefte hij niet dat hij stralingsziekte had totdat...'

'Je hebt vijf minuten met die Chinese vrouw gepraat...'

'Vijf seconden zou al genoeg zijn geweest. Er was iets met Fancy's litteken dat me dwarszat. Ik had alleen niet genoeg informatie.' Sarah toonde hem het schermpje van de mobiele telefoon. Een rond, grijs litteken met twee roze vlekjes. Ze zoomde uit en Rakkim zag de buik van een man met daarop verschillende identieke littekens die van zijn borstbeen tot beneden zijn navel liepen.

'Knopen?' zei Rakkim.

Sarah knikte. 'Zilveren knopen van een militair uniform. Waarschijnlijk uit Tsjernobyl of een andere vervuilde plek. Ze zijn verkocht en vervolgens op het kostuum van deze man gezet.' Ze zoomde weer in. Het litteken vulde het hele scherm. Langs de rand waren blaasjes met straalsgewijze strepen zichtbaar. 'Ik zag in Fancy's litteken ook van die stippen.'

Rakkim staarde naar het scherm. 'Het was donker in Disneyland...'

'De maan scheen en ik zat vlak naast haar. Ik *weet* wat ik gezien heb. Ik wist toen alleen niet wat het betekende. Maar nu wel. Het is heel goed mogelijk dat de zoon van de Oude verdronken is in de Zuid-Chinese Zee, maar Fancy's vader heeft het overleefd en is aan land gekomen. En de vierde bom ook.'

'Maar... waarom zou hij op de belangrijkste missie van zijn leven een souvenir voor zijn dochter hebben gekocht?'

'Dat is nu eenmaal wat vaders doen als ze op reis zijn,' zei Sarah zacht. 'Ze kopen een aandenken voor hun dochter zodat die weet dat hij aan haar dacht toen hij van huis was. Daarom is Fancy het medaillon waarschijnlijk ook blijven dragen nadat ze besefte dat het ding haar huid kapotmaakte. Ik zou het ook hebben gedaan. Als dat ding het laatste was wat ik van mijn vader had gekregen, zou ik het altijd bij me hebben gedragen.'

Rakkim herinnerde zich de foto van Sarah en haar vader die hij in haar speeldoos had gevonden; Sarah als baby in haar vaders armen. Hij herinnerde zich ook haar gezicht toen hij de foto had teruggegeven. Ze was zo blij geweest dat ze niet met huilen had kunnen stoppen. Ze had gezegd dat het alles was wat ze van hem had. Rakkim had niets. Alle foto's en andere herinneringen aan zijn moeder en vader waren verloren gegaan voordat hij Roodbaard had ontmoet. Behalve de sleutel. Een sleutel van het huis waarin hij was opgegroeid. Een paar dagen nadat Roodbaard hem van de straat had gehaald, had Rakkim de sleutel door het toilet gespoeld. Hij kon zich niet herinneren of hij dat had gedaan omdat hij een nieuw thuis had gehad... of omdat hij bang was geweest dat Roodbaard de sleutel en alles wat het ding had gesymboliseerd, tegen hem zou hebben gebruikt.

'Volgens de Chinese vrouw had elk dorp zijn eigen specifieke medaillon,' zei Sarah. 'Als we dat medaillon vinden, kunnen we uitzoeken waar Fancy's vader is geweest en dan weten we ook waar hij de vierde bom heeft verborgen.'

'Fancy's vriendin... Jeri Lynn. Die weet vast waar het medaillon is.'

Sarah glimlachte. 'Je gelooft me.'

'Sinds ik je heb ontmoet, heb je het nog nooit bij het verkeerde eind gehad als het om iets belangrijks gaat.'

'We moeten alleen Jeri Lynn nog zien te vinden.'

'Dat zal het probleem niet zijn.' Rakkim aarzelde. 'Als het medaillon zo belangrijk voor Fancy was, heeft Jeri Lynn het misschien met haar begraven. Ze is ondertussen een week dood. Als het tegenzit, zullen we haar lichaam moeten opgraven.'

Sarahs ogen fonkelden in de ondergaande zon; een koud vuur. 'Ik doe wat nodig is. Net als jij.'

55

Avondgebed

Juist toen Rakkim en Sarah de trap naar het appartement op liepen, ging de voordeur open en verschenen er twee vrouwen in de deuropening. Ze omhelsden elkaar. 'Hou je taai, Jeri Lynn,' zei het zwangere blondje.

'Ik zal wel moeten,' zei de korte brunette. Ze wachtte totdat de blonde vrouw de trap af was. 'Zijn jullie hier om te condoleren?'

'Ja,' zei Sarah.

'Kom binnen,' zei Jeri Lynn. 'Ik heb kaasballetjes en sinaasappellimonade. Het ijs begint al te smelten.' Ze probeerden te glimlachen. 'Maar ik neem aan dat jullie niet voor de hapjes zijn gekomen...' Haar lippen vormden plotseling een grote O. 'Wie hebben we daar? Cameron? Cameron!' Ze wurmde zich langs hen heen, pakte het joch op en maakte een rondedansje alsof hij een speelgoedbeest was. Ze gebaarde met tranen in haar ogen naar Sarah. 'Kom binnen, schat. Wat ben ik blij dat ik je zie.'

Sarah en Rakkim volgden hen de woonkamer in. Op de bank zaten nog twee vrouwen – een mollige tiener met een baby op haar schouder en een roodharig type met een gezicht als een ploegpaard dat snikkend een fotoalbum doorbladerde.

'Meiden, dit is... Sorry, ik heb jullie naam niet gehoord,' zei Jeri Lynn.

'Ik ben Sarah en dit is mijn vriend Rakkim.'

'Ons moedertje heet Ella en dat is Charlotte,' zei Jeri Lynn.

Er volgde een begroetingsrondje en de baby liet een harde, pruttelende wind. Iedereen lachte en de moeder klopte het kind op de rug. 'Dat lucht op, hè?' Ze stond op en nam een kaasballetje van het schaaltje op de koffietafel. 'Ik ga maar weer eens. Tijd om het eten klaar te maken.' Ze kuste Jeri Lynn. 'Sterkte, meid.'

De roodharige vrouw klapte het album dicht. 'Ik moet er ook vandoor.' Ze kneep in Jeri Lynns arm. 'Zonde van zo'n lieve meid. We zullen haar allemaal vreselijk missen.'

Jeri Lynn liet de vrouwen uit.

De avond ervoor waren Rakkim en Sarah naar Los Angeles gereden, regelrecht naar Disneyland. Het had hen een paar uur gekost om iemand te vinden die Fancy's vriendin kende, en zelfs die had maar globaal kunnen aangeven waar ze woonde. Ergens in de buitenwijken van New Fallujah, zo ongeveer tegen Orange aan. Geen van de andere huurvrouwen was er ooit uitgenodigd – iets waaraan ze zich leken te ergeren. Rakkim had voorgesteld Fancy's foto op te hangen in supermarkten en buurtwinkeltjes, maar Sarah had een beter idee gehad. Ze wilde tot de volgende dag wachten en teruggaan naar Long Beach om Cameron op te pikken. De knul had gezegd dat hij elke dag bij de kerk van St. Xavier op Fancy zou wachten. Om twaalf uur 's middags. Volgens Sarah konden ze met Cameron door New Fallujah rijden totdat hij het appartement zou herkennen. Als ze de jongen mee zouden nemen, zou bovendien het ijs sneller gebroken zijn.

Jeri Lynn kwam terug en gebaarde naar de bank. Ze was een korte vrouw met kroeshaar, een gladde huid en vermoeide ogen. 'Ga zitten. Als ik hier mensen zie staan, denk ik dat ze geld van me willen.' Ze had een dappere glimlach. 'Jullie komen toch hopelijk geen geld halen, of wel soms?'

Sarah en Rakkim gingen op de hobbelige ribfluwelen bank zitten. Hij was nog warm van de vorige bezoekers. In de woonkamer stonden meer afdankertjes. Er hingen ook nog een klein muurscherm en een hologram van president Kingsley. Op de glazen kast stond een familieholo van Fancy, Jeri Lynn en drie kinderen. De kinderen droegen korte broeken en bijpassende overhemden. Ze zagen er vrolijk uit. In het langharige tapijt waren ontbijtgranen platgetrapt – Chocolate-Soy O's. Ontbijt voor kampioenen. In een houten slabak op de koffietafel lagen een paar verkreukte biljetten van honderd dollar en wat condoléancekaartjes.

Jeri Lynn pakte Cameron beet en wreef door zijn haar. 'Shit. Ik wou dat Fancy er was. Wat zou ze blij zijn om je te zien.' De zoom van haar zwarte jurk was al zo vaak versteld dat hij los begon te raken, maar het leek haar weinig te kunnen schelen. Ze duwde de schaal met kaasballetjes in zijn richting. 'Toe, neem maar.' Ze liet zich in een stoel tegenover de bank vallen. 'Hoe kennen jullie Fancy eigenlijk? Wonen jullie in haar oude buurt?'

'We... we waren erbij toen ze doodging,' zei Sarah. Het was waarschijnlijk een goed idee om recht door zee te zijn, hoewel Rakkim haar waarschijnlijk iets minder direct zou hebben benaderd.

Jeri Lynn keek van de een naar de ander. 'Jullie hebben die avond naar haar gevraagd.'

'Ja,' zei Sarah.

'Cameron, waarom ga jij niet even naar de keuken om wat voor jezelf klaar te maken?' Zei Jeri Lynn. 'Ik weet dat je honger hebt.'

'Ik neem liever eerst even een douche,' zei Cameron. 'Als dat mag?'

'Tweede deur rechts. Roep me maar als je klaar bent, dan krijg je schone kleren van me. Je bent ongeveer even groot als Dylan.' Jeri Lynn wachtte totdat hij in de badkamer verdwenen was. 'Ik ben blij dat jullie hem meegenomen hebben. Fancy... Ze had een zwakke plek voor hem. Ze had het er altijd over dat ze hem mee wilde nemen en hem hier wilde laten wonen.' Ze trok haar zwarte jurk recht en blies een sliertje haar uit haar gezicht. 'Wat komen jullie eigenlijk doen?' zei ze tegen Sarah. Ze had Rakkim nauwelijks aangekeken. 'Ik kan me niet voorstellen dat jullie voor de condoléance komen.'

'We vinden het heel erg wat er gebeurd is,' zei Sarah. 'Fancy was...'

'Mijn kinderen komen over een uur uit school. Ik wil niet dat jullie ze van streek maken. Ze hebben al genoeg doorgemaakt. Cameron mag blijven. De kinderen zijn dol op hem.'

'De mensen die haar... vermoord hebben, wilden ons tegenhouden...'

'Ik kan haar niet eens een fatsoenlijke begrafenis geven.' Jeri Lynn speelde met de gouden ring om haar ringvinger. 'Ze ligt in een koelcel in het rouwcentrum totdat ik met het geld voor de begrafenis over de brug kom.' Ze keek naar de bankbiljetten in de houten kom.

'Wij willen...'

'De moskee wil ons niet helpen. Ze zeiden dat Fancy geen moslim meer was. Niet dat ik ze dat kwalijk neem. Ze bad thuis, maar ze schaamde zich te erg om naar de moskee te gaan. Moslims hebben nu eenmaal ook regels. Het lichaam moet binnen vierentwintig uur begraven worden. Best.' Ze bleef met haar ring spelen. 'Katholieken zijn trouwens geen haar beter. Ik ben katholiek, maar ik ben niet hun type, dus zij willen haar ook niet begraven.' Ze keek naar Sarah. 'Mijn kinderen blijven maar vragen wanneer ze bloemen op haar graf kunnen leggen, en ik zeg steeds maar dat het niet lang meer duurt.' Ze keek naar het holoportret van haar en Fancy. 'We hadden het goed met elkaar voordat jullie hier opdoken. Het was geen perfect leven... Ze vond het verschrikkelijk wat ze deed, en ik ook, maar het was haar duistere kant. Dat was niet wie ze echt was; het was gewoon een spel dat ze speelde. De rest van de tijd waren we een gezinnetje en waren we gelukkig. We waren *gelukkig*.'

'Wij betalen de begrafenis,' zei Sarah.

Jeri Lynn reageerde niet.

'Had Fancy een ketting uit de tijd dat ze nog een meisje was?' zei Sarah.

'Een klein, rond medaillon met Chinese karakters erop?'

'Wat wou je met dat ding?' zei Jeri Lynn. 'Het is niks waard, alleen voor Fancy.'

'Zou ik het even mogen zien?' zei Sarah.

'Het is niet te koop. Het interesseert me niet hoeveel geld je ervoor geeft. Fancy zal worden begraven in haar favoriete jurk en haar favoriete schoenen. Ze krijgt een prachtig kapsel en schitterende make-up. En ze wordt begraven met dat medaillon om haar hals.'

'Dat medaillon maakt deel uit van een onderzoek,' zei Sarah. 'Het...'

'Zijn jullie soms van de politie? Ze is vermoord door de politie.'

'Ze is niet door de politie vermoord,' zei Rakkim.

Jeri Lynn staarde hem aan.

'Hij heet Darwin,' zei Rakkim. 'Ik heb gezien hoe hij het deed. Ik wilde hem tegenhouden, maar...'

'Rakkim is door de politie neergeschoten,' zei Sarah. 'Hij heeft het bijna niet gered.'

'Waarom heeft die Darwin het gedaan?' Jeri Lynns gezicht was rood geworden.

'Dat is zijn werk,' zei Rakkim.

'Mogen we het medaillon zien?' vroeg Sarah. 'Help ons alsjeblieft, Jeri Lynn.'

'Jeri Lynn!' Camerons druipende hoofd verscheen om de hoek van de badkamerdeur. 'Heb je nog kleren voor me?'

Jeri Lynn slaakte een zucht, stond op en liep naar de badkamer.

'We weten dat het medaillon hier is,' zei Rakkim tegen Sarah. 'Er komt een moment dat we voorbij het punt van vragen zijn.'

Sarah legde een stapeltje bankbiljetten van honderd dollar in de houten bak. 'Voorlopig is het nog niet zover.'

'Jij bent degene die denkt dat het medaillon het antwoord op al je gebeden is.'

'Ik zei nog *niet.*'

'Ik zat te denken aan onze eerste ontmoeting, Maurice,' zei Roodbaard. 'Jij was adjudant van generaal Sinclair. Ik zag een lange Afrikaan met het air van een koning en ik vroeg me af of je het een jaar zou uithouden met al die officieren die het op je gemunt hadden. Je wilt niet weten wat ze achter je rug om over je zeiden...'

'Het zal niet veel erger geweest zijn dan de dingen die ze me recht in mijn gezicht zeiden,' zei generaal Kidd.

Roodbaard was onuitgenodigd en onaangekondigd op bezoek gegaan in de kleine conservatieve moskee. Hij was de enige blanke tussen alle Somalische gelovigen. Generaal Kidd en hij zaten met gekruiste benen op tapijtjes onder een blauweregen. Ze aten dadels en nipten van sterke zoete koffie die Kidds jongste vrouw had gebracht. Er waren geen lijfwachten. Die waren ook niet nodig.

'We hebben een hoop geschiedenis meegemaakt, jij en ik.' Roodbaard spuwde een dadelpit uit. 'Gevaarlijke tijden. En toch heb ik het gevoel dat het ergste nog moet komen.'

'De natie is afgegleden, Thomas.' Kidd blies over zijn koffie. 'Het was de bedoeling dat we een licht op de wereld zouden laten schijnen, maar we hadden evengoed kafirs kunnen zijn als je ziet hoe jongeren zich tegenwoordig gedragen. Ze zijn zo slap en lui.'

'Ze hebben tijd nodig om hun weg te vinden.'

'Ze moeten *voorgeschreven* krijgen wat de juiste weg is.'

Roodbaard slurpte van zijn koffie. 'Zou jij graag zien dat Ibn Azziz ze die weg voorschreef?'

Kidd stopte een dadel in zijn mond en kauwde langzaam. 'Ik heb gehoord dat je een sterfgeval in de familie hebt gehad. De verantwoordelijken... Zijn ze dood?'

'De mannen die haar uit de moskee ontvoerd hebben, zijn dood. Geliquideerd door de opdrachtgever voordat *ik* ze te pakken kon krijgen. Niet dat ik ze had moeten ondervragen om te weten te komen wie erachter zat.' Roodbaard trok aan zijn baard. 'Allah geeft ieder mens de vrijheid om te kiezen. Je kunt je aan je eed houden en achter je president blijven staan, of je kunt het zwaard van een mollah worden die vrome vrouwen ontvoert en vermoordt. Een mollah die zich met honderd lijfwachten in de Grote Moskee verschuilt. Is de bescherming van Allah dan niet voldoende?'

Kidds gezicht was een masker, maar zijn ogen verraadden zijn verwarring. 'Ik hou van president Kingsley als van mijn eigen vader, maar hij is oud. Hij gaat dood.'

'We gaan allemaal dood, Maurice.'

'Was je gekomen om me dat te vertellen, oude vriend?'

Roodbaard reikte in de mand en glimlachte. 'Ik ben hier voor de dadels.'

Rakkim had juist opnieuw naar buiten gekeken toen Jeri Lynn terugkwam. Ze droeg een klein, rood geëmailleerd doosje.

'Dank je wel,' zei Sarah.

'Zoveel stelt het niet voor.' Jeri Lynn kwam naast Sarah zitten en opende het doosje. 'Fancy zei dat ze het van haar vader had gekregen toen hij uit China terugkwam – zijn laatste reis.' Jeri Lynn nam het medaillon uit de doos en hield het in de lucht aan het zwarte vezelkettinkje. Het draaide langzaam in het licht. Op het sieraad waren Chinese ideogrammen aangebracht. 'Fancy zei dat ze het de eerste jaren vrijwel nooit had afgedaan. Ze noemde het haar geluksamulet. Maar toen ze wat ouder werd, raakte het geluk blijkbaar op. Haar huid begon te schilferen en ze raakte van de regen in de drup. Ze geloofde dat het een straf van Allah was voor haar manier van leven, en uiteindelijk heeft ze het ding weggeborgen. Soms droeg ze het nog wel eens. Dan zag ik haar in de spiegel kijken en glimlachen.' Jeri Lynn stopte het amulet terug in het doosje. 'Er valt weinig aan te zien, maar Fancy was gek op haar medaillon.'

Sarah maakte geen aanstalten om het doosje te pakken.

Jeri Lynn klapte het deksel dicht. Ze keek naar Rakkim. 'Ik heb van Cameron wat dingen over je gehoord. Hij zei dat hij had gezien hoe je met je blote handen een stuk schorem om zeep hielp. Hij zei dat hij nog nooit eerder zoiets had gezien. Ik wil dat je me iets belooft. Ik wil dat je belooft dat je, als ik je dit medaillon geef, die Darwin opspoort. En ik wil dat je hem vermoordt.'

'Dat kan wel even duren,' zei Rakkim.

'Beloof me gewoon dat je het doet. Ik ben niet geïnteresseerd in een tijdschema of zo.'

'Ik beloof het.'

Jeri Lynn richtte zich tot Sarah, die naast haar zat. 'Kan ik erop vertrouwen dat hij zijn woord houdt? Fancy heeft nooit geluk gehad met mannen, en ik nog minder.'

Sarah keek naar Rakkim. Ze dacht aan wat hij haar over de moordenaar had verteld. Dat hij geen kans maakte. 'Ik vertrouw hem.'

Jeri Lynn overhandigde haar het doosje. 'Ik hoop dat je vindt wat je zoekt.'

Sarah borg het doosje op.

'Ik weet niet of het voor jou iets uitmaakt, maar ik zou Darwin sowieso vermoord hebben,' zei Rakkim tegen Jeri Lynn. 'Ik doe het voor Fancy en een stel andere mensen die hij afgeslacht heeft. Ik heb het al een tijd geleden besloten.'

Cameron kwam tevoorschijn uit een van de andere kamers. Zijn haar was gekamd. Hij droeg een schone broek en een gerafeld T-shirt met L.A. RAMADAN 2035. Hij ging bij Jeri Lynn op schoot zitten en leek zich daar niet voor te schamen. 'Mag ik echt blijven?'

'Zolang je wilt, schat.' Jeri Lynn sloeg haar armen om hem heen, maar hield haar ogen op Rakkim gevestigd. 'Zorg ervoor dat je je belofte nakomt, en als je die Darwin kunt laten lijden – des te beter. Maak het flink pijnlijk. Laat hem zo hard schreeuwen dat de duivels in de hel kunnen horen dat hij eraan komt.'

56

Voor het middaggebed

'U zei dat we elkaar *morgen* zouden ontmoeten,' zei professor Wu. Hij keek van Sarah naar Rakkim en was duidelijk ontdaan door de harmoniebreuk die een niet-nagekomen afspraak veroorzaakte. 'We zouden elkaar in het King Street Café ontmoeten, niet hier. Niet bij mij thuis. We zouden dimsum eten, Sarah en...'

'Mogen we even binnenkomen, professor?' zei Rakkim. 'Ik blijf hier liever niet in de kou staan.'

Wu wierp een teleurgestelde blik op Sarah. Ze vroeg zich af of hij zich ergerde aan hun onaangekondigde bezoekje of aan het feit dat Rakkim hem had onderbroken. Wu deed een stap achteruit en gebaarde hen naar binnen. 'Uiteraard.' Hij ging hun schuifelend voor naar een schaars gemeubileerde woonkamer. De kale plek op zijn achterhoofd was groter geworden sinds ze hem jaren geleden voor het laatst had gezien en omvatte inmiddels vrijwel zijn gehele met ouderdomsvlekken bezaaide schedel. Hij wachtte totdat ze plaats hadden genomen op de schone, maar versleten zitbank en verexcuseerde zich vervolgens om de foto's van het medaillon te halen die ze hem via het internet hadden opgestuurd.

Rakkim en Sarah waren vanuit Zuid-Californië in één ruk doorgereden. Ze hadden hoofdzakelijk doorgaande wegen gekozen en hadden een paar keer vast gestaan in het verkeer. Volgens een juwelier in Long Beach was Fancy's medaillon licht radioactief. Niet genoeg om een gevaar op te leveren, maar het wees opnieuw in de richting van de vierde kernbom. Tijdens de reis hadden zich geen onverwachte incidenten voorgedaan, afgezien van een auto-ongeluk in de Bay Area waardoor ze bijna terecht waren gekomen in San Francisco – een bolwerk van extreem fundamentalisme en een afschuwelijk oord. De Golden Gate Bridge was omgedoopt en had de naam van een of andere Afghaanse krijgsheer gekregen. De brug was versierd met de schedels van homoseksuelen die na de Omwenteling waren weggezuiverd. Een deel van de brug was twee weken geleden ingestort.

Zionisten en heksen hadden de schuld gekregen. Alle auto's die de stad binnen kwamen, werden doorzocht. Mobiele telefoons met ingebouwde camera's of internettoegang werden in beslag genomen en onbetamelijk geklede vrouwen kregen slaag. Als er twijfels zouden zijn gerezen naar aanleiding van hun vervalste huwelijksakte, zouden Sarah en Rakkim ongetwijfeld zijn gearresteerd op verdenking van ontucht en erger.

Het regende al vijf dagen in Seattle. Het was een koude, onafgebroken neerslag die de mensen van de straat hield en auto's in sloten en greppels deed belanden. Sarah miste de warmte en de vrijheid van Zuid-Californië, maar het was goed om weer thuis te zijn – of wat voor thuis moest doorgaan. Een pakhuis op het industrieterrein ten zuiden van de Sjeik Ali Moskee; een van Rakkims schuilplaatsen. Drie dagen geleden hadden ze foto's van het medaillon aan Wu gestuurd. Wu was een Chinese wetenschapper die enkele jaren geleden was ontslagen tijdens een aantal campuszuiveringen.

Wu kwam de woonkamer weer binnen en liet zich voorzichtig in een gemakkelijke stoel zakken. Zijn vingers kromden zich rond de leren armleuningen en zijn nek was zo dun dat hij nauwelijks in staat leek zijn hoofd overeind te houden. 'Dinsdag is de beste dag voor dimsum in het King Street Café,' zei hij. Zijn adamsappel danste op en neer. 'Mevrouw Chen kan maar één dag per week werken, maar haar loempia's met zwarte paddenstoelen zijn nog steeds de beste van de stad.'

'Misschien volgende keer,' zei Sarah.

Wu's lach klonk als het blaffen van een zeehond. Hij keek naar Rakkim. 'Een briljant studente, maar ze lapte alle procedures aan haar laars en deed gewoon waar ze zin in had.'

'Waarom verbaast me dat niet?' zei Rakkim.

Opnieuw gelach van Wu, maar vervolgens gleed er een trieste blik over zijn gezicht. 'Het spijt me dat ik u teleur moet stellen, professor Dougan, maar ik kan u niet helpen de oorsprong van het medaillon vast te stellen. Er zijn tienduizenden kleine dorpjes in China, en de bewoners zijn allemaal apentrots dat ze ter ere van het jaarlijkse pruimenfeest hun eigen medaillons kunnen slaan.'

'U hoeft u niet te verontschuldigen,' zei Sarah, die probeerde haar teleurstelling te verhullen. 'Ik wist niet dat het om zoveel dorpen ging.'

Wu omklemde de leuningen van zijn stoel. 'Ik heb gedaan wat ik kon. Het medaillon is ter herdenking van het pruimenfeest van 2015, het jaar van het schaap. De afwerking is nogal primitief, maar dat is voor verzamelaars juist een van de charmes. Ik neem aan dat u het daar vandaan heeft?'

'Ja,' zei Sarah.

'Weet de verzamelaar niet uit welk dorp het medaillon komt?'

'Nee,' zei Sarah.

Wu knikte. 'Het motto op het medaillon – *een lang leven in voorspoed* – is voor dit soort voorwerpen vrij algemeen, ben ik bang. Gezien de stijl van de ideogrammen zou ik zeggen dat het medaillon afkomstig is uit Sandouping, Yichang of misschien de provincie Hubei, maar dat zijn uitgestrekte gebieden. China is immens.' Hij sloeg de ogen neer. 'Ik moet u mijn verontschuldigingen aanbieden.'

Sarah sloeg als gebaar van dankbaarheid haar handen ineen. De genoemde gebieden bevonden zich alle drie in de omgeving van de Drieklovendam, en de datum, 2015, was het jaar waarin de andere bommen tot ontploffing waren gebracht. Ze stond op en maakte een buiging. 'Erg bedankt voor uw hulp, professor.'

'Het was helaas niet veel.' Wu moest moeite doen om op te staan. 'Voor een gepensioneerde professor is er niets boeiender dan een verzoek om hulp van een favoriete student.' Zijn ogen glinsterden. 'Behalve dan natuurlijk een lunch met haar en haar metgezel.'

Rakkim hielp hem overeind. 'Nogmaals bedankt, professor.'

'Ik zou willen dat u tot het afgesproken moment had gewacht,' zei Wu terwijl hij hen naar de deur begeleidde. 'Ik heb nog steeds niets van meester Zhao gehoord.'

Rakkim bleef staan. 'Heeft u de foto's van het medaillon doorgestuurd?'

'Uiteraard. Toen ik besefte dat mijn eigen armzalige kennis onvoldoende was...'

'Maar we hadden u juist gevraagd dat niet te doen, professor.' Sarah voelde Rakkims spanning – hij wilde zo snel mogelijk vertrekken. Het was zijn idee geweest om onaangekondigd bij Wu binnen te vallen.

'Ik dacht... kijk, verzamelaars importeren regelmatig belangrijke historische voorwerpen zonder toestemming, maar dit is van een zo recente datum...' Wu keek van de een naar de ander. 'Ik probeerde alleen te helpen.'

'Aan hoeveel mensen heeft u de foto's opgestuurd?' zei Rakkim.

'Zes.' Wu trok een gezicht. 'En mijn zoon, Harry Wu, professor aan de Universiteit van Chicago, maar die was niet geïnteresseerd.' Hij zweeg. 'Ik hoop dat ik geen problemen hebben veroorzaakt. Meester Zhao kan misschien nog helpen. Hij weet erg veel.'

'Er is absoluut geen probleem, professor,' zei Sarah. 'Veel succes en tot ziens.'

Rakkim gaf Wu een hand en voelde dat de man beefde. 'Professor, Sarah en ik willen u over een maand graag uitnodigen voor dimsum. De veertiende. Dat is ook op een dinsdag.' Rakkim glimlachte. 'Dan zullen we eens zien of de loempia's van mevrouw Chen inderdaad zo goed zijn als u zegt. We zien u op de veertiende om één uur 's middags in het King Street Café.'

'Fantastisch!' zei Wu glunderend. 'Ik neem in elk geval mijn eetlust mee. Zorgt u voor de uwe.'

Sarah deed haar mond pas open toen ze wegreden. 'Het lijkt me sterk dat die zes mensen met wie Wu contact heeft opgenomen, de Oude zullen informeren.'

'Dat is niet eens nodig. De Oude heeft waarschijnlijk allerlei triggers verspreid in de academische wereld. Computers, databases... noem maar op. Een sleutelwoord in een zoekterm, meer heeft hij niet nodig.'

Sarah vloekte zachtjes. '*Daarom* heb je die lunchafspraak met hem gemaakt.'

Rakkim knikte. 'Als Darwin aanbelt, heeft hij een goede reden om de professor in leven te laten.' Hij controleerde het achteruitkijkscherm. 'Maar als alles goed gaat, heeft de Oude volgende maand andere prioriteiten.'

'Bedankt, Rikki.'

'Dat zit wel goed.'

'Er is nog een andere manier waarop we erachter kunnen komen uit welk dorp dat medaillon afkomstig is. Maar je gaat het niet leuk vinden.'

Rakkim lachte. 'Hoezo, is het *gevaarlijk?*'

Haar ogen straalden. 'Nog veel erger.'

57

Voor het middaggebed

'Ambassadeur, mag ik u voorstellen: Sarah Dougan en haar escorte Rakkim Epps,' zei Soliman bin-Saud.

Ambassadeur Kuhn knikte naar Sarah en vervolgens naar Rakkim. 'Welkom in ons kleine stukje Zwitserland.' Kuhn was een korte, ronde man met waterige blauwe ogen en een opkrullende snor die stijf stond van de brillantine. Een sierlijk rood jasje met gouden biezen en een stijlvolle zwarte broek gaven hem het voorkomen van een overvoerde vogel. Hij schonk bin-Saud een krachteloos lachje. 'Prettig je te zien, Soliman. Jammer dat je gewaardeerde vader er niet bij kan zijn.'

Bin-Saud nam een canapé van het dienblad dat hem door een ober in livrei werd aangeboden en nam een hapje van de foie gras in rozenblad. Bin-Saud was een charmante Arabier met een geparfumeerde, vierkant geknipte baard, donkere ogen en lippen die te week waren. 'Staatszaken. U weet hoe dat gaat.' Hij nam nog een canapé van het dienblad en bood hem aan Sarah aan door hem vlak voor haar mond te houden. 'Dit *moet* je proberen, schat.'

Sarah nam een canapé van het dienblad. 'Hmm, lekker. Rakkim?'

Rakkim gebaarde dat de ober hem kon overslaan.

'Neemt u mijn gast zijn onbeschaamdheid niet kwalijk, ambassadeur,' zei bin-Saud. 'Meneer Epps is Fedayeen, en dat zijn zoals u weet mensen met eenvoudige geneugten.'

'Ach, inderdaad? Gevreesd door vriend en vijand, heb ik begrepen.' De ambassadeur bestudeerde Rakkim. 'Is het *echt* waar dat u een man met één vinger kunt doden?'

Rakkims hand schoot naar voren en draaide zo snel de linkerpunt van Kuhns snor bij, dat de ambassadeur niet in staat was te reageren. 'Zo, dat is beter.'

De ambassadeur deed geschrokken een stap achteruit. 'Eh... we gaan, Soliman. Je moet *echt* de kolibrie in aspic proeven.' Kuhn knikte naar Sarah en Rakkim. 'Ik zou zeggen, geniet van uw verblijf hier.'

Sarah keek de ambassadeur en Soliman na terwijl ze het vertrek verlieten. De ambassadeur keek nog één keer achterom. Sarah deed alsof ze Rakkims grapje niet waardeerde.

Er waren ongeveer driehonderd aanwezigen op het feest. Ambassadeurs en diplomatiek medewerkers van nagenoeg elke ambassade in Seattle, lachend en etend en drinkend. Nigerianen en Oost-Afrikanen in hun fleurige outfits, Brazilianen en Argentijnen in stijve westerse kostuums, maar ook Zweden, Noren en Australiërs, waarvan Sarah er een aantal herkende van eerdere gelegenheden die ze met de Roodbaard had bezocht. Hoewel ze formeel gesproken geen diplomatieke betrekkingen hadden, was er zelfs een vertegenwoordiger van de Bijbelgordel; een oudere man met dik grijs haar in een zwarte overjas. Hij zag eruit als een plattelandspredikant. Er waren natuurlijk ook veel nieuwe gezichten.

'Soliman leek blij je te zien,' zei Rakkim. 'Je komt niet vaak Saoediërs tegen die dames een handkus geven. En zo elegant. Hoeveel smaragden zou hij in de zoom van zijn gewaad hebben genaaid?'

Er kwam een ober langs met een dienblad vol champagne – zowel met als zonder alcohol. Sarah koos voor de non-alcoholische versie. Rakkim niet.

'Ik sta bij Soliman in het krijt; hij heeft ervoor gezorgd dat we hier vanavond naar binnen konden,' zei Sarah. Ze nipte van haar drankje. De belletjes prikkelden. 'Als zijn vader er achter komt, heeft hij een probleem. Zijn vader vindt de Zwitsers namelijk losbandige lui. Trouwens, zou jij Roodbaard dan liever om hulp vragen?'

'Ik mag hem gewoon niet.'

'Dat maakt niet uit. Hij mag jou ook niet.'

Bin-Saud had gelijk wat de Zwitsers betrof; het waren *inderdaad* losbandige types. Ze waren decadent, agnostisch en exorbitant rijk. Aangezien ze al zeshonderd jaar strikt neutraal waren, deden ze zaken met elke regering, ongeacht politiek of religie, en ze verdienden aan iedereen. De Zwitsers hadden geen bondgenoten en vijanden – ze hadden cliënten. Een strijkkwartet speelde Mozart. Daarmee werd voorkomen dat er op gevoelige tenen werd getrapt. Er waren schalen met kreeft en garnalen en kaviaar voor de Chinezen en Russen en Zuid-Amerikanen. Voor de gelovigen was een keur aan halal delicatessen beschikbaar. Iedereen kreeg lucht via de euforie-generatoren in de airconditioning. Ze verspreidden een microscopische nevel van neurotransmitters en feromonen die ontspannend werkte en gevoelens van intimiteit bevorderde.

Sarah voelde zich een beetje licht in het hoofd. Haar blote schouders tintelden en ze voelde elke vierkante centimeter van de strakke avondjurk die ze vandaag in de moderne wijk had gekocht. Ze wilde dat Rakkim en zij ergens anders waren – alleen. 'Wat is er, Rikki?'

'Ik weet het niet.'

'Je bent gespannen.'

Rakkim ruilde zijn lege glas voor een vol exemplaar en maakte van de gelegenheid gebruik om het zaaltje in zich op te nemen. 'Ik heb het gevoel dat we in de gaten worden gehouden.'

'Ik weet *zeker* dat we in de gaten worden gehouden. Daarom gaan mensen naar ambassadefeestjes; om naar andere mensen te kijken en uit te zoeken wat ze werkelijk in hun schild voeren.'

'Zo bedoel ik het niet.'

'Oké... laten we dit dan maar zo snel mogelijk afhandelen.' Sarah voelde aan het Chinese medaillon dat ze in een zakje van haar jurk had weggeborgen. 'Rakkim... toen je Fancy's vriendin beloofde dat je Darwin zou vermoorden... dat meende je toch niet, hè?'

Rakkim schudde zijn hoofd terwijl hij de aanwezigen bestudeerde.

'Dat zei je toch alleen maar om het medaillon te krijgen?'

'Dat heb ik al gezegd,' zei Rakkim.

Sarah keek naar hem en vroeg zich af of hij de waarheid sprak. 'Zullen we dansen?'

'Toe maar. Gewaagd hoor.'

Sarah nam hem bij de hand en loodste hem tussen de mensen door. 'Ik zag de Chinese ambassadeur met een van zijn concubines dansen. Die ouwe snoeper heeft al jaren een oogje op me.'

Er zweefde op oogniveau een dienblad met paling voorbij en Rakkim wilde dat hij ertussen lag, opgerold op het bedje met rijst.

Anthony Colarusso zat in zijn boxershort aan de keukentafel en smeerde pindakaas op een witte boterham. Vervelend dat Marie voor haar vertrek niks in huis had gehaald. Het mes tikte tegen de glazen binnenkant van de pot. Bijna leeg. Sinds zijn vrouw met de kinderen was ondergedoken, leefde hij op brood met pindakaas. De boterham scheurde omdat hij wat al te enthousiast smeerde, en hij schudde zijn hoofd. Hij had de pindakaas even moeten opwarmen in de magnetron – maar ja, hij was geen kok.

'Je moet het brood even roosteren, pa, dan heb je dat probleem niet.'

Colarusso sprong op en stootte zijn stoel om.

Anthony jr. stond lachend in de deuropening van de kelder.

Colarusso liep op hem af en gaf hem een paar nepmeppen terwijl zijn zoon deed alsof dat heel pijnlijk was. 'Hé, eikeltje, wou je me soms een hartaanval bezorgen?'

Anthony jr. omarmde zijn vader en tilde hem van de grond. Colarusso was zeker veertig kilo zwaarder dan zijn zoon, maar de jongen zwaaide hem rond alsof hij een balletdanseresje was.

'Hou daarmee op!' Colarusso zette zijn handen in zijn zij en ging voor hem staan. 'Hoe ben jij in vredesnaam langs Ames en Frank gekomen?' Hij pakte zijn politiepistool van de vensterbank, zette de veiligheidspal om en tuurde uit het keukenvenster. 'Die kerels horen de boel hier in de gaten te houden.'

'Kom nou, pa. Ik sluip hier al in en uit sinds mijn twaalfde. Weinig kans dat ze me zien.' Anthony jr. ging aan tafel zitten, haalde een vinger langs de rand van de pindakaaspot en stopte hem in zijn mond. 'Die vent die bij ons aan de deur is geweest, zien ze ook niet. En als ze hem al zien, dan houden ze hem echt niet tegen.'

Colarusso bleef voor zijn zoon staan. 'Waarom ben je niet bij je moeder en je zussen?'

'Schei uit, zeg. Acht dagen bij tante Charlotte is als tachtig jaar in het vagevuur. Ze kookt nog slechter dan mam en het enige wat ze doet is poppentruitjes breien.' Anthony jr. stak opnieuw zijn vinger in de pindakaaspot. 'Ze zijn veilig, maak je geen zorgen. Maar één kerstkaartje per jaar is niet echt een basis om samen in een huis te gaan wonen. Trouwens, die kerel die hier aan de deur was, kwam voor jou.'

Colarusso bracht zijn pistool omhoog. 'Nou, als hij weer aanklopt; ik ben er klaar voor.'

Anthony jr. keek hem aan. 'Ik ook.'

'Heeft u soms dansles gehad, ambassadeur?' vroeg Sarah poeslief.

'Nee, maar ik ben wat afgevallen,' zei Lao, de Chinese ambassadeur. Hij liet haar een stukje achterover zakken en maakte van de gelegenheid gebruik om zachtjes met zijn buik tegen de hare te botsen. Lao was een korte, ronde man van middelbare leeftijd. Hij droeg traditionele kleding en zijden slippers. Aangezien hij al sinds de Omwenteling in het vak zat, was Lao een wolf in schaapskleren waar het op zakelijk onderhandelen aankwam. Als vertegenwoordiger van de enige andere supermacht had alleen de Russische ambassadeur een even grote vinger in de pap, maar die was teruggeroepen naar Moskou. 'Ik heb de indruk dat mijn zwaartepunt er in positieve zin door verschoven is.'

'Dat is inderdaad duidelijk te merken.'

'Het verraste me nogal dat ik je hier vanavond met Soliman zag.' De mascara maakte Lao's blik niet minder indringend. 'Een aardige knul, maar ik dacht je hem had gedumpt.'

Sarah glimlachte. 'We zijn gewoon goede vrienden.'

'Uiteraard.' Lao knikte naar Rakkim, die een stuk verderop stond. 'Ik zie dat Roodbaard een lijfwacht mee heeft gestuurd. Niet dat zoiets hier nodig is. Een van de grote voordelen van de Zwitserse ambassadefeestjes is dat beveiligingsmaatregelen eigenlijk overbodig zijn. We hebben *allemaal* belang bij een plek waar we op beschaafde wijze kunnen genieten zonder ons met triviale staatsaangelegenheden bezig te moeten houden.'

'Daar zal ik de volgende keer rekening mee houden, ambassadeur. Maar u kent mijn oom. *Niets is gevaarlijker dan een veilige locatie.*'

'Staat hij er ook op dat je je lijfwacht meeneemt naar je zachte warme bed?' Lao's ogen glinsterden, en hij lachte om zijn eigen grapje. 'Neem me niet kwalijk, Sarah. Chinese vrouwen zijn schaamteloos, en ik vergeet steeds dat islamitische vrouwen zo fijngevoelig zijn.'

'U bent al achttien jaar in de hoofdstad en u wilt me wijsmaken dat u dat bent vergeten?' Sarah schonk hem een plagerige blik. 'U bent een ondeugende man, ambassadeur.'

'En ik wordt met het jaar ondeugender,' zei Lao terwijl hij haar ronddraaide. In het licht was een dun laagje zweet op zijn voorhoofd te zien. Hij rook naar seringen. Lao liet een waaier uit een wijde mouw glijden en begon ermee te wapperen. 'Ik krijg de indruk dat ambassadeur Kuhn de euforienevel hoger heeft gezet. Ik voel me heel impulsief.'

Sarah was dankbaar voor de pauze in de muziek en wandelde naar een stil hoekje van de balzaal. 'Ik wil u om een gunst vragen.'

Lao's speelse houding verdween als sneeuw voor de zon.

'Ik heb een sieraad dat ik u wil laten zien. Een medaillon uit uw eigen land. Het is uit een klein dorpje afkomstig en het is gemaakt ter ere van het jaarlijkse pruimenfeest.' Sarah legde het medaillon in zijn hand.

Lao bekeek het en haalde zijn schouders op. 'Het is niets waard. Zo op het eerste gezicht, tenminste.'

'Ik wil weten uit welk dorp dit medaillon komt.'

Lao stak de waaier in zijn mouw terug en schonk haar een moeizaam glimlachje. 'Ik ben een stadsmens.'

'Ik wil graag dat u het medaillon houdt,' zei Sarah. Ze boog zich dichter naar hem toe. 'Zodra u weet uit welk dorp dit sieraad komt, zou ik u aanraden de autoriteiten een onderzoek te laten instellen. In de buurt van dat dorpje bevindt zich namelijk iets... iets wat voor ons allemaal erg belangrijk is.'

Lao haalde opnieuw zijn waaier te voorschijn. 'En *waar* moet ik naar zoeken?'

Sarah sloot zijn hand om het medaillon. 'Straling.'

58

Voor het middaggebed

Rakkim werd wakker, liet zich uit bed te rollen en sprong op in een gevechtspositie.

Sarah sloot de deur achter zich en kwam in een blauwe chador de kamer binnen. 'Ik wilde je niet wakker maken toen ik wegging.' Ze leek trots op het feit dat ze zo stilletjes was weggeglipt – en terecht.

Na het feestje op de ambassade waren ze via allerlei omwegen naar het pakhuis teruggereden. Rakkim was er nog steeds van overtuigd dat ze tijdens het feest in de gaten waren gehouden. Nog steeds onder invloed van de stimulerende euforienevel hadden ze urenlang de liefde bedreven. Daarbij waren ze meer geïnteresseerd geweest in hitte en wrijving dan in intimiteit. Ten slotte was Sarah ingedommeld, maar Rakkim had wakker gelegen, denkend aan Mardi. Twee weken geleden was ze uit de Blue Moon vertrokken, zoals hij haar had opgedragen. Haar mobiele telefoon was uitgeschakeld; heel verstandig. Ze had alles goed gedaan en hij hoopte dat het genoeg was. Uiteindelijk was hij pas in slaap gevallen toen de oproep voor het ochtendgebed door de straten had geschald. Hij had gedroomd over Mardi en Darwin, flirtend en borrelend in de Blue Moon terwijl hij er maar niet in slaagde haar te waarschuwen.

'Je ziet er zo vrolijk uit,' zei Rakkim. 'Heb je de Chinese ambassade gebeld?'

'Ambassadeur Lao is niet bereikbaar, en dat is ook geen wonder. Zelfs als ze ontdekken waar het medaillon vandaan komt, duurt het wel een tijdje voordat ze de omgeving hebben afgezocht.' Sarah trok haar hoofddoek af en haar jurk uit. Ze droeg een doorschijnende onderjurk, en haar tepels drukten ondeugend door de zijde. 'Maar dat is niet de reden dat ik vrolijk ben. Ik ben naar de moskee geweest en heb ingelogd op Deugdzame Huisvrouwen. Mijn moeder had een boodschap achtergelaten.' Ze ging op het bed zitten. Er lag een blos op haar wangen. 'We ontmoeten haar vanmiddag. Ze wil dat jij ook komt.' Sarah speelde met de lakens. 'Ik kan haast niet wachten. Ik bedoel, ik ben ook bang, maar... het is zo lang geleden.'

'Waar ontmoeten we haar?'

Sarah kwam naast hem liggen. 'Ik weet het niet... maar *jij* wel.' Ze kuste hem. Haar gezicht was koud van de buitenlucht. 'Mijn moeder heeft blijkbaar ontdekt dat we samen zijn. *Herinner je metgezel eraan dat hij zijn beste beentje voorzet.* Het zal wel een of andere code zijn. Ze wilde er zeker van zijn dat ik het echt was.' Sarahs hoofd verdween onder het laken en haar hand gleed naar beneden. 'Weet jij wat het betekent?'

Rakkim had het gevoel dat hij over de rand van de wereld was gestapt. 'Ik geloof het wel.'

Ibn Azziz leunde achterover terwijl de injectienaald in het geïnfecteerde abces onder zijn kapotte linkeroog drong. De pijn was onbeschrijflijk. Hij voelde warme vloeistof langs zijn wang lopen en hij rook de stank van rottend weefsel. Voor de duizendste keer vervloekte hij in stilte Roodbaards huishoudster voor wat ze hem had aangedaan. Hij balde zijn vuisten, maar er kwam geen geluid van zijn lippen.

De arts begon het dode vlees rond de oogkas weg te snijden. Het laatste wat dat oog had gezien voordat de oude heks het kapot had geklauwd, was haar vastberaden gezicht terwijl zijn lijfwachten onafgebroken hun dolken in haar lichaam hadden gebeukt. Hij wilde nu dat hij het lichaam niet terug had gegeven. Hij had haar in het riool moeten gooien of in een maïsveld zodat de raven het vlees van haar botten hadden kunnen pikken. Hij was genadig geweest voor iemand die geen genade had verdiend. Maar dit was de laatste keer geweest. Ibn Azziz had contact gezocht met de ayatollahs van San Francisco en Denver, twee van de meest godvruchtige steden van het land. Ze stonden klaar om zijn orders op te volgen.

Hij knipperde snel met zijn goede oog, dat maar bleef tranen. De arts begon met de drainage van een ander abces in een dieperliggende holte onder zijn neus; de ontsteking reikte bijna tot op het bot. Ondertussen rolde de pijn door zijn lichaam als een vloedgolf die door de maan uit zee werd getrokken. Als Ibn Azziz één geschenk van Allah had gekregen, dan was het wel het vermogen om lijden te dragen. Het was zeker niet zo dat hij geen pijn voelde; het ging erom dat hij wist dat pijn een weg naar het paradijs was. Ibn Azziz siste toen de arts een antisepticum opbracht; zijn lippen trilden van extase.

Rakkim duwde de deur van de kapperszaak open en hield hem open voor Sarah. Hij was vijf minuten eerder langs de winkel gelopen en had een blik naar binnen geworpen om te controleren of Elroy achter was.

'Knippen?' vroeg een van de kappers, die opkeek van zijn tijdschrift.

Rakkim wees met een duim op de schoenpoetsstoel. 'Ik moet mijn beste beentje voorzetten.'

'We vroegen ons af of je het zou begrijpen,' zei Elroy terwijl Rakkim ging zitten en zijn voeten op de steun zette. De jongen haalde zijn borstels en schoensmeer tevoorschijn. 'Ik heb tegen Spider gezegd dat hij je beter nog een aanwijzing kon geven.'

Sarah kwam naast Elroy zitten. 'Waar *is* ze?'

'Ook aangenaam.' Elroy bracht zwarte smeer op Rakkims schoenen aan en begon die in te wrijven. 'Oké, ik geef het op. Ik ben helemaal de kluts kwijt door je schoonheid. Ze zit in de salon met professor Plum.'

'Cluedo?' Sarah lachte. 'Hé! Kennen jullie Cluedo?'

'Cluedo, Scrabble, Risk, Big Business, Candyland – in ons gezin spelen we alle oude spellen.' Met in elke hand een borstel begon Elroy Rakkims laarzen in een gestaag ritme te bewerken. 'Als je tegen mij Monopoly speelt, ben je gegarandeerd binnen een uur bankroet. Ik speel tegen je voor honderd dollar – echt geld – en dan krijg je de nutsbedrijven van me cadeau.'

Rakkim had er geen flauw idee van waar ze het over hadden.

Sarah leunde achteruit en liet Elroy verder praten.

Rakkim keek naar de borstels. 'Alles goed met de rest van de familie?'

'Ik deel een kamer met vier broers in plaats van twee en de koelkast slaat steeds af. Maar de computers zijn geïnstalleerd, en daar gaat het om. En dat we nog bij elkaar zijn, natuurlijk. Dat we veilig zijn.' Elroy schoof een stukje naar achteren en bewonderde zijn werk. De laarzen glommen als obsidiaan.

Rakkim gaf hem twintig dollar. 'Ze zien er weer piekfijn uit.'

'Twintig dollar? Armoedzaaier.' Elroy stak het bankbiljet in zijn zak. 'Om de hoek zit een klusbedrijfje,' zei hij zacht. 'Het is gesloten, maar als je het steegje in loopt, laat Spider je binnen. *Zij* is er ook.' Hij keek naar Sarah. 'Je lijkt op haar. Sommige mensen hebben altijd geluk.'

'Bedankt.' Sarah kuste Elroy op de wang. 'Die nutsbedrijven? Daar heb je niks aan. Je mag ze van me hebben als je mij de drie lichtblauwe straten geeft. Ik laat je er twee keer op terechtkomen zonder dat je huur hoeft te betalen.'

'Weinig kans, dame.' Elroy knikte naar Rakkim. 'Je kunt wel horen wie van jullie het denkwerk doet, Mr. Macho.'

Rakkim en Sarah verlieten de kapperszaak via de achteruitgang en wandelden het steegje in. Er stonden halfgesloopte auto's en de gebouwen waren dichtgespijkerd. Ook zagen ze hondenpoep, graffiti en doorweekte kartonnen dozen. Typisch een vervallen katholieke buurt.

'Ik mag hem wel,' zei Sarah.

'Hij mag jou ook.'

Rakkim hoorde zacht tikken. Hij draaide zich om en keek om zich heen. Het had geklonken alsof hij iets had laten vallen. Ze werden niet gevolgd. Aan de achterkant van het klusbedrijf ging een deur open en Sarah liep naar binnen. Rakkim volgde haar en keek nog één keer om zich heen. Achter hem ging de deur dicht.

Spider schudde hem de hand. In het schemerduister zag hij eruit als een kabouter met zijn krullen onder een bivakmuts en zijn glimlach bijna verborgen door zijn volle baard. Bijna.

'Ik wil mijn moeder zien,' zei Sarah.

Spider opende een andere deur die naar een werkplaats voerde. Ze stond binnen te wachten. Katherine Dougan. Ze zag er ouder uit dan op de foto's die Rakkim kende en ze had zo te zien veel tijd buitenshuis doorgebracht, maar ze was het wel degelijk.

Ondanks het feit dat ze hier zo naartoe had geleefd, kon Sarah alleen maar roerloos blijven staan en haar moeder aanstaren. Ze bewogen zich geen van beiden. Tenslotte deed Sarah een stapje naar voren. Haar moeder rende op haar af en sloot haar in haar armen. Ze begonnen allebei te huilen en de tranen stroomden over hun wangen.

Rakkim keek naar Spider, die verlegen zijn schouders ophaalde.

Katherine nam Sarah bij de schouders om haar goed te kunnen bekijken. Ze keek naar haar haar, haar gezicht, haar lichaam, haar huid; ze nam haar volledig in zich op.

Sarah lachte en draaide een rondje.

Katherine omarmde haar opnieuw en de twee vrouwen snikten. Ze hadden nog steeds geen woord gezegd.

Rakkim keek om zich heen. De werkplaats was groezelig, maar uit een doos staken een nieuwe Chinese laptop en een stel satellietontvangers. In Las Vegas gewoon in de winkel te koop, maar in de Islamitische Republiek een ernstig misdrijf. Op zoiets stond minstens tien jaar. *Als* je tenminste aangaf waar je je spullen vandaan had. Een flinterdunne monitor aan de muur toonde acht camerastandpunten. Twee waren van het steegje in beide richtingen en twee van de straat in dezelfde richting. De andere vier camera's waren op een hoge locatie gemonteerd en toonden een panorama van de omgeving. Als er ook maar iemand naderde die hier niet thuishoorde, zou Spider voldoende tijd hebben om iedereen weg te krijgen.

'Hoe heb je haar gevonden?' vroeg Rakkim aan Spider.

Spiders rechteroog vertoonde een zenuwtrekje. 'Hoe lang heeft Roodbaard naar haar gezocht? En die andere kerel... hoe lang is die al op zoek? Twintig jaar?' Spiders mond vertrok van trots. 'Ik heb er drie weken over gedaan. Ik had natuurlijk wel wat voordelen.' Hij wierp een blik op Katherine en Sarah. Ze praatten nu zachtjes met elkaar en hielden nog steeds elkaars hand vast alsof de ander zou verdwijnen als het contact verbroken werd.

'Was ze al die tijd in Seattle?' zei Rakkim. 'Ik kan niet geloven...'

'Doe niet zo idioot.' Spider wierp om de zes seconden een blik op de surveillancemonitor – alsof hij een stopwatch in zijn hoofd had. 'Ze zat op een veilige plek, dat moet ik haar nageven. Als ze geen contact met Sarah had opgenomen, betwijfel ik of ze ooit zou zijn gevonden.'

'Heb je haar via haar satellietsignaal te pakken gekregen? Maar je zei dat ze via verbindingspunten verspreid over de hele wereld werkte.'

Spider glimlachte. *Veel* te veel tanden. 'Het was onmogelijk om het telefoontje naar Sarah in het Mecca Café te peilen, maar ik heb wat oude bestanden gecheckt. Ik heb de accounts van elk bedrijf in de buurt van het café gekraakt. Ik ben vanuit het centrum in steeds grotere concentrische cirkels gaan zoeken. Het duurde even, maar ik kreeg een patroon van contacten dat terugvoerde tot meer dan een jaar geleden. Vervolgens heb ik daar wat logaritmische analyses op losgelaten...' Hij trok een gezicht. 'Ik zal proberen het eenvoudig te houden. Het signaal danste de hele aardbol over, maar het begon altijd bij een bepaalde satelliet. Op de plaats van oorsprong bevond zich alleen geen satelliet. Uiteindelijk kwam ik erachter dat de satelliet die voor de oorspronkelijke verbinding werd gebruikt een satelliet van het oude regime was die zich in een lage baan bevond. Niemand gebruikte die satelliet nog. Toen ik dat eenmaal had ontdekt... tja, toen was het alleen een kwestie van wat onderzoek en triangulatie.'

'En heb je dit allemaal gedaan terwijl je op de vlucht was voor de Zwartjassen?'

'Daar sta je van te kijken, hè?' zei Spider.

'Een beetje wel.'

'En het wordt nog mooier.' Spider keek op zijn schermen. Het viel Rakkim al bijna niet meer op. 'Elroy is slimmer dan ik. Ik kan hem nauwelijks bijhouden. En ik heb een dochter van zeven die Elroy over een paar jaar rechts inhaalt.'

'Benjamin?'

'Ja, Katherine,' zei Spider.

Rakkim keek verrast naar Spider. Hij had nooit eerder iemand de echte voornaam van de man horen gebruiken.

'Laat ze het maar zien,' zei Katherine.

Spider drukte op een toets van de top. Iedereen kwam bij hem staan.

Op het scherm was even een heldere flits te zien. Vervolgens verscheen het beeld van een man in een stoel. 'Mijn naam is Richard Aaron Goldberg.' Een van de bekendste gezichten ter wereld. De zionistische teamleider die de kernbom had geplaatst waarmee New York City verwoest was. Ieder schoolkind kende zijn bekentenis. Het filmpje werd op de verjaardag van de aanslag onafgebroken vertoond. 'Elf dagen geleden heeft mijn team...'

'Nee, nee, nee. Je lichaamstaal is helemaal fout. Hoeveel keer moeten we dit nu nog doen? Je moet je rug krom houden. En met je benen wiebelen. Je staat onder druk, oké? Nog een keer.'

'Die stem... is dat Macmillan?' zei Rakkim.

'Je pupillen variëren in grootte. Het maakt niet uit of ze al dan niet verwijd zijn, maar het gaat om consistentie. Grootteveranderingen wijzen op leugens.' Een schichtige man met dikke brillenglazen stapte het beeld binnen en legde een hand op Goldbergs middenrif. 'Gebruik de ademhalingstechnieken die ik je geleerd heb.' Hij verdween weer uit het beeld.

'O, mijn god,' zei Sarah.

Goldberg schraapte zijn keel. 'Mijn naam is Richard Aaron Goldberg. Elf dagen geleden heeft mijn team gelijktijdig drie kernwapens tot ontploffing gebracht. Een ervan heeft New York City verwoest, het tweede Washington D.C. en het derde heeft Mekka in een radioactieve necropool veranderd. Het was de bedoeling...' Goldberg legde een hand op zijn bevende knie. 'Het was de bedoeling dat de schuld bij radicale moslims zou worden gelegd. Om een wig te drijven tussen het Westen en de moslims en chaos te veroorzaken binnen de moslimwereld zelf. Ik denk... Volgens mij zouden we erin geslaagd zijn als we niet toevallig wat pech hadden gehad.' Hij stak zijn kin naar voren. 'Ik ben Richard Aaron Goldberg. Mijn team en ik maken deel uit van een geheime Mossadeenheid.'

Er klonk applaus. 'Veel beter. Ik vond vooral die zweetpareltjes wel mooi. We doen het nog een keer.'

Het scherm werd grijs.

Niemand zei iets.

De winkelpui boven hen kraakte en kreunde.

'Dat wat we net gezien hebben... Was dat echt?' vroeg Rakkim ten slotte.

'Helemaal,' zei Katherine. 'Mijn man heeft het me gegeven op de avond voordat hij vermoord werd. De download was verborgen in een gebedskettinkje.'

'Dat soort dingen kan gefaket worden,' zei Rakkim.

'Alles kan gefaket worden, maar dat was de hoofdverhoorder van de FBI die Goldberg door de bekentenis loodste,' zei Spider. 'Lorne Macmillan, een van je glorieuze helden van de nieuwe Islamitische Republiek.'

Sarah staarde naar het lege laptopscherm. 'Het is... het is net alsof je Jack Ruby en Lee Harvey Oswald ziet staan die hun confrontatie in de garage in Dallas repeteren.' Ze schudde haar hoofd. *'Oké, Lee, ik stap uit het groepje fotografen en dan blijf jij staan met een verbaasde blik op je gezicht...'*

'Wie is Jack Ruby?' vroeg Rakkim.

Spider bestudeerde zijn monitor. 'Die witte auto bevalt me niks.' Hij zweeg even. 'Nee... loos alarm. Hij is afgeslagen en rijdt nu op Madison.' Hij bleef het scherm in de gaten houden.

'Waarom heb je me dit niet eerder verteld?' vroeg Sarah op scherpe toon.

'Ik... ik kon het niet,' zei Katherine, en er verscheen een blos op haar wang. 'Ik was bang dat er iets met je zou gebeuren en...'

'Je vertrouwde me niet,' zei Sarah.

'Je vader zei altijd dat je je rechterhand niet moet laten weten wat de linkerhand doet,' zei Katherine. 'Hij heeft het zelfs niet tegen Roodbaard gezegd.'

'Je *vertrouwde* me niet,' herhaalde Sarah.

'Luister, we kunnen later altijd nog ruzie maken,' beet Katherine. 'Laten we er voorlopig eerst maar eens voor zorgen dat Roodbaard een kopie van de opname krijgt. Hoe noemde je dat ook alweer, Benjamin?'

'Snelheid en distributie,' zei Spider. 'We moeten de boodschap zo snel mogelijk naar zoveel mogelijk mensen zien te versturen. Anders worden we meteen overstemd door de officiële desinformatiebronnen. Ik had het idee om een stel grote websites te hacken, zoals *whatdoido-imam.com* of *faithful-jobsearch.com,* maar alleen lukt me dat niet. Roodbaard kan ons helpen bij het omzeilen van een stel crashtriggers. Ik weet trouwens niet eens of dat wel de beste sites zijn. We moeten dit echt internationaal aanpakken.'

'Ik weet niet of ik Roodbaard wel kan vragen zoiets te doen,' zei Sarah. Haar stem klonk onvast en nog steeds boos. Ze had zich er geestelijk op voorbereid om de waarheid over het Zionistisch Verraad te horen, maar het bewijs met eigen ogen *zien*... En ze was natuurlijk ook van slag omdat ze haar moeder na al die jaren weer had ontmoet. 'Hij weet wat er kan gebeuren als dit... groteske stukje geschiedenis in de openbaarheid komt.'

'Ik vraag *jou* niet om dat te doen, schat.' Katherine klonk vastberaden. 'Ik vraag het zelf wel aan Thomas.'

59

Voor het middaggebed

'De verloren zoon keert terug,' zei Stevens, het pokdalige fatje dat Rakkim na de Super Bowl had opgepakt in de Blue Moon. Het leek jaren geleden. Stevens' sluike haar glom en zijn pak zat als gegoten. Door zijn schoenen leek hij zeker vijf centimeter langer. In zijn ogen lag de schittering van een man met geheimen. 'Volgens mij ben je niet zo blij me te zien, Fedayeen.'

'Eerder verbaasd.'

Stevens onderzocht hem met een metaaldetector en raakte hem gevoelig tussen de benen. 'Sorry. Ik moet controleren of je niet toevallig wat gevaarlijks op zak hebt. Maar zo te zien heb je daar helemaal niks.'

De bewakers die Rakkim bij Stevens hadden gebracht, lachten, maar richtten zich onmiddellijk weer op Sarah en Katherine, die onderzocht werden door een vrouwelijke beveiligingsbeambte. Katherine droeg een zwarte boerka. Alleen haar ogen waren zichtbaar door het smalle spleetje.

Rakkim zweeg terwijl Stevens zijn ruwe inspectie vervolgde. De beveiliging van de villa was altijd streng geweest, maar dit was extreem. Ze hadden al twee screenings achter de rug waarbij ze getest waren op biologische wapens, elektronica en explosieven. De download van Richard Aaron Goldberg was inert en had geen alarm in werking gezet.

'Goed dat je terug bent,' zei Stevens. 'Roodbaard heeft het vreselijk druk.'

'Sinds wanneer neemt Roodbaard *jou* in vertrouwen?' zei Rakkim, die nog steeds de pijn van de stok voelde.

Er ging een alarm af, en de bewaker die Sarah controleerde, deed een stap achteruit.

Rakkim keek naar de knipperende bioscanner en vloekte in stilte om zijn onnadenkendheid. De Oude had geen zendertje in *hem* geïmplanteerd, maar in Sarah, tijdens haar slaap. De biochip was niet gevonden door haar polsalarm, noch in de eerste twee niveaus van het beveiligingssysteem van de villa. Geen wonder dat ze uit Las Vegas hadden kunnen vluchten. Zwevend boven de woestijn als een zeepbel… een speldenprik verwijderd van een harde landing.

Terwijl een technicus de minuscule chip achter haar oor neutraliseerde, belde Rakkim met Spider. Hij waarschuwde hem dat Elroy en hij maar beter uit de buurt van de kapperszaak konden blijven. Vervolgens nam hij contact op met Peter, Jeri Lynn en professor Wu. Peter was in het casino. Hij bedankte hem en hing meteen op. Jeri Lynn zei dat ze hen had willen waarschuwen, maar dat ze niet wist hoe ze hen kon bereiken. Ze was wakker geworden doordat Darwin op haar bed zat met haar jongste dochter op zijn schoot. Jeri Lynns stem beefde. Ze vroeg zich af hoe Darwin had kunnen weten dat het meisje haar favoriete kind was. Ze had Darwin alles verteld wat ze wist, en hij was even plotseling verdwenen als hij was verschenen. Professor Wu nam niet op.

Sarah liep naar hem toe terwijl hij de telefoon wegborg. 'Onze dubbelgangers… Ze zijn gevolgd vanaf de mall en de auto is gepeild tot in Arizona. *Waarom?*'

'Om ons ervan te overtuigen dat wij ze te slim af waren geweest. De Oude had ons nodig om een aantal losse eindjes te vinden die hij mogelijk over het hoofd had gezien. Zoals het medaillon.'

'Hij had de indruk dat we eerder nuttig waren dan gevaarlijk. Daarom heeft hij ons niet uit de weg geruimd.' Sarah krabde achter haar oor. 'Maar inmiddels weet hij wel beter.'

'Hij is op de hoogte van het medaillon, maar niet van de bekentenis. Dat is ons grote voordeel.'

De deuren van de binnenruimte van de villa gleden sissend open. Het verschil in luchtdruk moest biologische en gasaanvallen voorkomen. Binnen stond Roodbaard te wachten. Er lag een grimmige uitdrukking op zijn gezicht. Zijn blote voeten waren in sierlijke slippers gehuld en over zijn broek droeg hij een witte tunica zonder riem waardoor hij er eleganter uitzag dan gewoonlijk. Rakkim was liever door Angelina verwelkomd, maar die bereidde waarschijnlijk een feestmaal voor – hoewel hij geen eten rook. Sarah, Rakkim en Katherine liepen naar binnen. Stevens wilde volgen, maar Roodbaard gaf hem met een subtiel handgebaar te kennen dat hij buiten moest blijven. De deuren gleden weer dicht. 'Fijn dat je Sarah hebt teruggebracht,' zei Roodbaard tegen Rakkim. 'Misschien kun je de volgende keer een spoor van broodkruimels voor de Oude achterlaten.'

'Ik zie dat u Stevens hoofd Beveiliging heeft gemaakt,' zei Rakkim. 'Heeft hij al een eigen kamer in de villa?'

'Het spijt me, oom,' onderbrak Sarah. 'Ik weet dat ik u teleurgesteld heb, maar ik moest…'

Roodbaard omhelsde haar. 'Je bent veilig, dat is het enige wat telt.' Hij keek over haar schouders naar Katherine. 'En wie is de vrome vrouw die jullie hebben meegenomen?' Hij verstijfde toen Katherine haar hoofddoek afdeed, maar in zijn ogen was geen verrassing te lezen. Rakkim zag iets anders. 'Welkom... welkom thuis.'

'Het is goed je weer te zien, Thomas.' Katherine neigde haar hoofd. 'Ik heb fouten gemaakt.'

'Ik ook,' zei Roodbaard.

Sarah keek naar Rakkim. Die trok een wenkbrauw op.

'We hebben je hulp nodig,' zei Katherine.

'We kunnen praten in mijn kantoor.' Roodbaard ging hem voor en wierp een blik op Sarah. 'Heb je gevonden wat je zocht?'

'Ik weet het niet,' zei Sarah. 'Maar dat is niet de reden waarom we hier zijn. Katherine is degene met het grote nieuws. Ze heeft een enorm risico genomen door hiernaartoe te komen, maar dat beseft u zelf ook wel.'

'Ik ben altijd naar haar blijven zoeken,' zei Roodbaard terwijl hij Katherine aankeek. Ze liepen nu naast elkaar. 'Als je eens wist hoeveel ik...'

'Ik had contact met je op moeten nemen toen ik besefte...' Katherine aarzelde.

'Toen je besefte dat ik mijn broer niet had vermoord,' maakte Roodbaard af.

Katherine knikte.

'Ik neem het je niet kwalijk,' zei Roodbaard. 'James zei dat hij in het bezit was geraakt van iets wat extreem gevaarlijk was. Gevaarlijk voor hem en gevaarlijk voor het land. James hield van me, maar hij wilde me niet vertellen wat hij had. *Nog* niet, zo zei hij het. *Binnenkort, Thomas.* Zijn ogen werden glazig. 'Tien minuten later stierf hij in mijn armen. Nee, je deed wat James had gewild. Bewaar het geheim. Vertrouw niemand.'

'Dat was niet het enige,' zei Katherine. 'Ik... ik vertrouwde mezelf niet.'

Rakkim staarde naar Roodbaard. Hij had de man nooit zien blozen.

Roodbaard opende de deur naar zijn kantoor en loodste het groepje naar binnen.

'Waar is Angelina eigenlijk?' zei Sarah. 'Ze zal wel doen alsof ze boos is en zeggen dat ik ontzettend ongehoorzaam ben geweest.'

'Ik zou haar ook graag willen spreken, Thomas,' zei Katherine. 'Ze weet hoe dankbaar ik haar ben, maar ik wil het haar persoonlijk vertellen.'

'Is ze nog in de moskee?' zei Sarah. 'Ze zou allang terug moeten zijn. Is er soms iets?'

Het scherm flikkerde en werd zwart. Ze hadden de drieëntachtig seconden durende repetitie drie keer bekeken. Niemand had een woord gezegd. Het enige geluid kwam van Sarah, die opgerold op de bank zat en huilde om Angelina terwijl Katherine haar rug streelde. Rakkim keek naar Roodbaard en probeerde zijn reactie op de video te peilen.

Sarahs snikken veroorzaakten pijnlijke steken in zijn borst. Hij had haar in zijn armen genomen toen Roodbaard het nieuws vertelde en hij had haar laten huilen voor hen beiden. Hij was negen geweest toen Roodbaard hem naar de villa had gebracht. Angelina had hem opgevoed. Hij miste haar nu al. Hij miste de frisse geur van haar geïmporteerde zeep – de enige luxe die ze zich had veroorloofd. Op een dag zou hij naar de moskee gaan om voor haar te bidden. Dan zou hij bidden voor de vrouw die geen gebeden nodig had gehad om haar naar het paradijs te geleiden. Maar hij zou niettemin voor haar bidden. In de hoop dat ze op een dag een goed woordje voor hem zou doen. Zelfs Allah zou haar dat niet kunnen weigeren.

'Het is echt, Thomas,' zei Katherine, de stilte verbrekend.

'Ik heb nooit geloofd dat Macmillan in de douche was uitgegleden en zijn nek had gebroken. "De held die de zionistische samenzwering heeft opgerold", zo werd hij genoemd. Er was een week van nationale rouw afgekondigd. James en ik maakten deel uit van de erewacht bij zijn begrafenis.' Roodbaard staarde naar het zwarte muurscherm. 'Ik ben blij dat jullie er zijn… maar ik wou dat jullie dit niet hadden meegenomen.'

'We moeten dit openbaar maken.' Sarah veegde haar ogen af. 'We hebben uw hulp nodig om dit overal te flashloaden voordat de autoriteiten het als vervalsing kunnen afdoen. De mensen moeten het zelf hebben gehoord en gezien voordat de media het verhaal verdraaien.'

Roodbaard verwijderde het geheugenkaartje en gooide het naar Rakkim. 'Ik ga jullie niet helpen het land te gronde te richten. Ik heb een eed gezworen om het te beschermen. En jij ook.'

'Dit land is gebouwd op een leugen,' zei Rakkim.

'Welke land niet?' Roodbaards blik was ijskoud. 'Zeg het maar, Sarah. Jij bent de historica. Vertel hem maar over het oude regime.'

'Ik weet in elk geval wel dat ze toen geen ontuchtplegers en heksen verbrandden,' zei Sarah. 'En ze stenigden ook geen vrouwen omdat ze waren weggelopen van een gewelddadige echtgenoot. En ze hakten de handen van dieven niet af…'

Roodbaard greep Rakkims hand vast. '*Hij* heeft zijn hand nog.' Rakkim trok zijn hand terug. 'De wet is streng, maar er is ruimte voor genade. En praat me niet over vroeger, meisje. Ik heb vroeger geleefd. Er werden op elke straathoek drugs verkocht. Iedereen had wapens. God was verdwenen uit de scholen en de gerechtsgebouwen. Geboorten zonder huwelijk, bij rijk en arm. Er waren zoveel onechte kinderen, dat wil je niet weten. Amerika was een land zonder schaamte. Alcoholverkoop in de *supermarkten*. Baby's die vermoord werden in de schoot, tientallen miljoenen. Ik was toen katholiek. Er waren politici die vóór abortus stemden en even later de heilige communie ontvingen. Weet je eigenlijk wat communie is? Er was bepaald geen tekort aan priesters die de hostie op hun tong wilden leggen.' Roodbaard schudde zijn hoofd. 'We zijn niet perfect, in de verste verte niet, maar ik zou voor geen goud terug willen naar die tijd.'

'Ze waren tenminste niet bang,' zei Sarah. 'Je hoeft de oude video's en films er maar op na te kijken... Ze waren nergens bang voor. Kijk eens om u heen, oom, ga de straat op – de mensen zijn bang. Bang dat ze iets verkeerd doen, iets verkeerds zeggen of zelfs iets verkeerds *denken*. De Amerikanen waren inderdaad dronken van vrijheid. En ze kenden inderdaad geen schaamte, maar ze deden geweldige dingen met die vrijheid. Doorbraken in wetenschap en geneeskunde. Onderzoek naar de mysteriën van het universum. Prachtige dingen. Nobele...'

'Jullie begrijpen allebei niet waar het werkelijk om gaat,' zei Rakkim.

Katherine staarde naar de Ground Zerofoto's van New York, Washington D.C. en Mekka die het kantoor domineerden.

'James moet hetzelfde hebben gedacht als ik,' zei Roodbaard tegen Katherine. 'Hij had de geheugenkaart, maar hij heeft hem aan jou gegeven. Hij vertrouwde zelfs de president er niet mee zolang hij niet zeker wist dat ze een gemeenschappelijke strategie hadden. James zou de video hebben gebruikt om de fundamentalisten in toom te houden, maar hij zou hem nooit aan de hele wereld hebben laten zien. Hij wilde het moslimkarakter van de natie redden. Net als ik.'

Rakkim legde een hand op Roodbaards schouder. 'Het gaat er niet om welk systeem beter is. Daar is het al te laat voor. We hebben alleen de video. Ik heb de Oude ontmoet. Ik heb met hem gepraat. U kunt hem niet meer tegenhouden, en dat weet hij. De president ligt op sterven. Zodra hij wegvalt, slaat de Oude zijn slag. Zijn mannetjes staan al klaar om de president te vervangen. Politici, rechters... Hij heeft het me persoonlijk verteld. Mensen die zo dicht bij de president staan dat een coup niet eens nodig is. Een legitieme machtswisseling... of in elk geval voldoende legitiem. Als de Oude tenminste niet genoeg krijgt van het wachten en de president uitglijdt in de douche en zijn nek breekt.'

'Hij heet Hassan Mohammed,' beet Roodbaard. 'Die man was altijd al een leugenaar.'

'Ik denk niet dat hij hierover gelogen heeft,' zei Rakkim. 'Ik heb hem gesproken in Las Vegas. Op de bovenste verdieping van een immens kantoorgebouw; een van zijn vele bezittingen. We waren alleen en de stad strekte zich onder ons uit als een magisch tapijt.'

'Heeft hij je een erepost aangeboden? Een vette punt van de wereldkoek?' Roodbaard speelde met zijn baard. 'Ik kan geen gedachten lezen, maar het is altijd slim om op iemands ijdelheid en hebzucht in te spelen. Ditmaal heeft hij alleen wel de verkeerde man gekozen.'

Rakkim negeerde het compliment. Hij zag de verwarring achter Roodbaards bravoure. 'De Oude heeft het over een verlicht kalifaat, een synthese van de verschillende stromingen binnen de islam; een eendrachtig geloof. Hij laat zelfs ruimte voor christenen. Hij klinkt even gematigd als u, maar vertrouwt u erop dat hij zo tolerant blijft als hij eenmaal de controle heeft? En als hij bereid was miljoenen mensen te doden met kernbommen en zelfs Mekka in een radioactieve necropool te veranderen... denkt u dan dat hij ook maar *iets* zal nalaten om aan de macht te *blijven?*'

'Rakkim heeft gelijk, Thomas,' zei Katherine, 'en dat weet je.'

Roodbaard knikte. Niemand durfde iets te zeggen. 'Goed. Wat moet ik doen?' zei hij ten slotte. 'Als het de bedoeling is dat de waarheid ons verplettert, dan moet dat maar. Allah *moet* aan de kant van de waarheid staan.'

'Bedankt,' zei Sarah.

'Je hoeft mij niet te bedanken,' zei Roodbaard. 'Ik twijfelde toch al. Als jij begint me te bedanken, dan weet ik *zeker* dat ik een fout heb gemaakt.' Hij schonk Rakkim een strenge blik. 'Wat hebben Sarah en jij afgelopen dinsdag trouwens op de Zwitserse ambassade gedaan? Stevens was er vijf minuten nadat jullie waren vertrokken. Als ik nee had gezegd, waren jullie dan geëmigreerd?'

Rakkim had gelijk gehad; ze waren in de gaten gehouden. Hij was blij dat het een van Roodbaards informanten was geweest. 'Dit is mijn land. Ik ga nergens heen.'

'Mooi zo. Dan blijven we allemaal om te vechten.' Roodbaards gezicht bewolkte. 'Misschien al sneller dan we denken. Je vriend Colarusso heeft een bezoekje gehad van de moordenaar van de Oude. Colarusso was niet thuis en zijn zoon was zo verstandig om de veiligheidsdeur gesloten te houden, maar je hebt gelijk: de situatie heeft een kritiek punt bereikt.'

'Ik bel Colarusso zodra we hier klaar zijn,' zei Rakkim.

'Jullie hoeven niet weg te gaan. Jullie kamers zijn nog precies zoals jullie ze hebben achtergelaten,' zei Roodbaard. 'Ik hoop dat jij ook bij ons wilt blijven, Katherine,' zei hij op vriendelijke toon. 'Dit is ook jouw huis.'

'Dat zou fantastisch zijn,' zei Katherine.

Roodbaard trok Rakkim naar zich toe en Rakkim rook zijn vermoeidheid. 'Ik zie je weken niet, en het eerste wat je doet is vragen of Stevens ook een kamer in de villa heeft. Heb ik je dan *niets* geleerd? Je laat je trots boven je verstand gaan. In plaats van Stevens als rivaal te zien, zou je hem beter als bondgenoot kunnen beschouwen. Hij heeft bij de Zwartjassen Angelina's lichaam opgeëist. Hij is in zijn eentje dat slangennest binnen gegaan en heeft Ibn Azziz zo ver gekregen dat hij haar meekreeg. Van wat ik begrepen heb, wilden de lijfwachten van dat mannetje Stevens aan stukken snijden, maar Stevens gaf geen krimp, en uiteindelijk heeft Ibn Azziz hem verteld waar hij het lichaam kon vinden. Ibn Azziz geeft natuurlijk niks toe, maar we hebben haar op tijd teruggekregen voor een fatsoenlijke begrafenis.'

'Het spijt me, oom.'

Roodbaard liet hem los en klapte in zijn handen. 'Goed. Wat kan ik doen om jullie te helpen?'

Rakkim glimlachte. 'Doet u toevallig de beveiliging bij de Oscars?'

60

Voor het avondgebed

Rakkim betrad de Blue Moon via de voordeur in de hoop de aandacht te trekken van mensen die naar hen op zoek waren. Zo bleef Sarah in elk geval buiten schot. Het was halverwege de week en er waren weinig mensen op straat. Hij had de monorail genomen en was vervolgens op zijn dooie akkertje naar de club gewandeld. Hij was zelfs een paar keer blijven staan om een etalage te bekijken.

'Baas!' Albert stapte achter de bar vandaan en sloeg hem op de rug. 'Waar bent *u* geweest?'

Rakkim wees op Mardi's tafeltje achterin. Hij kon haar niet zien, maar hij wist dat ze er was. 'Zou je ons een drankje willen brengen?'

Hij liep naar haar toe en Mardi keek op van haar papieren. Ze was afgevallen.

'Word niet boos, alsjeblieft.'

'Waarom zou ik boos worden?' Rakkim nam plaats tegenover haar. Hij ging zo zitten dat hij het voorste gedeelte van de club in de gaten kon houden, maar zelf ook zichtbaar was. 'Het enige wat ik kan doen is proberen ervoor te zorgen dat je blijft leven.'

'Ik was bijna twee weken weg. Ik dacht dat ik gek werd.'

'Je hebt Enrique meegenomen.'

'Wie heeft je dat verteld?' Mardi keek geërgerd om zich heen. 'Ik moest toch *iets* te doen hebben. Jij maakt lekker snoepreisjes met je moslimprinses en ik moet het zeker zelf maar uitzoeken?'

Rakkim lachte. *'Lekker?'* Hij schudde zijn hoofd. 'Je hoeft je waarschijnlijk geen zorgen meer te maken dat Darwin nog langskomt.' De club begon langzaam vol te lopen. De meeste gasten waren modernisten in fleurige kleding met geverfd haar. In de verte galmde de oproep voor het avondgebed door de straten. Het klonk zwak, als het geluid van een boei in de mist die zeelieden waarschuwt voor de rotsen. 'Ik hoorde dat je Enrique hebt gepromoveerd van hulpkelner tot kelner.'

Mardi glimlachte en schudde haar haar naar achteren. Ze had een kleur gekregen en om haar linkerpols droeg ze een gouden armband. En iemand had haar rug natuurlijk moeten invetten. Ze had een prachtige rug; slank en gespierd en met twee kuiltjes onder aan haar ruggengraat. 'Het was een heerlijke vakantie.'

Albert bracht twee fruit slushies, bleef even staan en liep vervolgens weg.

'Ik heb je gemist,' zei Mardi. 'Zeg, ik wilde je niet in verlegenheid brengen. Ik was gewoon beleefd.'

'Je hebt me niet in verlegenheid gebracht en je bent ook niet beleefd.'

'Het is zover, hè?' zei Mardi.

'Wat?'

'Je hebt een missie. Tariq keek ook altijd zo als hij bericht had gekregen. Dan was hij zo… kalm en zo geconcentreerd. Dan wist ik dat hij bezig was zich voor te bereiden. Geen angst. Geen spijt…'

'Het schip des doods wordt sterk gebouwd.'

'*Ja,* dat is precies wat Tariq altijd zei. Voor mij was op dat schip geen plaats; voor niemand.' Mardi keek naar hem met haar koele blauwe ogen. Soms, als ze gevreeën hadden, leek het even alsof haar ogen zachter werden. Dat had niets met hem te maken; het was iets wat zij toeliet. Dan liet ze de herinnering aan haar echtgenoot even los, of misschien voelde ze in Rakkim zijn aanwezigheid. Die zelfverzekerdheid van een Fedayeen, *als een geur die jullie afgeven,* zo had ze een keer gezegd. 'Dus je hebt een nieuwe missie.'

'Ja.'

Mardi speelde met haar glas maar nam het niet op. 'Ik heb Sarah alleen die ene keer gezien, en ik kan niet zeggen dat ik haar mocht, maar momenteel heb ik medelijden met haar, Rakkim.'

'Wat een schitterend plekje, Thomas.'

'Jij bent de enige die me nog zo noemt,' zei Roodbaard. 'Het bevalt me wel.'

Katherine stak haar hand in het watervalletje dat zich in het hart van de tuin bevond. 'Ik wilde altijd een watertuin.'

'Dat herinner ik me nog,' zei Roodbaard.

'Ik hou van de aanblik en de geluiden en de geuren. En overal is leven.' Katherine tilde haar armen op en liet het water langs haar handen en polsen omlaag lopen. In de late middagzon leek haar huid koperkleurig. 'Vogels en kikkers en hagedissen en vissen. Mos onder je voeten, bladeren in je gezicht. Alsof je vrijt met de aarde.'

'Zo heb ik heb nog nooit bekeken.'

'Dicht bij God, is dat beter?' Katherine glimlachte en keek naar een blad dat wild danste in de stroming en vervolgens door een minidraaikolkje werd gegrepen. 'Je hebt het goed gedaan met Sarah.'

'Angelina heeft het goed gedaan.'

'Nee... er zit veel van jou in haar. Ze is een vechter.'

'Net als haar moeder.'

'Ja, net als ik.'

Geen van beiden noemde James. James had veel benijdenswaardige eigenschappen gehad, maar hij was geen vechter geweest. Niet zoals Roodbaard. Of Katherine. 'Heb je je wel eens afgevraagd...' begon hij, 'hoe het geweest zou zijn...'

'Ja.'

Roodbaard knikte. Hij wist niet goed hoe hij verder moest gaan. Het was voldoende om hier met haar op zijn favoriete plekje te zitten. Zoals hij altijd had gedroomd.

'Ik had James nooit kunnen bedriegen,' zei Katherine. 'En jij ook niet. Ik probeerde niet naar je te kijken. Ik dacht dat dat misschien zou helpen.'

'Ik dacht dat je me niet mocht,' zei Roodbaard. 'Ik heb het nooit beseft, totdat je gisteren thuiskwam... Ik wist niet wat je dacht.'

'Daarom deden we altijd zo onhandig tegen elkaar en vatten we zelfs de meest onschuldige opmerkingen verkeerd op. Onze geest was schuldig. In onze verbeelding waren we geliefden; overspelig zonder elkaar ooit te hebben aangeraakt.' Katherine pakte een roestig Coca-Cola-dopje uit het water en hield het omhoog. 'Het is alsof het allemaal gisteren gebeurd is.'

'Het is te laat, Katherine.'

'Ik weet het.'

'Hij was mijn broer. Ik hield van hem. Ik voelde me zo... smerig door de gedachten die ik had. Ik was altijd bang dat hij mijn gedachten kon lezen. En toen hij dood was... dacht ik... dacht ik...' Roodbaard huilde. Zijn grote lichaam schokte omdat hij probeerde zich in te houden. 'Ik dacht dat het misschien *mijn* schuld was geweest. Dat ik de moord niet had zien aankomen, dat ik niet eerder reageerde... omdat ik misschien juist *wilde...*'

'Sst.' Katherine was een stuk kleiner dan hij, maar toen ze zijn gezicht tegen het hare duwde leek ze groter. 'Je bent drie keer geraakt, en toch is het je gelukt de moordenaar neer te schieten. Als je James dood had willen hebben, waren er eenvoudiger manieren geweest.'

'Ik moest hem beschermen,' zei Roodbaard met schorre stem.

'We doen wat we kunnen en laten de rest aan God over.'

'Het spijt me, Katherine. Ik zou... ik zou willen dat we tijd hadden.'

Katherine wipte het dopje naar hem toe. 'Er is vast nog wel meer waar *dit* vandaan komt. Daar hebben we toch nog wel tijd voor, Thomas?'

Sarahs paard nieste. Ze gaf het de sporen en boog zich naar voren. Paarden maakten haar zenuwachtig. 'Ik wil alleen dat je goed beseft wat de gevolgen voor jou kunnen zijn.'

'Ik zal je een geheimpje verklappen,' zei Jill Stanton terwijl hun paarden zij aan zij over de zoom van een naburige ranch draafden. 'Ik heb al vijftien jaar niet meer in de belangstelling gestaan, maar als je beroemd bent geweest – *echt* beroemd – dan kom je bijna overal mee weg. Verkrachting, drugs, diefstal... soms zelfs moord.' Er vlogen groene sprinkhanen op toen de paarden door een strook hoog gras renden. 'Na de Oscaruitreiking volgende week word ik door alle netwerken geïnterviewd. Ik ben overal het *hoofdonderwerp*. Let maar eens op, schat; ik ben het beste onschuldige slachtoffer dat je ooit gezien hebt. Maak je om mij maar geen zorgen'

Sarah had haar paard nauwelijks onder controle. Ze had het gehuurd bij Jills buurman, die ze ook had gevraagd Jill te bellen. Rakkim had de omgeving uitgekamd, maar was geen ongure types tegengekomen. Hij bleef echter – zoals altijd – op zijn hoede.

'Je houdt de teugels te strak,' zei Jill. 'Je moet het paard wat ruimte geven, anders jaag je het op.'

Sarah liet de teugels los. Ze had jeuk, ze zweette en ze wilde het liefst zo snel mogelijk afstappen. 'Ik kan je niet vertellen wat er die avond gaat gebeuren... maar het wordt heel groot.'

'Ik wil het niet eens weten. Ik ben het onschuldige slachtoffer, weet je nog wel?'

'Jill, dit is ontzettend belangrijk. *Alles* gaat veranderen.'

Jill lachte. De ondergaande zon toonde elk rimpeltje en elke plooi in haar gezicht. 'Als ik een dollar had gekregen voor elke keer dat ik *dat* had gehoord...'

61

Na het avondgebed

'Afgoderij!' gilde Ibn Azziz tegen de tienduizenden aanwezigen die zich voor het Crown Prince Auditorium hadden verzameld. Het waren grotendeels modernisten en gematigden die hier op de avond van de Oscaruitreiking naartoe waren gekomen om de filmsterren toe te juichen. De beroemdheden werden buiten getoond op schermen van drie verdiepingen hoog. Maar er waren ook duizenden fundamentalisten die mollah Ibn Azziz steunden en vanuit moskeeën verspreid over het land met bussen waren aangevoerd. 'Dit is pure afgoderij!'

'Afgoderij!' herhaalden zijn aanhangers: vrouwen in zwarte boerka's die gladde stenen tegen elkaar sloegen en mannen in boernoesen die zichzelf geselden met kettingen. Ze verdrongen zich rond de lijfwachten van Ibn Azziz in een poging hem aan te raken en zijn zegen te ontvangen. 'Afgoderij!'

De gematigden en modernisten juichten wanneer hun favoriete ster in beeld kwam, maar hun vreugde ging verloren in de razernij van Ibn Azziz' aanhang. Rond de ingang van het auditorium stond een politiekordon van vijf rijen dik; een falanx van geüniformeerde mannen, recht voor zich uit starend door hun vizier. In de lucht cirkelden tientallen helikopters, die de menigte bespeelden met hun zoeklichten. De Academy Awards werden altijd vanuit Los Angeles uitgezonden, maar dit jaar, op de vijfentwintigste verjaardag van de Islamitische Republiek, had de president besloten het evenement in de hoofdstad te laten plaatsvinden. Niet alleen om de hele wereld het verdraagzame gezicht van de islam te tonen, maar ook om zijn politieke steun te betuigen aan een van de grootste economische motoren van de republiek.

De woede van de fundamentalisten werd grotendeels aangewakkerd door Ibn Azziz, voor politiek gewin. Zoals gebruikelijk vertelden de meeste genomineerde films het verheffende verhaal van een goede moslim die door morele kracht zijn verleiding de baas wordt. *Flesh or Faith,* de gedoodverfde winnaar in de categorie Beste Film, ging over een knappe moslima uit een arme familie die verloofd was met een rijke katholieke man. De man was eigenaar van het huis dat de familie van het meisje huurde. Op het allerlaatste moment verschijnt een engel aan het meisje, waarna ze terugkeert tot het ware geloof en de bruidegom eenzaam en vernederd achterblijft bij het altaar. In *Miracles Inc.*, ook een grote kanshebber, waren geavanceerde computertechnieken gebruikt om de wonderen en geneugten van de hemel te verbeelden. Zoals voor alle Hollywoodfilms gold ook hier dat de productie onberispelijk was en het acteerwerk betoverend. Centraal stond – hoe kon het ook anders – de verheerlijking van de kuise devotie. Ibn Azziz was hierdoor echter niet tevredengesteld; de piëteit van Hollywood werd door hem als een bedreiging ervaren. De geestelijke vond dat de tijd die in bioscopen werd doorgebracht beter in de moskee kon worden besteed.

'Naar de *hel* met de valse goden van Hollywood! Naar de *hel* met die verderfelijke troep!' riep Ibn Azziz vanuit het gedrang naar de camera's. Zijn gezicht, dat onder de krassen zat van Angelina's vingernagels, was nog steeds gezwollen en zijn kapotte oog vormde een macaber gat in zijn schedel. 'Vanavond laten wij de wereld zien dat moslims niet van dit soort profanaties gediend zijn – zeker niet in de hoofdstad!'

De fundamentalisten dromden huilend naar voren op het bedwelmende ritme van steen op steen. Er trok een siddering door het kordon en de agenten zetten zich schrap.

Rakkim en Stevens passeerden zonder moeite de eerste drie checkpoints, maar stuitten diep in het theater op een onverwachte vierde controlepost. Twee agenten van de presidentiële geheime dienst weigerden Rakkims legitimatie en wilden hem niet doorlaten zonder aanvullende verificatie. Een vertraging die rampzalige gevolgen kon hebben. En dat was nog niet alles. Ze zouden eigenlijk een halfuur hebben gehad om hun positie te bereiken, maar de best verkopende actrice ter wereld was woest geworden toen ze had ontdekt dat de terugblik op Jill Stantons carrière na háár muzikale nummer gepland stond. De ster, die ondanks alle technische hulpmiddelen een iel stemmetje had, had erop gestaan dat de terugblik vóór haar nummer zou worden ingepland, zodat Jills superieure talenten haar bijdrage niet zouden overschaduwen. Als gevolg daarvan hadden ze nog maar een kwartier om in de regiekamer te komen.

Rakkim hield zijn papieren onder de neus van de agent met het zandkleurige haar. 'Controleer mijn legitimatiebewijs maar. Maak desnoods een irisscan om mijn identiteit te bevestigen. Ik heb *toestemming*. Roodbaard heeft persoonlijk voor me getekend.'

De man schudde zijn hoofd. 'Maar u heeft geen toestemming van *mij*.'

De kale agent had een perfecte positie ingenomen; een paar stappen naar achteren en zijn hand op zijn pistool.

'Stevens, jij mag doorlopen,' zei Zandhaar. 'Meneer Epps, u wacht hier op mijn chef.'

Stevens probeerde het nog een keer. 'Jullie horen hier helemaal niet te staan. Het interieur van het theater valt onder de verantwoordelijkheid van de Staatsveiligheidsdienst. Jullie hebben hier geen bevoegdheid.'

'Wij hoeven jullie niks uit te leggen,' zei Zandhaar.

'Voor de president moeten minstens zes verschillende vertrekroutes beschikbaar zijn,' zei de kale man. 'Die moeten wij stuk voor stuk beveiligen.'

Op het beeldscherm bij het controlepunt was te zien hoe de menigte fundamentalisten op een meter van het politiekordon tot stilstand kwam. Er vlogen kettingen door de lucht en verwrongen gezichten schreeuwden naar de agenten dat ze zich bij hen aan moesten sluiten.

'Mag ik je mobieltje even,' zei Rakkim, 'dan kun je de zaak met Roodbaard persoonlijk afhandelen.'

'Roodbaard kan in de stront zakken,' zei Zandhaar.

'Kom op, Marx,' zei de kale, die niettemin op zijn hoede bleef. 'Dat kan toch geen kwaad?'

'Roodbaard is toch verdomme de president niet, Beason?' zei Marx. 'En wij werken voor de president.' Hij keek naar Stevens. 'Blijf je hier staan of loop je door?'

'Ga maar vast. Ik haal je wel in zodra dit is opgelost.' Rakkim trok aan Stevens' jasje alsof hij het rechttrok en gaf hem de geheugenkaart.

'Weet u zeker dat u genoeg mannen heeft, commissaris?' zei Roodbaard in de telefoon van de limousine.

'Zoals ik al zei...'

'Ik weet wat u me verteld heeft, maar ik weet ook wat ik momenteel op televisie zie, en ik krijg sterk de indruk dat u niet genoeg mannen heeft.' Roodbaard kon Sarahs spanning voelen. Ze zat naast hem en keek naar de chaos buiten het auditorium.

'Ik zou een extra...'

'Ik was ervan uitgegaan dat u dat al had gedaan. Ik heb u gisteren laten weten dat Ibn Azziz voor problemen zou zorgen.' Roodbaard ramde de hoorn op de haak en keek naar Colarusso. 'Die baas van je is een zak.'

'Dat zijn ze allemaal,' zei de rechercheur, die op een klapstoeltje tegenover hem zat.

De stem van Anthony jr., die de wagen bestuurde, klonk over de intercom. 'Kan ik iets doen?'

'Gewoon doorrijden,' zeiden Roodbaard en Colarusso gelijktijdig.

Colarusso haalde zijn schouders op. 'Zodra die knul hoort dat er ergens problemen zijn, wil hij er meteen bovenop springen.'

'Proactief... Dat mag ik wel,' zei Roodbaard. 'Met de juiste training kan hij het nog ver schoppen.' Roodbaard keek naar buiten door de rookglazen vensters. 'Zonde dat een jonge knul met zoveel talent naar de Fedayeen gaat.'

'Misschien zouden we daar nog eens over kunnen praten,' zei Colarusso. 'Nadat deze kwestie achter de rug is.'

Roodbaard gaf geen antwoord en keek naar buiten. Ze maakten deel uit van een lange rij identieke limousines die op weg was naar de achteringang van het auditorium; de wagens van de 'mindere' beroemdheden en filmbonzen. De limo's van de echte sterren stonden in de parkeergarage onder het auditorium. Een slechte plek als je snel weg wilde. Roodbaard had twee dubbelgangers bij het evenement. Een in een beveiligde VIP-lounge in het auditorium en een andere in een legerlimousine met Roodbaards vaste chauffeur.

Roodbaard nam opnieuw de telefoon op en toetste een niet-traceerbaar nummer in. Luc nam onmiddellijk op. Aan de andere kant was het lawaai van de menigte te horen; Luc was bezig zich een weg te banen in de richting van Ibn Azziz. 'Ga je gang,' zei Roodbaard, en hij verbrak de verbinding. Hij leunde achterover in de pluchen bank en glimlachte.

'Ik ga een beetje rondlopen,' zei Colarusso. 'Ik ken de verkeersagent in deze sector. Ik breng hem even een kop koffie.'

'Het was me een genoegen u weer te zien, rechercheur,' zei Roodbaard.

Colarusso stapte uit, draaide zich om en stak zijn hoofd nog even naar binnen. 'Mijn zoon is een prima chauffeur; u hoeft zich nergens zorgen over te maken.'

'Insjallah,' zei Roodbaard.

'Voor mijn part,' zei Colarusso, en hij gooide de deur met een klap dicht.

De grijze limousine zag eruit als alle andere. De wagen was echter volledig gepantserd. De vensters bestonden uit kogel- en bomvrij glas en de lucht werd hergebruikt in verband met een eventuele gasaanval – of erger. Pantsering was belangrijk, maar anonimiteit was nog veel belangrijker. Als de vijand wist waar je zat, kon je beveiliging nog zo goed zijn – de kans dat je het dan nog overleefde was gering. Beter een kameleon dan een schildpad. Hoewel de limo een van de veiligste plaatsen in de buurt van het auditorium was, had hij Katherine gelukkig zo ver kunnen krijgen dat ze niet met hem mee was gegaan. Iemand moest een kopie van de download hebben voor het geval er iets misging. Dat had hij haar in elk geval verteld. Hij had Sarah hetzelfde verteld en haar bevolen onder te duiken totdat de situatie duidelijk was. Ze had hem een kus gegeven, gezegd dat ze van hem hield... en vervolgens verklaard dat ze een volwassen vrouw was die zich twee maanden in haar eentje had weten te redden terwijl ze op de hielen werd gezeten door een Fedayeenmoordenaar. Een avondje Oscars zou ze ook wel overleven.

Stevens haastte zich de gang in. Op een van de muurmonitors was te zien hoe een jonge, magere actrice haar Oscar voor beste bijrol in ontvangst nam. Haar stem klonk hoog en ze sliste een beetje. Hij versnelde zijn pas. Zijn nieuwe laarzen waren wat stijf, maar wel van Franse makelij. Daar had hij graag een paar pijnlijke tenen voor over. Bij de volgende gang ging hij naar rechts, diep het labyrint in. Hij had Rakkim nooit achter moeten laten. Hij voelde even aan de geheugenkaart met de download. Hij wist niet wat erop stond, maar hij wist wat hij ermee moest doen. Roodbaard had gezegd dat ze geëxecuteerd zouden worden als ze ermee gepakt werden. Hij had de kans gekregen om nee te zeggen, maar als Roodbaard hem opdroeg in een smeltoven te springen, zou hij hooguit een koud drankje vragen en vervolgens het bevel gewoon opvolgen. Hij streek zijn smalle snor glad. Rakkim en hij moesten bezit nemen van de regiekamer en die afgrendelen. De download moest in de previewlezer van het hoofdcontrolepaneel worden geplaatst. Roodbaard had op zijn computer een simulatie geïnstalleerd zodat Stevens en Rakkim de procedure hadden kunnen doornemen. Het was heel eenvoudig. Wanneer de voorgeprogrammeerde video met hoogtepunten uit Jill Stantons carrière werd ingestart, moest een van hen de sourceschakelaar omzetten naar previewmode, waarna de download zou worden afgespeeld. Een kind kon de was doen. Waarom was hij dan zo zenuwachtig?

Rakkim moest er stevig van gebaald hebben dat hij met Stevens was opgezadeld. Elke Fedayeen dacht dat hij God zelf was. Moest je hem nu zien; tegengehouden door een stelletje lompe klunzen van de geheime dienst. Stevens was – ondanks zijn lengte – op zijn achttiende tot de Fedayeen toegelaten. Een gebroken enkel tijdens de eerste week van de training had hem echter buitenspel gezet. Nadat zijn enkel was genezen, had hij een nieuwe kans gekregen, maar tijdens de wintermanoeuvres was hij onderkoeld geraakt en daarmee was de kous af geweest. Hij had alleen maar pech gehad. Behalve met vrouwen. Stevens raakte zijn neus aan. Die was mooi genezen; je kon zelfs nog een beetje zien dat hij gebroken was geweest. Zijn plastisch chirurg had dat afgeraden, maar Stevens had erop gestaan. Vrouwen waren gek op een man met een gebroken neus. Was Rakkim maar hier. Niet dat hij hem nodig had, maar om het hem te laten *zien*.

Kerensi en Faisal stonden bij het venster van de regiekamer. Ze zagen er chic uit in hun colberts.

'Roodbaard wil jullie buiten hebben om het politiekordon te versterken,' zei Stevens. 'Je kunt je melden bij de wachtcommandant, maar je blijft zelfstandig werken.'

'En wie houdt hier de boel dan in de gaten?' vroeg Faisal.

Stevens wierp een blik in de regiekamer en zag zes mensen over hun consoles gebogen zitten. Er waren twee jonge vrouwen bij, onder wie een moderniste met blauwe punten in haar haar. *Niet gek*. 'Ik.'

'Nou, veel plezier ermee.' Kerenski knikte naar het muurscherm, waarop nog steeds de magere actrice te zien was, die een veel te lange toespraak hield.

'Is portiertje spelen niet een beetje beneden je stand?' zei Faisal.

'Roodbaard had genoeg van de manier waarop ik naar zijn nicht keek.' Stevens grijnsde en trok een vingernagel langs een bakkebaard. 'Of misschien had hij genoeg van de manier waarop ze naar mij keek.' Zijn blik verhardde zich. 'Toegangscode?'

Faisal aarzelde. 'Drie negen negen.'

'Oké, aan de slag,' zei Stevens. 'Ik verwacht een halfuur na de uitzending een rapport.' Ze haastten zich de gang in en verdwenen om een hoek. Stevens draaide zich om en zag dat de aantrekkelijke moderniste in de regiekamer naar hem keek. Hij zwaaide naar haar door het kogelvrije glas. Ze ging met een blos op haar wangen weer aan het werk. Hij wierp nog een blik in de gang. Nog steeds geen Rakkim. Pech gehad. Dan kreeg Stevens de eer.

Het was een eer geweest om door Roodbaard voor een geheime missie te worden gekozen, maar om ook degene te zijn die het balletje aan het rollen bracht… Stevens rechtte onbewust zijn rug. Hij had er altijd al van gedroomd om heldhaftige daden te verrichten. Als kind had hij, wanneer ze Arabieren en Kruisvaarders speelden, altijd de rol van Arabier op zich genomen. Tegenover een immense overmacht had hij een laatste wanhopige krachtsinspanning geleverd om te voorkomen dat de heilige plaatsen onteerd zouden worden. Hij glimlachte bij de herinnering. Hij zag het als een geschenk van God om zijn leven voor zijn land in de waagschaal te mogen stellen. Maar dit was anders, dat had hij aan de toon van Roodbaards stem gehoord. Het feit dat zijn hand had gebeefd toen hij die op Stevens' schouder had gelegd. Wat Allah ook van hem mocht verlangen; hij was er klaar voor. Hij keek nog één keer of Rakkim al in aantocht was, liep vervolgens naar de deur en toetste drie negen negen in.

Hoofden keken op van hun consoles en gingen haastig weer verder met hun werk. Alleen het aantrekkelijke meisje bleef naar hem kijken… en een man die met zijn handen achter zijn rug gevouwen bij de consoles stond. De producent. Eerst dat maar even regelen.

'Ik ben Stevens,' zei hij terwijl hij de man de hand schudde. 'Ik neem de regiekamer over. Opdracht van Roodbaard, directeur van de Staatsveiligheidsdienst.'

De producent schrok zichtbaar. 'Is er een probleem dan?' Hij keek op het scherm waarop te zien was hoe de woedende massa steeds verder oprukte terwijl de politie met megafoons probeerde de situatie onder controle te houden. 'We lopen toch geen gevaar?'

Stevens liep naar de previewlezer en schoof de geheugenkaart met de download in het apparaat. 'Schakel de override in. Ik start over een paar minuten de preview.'

'Maar dat… dat is mijn werk,' zei de producent. 'Wat moet ik dan doen?'

Stevens zag dat het aantrekkelijke meisje naar hem keek. De ader in haar hals verraadde een snelle hartslag. 'Laat uw mensen vertrekken. U blijft. En de moderniste met het blauwe haar ook. Ik heb jullie hier nodig om de boel draaiende te houden. Dat gaat toch lukken, hè?'

'Ja… natuurlijk. We gaan gewoon verder met een driecamera…'

'Zeg tegen de anderen dat ze naar de dichtstbijzijnde personeelsruimte gaan.' Stevens wachtte totdat de rest vertrokken was en de deur in het slot viel. De moderniste met het blauwe haar bleef naar hem kijken hoewel ze deed alsof ze werkte. Ze had een fantastische glimlach. Hij boog zich naar de producent. 'Zeg, dat meisje… hoe heet ze?'

'Ik weet het echt niet. Ik moest op het allerlaatste moment invallen omdat de vaste producent plotseling ziek was geworden.' De man zag eruit alsof hij op het punt stond te gaan huilen. 'We lopen toch geen gevaar?'

'Maak je geen zorgen, je bent hier in goede handen,' zei Stevens. 'Hoe heet *jij* trouwens?'

'Darwin.'

Stevens nam plaats aan de previewmachine en hield zijn blik op het livebeeld gericht. De magere actrice leek een einde aan haar betoog te breien. Nog een paar minuten, en dan zou Jill Stantons terugblik worden ingestart. 'Oké, Darwin, als jij gewoon jouw werk doet, dan doe ik het mijne.'

62

Na het avondgebed

'Bel je chef.' Rakkim deed een stap naar voren. '*Bel* hem.'

Beason richtte het pistool op Rakkims borst. 'Als het *moet,* haal ik de trekker over, meneer Epps.'

Marx, de man met het zandkleurige haar, haalde een setje gelboeien van zijn riem. 'U staat onder arrest.'

Beason drukte met een vinger op zijn oortelefoontje en luisterde. 'Wacht even...'

Rakkim stak zijn handen naar voren, maar trok ze vervolgens een paar centimeter terug zodat Marx, toen hij de boeien om wilde doen, heel even Beasons vuurlijn blokkeerde. Rakkim trok de boeien weg en slingerde ze rond Marx' nek. Hij zorgde ervoor dat hij de agent tussen hem en Beason in hield.

'Wat heeft dat te betekenen?' zei Beason terwijl hij probeerde zijn wapen te richten.

'Laat dat pistool vallen.' Rakkim hield Marx bij zijn jasje vast om de man als schild te gebruiken en te voorkomen dat hij zijn wapen in zijn schouderholster kon grijpen.

Maar Marx was niet in zijn pistool geïnteresseerd. Hij graaide naar de boeien rond zijn hals. Ze waren gemaakt van een taai geheugenpolymeer. De boeien sloten zich daardoor automatisch rond de polsen van een verdachte en stopten daar pas mee op het moment dat ze pijn gingen doen. Rond de hals wurgden ze iemand.

'Laat hem los, meneer Epps!' zei Beason. Zijn pistool trilde. 'We gaan toch al weg?'

De ogen van Marx begonnen uit te puilen en zijn knieën knikten.

Beason legde zijn pistool op de grond.

Rakkim drukte op het deblokkeringspunt en haalde de boeien weg. Er zat een brede rode ligatuur over Marx' hals. Rakkim duwde hem in de armen van zijn collega.

Beason moest moeite doen om hem overeind te houden en Marx snakte naar adem. 'Dat was nergens voor nodig,' riep hij Rakkim na. 'We moeten naar kwadrant B. Hoe moet ik nu die striem in zijn nek uitleggen?'

'Maak je geen zorgen,' zei Roodbaard. 'Rakkim kan zijn eigen boontjes doppen.'

'Ik weet het.' Sarah klonk niet overtuigd.

Op de televisie in de limousine was te zien hoe Ibn Azziz zich een weg in de richting van het politiekordon baande om zich bij zijn volgelingen te voegen. Ondertussen zweepte hij ze op bij het licht van de schijnwerpers dat over de massa's danste.

Roodbaard boog zich een klein stukje naar voren. Nog even…

Ibn Azziz maakte een schokkende beweging en de camera zoomde in. Zijn gezicht was plotseling slap. Hij greep naar zijn buik en keek omlaag. Het volgende moment verloor Ibn Azziz de controle over zijn darmen. De mensen die om hem heen stonden, zelfs zijn lijfwachten, deinsden achteruit. Gevangen in het licht van de schijnwerpers registreerden de camera's hoe zijn uitwerpselen op zijn schoenen spatten en zijn gewaad doorweekt raakte. De nieuwslezer die het commentaar verzorgde begon te giechelen en uit de massa steeg een oorverdovend gelach op. Ook uit het politiekordon klonken spottende opmerkingen. Zelfs enkele fundamentalisten konden zich niet inhouden toen de metershoge beelden op de schermen verschenen: mollah Ibn Azziz die zijn darmen leegde, happend met zijn mond als een vastgeslagen vis. Heel even schoot Luc door het beeld. Hij had een glimlach op zijn gezicht.

Roodbaards lach donderde door de limousine.

De uitzending was halverwege een autocommercial toen Rakkim de regiekamer bereikte… en Darwin zag staan, die opgewekt naar hem zwaaide vanaf de andere kant van het glas.

Het besef kwam stroboscopisch. Darwin. Een snikkend meisje met blauwe haarpunten dat achter een controlepaneel zat en camerashots selecteerde. Ze had haar rug naar… naar de tafel achter haar waarop een stoel stond met daarin Stevens. Er waren brede repen zilverkleurige tape over zijn mond geplakt en zijn armen en benen waren aan de stoel vastgemaakt. Om zijn nek zat een draad die vastgebonden was aan een hengel in het plafond. De draad was vrij lang, maar niet lang genoeg om tot de grond te reiken. Hij was wel lang genoeg om Stevens' nek te breken. Onder de stoel zaten wrijvingsloze zwenkwielen. Een keer niezen en het ding rolde over de rand.

'De deur is open.' Darwin grijnsde. Hij had een hand op de rug van de stoel en rolde het ding heen en weer. 'Kom binnen, Rikki. De thee staat klaar.'

Roodbaard keek naar de commercial voor de nieuwe Ford Pilgrim en dacht terug aan de auto's uit zijn jeugd – de reusachtige Lincoln waarmee zijn trotse vader op een dag was thuisgekomen, zijn moeders minivan die naar gemorste cola had geroken, en de mooiste auto uit de geschiedenis: de Mustang cabrio, waarin hij als student had gereden. Hij was in die tijd een wilde katholieke knul geweest, verslaafd aan snelheid en de huilende wind. Dat was vóór zijn bekering geweest. Voordat zijn broer met Katherine was getrouwd. Roodbaard voelde een zware vermoeidheid over hem neerdalen. Het waren niet zijn herinneringen die hem als een loden last op de schouders drukten. Het was dat *andere*. Het probleem waarvan de artsen hem met een strak gezicht hadden gezegd dat er geen oplossing voor was.

De televisie schakelde terug naar het auditorium. Filmsterren die onderling gesprekken voerden, maar met een oog de camera in de gaten hielden. Sarah keek op haar horloge, maar zei niets.

Het was te laat voor spijt. Roodbaard keek naar Sarah. Ze leek zoveel op haar moeder. Als hij met Katherine was getrouwd, zouden ze dan ook een dochter hebben gekregen die op haar had geleken? Waarschijnlijk niet. Het was maar beter dat hij zijn bedenkelijke genen niet had doorgegeven. En toch... Hij kon het niet nalaten erover te fantaseren.

'Wat is er, oom?'

'Ik bedacht me net hoe knap je eigenlijk bent.'

Sarah fronste haar wenkbrauwen. 'Een compliment van *u?* Voelt u zich niet lekker?'

Roodbaard liet zich terugzakken in zijn stoel. 'Beter dan ooit.' Hij dacht opnieuw aan Katherine. Hij dacht aan weinig anders sinds ze de week ervoor haar boerka af had gedaan. Al die verloren tijd. Alle dingen die hij had kunnen doen; die hij had moeten doen. Toen hij Katherine van zijn gevoelens had verteld, had ze een vinger op zijn lippen gedrukt en gezegd: *waarom denk je dat jij daar als enige iets over te zeggen hebt?* Ze had gelijk. En dat maakte de pijn weer zo vers dat hij hem in zijn hart voelde. De brandende pijn. Nee, niet *nu*. Roodbaard haalde diep adem en inhaleerde de warme leren herinnering aan zijn Mustang met vouwdak. Hij had juist gehandeld. Ze hadden juist gehandeld. Katherine was de vrouw van zijn broer. Er lag eer in onbeantwoorde liefde.

Sarah greep zijn hand vast. 'Daar heb je het hoofd van de Academie. Zo meteen komt Jills introductie.'

Roodbaard was niet geïnteresseerd. Hij kende de download al. Nu zou de rest van de wereld hem te zien krijgen. Laat Malik bin-Hassan maar stikken in de waarheid. *De Wijze Oude.* Gelul. Roodbaard keek uit het raam. De pijn in zijn hart werd steeds scherper. Hij had gedurende zijn leven al te veel energie aan Hassan Mohammed gespendeerd. Het was noodzakelijk geweest, absoluut noodzakelijk, maar vanaf nu was de man geen minuut van zijn aandacht meer waard. Allah zou zelf wel met die oplichter afrekenen. 'Sarah?'

Sarah keek hem aan.

Roodbaard probeerde te spreken, maar de pijn was te intens.

'Oom?'

'Wil je... wil je nog steeds met Rakkim trouwen?' vroeg Roodbaard.

Ze was zo verrast dat ze even de ogen neersloeg, maar het volgende moment keek ze hem weer aan. 'Ja.'

Roodbaard knikte. Alle pijn was draaglijk wanneer het paradijs nabij was. 'Ik zou het ook graag willen.'

'Krijgen we uw zegen?'

Roodbaard nam haar in zich op. Ze straalde. Er dansten sterren om haar hoofd. Zuurstofgebrek. Dus zo voelde het om te sterven. Een melkwegstelsel vol liefde met Sarah in het centrum.

'Oom? Hebben we uw zegen?'

'Die van mij en van je moeder. We staan erachter met ons hart. En met onze ziel.' Roodbaard glimlachte. Het was alsof hij zijn hele leven had gewacht om deze woorden te kunnen zeggen. *Ons* hart. *Onze* ziel. Zijn blikveld vernauwde zich. Hij kon Sarah niet langer zien, maar hij voelde hoe ze zijn hand kuste en hoe ze hem tegen haar zachte, warme wang drukte.

'Maar grootmoeder, wat heeft u een groot *mes*,' zei Darwin.

Rakkim lachte. Het klonk grappig. Alleen een andere Fedayeen zou het mes hebben gezien dat hij aan de binnenkant van zijn onderarm droeg.

Darwin gaf de stoel een duwtje en hield hem vlak voor de rand tegen. Zijn blik bleef op Rakkim gericht.

'Camera vijf, scherpstelling,' fluisterde het meisje met het blauwe haar in haar keelmicrofoon. 'Camera een, klaar voor groothoek.'

'Wie is die zak in die stoel?' vroeg Rakkim.

'Dat is de zak die de pijp uitgaat als jij je mes niet weglegt.' Darwin pakte Stevens' oor vast en begon te draaien. 'Als een man zijn nek breekt, komt hij klaar als een fontein. Heel spectaculair.' Stevens beet op zijn lippen terwijl Darwin bleef draaien. 'Als je het mij vraagt is God een gestoorde maniak.'

'God is niet de enige.' Rakkim stak zijn handpalm naar voren. Het mes lag in het midden, perfect in evenwicht. Bij de punt was een druppeltje bloed te zien. De worp was mogelijk, maar Darwin was snel, en als hij miste... Hij maakte een beweging met zijn pols en het volgende moment stak het mes in de deur achter Darwin.

Darwin leek teleurgesteld. 'Ik heb de download gezien die je vriendje bij zich had. Geen wonder dat de oude man zich zorgen maakte.'

Het meisje met het blauwe haar haalde haar neus op terwijl ze haar werk deed. 'Camera twee. Camera acht. Camera vier, eerste rij pannen.'

'Klaar, Karla?' zei Darwin.

Rakkim hield zijn hoofd schuin. 'Ga je hem afspelen?'

'Zodra de terugblik wordt ingestart.' Darwin rolde de stoel over tafel. De draad kwam strak te staan. 'Ik wou alleen dat we er een bak popcorn bij hadden.'

Rakkim kwam dichterbij.

'Ik bleef mezelf maar afvragen, wat moet de oude man met Rakkim als hij *mij* heeft? Wat voert hij in zijn schild?' Darwin haalde zijn schouders op. Een van de een van de zwenkwielen onder de stoel piepte. Stevens' ogen stonden woest. 'Als ik er vrede mee had gehad dat ik altijd overal buiten werd gehouden, had ik net zo goed in de Fedayeen kunnen blijven.' Uit de monitors rondom hen steeg een donderend applaus op. Acht verschillende camerastandpunten en livebeelden uit de hele wereld. Films, de universele taal. 'Gaat het jou nooit vervelen, Rakkim? Vraag je je ook wel eens af wat de zin is?'

'Nooit. Ik geniet volop.'

Darwin klopte op Stevens' hand. 'Neem dit bijvoorbeeld...' Hij brak een van Stevens' vingers. Stevens deed een vergeefse poging om zich los te rukken. Zijn gegil werd gedempt door de tape over zijn mond. 'Er was een tijd dat ik door dat knappende geluid een heel blij, tintelend gevoel kreeg.' Darwin brak nog een vinger. 'Maar tegenwoordig doet het me helemaal niks meer.'

Rakkim kwam nog een stapje dichterbij. Stevens had het bewustzijn verloren.

'Een paar weken geleden had ik een heel aardig onderonsje met een charmante politieman... Maar ja, dat duurde niet lang.' Darwin speelde met zijn mes. 'Zulke dingen duren nooit lang.'

'Misschien moet je de hand aan jezelf slaan,' zei Rakkim. 'Jezelf uit je lijden verlossen.'

'Weet je, ik heb al tijden niet meer zoveel lol gehad als met jou – daarom laat ik je leven.' Darwin trok de punt van zijn mes rond Stevens' oog. Een rode montuur van kleine druppeltjes. 'Ik heb je op het ambassadefeestje gezien. Wist je dat ik op het balkon stond? De oude man zei dat ik je moest tegenhouden. Ik had je daar moeten liquideren.' Het mes trok nu een spoor langs Stevens' mond. Zijn lippen werden langzaam rood van het bloed. 'De Zwitsers hebben een beveiliging van niks. Alsof het ze niet interesseert, of misschien zijn ze gewoon arrogant. Dat krijg je als je duizend jaar alleen maar wint. Ik zag je daar beneden en ik dacht, waarom zou ik het spel niet gewoon nog een tijdje meespelen? Laat de oude man zich voor de verandering maar eens afvragen wat *ik* in mijn schild voer.'

'Download startklaar,' zei Karla.

Rakkim timede een klein stapje naar voren op het ritme van haar stem. Darwin merkte het niet.

'Weet je, wij zijn eigenlijk crapsspelers. Niet van die saaie kaartentellers. Je zou gek kunnen worden als je het slim speelt.' Darwin gaf de stoel een zet en draaide Stevens in de rondte. 'Wij zijn alles-of-nietsjongens. Het wordt een puinhoop als de wereld die download heeft gezien. Maar wij gooien de dobbelstenen, Rikki, en het kan ons niet schelen hoe ze terechtkomen.'

'Jill Stanton begon haar carrière in de rol van cheerleader in de onbekende film Eyes of Texas, *maar vijf jaar later was ze het bekendste gezicht ter wereld.'* De terugblik was begonnen en het webadres van de Oscaruitreiking rolde over het scherm om kijkers uit te nodigen in te loggen en het programma te downloaden. Als Spider zijn werk had gedaan... *'Tijdens de nadagen van het oude regime was het Jill Stantons moedige stellingname bij een andere uitreiking van de Academy Awards...'*

Rakkim hoorde de stem van Richard Aaron Goldberg.

'Ik durf te wedden dat de oude man nu zijn thee in zijn schoot morst.' Darwin trok zijn wenkbrauwen op. 'Achteruit.'

Rakkim bewoog zich niet. Hij had nog maar één stap nodig. 'Ik durf te wedden dat er een tijd was, nog niet eens zo lang geleden, dat ik niet zo dichtbij had kunnen komen.'

'O, je bent nog lang niet dicht genoeg bij me.' Darwin duwde de stoel naar de rand van de tafel en Stevens' hoofd viel op zijn borst. 'Terug, Rikki. Je wilt toch niet dat ik mijn manieren vergeet? Je hebt gezien waartoe ik in staat ben. Als ik vandaag niet zo'n goed humeur had gehad, zou ik het hele team hebben afgeslacht en de hoofden als lampions in het raam hebben gehangen om je te verwelkomen.'

Karla snikte en hield haar hand voor haar mond.

'Genieten we al een beetje, Darwin?' Rakkim wachtte op het moment dat hij zou knipperen met zijn ogen.

Darwin glimlachte. 'Ik hou er niet van om mezelf te herhalen.'

'Je valt voortdurend in herhaling. Dat is je probleem. Voor jou is alles hetzelfde. Alleen maar dood en nog eens dood. Geen wonder dat je je verveelt.'

'Je pupillen variëren in grootte. Het maakt niet uit of ze al dan niet verwijd zijn, maar het gaat om consistentie. Grootteveranderingen wijzen op leugens.'

De monitorbanken toonden hoe de menigte buiten het auditorium langzaam maar zeker verstomde. Iedereen keek nu naar de JumboTrons.

'Ik zou graag nog wat met je praten, maar ik heb plannen voor vanavond,' zei Darwin. 'Als straks de kruitdampen opgetrokken zijn, heb je genoeg tijd om achter me aan te komen. Maar let op. De volgende keer zul je twijfelen. Nu ben ik nog een monster, maar straks herinner je je me als Darwin, die weliswaar een aantal excentrieke dingen heeft gedaan, maar jou in leven heeft gelaten...'

'Excentriek? Dus zo noem jij dat?'

Op de monitors verscheen live beeldmateriaal van woedende mensenmassa's in Chicago en Denver... Oscarfeesten die op rellen uitliepen... brandende auto's, claxonnerende weggebruikers...

'Kijk eens wat wij voor elkaar hebben gekregen. Is het niet geweldig?' zei Darwin. 'Ik had je kunnen vermoorden, maar dat heb ik niet gedaan. Ik had Jeri Lynn en de kids om zeep kunnen helpen, maar ik heb het niet gedaan. Als je dat soort dingen van me weet, dan moet dat de relatie tussen ons toch veranderen, verdiepen.'

'Waarom blijf je niet?' Darwin recht in de ogen kijken was alsof je voor eeuwig in het duister viel, maar Rakkim wendde zijn blik niet af. 'Als je blijft, dan kunnen we dat onderzoeken.'

Darwin schudde zijn hoofd. 'Ik wil niks halsoverkop doen. Ik heb al jaren niet meer zoveel lol gehad. Kom op, geef het toe, jij geniet er ook van. Zeg het vrouwtje maar gedag van me. Zeg maar dat ik niet kan wachten haar weer te zien.'

'Ik ben Richard Aaron Goldberg. Mijn team en ik maken deel uit van een geheime Mossadeenheid.'

Er klonk applaus. *'Veel beter. Ik vond vooral die zweetpareltjes wel mooi. We doen het nog een keer.'*

...beverige beelden van plunderingen in Rio en Lagos. De woede nam hand over hand toe... een verslaggever werd midden in een reportage door een baksteen geraakt... de Eiffeltoren ging schuil achter rook.

'Ga nou niet weg,' zei Rakkim. 'Blijf nog even hangen. Waar maak je je zorgen over?'

'Over *jou* natuurlijk, gekkie. Ik maak me zorgen over jou.' Darwin duwde Stevens van de tafel af.

Rakkim dook naar de stoel en wist hem nog net tegen te houden voordat de draad rond Stevens' nek helemaal strak stond. Hij keek achter zich, maar Darwin was al weg. Rakkim zette de stoel voorzichtig op de grond. Stevens had dezelfde striemen in zijn hals als de agent van de geheime dienst.

... de mensen buiten het auditorium wierpen zich nu op elkaar, en ze huilden naar de nachthemel en de stervende sterren...

Ook andere limousines verlieten nu de rij en reden op grote snelheid weg, sommige in hun haast met uitgeschakelde verlichting, hun cliënten wanhopig op de trottoirs achterlatend.

'Gewoon in de rij blijven, Anthony,' zei Sarah. Er rolden tranen over haar wangen, maar haar stem klonk vastberaden.

'Maak je geen zorgen, ik ga nergens naartoe zolang Rakkim er nog niet is,' zei Anthony.

Sarah legde Roodbaards handen zo in zijn schoot dat het leek alsof hij bad. Ze veegde haar ogen af. Ze kon niet geloven dat hij dood was. Op televisie was de presentator van de Oscaruitreiking te zien, die nerveus op het podium stond. Hij maakte een grapje, maar er werd niet gelachen. Plotseling verschenen er beelden van mensen die naar de uitgangen stormden, maar er werd vrijwel onmiddellijk teruggeschakeld naar de presentator. Jill was er ook. Ze huilde en maakte een dramatisch gebaar met haar armen. Het was een van de beste uitvoeringen die Sarah haar ooit had zien geven; precies de juiste combinatie van verwarring en ontsteltenis.

Er klonk gebonk op het dak van de limousine en Sarah schrok op. Het was Colarusso. Ze rolde het raam een stukje omlaag.

'Maak dat je wegkomt zolang het nog kan,' zei Colarusso.

'Rakkim is er nog niet. Waarom stap je niet in?'

Colarusso schudde zijn hoofd. 'Ik moet de agenten helpen. De hele bevelsstructuur staat op instorten.'

'Pa, *instappen*,' zei Anthony jr.

'De plicht roept, en meer van dat soort shit.' Colarusso bonkte opnieuw op het dak en stak de straat over.

De televisie ging op zwart en even later verscheen een nieuwslezer die een verhaal vertelde over hoe de uitzending door zionisten was overgenomen. Zelfs *hij* keek alsof hij het niet geloofde.

Sarahs mobiele telefoon ging over. 'Rakkim?'

'Het is *gelukt,*' zei Spider met schorre stem. 'De website van de Oscars heeft zeven miljoen hits gehad voordat hij crashte, maar toen was het al te laat. Elke bezoeker heeft een worm gekregen die de download naar iedereen in zijn adresboek heeft verstuurd. De perfecte kettingbriefbom. Ik ben weg!'

Sarah verbrak de verbinding en legde haar hoofd op Roodbaards schouder.

De uitzending werd opnieuw overgenomen, maar nu door satellietzenders. Rellen in Chicago en Mandellaville, wegen verstopt in Parijs, Bagdad en Delhi, straten vol glas en lichamen, moskeeën die in vlammen opgingen. In San Francisco was een algeheel uitgaansverbod ingesteld. Burgemeester Miyoko ging tekeer tegen verraderlijke joden uit Hollywood terwijl de imam van het Castrodistrict tot een jihad opriep.

Tien minuten later piepte het veiligheidsslot op de deuren en glipte Rakkim op de achterbank. 'Wegwezen, Anthony.' Hij kuste Sarah. 'Roodbaard, ik hoop...' Zijn stem stierf weg.

Sarah nam zijn hand in de hare.

Achter de vensters van de limousine zagen ze de gloed van de vuren die overal in de stad oplaaiden.

EPILOOG

Negen maanden na de oscars

Allah is groot.

Rakkim maakte zijn geest leeg en liet de wereld achter zich. Hij stond in de moskee met zijn gezicht naar de kibla, die in de richting van Mekka wees, en liet zijn gedachten naar Allah gaan. Hij bracht zijn handen naar zijn oren, hield de palmen voorwaarts gericht en stak de duimen achter zijn oorlellen. Hij reciteerde zijn salaat, het rituele gebed, in het Arabisch.

Allah is groot.
Ik getuig dat er geen andere god is dan Allah.
Ik getuig dat Mohammed de Boodschapper van Allah is.

Ik zoek mijn toevlucht bij Allah tegen Satan, de verworpene.
In de naam van Allah, de oneindig Barmhartige en Genadige,
Geloofd zij Allah, Heer van alle werelden.

Na zijn devoties ging hij op zijn hurken zitten met zijn handen op zijn knieën. Om het gebed te voltooien keek hij over zijn rechterschouder naar de engel die zijn goede daden optekende en vervolgens over zijn linker, naar de engel die de slechte bijhield.

Nu volgde het moment voor het persoonlijk gebed. Rakkim had alleen geen persoonlijk gebed.

Onder de gelovigen in de Grote Moskee ontstond beroering toen Ibn Azziz begon te spreken; een verwachtingsvol fluisteren dat weerkaatste tussen de onberispelijke mozaïektegels van het interieur. Er waren meer dan twintigduizend bezoekers gekomen om naar zijn preek te luisteren. Rakkim was al uren eerder gearriveerd om zich van een plekje te verzekeren. Hij had door een controlepost gemoeten en was ook daarna nog verscheidene malen gefouilleerd. Rakkim had sinds zijn komst geen preek van Ibn Azziz overgeslagen. Hij kende de sterke en zwakke punten van zijn lijfwachten en hij had minstens tien Zwartjassen in burger geïdentificeerd. Rakkim was zich bewust van het agressieve taalgebruik van de geestelijke, maar hij richtte zich meer op de intonatie, zijn gezichtsuitdrukkingen en de abrupte gebaren. Ibn Azziz was een charismatisch spreker en de kracht die hij uitstraalde was bijna tastbaar. De bezoekersaantallen waren groter dan toen hij pas gearriveerd was, en ze groeiden nog steeds, vooral omdat de hardliners met duizenden tegelijk naar de stad stroomden om hem te kunnen horen.

Rakkim had nu dertien dagen deelgenomen aan de gebeden in de Grote Moskee. Eergisteren had hij Darwin tussen de gelovigen gezien. Rakkim had weliswaar geen persoonlijke gebeden voor Allah gehad, maar Allah had niettemin zijn grootste wens vervuld.

In de maanden na de Academy Awards had de wereld geschud op haar grondvesten en waren veel dingen veranderd op een wijze die ze geen van allen hadden kunnen voorzien. In honderden steden verspreid over de wereld hadden rellen plaatsgevonden, maar oneindig veel ontwrichtender waren de stille vragen in miljarden zielen geweest bij het keer op keer bekijken van de download. Als het Zionistisch Verraad een leugen was geweest... wat was er dan nog meer gelogen?

In eerste instantie had de gemeenschap van islamitische naties zich aangesloten bij president Kingsley, die de download van het nepverhoor had afgedaan als zionistische hoax of een plan van de Bijbelgordel om de legitimiteit van de regering in Seattle in twijfel te trekken. Er waren talloze experts van stal gehaald die hadden verklaard dat dergelijke digitale manipulaties een fluitje van een cent waren, en ook de politiek commentatoren hadden er zo hun eigen ideeën over. Talkshowkomieken dreven de spot met de gedachte dat Lorne Macmillan, de FBI-agent die de zionistische samenzwering had opgerold, deel zou hebben uitgemaakt van het bedrog.

Het had kunnen werken. De experts hadden de publieke opinie misschien zelfs aan hun kant kunnen krijgen. Ware het niet dat tien dagen na de uitzending de Chinese regering had laten weten dat in een grot nabij Yichang, langs de oevers van de rivier de Yangtze, een spectaculaire vondst was gedaan.

Tijdens de persconferentie, die wereldwijd werd uitgezonden, werd de vierde kernbom getoond, omringd door mannen in beschermende kleding. Het verkeer op de snelwegen minderde snelheid en kwam korte tijd later volledig tot stilstand. Iedereen was aan zijn videotelefoon gekluisterd. De vierde bom, die zestig kilometer ten noorden van de Drieklovendam was gevonden – ruim buiten de veiligheidszone – was aanzienlijk krachtiger dan de bommen die New York en Washington D.C. hadden verwoest. Het was bovendien niet alleen de bom die bewees dat de download op waarheid berustte; in de grot waren ook de lichamen gevonden van de drie mannen die aan stralingsziekte waren overleden. Zowel DNA-tests als forensisch onderzoek bevestigde dat de drie mannen al eerder met justitie in aanraking waren geweest en bekend stonden als moslimterroristen. Geen jood te bekennen. Twee van hen hadden in Guantánamo gezeten en waren na een gerechtelijk bevel vrijgelaten. De derde was Essam Mohammed, de leider, voormalig MIT-student en fysicus. Jaren voor zijn dood was hij een keer bij een kleine demonstratie gearresteerd.

Hassan Mohammed, de Wijze Oude, verdween enkele dagen voor de komst van Interpol uit zijn veldschans in Las Vegas. Wereldwijd werden bezittingen ter waarde van vele miljarden in beslag genomen, maar volgens onderzoekers was dat nog maar het topje van de ijsberg. De moslimnaties waren even verontwaardigd als de andere landen en eisten dat de Oude voor het gerecht zou worden gebracht op grond van de ontheiliging van Mekka met een vuile bom. Alle moslims werden opgeroepen om te helpen hem te vinden. Hoewel er een wereldwijd arrestatiebevel werd uitgevaardigd, bleef de Oude op vrije voeten. Er deden talloze geruchten de ronde die stelden dat hij in Zwitserland, Kuala Lumpur, Pakistan of op nog een van honderd andere plaatsen zou verblijven.

Rakkim hoopte hem nog eens te ontmoeten om hem te vragen of hij nog steeds van de zonsondergang genoot; of het uitzicht nog steeds zo mooi was als toen vanaf de achttiende verdieping. Maar Rakkim had andere zaken aan zijn hoofd; zaken die om zijn onmiddellijke aandacht vroegen.

'De islam stelt eisen aan ons,' schreeuwde Ibn Azziz met wapperende armen. 'Als volwassen mannen hebben we de plicht om ons voor te bereiden op de strijd; op het inlijven van andere naties opdat de wetten van de islam uiteindelijk in elk land ter wereld gehoorzaamd zullen worden. *Elk* land!'

De lijfwachten van Ibn Azziz, die aan weerszijden van de eenogige geestelijke stonden, keken dreigend naar de menigte, op zoek naar mogelijke verraders die van plan waren hun mollah iets aan te doen. De ingangen en uitgangen werden zwaar bewaakt, maar zoals de meeste zwakkelingen verwarde Ibn Azziz grote aantallen met vaardigheid. Twee van zijn lijfwachten waren ex-Fedayeen. Het waren stille mannen en ongetwijfeld fantastische vechters – maar ze waren maar met zijn tweeën.

Rakkim deed zijn ogen half dicht en dacht aan de goede dingen van het leven. Zijn vrouw, Sarah, die vijf maanden zwanger was. Zijn *vrouw*. Hij dankte Roodbaard... waar hij ook mocht zijn. Katherine zou grootmoeder worden. Zij en Spider... Benjamin... lunchten regelmatig samen; een uiterst onwaarschijnlijke vriendschap. Colarusso was nog steeds rechercheur. Hij had een promotie geweigerd met als argument dat het land veel meer aan een goede politieman had dan aan de zoveelste middelmatige papierfabriek. Hij had zoals gewoonlijk gelijk gehad. Anthony jr. had afgezien van zijn aanstelling bij de Fedayeen en in plaats daarvan een positie bij de Staatsveiligheidsdienst aanvaard. Hij werkte nu voor waarnemend directeur Stevens. Rakkim onderdrukte een glimlach. Hoewel ze af en toe samenwerkten, mochten Stevens en hij elkaar nog *steeds* niet.

De grootste zegen was misschien nog wel de gezondheid van president Kingsley. De man had jaren 'op sterven' gelegen, maar was op miraculeuze wijze volledig hersteld. Na in eerste instantie door zijn adviseurs te zijn misleid omtrent de betrouwbaarheid van de download, had hij de waarheid aanvaard... en zijn adviseurs ontslagen. Kingsley had voortvarend gehandeld en de christelijke minderheid van het land uitgebreide rechten toegewezen. Hij had bovendien de gehate religieuze belasting ingetrokken. In de praktijk had hij daarmee voorkomen dat het land uiteen zou vallen in duizend oorlogvoerende rijkjes. Hij had zelfs de joden amnestie verleend; een dappere zet waartegen de hardliners openlijk in opstand waren gekomen. Maar generaal Kidd en de Fedayeen hadden de president gesteund in zijn nood, en de Zwartjassen en hun aanhangers hadden zich teruggetrokken in hun bolwerken in San Francisco, St. Louis en Cleveland. Hoewel de interne problemen verre van opgelost waren, was Kingsleys grootste triomf het voorkomen van een oorlog met de Bijbelgordel geweest. Kingsley had jarenlang in het geheim contact onderhouden met de president van de Bijbelgordel, en hun relatie had verhoed dat heethoofden aan weerszijden nog meer olie op het vuur hadden kunnen gooien. Door zijn contacten in de Bijbelgordel had ook Rakkim een aandeel gehad in het bevorderen van de dialoog tussen de twee naties.

'Alleen degenen die niets van de islam weten – en ik noem in het bijzonder de Arabische vredestichters die in onze heiligste steden verblijven – zeggen dat moslims naar vrede streven,' zei Ibn Azziz. Zijn stem klonk schor. 'Degenen die dat zeggen, zijn dwazen of erger.'

De gelovigen in de moskee knikten instemmend. Darwin zat op zijn knieën nabij een van de uitgangen aan de andere kant. Hij had zijn handen gevouwen.

Hoewel ze wist hoe gevaarlijk Ibn Azziz was, was Sarah boos geweest op Rakkim toen hij naar San Francisco was vertrokken. Ze had gezegd dat zijn plaats bij haar en de baby was. Hij had beloofd dat hij op tijd terug zou zijn voor de geboorte van hun kind, maar ze was nog steeds boos, en hij kon haar geen ongelijk geven.

'Moeten wij als moslims werkeloos toezien hoe we worden opgeslokt door ongelovigen?' zei Ibn Azziz op scherpe toon. 'Ik zeg u: rijg ze aan het zwaard en verstrooi hun beenderen! Ik zeg u: al het goede in de wereld is aan het zwaard te danken! Compromissen met ongelovigen zijn een klap in het gezicht van de rechtvaardigheid! Het zwaard is de sleutel tot het paradijs!'

De gelovigen sprongen op en brulden: *'God is groot, God is groot, God is groot.'* De mantra werd steeds luider, totdat het leek alsof de koepel van de moskee uiteen zou spatten. Even later ebden de stemmen weg. De aanwezigen werden door Ibn Azziz gezegend en de geestelijke verdween achter in de moskee. De menigte stroomde naar buiten, de straat op. Darwin haastte zich niet. Rakkim volgde op een afstand, maar hield hem in het oog.

In de kilometer die volgde, verdwenen de mensen langzaam maar zeker in het labyrint van zijstraatjes. Het begon te regenen; een koude miezel die de gewaden van de gelovigen doorweekte en hen dwong met gebogen hoofden te lopen. Dat gold niet voor Darwin. En ook niet voor Rakkim. Darwin keek twee keer achterom, maar Rakkim zorgde ervoor dat zich altijd een groepje gelovigen tussen hen bevond om hem aan het zicht te onttrekken.

Darwin verliet Union Street in zuidelijke richting en vervolgde zijn weg via kronkelende paden, steeds dieper de onderbuik van de stad in. De flatgebouwen waren hier vervallen en zagen er niet zelden uit alsof ze op instorten stonden. Rakkim was Darwin al eerder gevolgd nadat hij hem die eerste keer had gezien. Maar toen was hij de moordenaar uit het oog verloren. Vandaag was dat niet het geval. Ditmaal zag hij Darwin een verlaten kerk in duiken. Rakkim liep om de kerk heen met de kap van zijn gewaad diep over zijn hoofd getrokken. Hij had verwacht dat Darwin ergens naar buiten zou glippen om zijn weg te vervolgen, maar even later zag hij hem door een glas-in-loodraam. Darwin liep met grote stappen de trap op naar de eerste verdieping van de kerk. Rakkim haastte zich naar een zij-ingang voordat Darwin boven was en het voordeel van een beter overzicht zou hebben.

Het interieur van de kerk was stil en koel. De vloer was bezaaid met gebroken glas en verscheurde gezangboeken. Hij zag een versplinterde crucifix. De kerkbanken waren in stukken gehakt tot brandhout en op de plaats waar de kansel had gestaan, was een vuurkuil gemaakt. Overal lagen lege blikken en flessen. De muren waren beklad met obscene graffiti. Rakkim liep geruisloos door de ruimte in de richting van de trap. Boven klonk gekraak toen Darwin zich verplaatste.

Heel ver weg hoorde hij het geluid van een oude tram die door Union Street denderde; een toeristische attractie voor een stad waar geen toeristen meer kwamen. Rakkim keek op zijn horloge. Vijftien minuten later rammelde de volgende tram voorbij. Ditmaal liet de conducteur de bel een paar keer rinkelen. Vijftien minuten daarna haastte Rakkim zich de trap op bij het geluid van de tram. Zijn mes was een verlengstuk van zijn hand.

Boven aan de trap schrok Rakkim plotseling terug. Darwins mes schoot uit de deuropening en doorboorde de lucht op het punt waar Rakkim zich had moeten bevinden. Rakkim verloor zijn evenwicht en viel bijna van de trap, maar hij herstelde zich onmiddellijk.

Darwin kwam naar buiten. 'Waar ga jij naartoe?' zei hij terwijl zijn mes heen en weer bewoog als een wichelroede. 'Een hele verrassing om jou in de Grote Moskee te zien. Ik wilde bijna zwaaien.'

Rakkim was buiten adem en dwong zichzelf de hand met zijn mes te ontspannen.

'Gaat het, Rakkim? Wil je even pauzeren? Een kopje thee, misschien?'

Rakkim gooide zijn gewaad af en de twee mannen begonnen om elkaar heen te draaien. 'Wat doe jij in San Francisco?'

'Hetzelfde als jij. Me voorbereiden om Ibn Azziz uit de weg te ruimen.'

Onder Rakkims voeten knapte glas-in-lood. Heiligen of profeten... Hij keek niet. 'Heeft de Oude je weer teruggenomen? Is alles vergeten en vergeven?'

'Dat is niet de stijl van de Oude. Hij heeft me niet gestuurd...' Darwins mes schoot naar voren. Rakkim draaide weg en haalde uit naar hem. 'Ik ben hier voor mezelf.'

Ze deden allebei een stap terug en beseften dat ze identieke snijwonden op hun borst hadden. Ze maakten een buiging.

'Bloed op bloed,' fluisterde Darwin.

Rakkim beantwoordde de groet. 'Mes op mes,'

'Ik herkende je zodra ik je de eerste keer zag,' zei Darwin. 'Ik wist meteen wat je was.'

Rakkim gaf geen antwoord.

Ze bewogen zich met voorzichtige passen door de kerk en schreven met hun messen hun namen in hun vlees. Ze raakten elkaar tien, twintig keer. Niet diep. Het waren grotendeels schrammen. Maar dit was geen training, geen oefening. Geen spel. Ze gingen voor de doodsteek. Een slagader. Een pees. Een stoot in de schedel. Darwins blik was kalm en zijn voetenwerk soepel, maar Rakkim was niet langer de enige die buiten adem was.

Darwin, half gebukt, knipperde bloed weg van een snee boven zijn wenkbrauw. Hij gooide het mes naar zijn andere hand.

Rakkim schopte een rattenkarkas opzij. 'Ik weet ook wie jij bent, Darwin. Ik weet hoe je denkt.'

'Dat spijt me dan voor je, Rikki. Dat zou ik...' Darwins mes schoot naar voren en haalde Rakkims rechterarm open, maar door zijn manoeuvre was hij heel even onbeschermd, waardoor Rakkim zijn mes in Darwins dij kon stoten. Darwin bleef ronddraaien en negeerde de wond. 'Weten hoe ik denk... dat zou ik mijn ergste vijand niet toewensen.'

Rakkim kwam langzaam dichterbij. 'Het interesseert jou niet wie er wint of verliest. Fundamentalisten... gematigden, katholieken, joden – voor jou is het allemaal een pot nat. Je wilt gewoon mensen afmaken...'

'Belangrijke mensen. Moeilijk bereikbare. Zoals Ibn Azziz. Of jij. De *uitdaging*. Daar draait het allemaal om. De enige zonde is niet naar je aard leven, Rikki. Dat weet jij als geen ander.

'Ik heb gezegd dat je me niet zo moet noemen.'

Ze draaiden om elkaar heen en spiegelden elkaars bewegingen. Ondertussen flitsten de messen. Het klonk als een scherp fluisteren in de stille kerk. De wapens raakten elkaar zelden; het was alles schijnbeweging en tegenaanval. Darwin had minstens tien snijwonden in zijn handen en zijn armen, geen ervan diep genoeg om hem af te remmen. Rakkim bloedde ook. Darwin begon zijn ritme te herkennen en slaagde er vaker in op zijn aanvallen te anticiperen.

'Ik ben getraind om grote mannen uit de weg te ruimen. Generaals, ayatollahs, pausen en prinsen.' Darwin schudde zijn hoofd. 'Ik heb mijn talenten verkwanseld sinds ik de Fedayeen verlaten heb, maar door jou... door jou ben ik de dingen op een andere manier gaan bekijken.'

Rakkim verkleinde de afstand om Darwin te forceren. Hij moest wel. Darwin had de tijd aan zijn zijde.

'Nadat ik jou koud heb gemaakt, reken ik met Ibn Azziz af.' Darwin had zich teruggetrokken bij een omgevallen standbeeld van Jezus waarvan het hoofd afgebroken was. 'En als ik hem naar de eeuwige jachtvelden heb gestuurd... vermoord ik de president. Misschien pak ik zelfs de oude man wel. Zou jij-' Hij struikelde over het beeld en Rakkim haalde uit. Maar het struikelen was een schijnbeweging geweest en Darwins mes gleed zijn lichaam in en er weer uit.

Rakkim greep naar zijn zij en hapte naar lucht.

'Au.' Darwin lachte. 'Lees jij de bijbel? Jezus werd door een Romeinse centurion op precies dezelfde plaats gestoken. Arme Jezus. Arme Rikki. Doet het pijn?'

Rakkim voelde bloed tussen zijn vingers door sijpelen.

'Ga nou niet dood.' Darwin maakte een weids gebaar met zijn armen. 'Niet *nu* al.'

Rakkim lachte en haalde zijn hand van zijn zij. Hij liet het bloed vrij stromen.

'Wat is er zo leuk?'vroeg Darwin.

'Je vindt jezelf zo'n geweldenaar; je denkt dat je hoogstpersoonlijk de complete wereldgeschiedenis naar je hand kunt zetten...' Rakkim zocht steun tegen een omgevallen kerkbank. Maar je bent helemaal *niemand*. Je bent een zandkorrel in de woestijn, en niemand zal ooit weten wie je was.'

Darwin bewoog zachtjes op en neer, als een kurk op de golven.

'Wie zal er straks om jou huilen, Darwin?'

'Dat doet er niet toe. Ik ben er toch niet om daarnaar te luisteren.'

Rakkim huiverde en zakte in elkaar tegen de kerkbank.

'Ik ben de enige die je pijn kan wegnemen.' Darwin kwam dichterbij. 'Ik ben het laatste gezicht dat je ziet. De laatste stem die je hoort. Dat *moet* toch iets betekenen.'

Rakkim sprong op en haalde uit naar Darwins keel. De moordenaar sprong achteruit in de richting van een houten pilaar. Rakkim voelde iets warms op zijn achterhoofd. Er vloeide bloed in zijn haar.

'Daar had je me bijna te pakken.' Darwin zocht steun tegen de pilaar en drukte drie vingers tegen zijn keel. 'Een paar centimeter verder en je had aardig wat schade kunnen veroorzaken.'

'Haal je hand eens weg, dan kan ik het zien.'

Darwin glimlachte. 'Kom eens wat dichterbij.'

Rakkim schudde zijn hoofd.

'Je ziet er niet best uit, Rikki. Misschien zou je beter even kunnen gaan zitten om wat tot rust te komen.'

Rakkim wankelde en rolde het mes over zijn knokkels. Hij liet het bijna vallen.

'Ben je bang om te sterven, Rakkim?' Darwin wachtte vergeefs op een antwoord. 'Ik weet het van de baby. Weet je wel zeker dat hij van jou is?' Hij drukte zo hard tegen zijn nek dat zijn vingers wit waren, maar hij was nog steeds volledig alert, het mes klaar voor de aanval. 'Het vaderschap... een valse toevlucht. Kinderen zuigen het leven uit je weg. Je ziet de toekomst in hun begerige ogen.'

‘Het is de enige toekomst die we hebben.’ Rakkim keek naar hem.

‘Ik zal Sarah vertellen dat je dat gezegd hebt als ik de baby uit haar schoot snijd…’ Darwin hoorde de bel van de tram en liet zich gedurende een fractie van een seconde afleiden. ‘Ik zal haar zeggen…’

Rakkim wierp het mes in Darwins geopende mond en prikte hem aan de pilaar vast.

Darwins hoofd klapte tegen het hout en het mes doorboorde zijn hersenstam. Hij probeerde te spreken, maar er gulpte bloed uit zijn mond. Zijn ogen sperden zich wijdopen en zijn lippen bewogen tegen het gevest van het mes.

Rakkim liep naar hem toe en keek hem aan terwijl hij stierf. Darwins ogen leken een laatste keer op te lichten alvorens er een waas over gleed. Rakkim bleef kijken. Hij wilde zeker zijn van zijn zaak. Toen Darwin niet langer bewoog, trok hij het mes uit zijn mond.

Darwin gleed traag langs de pilaar omlaag. Op het hout bleef een donkere veeg achter.

Rakkim veegde zijn mes schoon aan Darwins tunica. Hij voelde zich duizelig. Hij bloedde op minstens tien plaatsen, maar hij had hechtspray bij zich. Hij zou het wel redden. Over een paar dagen, misschien een week, zou hij voldoende hersteld zijn om weer naar de Grote Moskee te gaan. Voldoende hersteld om met Ibn Azziz af te rekenen. En voldoende hersteld om naar huis te gaan, naar Sarah.

Rakkim keek naar Darwins lichaam. De Heilige Koran leerde dat elke gelovige twee engelen had. Een engel zat op de rechterschouder om de goede daden op te tekenen terwijl de andere op de linkerschouder zat en de slechte daden bijhield. Rakkim had nooit het gewicht van een van hen gevoeld. Maar nu… Misschien was het bloedverlies… Er verscheen een glimlach op zijn gezicht bij de gedachte… Nu, voor het eerst in zijn leven, voelde Rakkim het fladderen van vleugels; een zachte aanraking op zijn rechterschouder en vervolgens een gevederde, liefhebbende omhelzing. Zijn verbazing werd alleen overtroffen door zijn vreugde.